FÚRIA VERMELHA

PIERCE BROWN

FÚRIA VERMELHA

PIERCE BROWN

Tradução
Alexandre D'Elia

Alt

Copyright © 2014 Pierce Brown
Copyright do mapa © 2014 Joel Daniel Philips
Copyright da tradução © 2014 Editora Globo S.A.

Título original: *Red Rising*

Publicado originalmente em inglês, segundo acordo com a Del Rey, um selo pertencente à Random House, divisão da Random House LLC, Penguin Random House Company, Nova York.

Todos os direitos reservados. Nenhuma parte desta obra pode ser apropriada e estocada em sistema de banco de dados ou processo similar, em qualquer forma ou meio, seja eletrônico, de fotocópia, gravação etc., sem a permissão dos detentores dos *copyrights*.

Editor responsável **Eugenia Ribas-Vieira**
Editor assistente **Lucas de Sena Lima**
Edição de arte **Adriana Bertolla Silveira**
Diagramação **Negrito Produção Editorial**
Preparação **Silvia Massimini Felix**
Revisão **Huendel Viana e Andressa Bezerra Corrêa**

Texto fixado conforme as regras do Acordo Ortográfico da Língua Portuguesa (Decreto Legislativo nº 54, de 1995).

CIP-BRASIL. CATALOGAÇÃO NA PUBLICAÇÃO
SINDICATO NACIONAL DOS EDITORES DE LIVROS, RJ

B897f
  Brown, Pierce
  Fúria vermelha / Pierce Brown; tradução Alexandre D'Elia. – 1. ed.
– São Paulo: Globo Livros, 2014.

  il.
  Tradução de: *Red Rising*
  ISBN 978-85-250-5822-5

  1. Ficção juvenil americana. I. D'Elia, Alexandre. II. Título.

14-16066   CDD: 028.5
                                        CDU: 087.5

1ª edição, 2014 - 3ª reimpressão, 2023

Direitos de edição em língua portuguesa para o Brasil
adquiridos por Editora Globo S.A.
R. Marquês de Pombal, 25
20.230-240 – Rio de Janeiro – RJ – Brasil
www.globolivros.com.br

SUMÁRIO

Parte I 13
Escravo

Parte II 73
Renascido

Parte III 179
Ouro

Parte IV 323
Ceifeiro

Agradecimentos 467

Ao Pai, que me ensinou a andar.

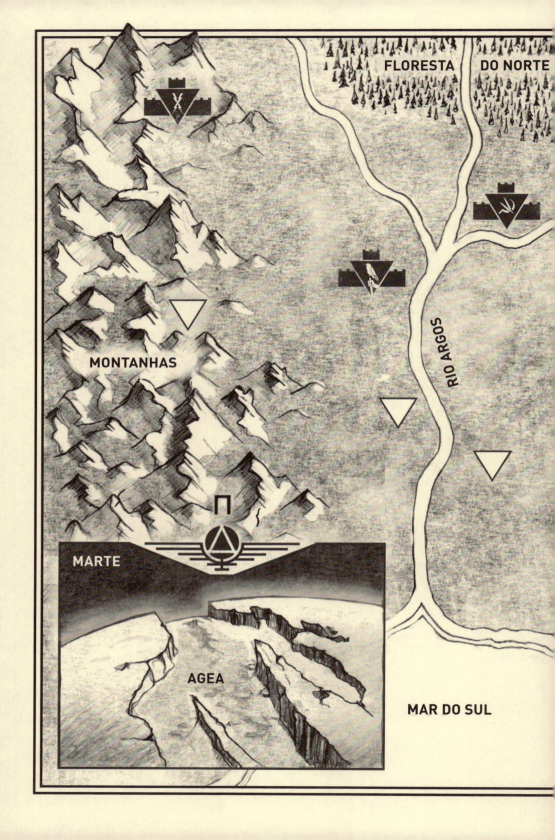

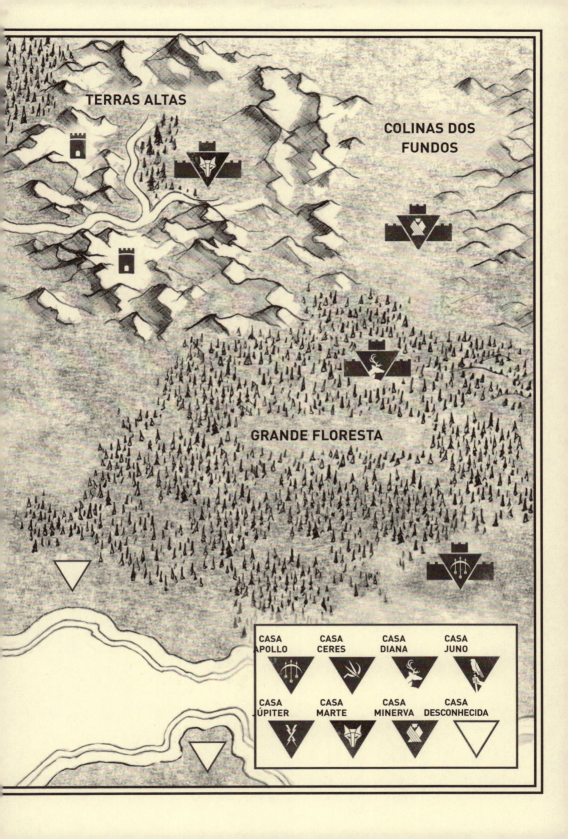

Eu poderia ter vivido em paz. Mas meus inimigos me trouxeram a guerra.

Observo mil e duzentos dos seus filhos e filhas mais fortes. Ouvindo um impiedoso Dourado falar entre grandes pilares de mármore. Ouvindo a fera responsável pela chama que tritura meu coração.

— Todos os homens *não* são criados iguais — declara ele. Alto, imperioso, uma águia de homem. — Os fracos os enganaram. Eles diriam que os humildes deveriam herdar a Terra. Que os fortes deveriam alimentar os frágeis. Essa é a Nobre Mentira da Demokracia. O câncer que envenenou a espécie humana.

Seus olhos penetrantes se fixam sobre os alunos reunidos.

— Você e eu somos Ouro. Nós somos o fim da linha evolucionária. Nós nos sobrepomos ao monte de carne de homens, pastoreando as Cores menores. Vocês herdaram este legado — diz ele, fazendo uma pausa, estudando os rostos na assembleia. — Mas isso não é algo gratuito. O poder precisa ser reivindicado. A riqueza deve ser conquistada. Poder, domínio, o império adquirido a sangue. Vocês, crianças desprovidas de cicatrizes, não merecem nada. Vocês não conhecem a dor nem sabem o que seus antepassados sacrificaram para que vocês pudessem ser colocados nessas alturas. Mas logo saberão. Logo, logo nós lhes mostraremos a razão pela qual o Ouro domina a espécie humana. E eu prometo: de todos vocês, apenas aqueles aptos ao poder sobreviverão.

Mas eu não sou Ouro. Eu sou Vermelho.

Ele acha que homens como eu são fracos. Ele me considera idiota, sub-humano. Não fui criado em palácios. Não cavalgava nos prados nem comia língua de beija-flor. Fui forjado nos intestinos deste mundo duro. Afiado pelo ódio. Fortalecido pelo amor.

Ele está errado.

Nenhum deles sobreviverá.

Parte I
ESCRAVO

Existe uma flor que cresce em Marte. Ela é vermelha e áspera e adequada ao nosso solo. Chama-se *haemanthus*. Significa "flor de sangue".

1
MERGULHADOR-DO-INFERNO

A primeira coisa que você deveria saber a meu respeito é que eu sou filho do meu pai. E quando eles vieram atrás dele, fiz o que pediu. Eu não chorei. Não chorei quando a Sociedade televisionou o aprisionamento. Não chorei quando os Ouros o julgaram. Não chorei quando os Cinzas o enforcaram. Mamãe me bateu por causa disso. Meu irmão Kieran era quem deveria ser o estoico. Ele era o mais velho, eu o mais novo. Eu deveria chorar. Em vez disso, Kieran gritou como uma menininha quando a Pequenina Eo enfiou um haemanthus na bota esquerda do meu pai e correu de volta para o pai dela. Minha irmã Leanna murmurou um lamento ao meu lado. Eu apenas observei e pensei: que vergonha ele ter morrido dançando, só que sem seus sapatos de dança.

Em Marte não há muita gravidade. Então você precisa puxar os pés para quebrar o pescoço. Eles deixam os entes queridos fazerem isso.

Sinto meu próprio fedor dentro deste traje-forno. Ele é feito de uma espécie de nanoplástico e é bem quente, como o nome sugere. Ele me deixa isolado da ponta dos pés à cabeça. Nada entra. Nada sai. Principalmente o calor. A pior parte é que você não consegue enxugar o suor dos olhos. E pinica à beça quando goteja da faixa de cabeça até formar poças nas solas dos pés. Sem falar no fedor que fica quando você mija. O que você faz o tempo todo. É preciso passar um montão de água pelo tubo de bebida. Imagino que um cateter poderia ser encaixado. A gente prefere feder.

Os Perfuradores do meu clã falam algumas baboseiras na comunicUnidade acoplada à minha orelha enquanto subo na Perfuratriz-garra. Estou sozinho nesse túnel profundo no topo de uma máquina construída no formato de uma titânica mão de metal, uma mão que agarra e tritura o solo. Controlo os dígitos que derretem rocha sentado na cadeira em forma de coldre na extremidade da perfuratriz, exatamente no local onde o cotovelo do aparelho deveria estar. Lá, meus dedos se encaixam no interior das luvas de controle que manipulam as muitas perfuratrizes em forma de tentáculos uns noventa metros abaixo de onde estou empoleirado. Para ser um Mergulhador-do-Inferno, dizem que seus dedos precisam se movimentar com a mesma rapidez de línguas de fogo. Os meus se movimentam com mais rapidez ainda.

Apesar das vozes no meu ouvido, estou sozinho no túnel profundo. Minha existência é vibração, o eco da minha própria respiração, e o calor é tão denso e nocivo que dá a impressão de que estou envolto numa pesada coberta embebida de mijo quente.

Um novo rio de suor começa a escorrer da faixa escarlate atada ao redor da minha testa e escorrega em direção aos meus olhos, queimando-os até eles ficarem tão vermelhos quanto meus cabelos ruivos. Antes eu tentava esfregar a cara para me livrar do suor, mas conseguia apenas coçar inutilmente o capacete do meu traje-forno. Até hoje quero fazer isso. Mesmo depois de três anos, as cócegas e a irritação proporcionadas pelo suor continuam sendo uma tortura.

As paredes do túnel ao redor do meu assento são banhadas num tom amarelo sulfuroso por uma coroa de luzes. O alcance da luz enfraquece à medida que olho para o fino eixo vertical que escavei hoje. Acima, o precioso hélio-3 cintila como prata líquida, mas estou olhando para as sombras, à procura das víboras-das-cavidades que percorrem a escuridão em busca do calor da minha perfuratriz. Elas também vão comer seu traje, mordendo a camada externa e depois tentando se enfurnar nas partes mais quentes que encontrarem, normalmente sua barriga, onde depositarão seus ovos. Já fui mordido antes. Ainda sonho com a maldita até hoje — preta, semelhante a um fio espesso de petróleo. Elas podem ficar da grossura da coxa de um homem e com o comprimento de três homens, mas são os filhotes que nós tememos. Eles não sabem como dosar seu veneno. Assim como os meus, os ancestrais delas também vieram da Terra. Depois, Marte e os túneis profundos daqui as transformaram.

É sinistro estar nos túneis profundos. Solitário. Além do barulho da perfuratriz, escuto as vozes dos meus amigos, todos mais velhos. Mas não consigo enxergá-los um palmo acima de mim na escuridão. Eles perfuram bem mais acima, perto da boca do túnel que escavei, descendo com ganchos e cabos e se pendurando ao longo das laterais do túnel para atingir os veios pequenos de hélio-3. Eles escavam com perfuratrizes de um metro de comprimento, tragando os refugos. O trabalho ainda requer uma insana habilidade com pés e mãos, mas o fera dessa equipe sou eu. Sou o Mergulhador-do-Inferno. É preciso ter certas características — e sou o mais jovem a desempenhar essa função, na lembrança de todos.

Estou nas minas há três anos. Você começa aos treze. Se tem idade para trepar, tem idade para trabalhar. Pelo menos foi isso que o tio Narol disse. Só que eu me casei apenas seis meses antes, portanto não sei por que ele falou isso.

Eo dança em meio aos meus pensamentos enquanto olho pelo visor do controle e deslizo os dedos em forma de garra da perfuratriz ao redor de um veio novo, derretendo e raspando a rocha para isolar o mineral sem destruí-lo. Eo. Às vezes é difícil pensar nela como algo diferente do que costumávamos chamá-la quando éramos crianças.

Pequenina Eo. Uma menina minúscula escondida embaixo de uma juba vermelha. Vermelha como a rocha ao meu redor, não um vermelho de verdade, um vermelho-ferrugem. Um vermelho como nosso lar, como Marte. Eo tem dezesseis anos também. E ela pode ser como eu — de um clã de escavadores de terra Vermelhos, um clã de canções e dança e solo —, mas ela podia ser feita de ar, do éter que une as estrelas para formar uma colcha de retalhos. Não que eu já tenha visto estrelas. Nenhum Vermelho das colônias de mineração vê as estrelas.

Pequenina Eo. Eles queriam casá-la quando ela completou catorze anos, como todas as meninas dos clãs. Mas ela tomou uma quantidade menor de ração e esperou que eu completasse dezesseis anos, matrimonIdade para os homens, para poder deslizar aquele cordão no seu dedo. Ela disse que sabia que nos casaríamos desde que éramos crianças. Eu não sabia.

— Espere. Espere. Espere! — tio Narol grita no canal da comunic-Unidade. — Darrow, espere, rapaz! — Meus dedos ficam congelados. Ele está bem acima de mim com o restante do grupo, observando meu progresso na sua unidade cefálica.

— Que fogo é esse? — pergunto, perturbado. Não gosto de ser interrompido.

— Que fogo é esse, pergunta o Mergulhadorzinho-do-Inferno — diz o velho Barlow com uma risadinha.

— Bolsão de gás, é isso o fogo — dispara Narol. Ele é o cabeçaFalante para nossa equipe de mais de duzentos trabalhadores. — Espere. Chamando uma Equipe de Varredura para conferir as particularidades antes que você mande todos nós pro inferno.

— Aquele bolsão de gás? É pequenininho — digo. — Aquilo é mais uma borbulha de gás. Eu cuido dele.

— Um ano na perfuratriz e ele acha que sabe distinguir a cabeça do rabo! Moleque insolente — acrescenta o velho Barlow secamente.

— Lembre-se das palavras do nosso líder dourado. Paciência e obediência, meu jovem. Paciência é a parte principal do valor. E obediência é a parte principal da humanidade. Escute os mais velhos.

Não dou atenção ao epigrama. Se os mais velhos pudessem fazer o que eu faço, talvez escutar tivesse seus méritos. Mas eles são lentos na mão e na mente. Às vezes tenho a sensação de que eles querem que eu seja exatamente como eles, sobretudo meu tio.

— Eu estou no meio de uma extração importante — digo. — Se

vocês acham que existe um bolsão de gás aí, posso dar uma descida e fazer a varredura manualmente. Fácil. Sem lenga-lenga.

Eles vão vir com um sermão pedindo cautela. Como se cautela alguma vez tivesse ajudado algum deles. Não ganhamos uma Láurea há séculos.

— Quer deixar a Eo viúva? — diz Barlow, rindo, a voz estalando devido à estática. — Por mim tudo bem. Ela é uma gracinha. Perfure aquele bolsão e deixe a pequena pra mim. Posso ser gordo e velho, mas minha perfuratriz ainda faz estragos.

Um coro de risos vem dos duzentos Perfuradores acima. Os nós dos meus dedos ficam brancos quando agarro os controles.

— Escute o tio Narol, Darrow. É melhor ficar afastado até a gente fazer uma leitura — acrescenta meu irmão Kieran. Ele é três anos mais velho do que eu. O que faz com que ele se ache mais sábio, mais conhecedor. Ele sabe apenas o que é a cautela. — Teremos tempo suficiente.

— Tempo? Cacete, isso vai levar horas — rebato. Eles estão todos contra mim nisso. Estão todos errados e são lentos, e não entendem que a Láurea está a apenas um gesto ousado de distância. E mais: eles duvidam de mim. — Você está agindo como um covarde, Narol.

Silêncio do outro lado da linha.

Chamar um homem de covarde — uma maneira não muito boa de obter sua cooperação. Eu não deveria ter dito isso.

— Por mim você pode fazer a varredura por conta própria — guincha Loran, meu primo e filho de Narol. — Se você não fizer, os Gamas serão tão bons quanto os Ouros; eles terão uma Láurea pela... sei lá, pela centésima vez.

A Láurea. Vinte e quatro clãs na colônia de mineração subterrânea de Lykos, uma Láurea por bairro. Significa mais comida do que você consegue comer. Significa mais queimadores para fumar. Cobertas importadas da Terra. Zurrapas de âmbar das melhores marcas da Sociedade. Significa vencer. O clã dos Gamas tem isso desde sempre. Então, para nós dos clãs menores o que existiu sempre foi a Cota, apenas o suficiente para sentir o gostinho. Eo fala que a Láurea é a cenoura que

FÚRIA VERMELHA   **19**

a Sociedade segura na nossa frente, sempre a uma distância inalcançável para nós. A uma distância suficiente para que saibamos o quanto somos realmente pequenos e o quão pouco podemos fazer a respeito. Deveríamos ser os pioneiros. Eo nos chama de escravos. Eu apenas acho que nunca tentamos com muito afinco. Nunca assumimos os grandes riscos por causa dos velhos.

— Loran, pare de falar em Láureas. Se a gente atingir o gás, vai perder todas as porras das Láureas até o Juízo Final, garoto — rosna tio Narol.

A voz dele está engrolada. Eu praticamente consigo sentir o cheiro de bebida através da comunicUnidade. Narol quer chamar uma equipe de sensores para proteger o rabo dele. Ou então está com medo. O bêbado nasceu mijando nas calças de tanto medo. Medo de quê? Dos nossos chefes, os Ouros? Dos seus capangas, os Cinzas? Quem pode saber? Poucas pessoas. Quem se importa? Menos pessoas ainda. Na verdade, apenas um homem se importava com meu tio, e ele morreu quando Narol puxou seus pés.

Meu tio é fraco. Ele é cauteloso e bebe sem moderação, uma pálida sombra do meu pai. Suas piscadas são longas e duras, como se lhe fosse doloroso abrir os olhos para voltar a enxergar o mundo. Não confio nele aqui embaixo nas minas, nem em qualquer outro lugar, para ser sincero. Mas minha mãe diria que eu deveria escutá-lo; ela me lembraria que eu deveria respeitar os mais velhos. Muito embora eu seja casado, muito embora eu seja o Mergulhador-do-Inferno do meu clã, ela diria que meus "machucados ainda não se transformaram em calos". Eu obedecerei, mesmo que isso seja tão enlouquecedor quanto as cócegas do suor no meu rosto.

— Beleza — murmuro.

Aperto o cabo da perfuratriz e espero meu tio chamar da segurança da câmara acima do túnel profundo. Isso vai levar horas. Faço as contas. Oito horas até o apito. Para bater os Gamas, preciso manter uma taxa de 156,5 quilos por hora. Vai levar duas horas e meia para a Equipe de Varredura chegar aqui e fazer o trabalho que tem de ser feito, na melhor das hipóteses. Portanto, vou precisar extrair 227,6 quilos por hora depois disso. Impossível. Mas se eu for em frente e arrebentar a tediosa varredura, o prêmio é nosso.

Imagino se tio Narol e Barlow sabem o quanto estamos próximos. Provavelmente. Talvez nem imaginem que alguma coisa possa valer tamanho risco. Devem achar que a intervenção divina destruirá nossas chances. Gama vence a Láurea. É assim que as coisas são e é assim que sempre serão. Nós de Lambda tentamos apenas sobreviver com nosso limitado estoque de alimentos e com nossos escassos confortos. Nenhuma ascensão. Nenhuma queda. Nada vale o risco de mudar a hierarquia. Meu pai descobriu isso na ponta de uma corda.

Nada vale arriscar a própria vida. No meu peito sinto a faixa matrimonial de cabelo e seda pendurada num cordão no pescoço e penso nas costelas de Eo.

Vou ver um pouco mais de coisas magras em meio à sua pele nesse mês. Contra minha vontade, ela vai pedir migalhas às famílias Gamas. Vou agir como se não soubesse. Mas ainda assim teremos fome. Eu como muito porque tenho dezesseis anos e ainda estou crescendo; Eo mente e diz que jamais teve muito apetite. Algumas mulheres se vendem por comida ou itens de luxo aos Latões (Cinzas, para usarmos a terminologia técnica), as tropas da guarnição da Sociedade da nossa pequena colônia mineradora. Ela não venderia seu corpo para me alimentar. Venderia? Mas fiquei pensando no assunto. Eu faria qualquer coisa para dar comida a ela...

Olho para baixo por cima da borda da minha perfuratriz. É uma distância grande até o fundo do buraco que escavei. Nada além de rocha derretida e perfuratrizes sibilantes. Mas antes de eu saber o que é o quê, já estou sem minhas correias, scanner na mão e saltando no buraco de cem metros na direção das garras da perfuratriz. Meu corpo vai batendo de um lado e de outro entre as paredes verticais da mina e o longo e vibrante corpo da perfuratriz para diminuir minha queda. Eu me certifico de que não estou próximo de nenhum ninho de víboras-das-cavidades quando estico um braço para me segurar numa engrenagem pouco acima dos dedos da perfuratriz. As dez perfuratrizes brilham por causa do calor. O ar cintila e distorce. Eu sinto o calor no

FÚRIA VERMELHA   **21**

rosto, sinto-o apunhalando meus olhos, sinto-o doer na minha barriga e nos colhões. Essas perfuratrizes derretem seus ossos se você não for cuidadoso. E eu não sou cuidadoso. Sou apenas ágil.

Eu me abaixo mão sobre mão, indo primeiro com os pés entre os dedos da perfuratriz de modo que possa baixar o scanner até bem próximo do bolsão de gás para poder efetuar a leitura. O calor está insuportável e o ar nos meus pulmões é tão quente que mal dá para respirar. Isso foi um erro. Vozes gritam para mim através da comunicUnidade. Quase roço uma das perfuratrizes enquanto me abaixo para chegar perto o bastante do bolsão de gás. O scanner pisca na minha mão ao fazer a leitura. Meu traje está borbulhando e eu sinto um cheiro doce e penetrante, semelhante a melaço queimado. Para um Mergulhador-do-Inferno, esse é o cheiro da morte.

2
O DISTRITO

Meu traje não consegue mais dar conta do calor aqui. A camada externa está quase derretida. Logo a segunda camada também derreterá. Então o scanner pisca em tom de prata e tenho aquilo que procurava. Quase não reparei. Tonto e assustado, eu me afasto bruscamente das perfuratrizes. Mão sobre mão, impulsiono meu corpo para cima, distanciando-me rapidamente do pavoroso calor. Então alguma coisa me detém. Meu pé está preso embaixo de uma das engrenagens próximas a um dedo da perfuratriz. Arquejo num súbito ataque de pânico. O pavor toma conta de mim. Vejo minha bota derretendo. A primeira camada se vai. A segunda começa a borbulhar. Em seguida será minha carne.

Forço um longo arquejo e reprimo os gritos que estão surgindo na minha garganta. Eu me lembro da lâmina. Retiro minha curviLâmina do coldre traseiro. Trata-se de uma navalha cruelmente curvada do comprimento da minha perna, feita para amputar e cauterizar membros presos em máquinas como essas. A maioria dos homens entra em pânico quando fica preso, assim a curviLâmina é uma infame arma em meia-lua feita para ser usada por mãos desajeitadas. Mesmo completamente aterrorizado, minhas mãos não são desajeitadas. Dou três cortes com a curviLâmina, retalhando nanoplástico em vez de carne. No terceiro golpe, eu me abaixo e consigo soltar a perna. Ao fazê-lo, os nós dos meus dedos roçam a borda de uma perfuratriz. Uma dor lancinante percorre minha mão. Sinto cheiro de carne estalando, mas estou subindo e livre, escalando para me afastar daquele calor dos infernos, escalando para voltar para meu assento em forma de coldre e rindo sem parar. Sinto vontade de chorar.

Meu tio estava certo. Eu estava errado. Mas nem a pau vou deixar que ele saiba disso.

— Idiota — é seu comentário mais delicado.

— Maníaco! Maníaco da porra! — vibra Loran.

— Gás mínimo — digo. — Vou começar a perfurar, tio.

Os Rebocadores me puxam quando o apito soa. Eu me afasto da perfuratriz, deixando-a no túnel profundo para o turno da noite, e agarro com uma mão cansada a corda que os outros jogaram ao longo do eixo de um quilômetro de extensão para me ajudar a subir. Apesar da queimadura penetrante nas costas da mão, deslizo o corpo para cima na corda até sair do eixo. Kieran e Loran andam comigo até nos reunirmos aos outros no gravElevador apenas um quilômetro ao longo da cavernosa faixa K da nova mina. Luzes amarelas se penduram no teto como se fossem aranhas.

Meu clã e os trezentos homens dos Gamas já estão com seus dedos debaixo da grade de metal quando alcançamos o gravElevador retangular. Evito meu tio — ele é louco o bastante para cuspir — e recebo algumas dúzias de tapinhas nas costas pela minha proeza. Os jovens como eu acham que nós vencemos a Láurea. Eles estão a par da quantidade de hélio-3 que eu retiro por mês; é maior do que a dos Gamas. Os velhos de bosta apenas resmungam e dizem que nós somos uns tolos. Escondo minha mão e crispo os dedos.

A gravidade se altera e disparamos para cima. Um verme de um Gama com o correspondente a menos de uma semana de metal por baixo das unhas se esquece de pôr os dedos debaixo da grade. De modo que fica pendurado enquanto o elevador sobe seis quilômetros na vertical a toda a velocidade. Ouvidos estouram.

— Tem um bosta de um Gama flutuando aqui — diz Barlow, rindo para os Lambdas.

Por mais mesquinho que possa ser, é sempre agradável ver um Gama se ferrando em alguma coisa. Eles conseguem mais comida, mais queimadores, mais tudo por causa das Láureas. Nós passamos a desprezá-los. Mas também acho que tínhamos de desprezá-los. Imagino se eles vão nos desprezar agora.

Já está de bom tamanho. Agarro o nanoplástico vermelho-ferrugem do traje-forno do moleque e o sacudo para baixo. Moleque. Essa é de rir. Ele mal tem três anos a menos do que eu.

Ele está mortalmente cansado, mas quando vê o vermelho-sangue do meu traje-forno se enrijece todo, evita meus olhos e se torna o único a ver a queimadura na minha mão. Eu lhe dou uma piscada e acho que ele cagou seu traje. Nós todos fazemos isso de vez em quando. Lembro-me de quando conheci meu primeiro Mergulhador-do-Inferno. Eu achava o cara um deus.

Agora ele está morto.

Lá em cima no depósito de andaime, uma grande caverna cinza de concreto e metal, retiramos nossos capacetes e sorvemos o ar frio e fresco de um mundo bastante distante de perfuratrizes derretidas. Nosso fedor e suor coletivo logo transformam a área num lodaçal. Luzes piscam ao longe, alertando-nos para ficarmos afastados dos trilhos magnéticos do horizonTrem do outro lado do depósito.

Não nos misturamos com os Gamas enquanto nos dirigimos ao horizonTrem numa cambaleante fila de trajes vermelho-ferrugem. Metade com letras L de Lambda, metade com bastões Gama pintados em tom vermelho-escuro nas suas costas. Dois cabeçaFalantes escarlates. Dois Mergulhadores-do-Inferno vermelho-sangue.

Um grupo de Latões nos olha enquanto nos arrastamos sobre o piso gasto de concreto. Suas duroArmaduras Cinzas são simples e enfadonhas, tão desgrenhadas quanto seus cabelos. Elas deteriam uma lâmina simples, mas não uma íonLâmina, e uma navalha ou uma pulsoLâmina as atravessaria como se fossem feitas de papel. Mas só vimos esse tipo de equipamento no holoCan. Os Cinzas nem se incomodam em fazer demonstrações de força. Seus bastões se encontram ao lado dos seus corpos. Eles sabem que não vão precisar utilizá-los.

Obediência é a mais alta virtude.

O capitão Cinza, Ugly Dan, um filho da puta seboso, joga uma pedra em mim. Embora sua pele esteja escurecida por causa da exposição ao sol, seus cabelos são cinza como os do restante do povo da sua Cor. Os fios finos e mirrados lhe caem pelos olhos — dois cubos de gelo envoltos em cinza. Os Sinetes da Cor dele, um símbolo cinza anelado semelhante ao número quatro com diversas barras ao lado, percorrem cada mão e punho. Cruel e inflexível, como todos os Cinzas.

Ouvi falar que eles tiraram Ugly Dan de uma frente de batalha na Eurásia, seja lá onde isso for, depois que ele ficou aleijado e ninguém se mostrou disposto a comprar um novo braço para ele. Ele agora tem um novo modelo substituto. Ugly Dan é inseguro em relação ao modelo, de modo que eu deixo bem claro para ele que estou olhando fixamente para o seu braço mecânico.

— Vi que você teve um dia excitante, queridinho. — A voz dele é tão azeda e pesada quanto o ar no interior do meu traje-forno. — É um herói corajoso agora, não é, Darrow? Sempre imaginei que você seria um herói corajoso.

— Você é o herói — digo, balançando a cabeça para ele.

— E você se acha esperto, né não?

— Só me acho um Vermelho.

Ele pisca para mim.

— Dê um alô àquele seu passarinho pra mim. Uma fruta madurinha pra gente se esbaldar. — Ele lambe os dentes. — Mesmo sendo uma Enferrujada.

— Nunca vi nenhum pássaro. — Exceto no HC.

— Olha só — diz ele, dando uma risadinha. — Espere um pouco, vai pra onde? — pergunta Ugly Dan enquanto me viro. — Um cumprimento aos que são melhores que você não cai mal, né não? — Ele ri para seus companheiros. Sem me importar com suas gozações, eu me viro e faço um acentuado cumprimento com a cabeça. Meu tio vê o gesto e vira o rosto, indignado.

Deixamos os Cinzas para trás. Não me importo de cumprimentar, mas provavelmente cortaria a garganta de Ugly Dan se tivesse a chance. Algo como dizer que eu viajaria para Vênus numa naveChama se estivesse a fim.

— Ei, Dago. Dago! — Loran chama o Mergulhador-do-Inferno dos Gamas. O cara é uma lenda; todos os outros mergulhadores têm êxitos apenas circunstanciais. Talvez eu seja até melhor do que ele. — O que você pegou?

Dago, uma tira de couro velho e desbotada com um sorrisinho fazendo as vezes de rosto, acende um queimador comprido e solta uma nuvem no ar.

— Não sei — diz ele, a voz arrastada.

— Qual é!

— Não me importo. Contagem de material bruto nunca importa, Lambda.

— Não importa o cacete! O que foi que ele tirou na semana? — Loran fala enquanto entramos no trem. Todos estão acendendo queimadores e abrindo zurrapas. Mas todo mundo está ouvindo atentamente.

— Nove mil oitocentos e vinte quilos — gaba-se um Gama. Ao ouvir isso, curvo o corpo para trás e sorrio; ouço vivas dos jovens Lambdas. Os velhos não reagem. Estou ocupado imaginando o que Eo fará com açúcar este mês. Nunca tivemos direito a açúcar antes, só ganhamos algumas vezes nas cartas. E fruta. Ouvi falar que Láureas rendem frutas. Ela provavelmente vai dar tudo para as crianças famintas apenas para provar à Sociedade que não tem necessidade das suas premiações. Eu? Eu comeria as frutas e brincaria de política de estômago cheio. Mas ela tem uma paixão pelas ideias, ao passo que eu não tenho nenhuma paixão extra por nada que não seja ela.

— Ainda assim não vence — diz Dago, a voz arrastada, à medida que o trem dá a partida. — Darrow é novinho, mas é esperto o bastante pra saber disso. Né não, Darrow?

— Jovem ou não, eu sou mais eu do que você com essa sua bunda cheia de teia de aranha.

— Tem certeza disso?

— Cem por cento de certeza. — Eu pisco e jogo um beijo. — A

FÚRIA VERMELHA **27**

Láurea é nossa. Dessa vez mande suas irmãs pro meu distrito atrás de açúcar. — Meus amigos riem e dão tapas nos seus trajes-fornos na altura das coxas.

Dago me observa. Depois de um momento, ele dá um trago profundo no seu queimador, que brilha intensamente e se incinera com rapidez.

— Isto aqui é você — diz ele para mim. Em meio minuto, o queimador não passa de uma casca seca.

Depois de desembarcar do horizonTrem, entro no Fluxo com todo o resto da equipe. O lugar é frio, bolorento e tem exatamente o cheiro daquilo que é: um abrigo apertado de metal onde milhares de homens retiram seus trajes-fornos depois de horas mijando e suando e tomam chuveiradas de ar. Então, boa coisa não pode ser. O lugar é escuro. Tem fuligem no chão. Paredes rachadas. Fissuras no cimento onde se acumulam cabelos e detritos humanos.

Tiro meu traje, coloco uma das nossas boinas de cabelo e ando nu até ficar parado no tubo transparente mais próximo. Há dezenas deles alinhados no Fluxo. O zumbido de motores e assobios enche o lugar à medida que homens e rapazes pelados passam esbarrando uns nos outros para se revezarem na limpeza dos seus corpos. Aqui não há dança, não há ninguém tirando onda; a única camaradagem que existe é a exaustão e os suaves golpes em mãos e coxas, criando um ritmo com o barulho dos chuveiros.

A porta do meu tubo chia e se fecha atrás de mim, abafando os sons da música. A engenhoca é decrépita. Sujeira e depósitos de pele morta e cabelos velhos encrostam os buracos no chão por onde o ar sai. Afasto meu pé da imundície assim que a máquina é ativada. Um zumbido familiar vem do motor, seguido de uma grande torrente de atmosfera e de uma ressonância sugadora, à medida que o ar repleto de moléculas antibacterianas berra do topo da máquina e açoita meu corpo para arrancar pele morta e sujeira, lançando tudo pelo ralo no chão do tubo. Isso dói.

Depois, sigo com Loran e Kieran para o Comunitário para beber e dançar nas tavernas antes que a dança das Láureas comece oficialmente. Os Latões vão entregar as Cotas de comida e anunciar a Láurea à meia-noite. Haverá danças antes e depois para nós do turno da manhã.

As lendas dizem que o deus Marte era o pai das lágrimas, inimigo da dança e do alaúde. Em relação à primeira parte, eu concordo. Mas nós de Lykos, uma das primeiras colônias sob a superfície de Marte, somos um povo de dança e canções e família. Nós cuspimos nessa lenda e fazemos nosso próprio direito inato. É a única resistência que conseguimos contra a Sociedade que nos domina. Isso nos dá um pouco de suporte. Eles não ligam para o fato de dançarmos ou cantarmos, contanto que escavemos obedientemente. Contanto que preparemos o planeta para o resto de nós. Porém, para que nos lembremos do nosso lugar, eles tornaram uma canção e uma dança puníveis com a morte.

Meu pai fez dessa dança a sua última. Eu a vi apenas uma vez e também ouvi a canção apenas uma vez. Eu não a entendia quando era pequeno, uma canção a respeito de vales distantes, névoa, amores perdidos, e um ceifeiro que deveria nos guiar a nosso lar invisível. Eu era pequeno e curioso quando uma mulher cantou essa canção enquanto seu filho estava sendo enforcado por roubar suprimentos de comida. Ele teria se tornado um menino alto, mas jamais conseguiu obter comida suficiente para dar carne a seus ossos. Sua mãe morreu em seguida. O povo de Lykos fez o Réquiem da Partida para eles — um trágico bater de punhos de encontro a peitos, evanescendo lentamente, lentamente, até que os punhos, como o coração dela, não mais batessem e todos se dispersassem.

O som me assombrou durante aquela noite. Chorei sozinho na nossa pequena cozinha, imaginando por que derramei lágrimas naquela ocasião já que não chorara pelo meu pai. Enquanto estava deitado no chão frio, ouvi um suave som de algo arranhando na porta da casa da minha família. Quando abri, encontrei um pequeno haemanthus aninhado na terra vermelha, nem uma alma por perto, apenas as pequenas pegadas de Eo na terra. Aquela era a segunda vez que ela trazia flores depois da morte de alguém.

FÚRIA VERMELHA **29**

Como canções e dança estão no nosso sangue, imagino que não seja nenhuma surpresa o fato de que as duas estivessem presentes quando percebi pela primeira vez que amava Eo. Não a Pequenina Eo. Não como ela era. Mas Eo como é agora. Ela diz que me amava antes de que eles tivessem enforcado meu pai. Mas foi numa taverna esfumaçada, quando seus cabelos cor de ferrugem balançaram e seus pés se moveram com a cítara e seus quadris com os tambores, que meu coração deixou escapar algumas batidas. Não foram seus rodopios ou seus saltos mortais. Nada daquela tolice exibicionista tão marcante na dança dos jovens. Os movimentos dela eram graciosos, orgulhosos. Sem mim, ela não comeria. Sem ela, eu não viveria.

Eo pode caçoar de mim por dizer isso, mas ela é o espírito do nosso povo. A vida nos deu cartas difíceis com que jogar. Temos de nos sacrificar pelo bem de homens e mulheres que não conhecemos. Temos de escavar para deixar Marte pronta para outras pessoas. Isso faz de alguns de nós pessoas com pensamentos distorcidos. Mas a delicadeza de Eo, seu riso, sua vontade férrea, é o melhor que pode advir de um lar como o nosso.

Procuro por ela na casa da minha família no distrito adjacente, apenas um quilômetro de estrada de túneis distante do Comunitário. O distrito é um dos vinte e quatro que cercam o Comunitário. É um aglomerado semelhante a uma colmeia de casas entalhadas nas paredes rochosas das velhas minas. Pedra e terra são nossos tetos, nossos pisos, nosso lar. O clã é uma gigantesca família. Eo cresceu a poucos metros da minha casa. Seus irmãos são como se fossem meus irmãos. Seu pai é como o pai que eu perdi.

Uma confusão de fios elétricos se emaranha ao longo do teto da caverna como uma selva de trepadeiras pretas e vermelhas. Luzes estão penduradas nessa selva. No centro do distrito há um maciço holoCan. Trata-se de uma caixa quadrada com imagens de ambos os lados. Os pixels são escurecidos e a imagem é embaçada e indistinta, mas a coisa nunca deixou de funcionar, nunca foi desligada. Ela banha nosso aglomerado de casas na sua própria luminosidade tênue. Vídeos provenientes da Sociedade.

A casa da minha família está entalhada numa rocha a cem metros do chão do nosso distrito. Há uma trilha íngreme entre ela e o chão, embora roldanas e cordas também possam levar alguém até os mais altos pontos do distrito. Apenas os idosos e inválidos as utilizam. E existem poucos exemplares tanto de um grupo quanto do outro por aqui.

Nossa casa possui poucos cômodos. Eo e eu apenas recentemente obtivemos um quarto só para nós. Kieran e sua família possuem dois cômodos, e minha mãe e minha irmã habitam o solitário cômodo do segundo andar.

Todos os Lambdas em Lykos vivem no nosso distrito. Omegas e Upsilons são nossos vizinhos, cada qual a um minuto através do túnel amplo para um lado e para o outro. Estamos todos conectados. Exceto os Gamas. Eles vivem no Comunitário, acima das tavernas, das cabines de consertos, das lojas de sedas e dos bazares de comércio. Os Latões vivem numa fortaleza acima disso tudo, próxima à superfície estéril do nosso áspero mundo. É lá onde se encontram os portos que trazem os suprimentos alimentares da Terra para nós, pioneiros abandonados.

O holoCan acima de mim mostra imagens das lutas da espécie humana, que são seguidas por uma música exuberante à medida que os triunfos da Sociedade são exibidos na tela. O Sinete da Sociedade, uma pirâmide dourada com três barras paralelas unidas às suas três faces, um círculo cercando tudo, queima na tela. A voz de Octavia au Lune, a idosa Soberana da Sociedade, narra a luta que o homem encara ao colonizar os planetas e luas do Sistema.

"Desde a aurora da humanidade, nossa saga como espécie tem sido uma guerra tribal. Uma saga de provações, sacrifícios, de ousados desafios aos limites naturais impostos pela natureza. Agora, através do trabalho e da obediência, nós estamos unidos, mas nossa luta não é diferente. Filhos e filhas de todas as Cores, somos solicitados a nos sacrificar mais uma vez. Aqui no nosso melhor momento, lançamos nossas melhores sementes às estrelas. Onde floresceremos em primeiro lugar? Vênus? Mercúrio? Marte? Nas Luas de Netuno, de Júpiter?"

A voz dela cresce solene à medida que seu rosto emoldurado nobremente olha do HC. Suas mãos cintilam com o símbolo do Ouro brasonado nas costas — um pontinho no centro de um círculo com asas. Somente uma imperfeição macula seu rosto dourado — uma longa cicatriz em forma de crescente que percorre seu maxilar direito. Sua beleza é como a de uma cruel ave de rapina.

"Vocês corajosos pioneiros Vermelhos de Marte — os mais fortes da espécie humana — sacrificam-se pelo progresso, sacrificam-se para pavimentar o caminho em direção ao futuro. Suas vidas, seu sangue, são um pagamento adiantado pela imortalidade da raça humana ao nos movermos além da Terra e da Lua. Vocês vão onde nós não poderíamos ir. Vocês sofrem para que outros não sofram.

"Eu os saúdo. Eu os amo. O hélio-3 que vocês extraem é o sangue vital do processo de terratransformação. Logo o planeta vermelho terá ar respirável, solo habitável. E logo, quando Marte estiver habitável, quando vocês corajosos pioneiros tiverem deixado pronto o planeta vermelho para nós das Cores mais suaves, nós nos juntaremos a vocês, que serão tidos na mais alta estima sob o céu que sua labuta criou. O suor e o sangue de vocês são o combustível da terratransformação!

"Corajosos pioneiros, lembrem-se sempre de que a obediência é a mais alta virtude. Acima de tudo, obediência, respeito, sacrifício, hierarquia…"

Encontro a cozinha da casa vazia, mas ouço Eo no quarto.

— Pode parar aí mesmo! — ordena ela através da porta. — Em hipótese alguma você pode olhar dentro deste cômodo.

— Tudo bem. — Eu paro.

Ela sai um minuto mais tarde, agitada e enrubescida. Seus cabelos estão cobertos de poeira e fios. Passo as mãos pelo emaranhado. Ela acabou de chegar do Tear, onde eles cultivam a bioSeda.

— Você não foi no Fluxo — digo, sorrindo.

— Não tive tempo. Fui obrigada a sair de fininho do Tear pra pegar algumas coisas.

— O que foi que você pegou?

Ela sorri docemente.

— Você não se casou comigo porque eu te conto tudo, lembre-se disso. E não entre naquele cômodo.

Avanço na direção da porta. Ela me bloqueia e coloca a faixa escarlate sobre meus olhos. A testa dela encosta no meu peito. Eu rio, mexo a faixa e agarro os ombros dela para empurrá-la para trás o suficiente para poder olhá-la nos olhos.

— Ou o quê? — pergunto com uma sobrancelha erguida.

Ela apenas sorri para mim e empina a cabeça. Afasto-me da porta de metal. Mergulho em eixos de minas derretidos sem piscar os olhos. Mas há certos avisos que você consegue ignorar e outros não.

Ela fica na ponta dos pés e me dá um beijinho no nariz.

— Bom menino. Eu sabia que você era fácil de ser treinado — diz Eo. Então ela franze o nariz porque sente o cheiro da minha queimadura. Ela não me afaga, não me repreende, nem mesmo fala a não ser para dizer: — Eu te amo. — Somente com um pouquinho de preocupação na voz.

Ela tira os pedaços derretidos do meu traje-forno, que haviam ficado no ferimento que vai dos dedos ao punho, e ajusta com firmeza uma cobertura-de-teia com antibiótico e nervonucleicos.

— Onde conseguiu isso? — pergunto.

— Se você não quer que eu te dê lições de moral, também não quero que fique me fazendo perguntas disso e daquilo.

Eu a beijo no nariz e brinco com a faixa fina de cabelo entrelaçado ao redor do seu dedo anelar. Meus cabelos trançados com pedacinhos de seda formam a aliança dela.

— Tenho uma surpresa pra você esta noite — ela me diz.

— E eu tenho uma pra você — digo, pensando na Láurea. Ponho minha faixa de cabeça entre os cabelos dela como se fosse uma coroa. Ela enruga o nariz para a umidade contida na faixa.

— Ah, bom, na verdade tenho duas pra você, Darrow. É uma pena você não ter pensado nisso antes. Você bem que podia ter me trazido um cubo de açúcar ou um lençol de cetim ou… De repente até um pouco de café pra acompanhar o primeiro presente.

— Café! — digo, rindo. — Com que espécie de Cor você pensa que se casou?

Ela suspira.

— Nenhum privilégio em ser mergulhador, nenhum mesmo. Loucos, teimosos, imprudentes…

— Habilidosos? — digo, com um sorriso malicioso enquanto deslizo minha mão pela lateral da saia dela.

— Imagino que tenha lá suas vantagens. — Ela sorri e empurra minha mão como se afastasse uma aranha. — Agora vista essas luvas se não quiser ouvir a mulherada te enchendo. Sua mãe já foi na frente.

3
A LÁUREA

Caminhamos de mãos dadas com os outros do nosso distrito até o Comunitário através das estradas de túneis. Lune segue com sua fala monótona acima de nós no HC, bem no alto, onde os Testas-douradas (Áuricos, tecnicamente falando) deveriam estar. As telas mostram os horrores de um atentado terrorista no qual a explosão de uma bomba matou uma equipe de mineração Vermelha e um grupo de técnicos Laranjas. A culpa recai sobre os Filhos de Ares. Seu estranho glifo de Ares, um cruel capacete com raios de sol pontudos explodindo da coroa, queima ao longo da tela; o sangue respinga das pontas. Crianças mutiladas são mostradas. Os Filhos de Ares são chamados de assassinos tribais, tidos como os responsáveis pelo caos. Eles são condenados. A polícia e os soldados Cinzas da Sociedade removem destroços. Dois soldados da Cor Obsidiana, homens e mulheres colossais com quase duas vezes meu tamanho, são mostrados junto com lépidos médicos Amarelos carregando diversas vítimas da explosão.

Não existem Filhos de Ares em Lykos. A guerra inútil deles não nos comove; no entanto, novamente uma recompensa é oferecida por informações sobre Ares, o rei terrorista. Ouvimos essa transmissão milhares de vezes, e até hoje ela parece uma ficção. Os Filhos pensam que somos maltratados, então explodem coisas. Trata-se de uma fúria sem propósito. Qualquer estrago que eles possam fazer atrasa o progresso de deixar Marte pronta para as outras Cores. Isso agride a humanidade.

Na estrada do túnel, onde os meninos competem para tocar o teto, o povo dos distritos flui cheio de alegria na direção da dança da Láurea. Cantamos a canção da Láurea à medida que avançamos — uma melodia arrebatadora de um homem que encontra sua noiva num campo de ouro. Há risos à medida que os meninos mais novos tentam correr ao longo das paredes ou dar rodopios e saltos, apenas para cair de cara no chão ou ser superados por uma menina.

Luzes se penduram por todo o extenso corredor. Ao longe, o bêbado tio Narol, já velho aos trinta e cinco anos, toca sua cítara para as crianças que dançam em meio às nossas pernas; nem ele consegue manter a carranca eternamente. O instrumento é preso por correias no ombro de maneira a ficar sobre seus quadris, com a tábua sonora de plástico e as muitas cordas de metal retesadas voltadas para o teto. O polegar direito golpeia cordas, exceto quando o dedo indicador baixa ou quando o polegar pega cordas individuais, enquanto a mão esquerda dedilha a linha do baixo corda por corda. É enlouquecedoramente difícil fazer a cítara soar de algum modo que não seja pesaroso. A do tio Narol desempenha bem ambas as tarefas, embora a minha consiga apenas proporcionar músicas trágicas.

Ele costumava tocar para mim, ensinando-me a me mover com as danças que meu pai jamais teve a chance de me ensinar. Ele inclusive me ensinou a dança proibida, aquela que, se você dançar, será executado. Fazíamos isso nos velhos tempos. Ele batia nos meus tornozelos com uma vara até eu produzir piruetas em série através de movimentos rodopiantes, uma extensão de metal na minha mão como uma espada. E quando eu acertava, ele me beijava a testa e me dizia que eu era filho do meu pai. Foram suas lições que me ensinaram a me mover, que fizeram com que eu superasse os outros garotos enquanto brincávamos de pique e de fantasma nos velhos túneis.

— Os Ouros dançam em pares, os Obsidianos em trios, os Cinzas de doze em doze — ele me dizia. — Nós dançamos sozinhos, porque somente sozinhos os Mergulhadores-do-Inferno perfuram. Somente sozinho um menino pode se tornar um homem.

Sinto falta daqueles dias, dias em que eu era jovem o suficiente para não julgá-lo pelo fedor de zurrapa no seu hálito. Eu tinha onze anos naquela época. Apenas cinco anos antes. Contudo, parece que uma vida inteira se passou desde então.

Recebo tapinhas nas costas daqueles de Lambda e até mesmo Varlo, o padeiro, faz uma mesura para mim e lança uma bisnaga para Eo. Eles ouviram falar da Láurea, sem dúvida nenhuma. Eo enfia o pão dentro da saia e olha para mim de um jeito estranho.

— Que risinho bobo é esse agora? — diz ela, beliscando-me. — O que foi que você fez?

Dou de ombros e tento acabar com o risinho no meu rosto. Impossível.

— Bom, você está muito orgulhoso de alguma coisa — diz ela, desconfiada.

Reagan e Iro, o filho e a filha de Kieran, meu sobrinho e minha sobrinha, disparam aos saltos. De três em três, os gêmeos são rápidos o bastante para superar não só Diona, a esposa de Kieran, como também minha mãe.

O sorriso da minha mãe é o de uma mulher que viu o que a vida tem a oferecer e está, na melhor das hipóteses, bestificada.

— Parece que você se queimou, meu coração — diz ela quando vê minhas mãos enluvadas. Sua voz é lenta, irônica.

— Uma bolha — diz Eo por mim. — E feia.

Mamãe dá de ombros.

— O pai dele vinha pra casa com piores.

Eu a abraço. Os ombros dela estão mais finos do que costumavam ser quando ela me ensinava, como todas as mulheres ensinam seus filhos, as canções do nosso povo.

— Isso foi, por acaso, um indício de preocupação, mãe? — pergunto.

— Preocupação? Eu? Ah, criança bobinha. — Mamãe suspira com um lento sorriso. Eu lhe dou um beijo na bochecha.

FÚRIA VERMELHA

Metade dos clãs já está bêbada quando chegamos ao Comunitário. Além de sermos pessoas dançantes, somos pessoas bêbadas. Os Latões nos deixam em paz nesse quesito. Enforque um homem por nenhum motivo real e talvez você ouça alguns resmungos dos distritos. Mas nos obrigue a sermos sóbrios e você vai ter de juntar as porras dos cacos por um mês inteiro. Eo crê que o grendel, o fungo que destilamos, não é nativo de Marte. Foi, ao contrário, plantado aqui para nos escravizar à zurrapa. Ela traz isso à tona sempre que minha mãe produz um novo lote, e minha mãe normalmente responde dando um gole e dizendo: "Melhor uma bebida me dominar do que um homem. Essas correntes têm um sabor doce".

Elas vão ter um sabor ainda mais doce com os melaços que vamos pegar nas caixas de Láurea. Eles têm sabores para o álcool, como amora e uma coisa chamada canela. Talvez eu até pegue uma nova cítara feita de madeira em vez de metal. Às vezes eles distribuem algumas desse tipo. A minha é uma coisa velha, desgastada. Já toquei muito tempo nela. Mas pertencia a meu pai.

A música se aprofunda à nossa frente no Comunitário — canções indecentes com percussão improvisada e cítaras lancinantes. Os Omegas e os Upsilons se juntam a nós, avançando aos solavancos e cheios de entusiasmo na direção das tavernas. Todas as portas das tavernas foram escancaradas, de modo que a fumaça e o som invadem a praça do Comunitário. As mesas formam um anel ao longo da praça e uma área que cerca o cadafalso central é deixada vaga para que haja espaço para a dança.

O Comunitário é uma espiral circular enfileirada. Tavernas e depósitos de consertos ocupam o nível mais inferior; casas de Gamas preenchem os diversos níveis seguintes, depois vêm os depósitos de suprimentos, um muro escarpado e então, bem acima no teto, um domo de metal encovado com estações visuais de nanoVidro. Chamamos esse lugar de Vaso. É a fortaleza onde nossos administradores residem e dormem. Além dele se encontra a inabitável superfície do nosso planeta — uma vastidão estéril que eu só vi no HC. Supõe-se que o hélio-3 que extraímos mudará isso.

Os dançarinos e malabaristas e cantores da festa de entrega da Láurea já começaram. Eo avista Loran e Kieran e grita para eles. Os dois estão numa mesa comprida e lotada de gente perto da Soggy Drop, uma taverna onde o mais velho do nosso clã, Ol'Ripper, tem mesa cativa e conta histórias para a galera bêbada. Ele desmaiou em cima da mesa essa noite. É uma pena. Eu ia gostar muito que ele finalmente me visse recebendo nossa Láurea.

Nos nossos banquetes, onde praticamente não há comida suficiente para alma nenhuma abocanhar uma porção que seja, a bebida e a dança assumem o papel central. Loran me serve uma caneca de zurrapa antes mesmo de eu me sentar. Ele está sempre tentando fazer os outros beberem para que ele possa colocar fitinhas ridículas nos seus cabelos. Loran abre caminho para Eo sentar-se ao lado da mulher dele, Dio, irmã dela, gêmeas em aparência, ainda que não de nascimento.

Loran tem um amor por Eo como o irmão dela, Liam, teria, mas eu sei que ele já se encantou por ela da mesma forma que por Dio. Na realidade, ele teve uma quedinha pela minha mulher quando ela completou catorze anos. Mas metade dos caras também teve. Problema algum. Eo fez a escolha dela com muita convicção e deixou muito claro para todo mundo.

Os filhos de Kieran correm para cima dele. Sua esposa lhe beija os lábios; a minha beija a testa dele e passa a mão nos seus cabelos ruivos. Depois de um dia no Tear colhendo seda de larva de aranha, não sei como as esposas conseguem ter essa aparência tão linda. Eu nasci bem-apessoado, o rosto angular e fino, mas as minas fizeram sua parte para me mudar. Sou alto, e ainda estou crescendo. Cabelos ainda com a cor de sangue velho, olhos ainda com a coloração de ferrugem como os de Octavia au Lune são dourados. Minha pele é firme e clara, mas sou cheio de cicatrizes — queimaduras, cortes. Não vai demorar muito até eu ter uma aparência tão endurecida como a de Dago ou tão cansada quanto a do tio Narol.

Mas as mulheres, essas estão além de nós, além de mim. Lindas e ágeis apesar do Tear, apesar das crianças que têm. Elas usam saias de camadas abaixo dos joelhos e blusas de mais de doze tons de vermelho. Jamais usam qualquer outra coisa. Sempre vermelho. Elas são o coração dos clãs. E como ficarão bem mais bonitas envoltas nos laços, rendas e fitas importados contidos nas caixas da Láurea.

Toco os Sinetes nas minhas mãos, de uma textura semelhante a osso. É um tosco círculo Vermelho com um arco e um sombreado. Parece adequado. Eo não acha. Seus cabelos e olhos podem ser nossos, mas ela poderia ser um dos Testas-douradas que vemos no holoCan. Ela merece isso. Então eu a vejo dar uma bofetada sonora na cabeça de Loran enquanto ele manda para dentro uma caneca de zurrapa de arroz feita pela mamãe. Deus do céu, se ele está mexendo as peças no tabuleiro, mexeu bem nela. Eu sorrio. Mas, quando olho atrás de Eo, meu sorriso se apaga. Acima dos dançarinos saltitantes, em meio às centenas de saias rodopiando e botas batendo e mãos aplaudindo, balança um único esqueleto por sobre o frio e alto cadafalso. Os outros não reparam. Para mim, é uma sombra, uma lembrança do destino do meu pai.

Embora sejamos escavadores, não temos permissão para enterrar nossos mortos. É mais uma das leis da Sociedade. Meu pai ficou balançando por dois meses até eles pegarem seu esqueleto e moerem seus ossos para que virasse pó. Eu tinha seis anos, mas tentei puxá-lo no primeiro dia. Meu tio me impediu. Eu o odiava porque ele me mantinha afastado do corpo do meu pai. Mais tarde, passei a odiá-lo novamente porque descobri que ele era fraco: meu pai morreu por algo, ao passo que tio Narol vivia e bebia e desperdiçava sua vida.

— Ele é maluquinho, um dia você vai ver. Maluco e brilhante e nobre, Narol é o melhor dos meus irmãos — me disse meu pai um dia.

Agora ele é simplesmente o último deles.

Nunca pensei que meu pai fosse executar a Dança do Diabo, o que a galera mais velha chama de morte por enforcamento. Ele era um homem de palavras e de paz. Mas sua noção era liberdade, leis feitas por nós mesmos. Seus sonhos eram suas armas. Seu legado é a Rebelião do Dançarino. Ela morreu com meu pai na forca. Nove homens executando ao mesmo tempo a Dança do Diabo, dando chutes e se debatendo até que só restava ele.

Não se tratava exatamente de uma rebelião; eles pensavam que protestos pacíficos convenceriam a Sociedade a aumentar as rações alimentares. Então eles executavam a Dança da Colheita na frente dos gravElevadores e retiravam pedaços do maquinário das perfuratrizes para serem impedidos de trabalhar. O movimento fracassou. Somente vencer a Láurea pode fazer com que você consiga mais comida.

São onze horas quando meu tio senta-se com sua cítara. Ele olha para mim de uma forma meio desagradável, bêbado como um tolo no Natal. Não nos falamos, embora ele tenha uma palavra delicada para Eo e ela para ele. Todos amam Eo.

Meu tio se agita quando a mãe de Eo aparece e me beija na nuca e diz bem alto:

— Nós ouvimos a novidade, rapaz dourado. A Láurea! Você é o filho do seu pai.

— Qual é o problema, tio? — pergunto. — Tem gás?

As narinas dele se expandem.

— Seu comedor de merda!

Ele se joga na mesa e logo nós somos uma confusão de punhos e cotovelos no chão. Ele é grande, mas eu o derrubo e bato no seu nariz com minha mão ruim até que o pai de Eo e Kieran me puxam. Tio Narol cospe em mim. É mais sangue e zurrapa do que qualquer outra coisa. Em seguida estamos novamente bebendo em lados opostos da mesa. Minha mãe revira os olhos.

— Ele só está amargurado por não ter feito droga nenhuma pra conseguir a Láurea. Só deu as caras e pronto — diz Loran, referindo-se ao pai.

— Covarde do cacete, ele não saberia como conquistar a Láurea nem se ela pousasse no colo dele — digo, esbravejando.

O pai de Eo me dá um tapinha na cabeça e vê sua filha ajeitando minha mão queimada embaixo da mesa. Visto novamente minhas luvas. Ele pisca para mim.

Eo já sacou a respeito da Láurea quando os Latões chegam, mas ela não está tão entusiasmada como eu esperava que estivesse. Ela retorce a saia nas mãos e sorri para mim. Mas os sorrisos dela são mais

FÚRIA VERMELHA **41**

caretas do que sorrisos. Não entendo por que ela está tão apreensiva. Nenhum dos outros clãs está. Muitos aparecem para dar seus cumprimentos; todos os Mergulhadores-do-Inferno fazem isso, exceto Dago. Ele está sentado num grupo de cintilantes mesas Gamas — as únicas com mais comida do que zurrapa —, fumando um queimador.

— Mal posso esperar pra ver o sujeito comer rações regulares — diz Loran, rindo. — Dago jamais experimentou alimentos de camponeses antes.

— No entanto, de alguma maneira, ele é mais magro do que uma mulher — acrescenta Kieran.

Eu rio junto com Loran e empurro uma magra porção de pão na direção de Eo.

— Melhore esse astral — digo a ela. — É uma noite de comemoração.

— Eu não estou com fome — responde ela.

— Nem se o pão tiver canela? — Logo ele terá.

Ela me dá aquele meio sorriso, como se soubesse alguma coisa que eu não sei.

À meia-noite, um grupo seleto de Latões desce em gravBotas do Vaso. Suas armaduras estão esfarrapadas e manchadas. A maioria é formada por rapazes e idosos aposentados das guerras da Terra. Mas não é isso o que importa. Eles levam seus bastões e abrasadores em coldres afivelados. Jamais vi nenhuma das duas armas serem usadas. Não há necessidade. Eles têm o ar, a comida, o porto. Não temos um abrasador para atirar. Não que Eo não achasse uma boa ideia roubar um deles.

O músculo do seu maxilar está flexionando enquanto ela observa os Latões flutuarem nas suas gravBotas, agora na companhia do Magistrado-das-Minas, Timony ci Podginus, um diminuto homem de cabelos acobreados dos Centavos (Cobres, tecnicamente falando).

— Atenção, atenção! Enferrujados imundos! — fala Ugly Dan. O silêncio cai sobre as festividades à medida que eles flutuam acima de nós. As gravBotas do Magistrado Podginus são itens abaixo do padrão de qualidade, de modo que ele balança no ar como um geriátrico.

Mais Latões descem num gravElevador enquanto Podginus abre suas pequenas mãos com unhas bem cuidadas.

— Companheiros pioneiros, como é maravilhoso ver suas comemorações, eu devo confessar — diz ele, com um riso contido. — Tenho um apreço pela natureza rústica da sua felicidade. Bebida simples. Comida simples. Dança simples. Ah, que almas refinadas vocês possuem para se divertir tanto. Bem, eu gostaria muito de poder me divertir assim. Nem consigo encontrar prazer ultimamente fora do planeta num bordel Rosa depois de uma refeição composta de presunto da melhor qualidade e torta de abacaxi! Pior pra mim! Como as almas de vocês são mimadas. Se ao menos eu pudesse ser como vocês. Mas minha Cor é minha Cor, e eu sou condenado, como Cobre, a levar uma vida entediante de informações, burocracia e administração. — Ele cacareja e seus cachos acobreados balançam à medida que suas gravBotas se mexem. — Mas, vamos ao assunto: todas as Cotas foram obtidas, salvo por Mu e Chi. Como tal, eles não receberão bifes, leite, pimentas, itens de higiene, cobertores e ajuda dentária este mês. Aveia e itens substanciais apenas. Vocês compreendem que as naves da órbita da Terra só podem trazer determinada quantidade de suprimentos para as colônias. Recursos valiosos! E devemos dá-los àqueles que têm *bom desempenho*. Talvez no próximo quadrimestre, Mu e Chi, vocês se distraiam menos!

Mu e Chi perderam uma dúzia de homens numa explosão de gás como a que tio Narol temia. Eles não estavam se distraindo. Eles morreram.

Ele segue tagarelando durante um tempo antes de chegar à questão real. Ele retira a Láurea e a segura no ar, presa entre os dedos. Ela é pintada de ouro falso, mas o pequeno galho resplandece assim mesmo. Loran me cutuca. Tio Narol faz cara feia. Eu me recosto, consciente dos olhares. Os jovens me têm como exemplo. As crianças adoram todos os Mergulhadores-do-Inferno. Mas os olhos velhos também me observam, exatamente como Eo sempre fala. Eu sou o orgulho deles, o filho de ouro deles. Agora vou lhes mostrar como um homem de verdade age. Não vou saltar para cima e para baixo por causa da minha vitória. Vou apenas sorrir e balançar a cabeça em reconhecimento.

— E é a minha mais distinta honra, em nome do ArquiGovernador de Marte, Nero au Augustus, premiar com a Láurea de produtividade e excelência mensal e triunfal firmeza e obediência, sacrifício e...

Gama recebe a Láurea.

E nós não.

4
O PRESENTE

À medida que as caixas com Láureas trançadas descem para Gama, fico pensando em como aquilo tudo é verdadeiramente astucioso. Eles não vão nos deixar vencer a Láurea. Eles não se importam se a matemática não funciona. Não se importam que os jovens gritem em protesto e que os velhos comecem a gemer suas mesmas e cansativas sabedorias. Isso é apenas uma demonstração do poder deles. É o poder deles. Eles decidem o vencedor. Um jogo de mérito vencido pelo nascimento. Isso mantém a hierarquia no lugar. Isso nos mantém lutando, mas nunca conspirando.

Contudo, apesar da decepção, alguma parte de nós não culpa a Sociedade. Culpamos os Gamas, que recebem os presentes. Um homem tem sua cota de ódio, imagino. E quando ele vê as costelas dos seus filhos através das camisas enquanto seus vizinhos enchem a pança com cozidos de carne e tortas açucaradas, é difícil para ele odiar qualquer outra pessoa que não seja eles. Você imagina que eles compartilhariam o alimento. Eles não fazem isso.

Meu tio dá de ombros para mim e os outros estão vermelhos e enraivecidos. Loran parece disposto a atacar os Latões ou os Gamas. Mas Eo não me deixa entrar na dele. Ela não deixa os nós dos meus dedos ficarem brancos quando cerro meus punhos em fúria. Eo conhece o temperamento que tenho dentro de mim melhor do que minha mãe, e sabe como drenar a raiva antes que ela surja. Minha mãe sorri suavemente enquanto observa Eo me pegar pelo braço. Como ela ama minha mulher.

— Dance comigo — sussurra Eo. Ela grita para as cítaras continuarem tocando e para os tambores continuarem soando. Sem dúvida nenhuma ela está mijando sangue. Ela odeia a Sociedade mais do que eu. Mas é por isso que amo minha mulher.

Logo a acelerada música da cítara aumenta de intensidade e os velhos batem palmas em cima das mesas. As saias em camadas voam. Pés batucam e se mexem. E eu agarro minha mulher à medida que os clãs fluem com sua dança ao longo da praça para se juntarem a nós. Suamos e rimos e tentamos esquecer a raiva. Crescemos juntos, e agora somos adultos. Nos olhos dela, vejo meu coração. Na respiração dela, ouço minha alma. Ela é minha terra. Ela é minha família. Meu amor.

Ela me afasta de si com um riso. Abrimos caminho em meio à multidão para ficarmos sozinhos. Contudo, Eo não para quando nos vemos livres. Ela me guia ao longo de caminhos de metal e tetos escuros e baixos em direção aos velhos túneis, ao Tear, onde as mulheres labutam. Estamos entre um turno e outro.

— Pra onde estamos indo exatamente? — pergunto.

— Se você se lembra, tenho uns presentes pra te dar. E se você pedir desculpas pelo seu presente que não rolou eu vou te dar um tapa nessa boca.

Ao ver um bulbo de haemanthus vermelho-sangue surgindo de uma parede, eu o arranco e o entrego a ela.

— Meu presente — digo. — Eu queria fazer uma surpresa pra você.

Ela ri.

— Tudo bem, então. Essa metade interna é minha. Essa metade externa é sua. Não! Não puxe! Vou ficar com sua metade. — Cheiro o haemanthus na mão dela. A flor tem um odor de ferrugem e dos cozidos fraquinhos que a mamãe faz.

No interior do Tear, larvas de aranha do tamanho de uma coxa com pelagem marrom e preta e compridas pernas esqueléticas tecem seda ao nosso redor. Elas rastejam ao longo de traves, pernas finas desproporcionais em relação aos corpulentos abdomes. Eo me conduz ao interior do nível mais alto do Tear. As velhas traves de metal estão cobertas de seda. Estremeço ao olhar para as criaturas acima e abaixo; víboras-das-cavidades eu entendo, larvas de aranha não. Os Entalhadores da Sociedade moldaram essas criaturas. Rindo, Eo me guia até uma parede e puxa uma espessa cortina de teia, revelando um enferrujado duto de metal.

— Ventilação — diz ela. — A argamassa nas paredes cedeu e revelou isso aqui mais ou menos uma semana atrás. Um tubo antigo também.

— Eo, eles vão chicotear a gente se nos descobrirem. Nós não temos permissão pra...

— Eu não vou permitir que eles também destruam esse presente. — Ela me beija no nariz. — Vamos lá, Mergulhador-do-Inferno. Não há nem perfuratriz neste túnel.

Eu a sigo através de uma longa série de guinadas no pequeno eixo até sairmos por uma grade e penetrarmos num mundo de sons inumanos. Um zumbido murmura na escuridão. Ela pega minha mão. É a única coisa familiar aqui.

— O que é isso? — pergunto acerca do som.

— Animais — diz ela, e me conduz ao interior da estranha noite. Sinto alguma coisa macia abaixo dos pés. Nervosamente a deixo me impulsionar adiante. — Grama. Árvores. Darrow, árvores. A gente está numa floresta.

O aroma de flores. Então, luzes na escuridão. Animais tremeluzentes com abdomes verdes batem asas em meio à escuridão. Grandes besouros com asas iridescentes ascendendo das sombras. Eles pulsam com cores e vida. Perco a respiração e Eo ri quando uma borboleta passa tão perto a ponto de eu conseguir tocá-la.

Elas estão nas nossas canções, todas essas coisas, mas nós as vimos unicamente no HC. Suas cores são diferentes de qualquer uma que eu pudesse acreditar existir. Meus olhos captam apenas terra, o brilho da perfuratriz, Vermelhos, e o cinza do concreto e do metal. O HC tem

FÚRIA VERMELHA **47**

sido a janela pela qual enxergo as cores. Mas isso aqui é um espetáculo diferente.

As cores dos animais flutuantes escaldam meus olhos. Estremeço e rio e estendo a mão e toco as criaturas flutuantes diante de mim na escuridão. Eu as pego na minha mão e olho o teto límpido do recinto acima de mim. Trata-se de uma bolha transparente que devassa o céu.

Céu. Isso costumava ser apenas uma palavra.

Não consigo ver a face de Marte, mas posso ver a visão da face de Marte. Estrelas refulgem suave e graciosamente no lustroso céu preto, como as luzes que ficam penduradas no nosso distrito. Eo dá a impressão de que conseguiria se juntar a elas. Seu rosto está refulgente enquanto ela me observa, rindo ao me ver cair de joelhos e sugar o aroma da grama. É um cheiro estranho, doce e nostálgico, embora eu não tenha nenhuma lembrança de grama. Com os animais zumbindo perto dos arbustos, nas árvores, eu a puxo para baixo e a beijo com meus olhos bem abertos pela primeira vez. As árvores e suas folhas oscilam delicadamente no ar que vem através dos dutos de ventilação. E bebo os sons, os cheiros, a visão, enquanto minha mulher e eu fazemos amor num leito de grama abaixo de um telhado de estrelas.

— Aquela ali é a galáxia de Andrômeda — ela me diz mais tarde, quando estamos deitados de costas no chão. Os animais pipilam na escuridão. O céu acima de mim é uma coisa assustadora. Se eu mirá-lo intensamente, esqueço da força da gravidade e sinto como se estivesse prestes a cair nele. Calafrios percorrem minha coluna. Sou uma criatura de reentrâncias e túneis e eixos. A mina é meu lar, e parte de mim quer fugir para a segurança, fugir desse recinto estranho de coisas vivas e vastos espaços.

Eo rola o corpo para olhar para mim e passa o dedo na extensão das cicatrizes de vapor quente que percorrem meu peito como rios. Mais abaixo ela encontraria cicatrizes proporcionadas pelas víboras-das-cavidades ao longo da minha barriga.

— Mamãe me contava histórias de Andrômeda. Ela desenhava com tintas que aquele Latão, o Bridge, lhe deu. Ele sempre gostou dela, você sabe.

Enquanto estamos ali deitados juntos, Eo respira fundo e eu sei que ela planejou alguma coisa, reservou alguma coisa sobre a qual falará nesse instante. Esse local é uma alavanca.

— Você venceu a Láurea, todos nós sabemos disso — diz ela para mim.

— Você não precisa me consolar. Não estou mais com raiva. Pouco importa — digo. — Depois de ver isto aqui, nada mais importa.

— Do que você está falando? — ela pergunta bruscamente. — Importa mais do que nunca. Você venceu a Láurea, mas eles não deixaram a gente ficar com o prêmio.

— Pouco importa. Este local aqui...

— Este local existe, mas eles não deixam a gente vir aqui, Darrow. Os Cinzas devem usar isso aqui pra eles mesmos. Eles não compartilham com ninguém.

— E por que eles deveriam compartilhar? — pergunto, confuso.

— Porque foi a gente que fez. Porque é nosso!

— É? — O pensamento me é estranho. Tudo o que possuo é minha família e eu mesmo. Tudo o mais pertence à Sociedade. Não gastamos o dinheiro para enviar os pioneiros para cá. Sem eles, estaríamos na Terra moribunda como o restante da humanidade.

— Darrow! Você é tão Vermelho que não enxerga o que eles fizeram com a gente?

— Cuidado com o tom — digo rispidamente.

Ela flexiona o maxilar.

— Desculpe. É só que... a gente está *acorrentado*, Darrow. A gente não é colono. Bom, a gente é sim, com certeza. Mas seria mais correto chamar a gente de escravo. A gente implora por comida. Implora por Láureas como cachorros implorando por restos da mesa do dono.

— Você pode ser uma escrava — digo incisivamente. — Mas eu não sou. Não imploro por nada. Ganho por direito. Sou um Mergulhador-do-Inferno. Nasci pra me sacrificar, pra deixar Marte pronto pra humanidade. Existe uma nobreza na obediência...

Ela joga as mãos para o alto.

— Você agora virou um ventríloquo, é? Repetindo sem pensar as porras das falas deles. Seu pai sacava isso corretamente. Ele podia até não ser perfeito, mas sacava isso corretamente. — Ela arranca um punhado de grama do chão. Parece uma espécie de sacrilégio. — Nós temos direito a esta terra, Darrow. Nosso suor e sangue regaram este solo. No entanto, ele pertence aos Ouros, à Sociedade. Há quanto tempo é assim? Cem, cento e cinquenta anos com pioneiros extraindo minério e morrendo? Nosso sangue e as ordens deles. A gente prepara esta terra pra Cores que jamais derramaram uma gota de suor por nós, Cores que ficam sentadas confortavelmente nos seus tronos na distante Terra, Cores que jamais pisaram em Marte. Isso por acaso é uma vida digna de ser vivida? Vou dizer de novo: seu pai sacava isso corretamente.

Balanço a cabeça para ela.

— Eo, meu pai morreu antes mesmo de completar vinte e cinco anos porque ele *sacava isso corretamente*.

— Seu pai era fraco — murmura ela.

— Que porra você quer dizer com isso? — Meu rosto se enche de sangue.

— Quero dizer com isso que ele tinha muitas travas. Quero dizer com isso que seu pai tinha o sonho certo, mas morreu porque se recusava a lutar pra transformar o sonho em realidade — diz ela rispidamente.

— Ele tinha uma família pra proteger!

— Ele era ainda mais fraco do que você.

— *Cuidado* — sibilo.

— Cuidado? Isso vindo de Darrow, o insano Mergulhador-do-Inferno de Lykos? — Ela ri como querendo me dar um sermão. — Seu pai nasceu cuidadoso, obediente. Mas e você? Eu não pensava assim quando me casei com você. Os outros dizem que você é como uma máquina, porque acham que você não sente medo de nada. Eles são cegos. Não enxergam o quanto o medo te paralisa.

Ela passa o haemanthus ao longo do meu pescoço numa súbita demonstração de carinho. Eo é uma criatura temperamental. A flor é da mesma cor que a faixa matrimonial no dedo dela.

Eu rolo sobre o cotovelo para encará-la.

— Fale logo. O que é que você quer?

— Você sabe por que eu te amo, Mergulhador-do-Inferno? — pergunta ela.

— Por causa do meu senso de humor.

Ela ri secamente.

— Porque você imaginava que poderia vencer a Láurea. Kieran me contou como você se queimou hoje.

Eu suspiro.

— Aquele rato. Sempre falando demais. Eu achava que isso fosse coisa de irmãos mais novos, não de irmãos mais velhos.

— Kieran ficou com medo, Darrow. Não *por* você, como talvez você possa imaginar. Ele ficou com medo *de* você, porque ele não consegue fazer o que você fez. Cara, ele nem pensaria em fazer uma coisa dessas.

Eo sempre fala comigo em rodeios. Odeio suas abstrações.

— Então você me ama porque acredita que eu acho que existam coisas pelas quais vale a pena a gente se arriscar? — digo, esforçando-me para entender. — Ou porque eu sou ambicioso?

— Porque você tem um cérebro — diz ela a título de provocação.

Ela me faz perguntar mais uma vez:

— O que você quer que eu faça, Eo?

— Que você aja. Quero que você use seus dons pra realizar o sonho do seu pai. Você vê como as pessoas te observam, como elas seguem seu exemplo. Quero que você pense que ter posse desta terra, da nossa terra, é uma coisa pela qual vale a pena se arriscar.

— Arriscar quanto?

— Arriscar sua vida. Minha vida.

Eu escarneço:

— Você está assim tão ansiosa pra se livrar de mim?

— Fale e eles vão escutar — insiste ela. — É simples assim, cacete. Todos os ouvidos anseiam por uma voz que os conduza em meio à escuridão.

— Maneiro, então vou ser enforcado com uma tropa. Sou o filho do meu pai.

FÚRIA VERMELHA   **51**

— Você não vai ser enforcado.

Eu rio com um excesso de rispidez.

— Tenho uma mulher cheia de certezas. Vou ser enforcado.

— A ideia não é você virar um mártir. — Suspirando, ela se deita desapontada. — Você não enxerga mesmo a relevância da coisa.

— Ah, não? Bom, então diga pra mim qual é, Eo. Qual é a relevância de morrer? Não passo de um filho de mártir. Então diga pra mim o que aquele homem conseguiu roubando meu pai de mim. Diga pra mim o que pode acontecer de bom depois de toda aquela tristeza do cacete. Diga pra mim por que é melhor eu ter aprendido a dançar com meu tio do que com meu pai. — Eu prossigo. — Por acaso a morte dele colocou comida na sua mesa? Ela tornou nossa vida melhor? Morrer por uma causa não melhora porra nenhuma pra ninguém. A única coisa que ela fez foi acabar com nosso riso. — Sinto as lágrimas me queimando os olhos. — Ela apenas roubou um pai e um marido. E daí se a vida não é justa? Se a gente tem uma família, isso é tudo o que deveria importar.

Ela lambe os lábios e pensa antes de responder.

— A morte não é vazia como você afirma ser. Vazia é a vida sem liberdade, Darrow. Vazio é viver acorrentado pelo medo, pelo medo das perdas, pelo medo da morte. Digo que a gente precisa romper essas correntes. Rompa as correntes do medo e você estará rompendo as correntes que prendem a gente aos Ouros, à Sociedade. Você conseguiria imaginar isso? Marte poderia ser nosso. Poderia pertencer aos colonos que trabalharam aqui como escravos, que morreram aqui. — Seu rosto está mais visível com a noite evanescendo pelo telhado límpido. Está vivo, em fogo. — Se você liderasse os outros à liberdade. As coisas que você poderia fazer, Darrow. As coisas que você poderia fazer acontecer. — Eo faz uma pausa e vejo que seus olhos estão cintilando. — Fico arrepiada quando penso nas coisas que você poderia fazer. Você possui tantos dons, tantas dádivas, mas vislumbra tão pouco.

— Você repete os mesmos pontos, cacete — digo amargamente. — Você pensa que vale a pena morrer por um sonho. Eu digo que não vale. Você diz que é melhor morrer de pé. Eu digo que é melhor viver de joelhos.

— Você não está nem vivendo! — rebate ela. — Somos homens- -máquina com mentes-máquina, vidas-máquina...

— E corações-máquina? — pergunto. — É isso o que eu sou?

— Darrow...

— Pra que você vive? — pergunto repentinamente. — É por mim que você vive? É pela família e pelo amor? Ou é por algum sonho?

— Não se trata apenas de *algum* sonho, Darrow. Vivo pelo sonho de meus filhos poderem nascer livres. De eles poderem ser o que quiserem. De eles poderem ser donos da terra que o pai deles lhes deu.

— Eu vivo por você — digo com tristeza.

Ela me beija a bochecha.

— Então você precisa viver por mais.

Há um longo e terrível silêncio que se estende entre nós. Eo não compreende como suas palavras dilaceram meu coração, como ela consegue me entortar com tanta facilidade. Porque ela não me ama da mesma maneira que eu a amo. A mente dela é elevada demais. A minha é baixa demais. Será que eu não sou suficiente para ela?

— Você disse que tinha outro presente pra mim? — pergunto, mudando de assunto.

Ela balança a cabeça.

— Vamos deixar pra outra hora. O sol está nascendo. Vamos ver isso juntos, pelo menos dessa vez.

Ficamos deitados em silêncio e observamos a luz deslizar para o céu como se fosse uma onda de tinta feita de fogo. É diferente de qualquer outra coisa com a qual eu pudesse já ter sonhado. Não consigo evitar as lágrimas que molham os cantos dos meus olhos à medida que o mundo além se transforma em luz e os verdes e marrons e amarelos das árvores no recinto são revelados. É uma beleza. É um sonho.

Fico em silêncio enquanto voltamos ao horror dos dutos cinzas. As lágrimas perduram nos meus olhos enquanto a majestade do que vi evanesce; imagino o que Eo quer de mim. Será que ela quer que eu pegue minha curviLâmina e dê início a uma rebelião? Eu morreria.

FÚRIA VERMELHA **53**

Minha família morreria. Ela morreria, e nada me faria correr o risco de perdê-la. Ela sabe disso.

Estou tentando entender o que o outro presente dela pode ser quando saímos dos dutos que dão no Tear. Rolo do duto antes de Eo e estico a mão para ela quando ouço uma voz. É uma voz com sotaque, oleosa, oriunda da Terra.

— Vermelhos nos nossos jardins. Não é o máximo?

5
A PRIMEIRA CANÇÃO

Ugly Dan está na minha frente acompanhado de três Latões. Seus bastões estão estalando nas mãos. Dois dos homens se curvam sobre as grades de metal das traves do Tear. Atrás deles, as mulheres de Mu e Upsilon embalam seda das larvas ao redor de longos postes prateados. Elas balançam a cabeça insistentemente para mim, como se estivessem me avisando para não agir de maneira tola. Eo e eu estivemos além das zonas permitidas. Isso significará açoite mas, se eu resistir, significará morte. Eles matarão Eo e depois me matarão.

— Darrow... — murmura Eo.

Eu me coloco entre Eo e os Latões, mas não luto. Não vou permitir que a gente morra por uma simples olhadinha nas estrelas. Estendo as mãos para que eles saibam que estou me rendendo.

— Mergulhadores-do-Inferno — diz Ugly Dan, rindo para os outros. — A formiguinha mais dura ainda assim é uma formiguinha. — Ele bate com o bastão na altura do meu estômago. É como ser mordido por uma víbora e chutado por uma bota. Eu caio, arfando, as mãos na grade de metal. Uma corrente de eletricidade percorre minhas veias. Sinto sabor de bile me subindo pela garganta.

— Sua vez agora, Mergulhador-do-Inferno — fala Ugly Dan suavemente. Ele solta um dos bastões na minha frente. — Por favor. Pode usar. Não vai haver nenhuma consequência. Só uma brincadeira entre a gente. Pegue esse bastão.

— Faça isso, Darrow! — grita Eo.

Não sou nenhum otário. Levanto as mãos como quem se rende e Dan suspira de decepção enquanto engata os grilhões magnéticos ao redor dos meus punhos. O que Eo queria que eu fizesse? Ela os xinga enquanto eles prendem seus braços e nos arrastam através do Tear em direção às celas. Isso vai significar chicotadas. Mas serão apenas chicotadas porque não peguei o bastão, porque não dei ouvidos a Eo.

São três dias numa cela no Vaso até poder rever Eo. Bridge, um dos Latões idosos e mais gentis, nos tira juntos; ele permite que a gente se toque. Imagino se ela não vai cuspir na minha cara, me xingar pela minha impotência. Mas ela apenas segura com força meus dedos e leva os lábios até os meus.

— Darrow. — Os lábios dela roçam minha orelha. O hálito é quente, os lábios rachados e trêmulos. Ela é frágil ao me abraçar. Uma menininha, toda magricela envolta em pele clara. Seus joelhos fraquejam e ela estremece de encontro ao meu corpo. O calor que vi no seu rosto enquanto observávamos o sol nascer voou para longe e deixou-a como uma pálida lembrança. Mas eu mal consigo ver coisa alguma além dos seus olhos e cabelos. Eu a abraço e ouço o murmúrio do movimentado Comunitário. Os rostos das pessoas da nossa etnia e clã olham fixamente para nós, postados na beirada do cadafalso, onde nos açoitarão. Sinto-me uma criança sob aqueles olhares, sob as luzes amareladas.

É como um sonho quando Eo me diz que me ama. Sua mão perdura um tempo sobre a minha. Mas há algo estranho nos seus olhos. Eles deveriam apenas chicoteá-la. No entanto, as palavras dela têm um tom de finitude, seus olhos estão tristes mas não amedrontados. Eu a vejo se despedir. Um pesadelo toma conta do meu coração. Posso senti-lo como um caramujo sendo arrastado ao longo dos ossos da minha coluna enquanto ela murmura um epigrama no meu ouvido:

— Rompa as correntes, meu amor.

E então sou afastado bruscamente dela pelos cabelos. Lágrimas escorrem por seu rosto. Elas são para mim, embora eu não compreenda o porquê. Não consigo pensar. O mundo está nadando. Estou me afogando. Mãos ásperas me põem de joelhos e em seguida me puxam para cima. Nunca senti tanto silêncio no Comunitário. O barulho dos pés dos meus captores se mexendo ecoam enquanto eles se movimentam de um lado para o outro.

Os Latões me encaixam no meu traje-forno. Seu cheiro acre me faz pensar que estou seguro, que estou sob controle. Não estou. Sou arrastado para longe dela e levado para o interior do centro do Comunitário e lançado na beirada do cadafalso. Cada um dos vinte e quatro cabeçaFalantes segura uma corda de couro. Eles esperam que eu suba na plataforma.

— Oh, que horror são essas ocasiões, meus amigos — chora o Magistrado Podginus. Suas gravBotas cor de cobre zumbem acima de mim à medida que ele flutua no ar. — Oh, como os laços que nos unem são retesados quando um decide desrespeitar as leis que nos protegem a todos. Inclusive os mais jovens, inclusive os melhores, estão sujeitos à lei. À Ordem! Sem isso seríamos animais! Sem obediência, sem disciplina, não haveria colônias! E aquelas poucas colônias seriam destroçadas pela desordem! O homem seria confinado à Terra. O homem chafurdaria eternamente naquele planeta até o fim dos dias. Mas Ordem! Disciplina! Lei! Essas são as coisas que fortalecem nossa raça. Amaldiçoada seja a criatura que rompe esses acordos.

O discurso é mais eloquente do que de costume. Podginus está tentando impressionar alguém com sua inteligência. Eu olho e vejo algo que jamais pensaria ver com meus próprios olhos. É doloroso observá-lo, sorver a radiância dos seus cabelos, dos seus Sinetes. Vejo um Ouro. Nesse lugar desmazelado, ele é como imagino que seriam os anjos. Coberto de ouro e preto. Envolto pelo sol. Um leão rugindo no seu peito.

Seu rosto está mais velho, severo e cheio de poder. Seus cabelos brilham, penteados para trás da cabeça. Nem um sorriso ou preocupação marcam seus finos lábios, e a única ruga que vejo é aquela decorrente de uma cicatriz que percorre seu maxilar direito.

Aprendi através do HC que tal cicatriz só pode ser vista nos rostos dos Ouros. Os Inigualáveis Maculados, é assim que eles são chama-

FÚRIA VERMELHA   **57**

dos — homens e mulheres da Cor dominadora que se formaram pelo Instituto, onde aprendem os segredos que permitirão que a espécie humana um dia colonize todos os planetas do sistema solar.

Ele não fala para nós. Ele fala para um outro Ouro, alto e magro, tão magro que penso a princípio se tratar de uma mulher. Sem cicatriz, o rosto do homem está coberto por uma estranha massa que visa ressaltar a cor das suas bochechas e cobrir as rugas do seu rosto. Seus lábios brilham. E seus cabelos cintilam de um modo que os cabelos do seu mestre não cintilam. Ele é uma coisa grotesca de se ver. Ele acha a mesma coisa de nós. Fareja o ar, cheio de desprezo. E o Ouro mais velho fala com ele suavemente, mas não conosco.

E por que ele deveria falar conosco? Nós não temos valor suficiente a ponto de merecermos um intercâmbio verbal com um Ouro. Mal desejo olhar para ele. Sinto-me como se estivesse sujando seu ouro e seus adornos pretos com meus olhos vermelhos. A vergonha toma conta de mim e então percebo o motivo.

O rosto dele é de alguém que eu conheço. É um rosto que todo homem e toda mulher das colônias conheceria. Ao lado de Octavia au Lune, esse é o rosto mais famoso de Marte — o rosto de Nero au Augustus. O ArquiGovernador de Marte veio acompanhar meu flagelo e trouxe uma comitiva. Dois Corvos (Obsidianos, tecnicamente falando) flutuam silenciosamente atrás dele. Seus capacetes combinam com sua Cor. Eu nasci para extrair minérios da terra. Eles nasceram para matar homens. Cerca de sessenta centímetros mais altos do que eu. Oito dedos em cada uma das gigantescas mãos. Eles se reproduzem para a guerra, e observá-los é como observar as víboras-das-cavidades de sangue gélido que infestam nossas minas. Ambos répteis.

Há dezenas de pessoas na sua comitiva, incluindo um outro Ouro menos importante que parece ser seu aprendiz. Ele é ainda mais belo do que o ArquiGovernador e parece não gostar do Ouro magro e efeminado. E há uma equipe de filmadores Verdes com câmeras HC, diminutas criaturas comparadas aos Corvos. Seus cabelos são escuros. Não verdes como seus olhos e os Sinetes nas suas mãos. Uma excitação frenética refulge naqueles olhos. Não é muito frequente eles terem um

Mergulhador-do-Inferno como exemplo, de modo que me transformam num espetáculo. Imagino quantas outras colônias de mineração não estão assistindo. Todas, se o ArquiGovernador está aqui.

Eles tiram de mim o traje-forno que acabaram de me vestir numa encenação espetaculosa. Vejo a mim mesmo na tela do HC acima, vejo minha faixa matrimonial pendurada pelo cordão em volta do meu pescoço. Pareço mais jovem do que me sinto, mais magro. Eles me empurram escada acima e me curvam sobre uma caixa de metal ao lado do local onde meu pai foi enforcado. Estremeço enquanto eles me deitam na extensão do aço frio e prendem minhas mãos em algemas. Sinto o cheiro do couro sintético dos chicotes, ouço um dos cabeçaFalantes tossir.

— Eternamente, que a justiça seja feita — diz Podginus.

Então as chicotadas têm início. Quarenta e oito ao todo. Não são suaves, nem mesmo as do meu tio. Não podem ser. O chicote dilacera minha carne, produzindo um estranho ruído incisivo à medida que faz um arco no ar. Música do terror. No fim, já estou praticamente incapaz de enxergar coisa alguma. Desmaio duas vezes, e sempre que desperto imagino se minha coluna cervical está visível no HC.

É um espetáculo, tudo isso é um espetáculo do poder deles. Eles deixam o Latão, Ugly Dan, agir de modo solidário, como se estivesse com pena de mim. Ele sussurra incentivos no meu ouvido a uma altura suficiente para que seja captado pelas câmeras. E quando a última chicotada arrebenta minhas costas, ele se aproxima como se para impedir a seguinte. Subconscientemente, eu penso que ele me salva. Sou grato. Quero beijá-lo. Ele é a salvação. Mas sei que recebi minhas quarenta e oito.

Então eles me arrastam para o lado. Eles deixam meu sangue. Tenho certeza de que berrei, certeza de que me comportei de modo vexaminoso. Eu os ouço trazendo minha mulher.

— Nem mesmo os jovens, nem mesmo os belos podem escapar da justiça. É para todas as Cores que preservamos a Ordem, a Justiça. Sem as quais, teríamos a anarquia. Sem Obediência, o caos! O homem pereceria sobre as radiantes areias da Terra. Ele beberia dos mares arruinados. Deve haver unidade. Eternamente, que a justiça seja feita.

As palavras do Magistrado-das-Minas Podginus não convencem.

Ninguém está ofendido pelo fato de eu estar ensanguentado e arrebentado. Mas quando Eo é arrastada para o topo do cadafalso, há gritos. Há xingamentos. Até num momento como esse ela é bonita, até mesmo desprovida da luz que eu via nela três dias antes. Até quando ela me vê e as lágrimas escorrem pelo seu rosto, Eo é um anjo.

Tudo isso por uma pequena aventura. Tudo isso por uma noite sob as estrelas com o homem que ela ama. No entanto, ela está calma. Se há medo, é da minha parte, porque sinto uma estranheza no ar. A pele dela pinica quando eles a dispõem sobre a caixa fria. Ela estremece. Eu gostaria muito que meu sangue tivesse esquentado mais o local para ela.

Quando eles chicoteiam Eo, tento não assistir. Mas é mais doloroso abandoná-la. Seus olhos encontram os meus. Eles brilham como rubis, piscam a cada vez que o chicote desce sobre ela. *Logo isso estará acabado, meu amor. Logo estaremos de volta à nossa vida. Basta suportar as chicotadas e teremos tudo de volta.* Mas será que ela consegue aguentar todas essas chicotadas?

— Acabem com isso — digo para o Latão ao meu lado. — Acabem com isso! — imploro a ele. — Faço qualquer coisa. Vou obedecer. Vou lá receber as chicotadas por ela. Mas acabem com isso, seus filhos da puta do cacete! Acabem com isso!

O ArquiGovernador baixa os olhos na minha direção, mas seu rosto é dourado, sem poros e indiferente. Eu não sou nada além do que a mais ridícula das formigas. Meu sacrifício o impressionará. Ele sentirá compaixão se eu me rebaixar, se eu me jogar no fogo por amor. Ele sentirá pena. É assim que as histórias seguem.

— Vossa Excelência, deixe-me receber a punição por ela! — suplico. — Por favor! — imploro, porque nos olhos da minha mulher vejo algo que me aterroriza. Vejo luta nos seus olhos à medida que eles imprimem faixas de sangue nas suas costas. Vejo a raiva crescendo dentro dela. Existe um motivo pelo qual ela não sente medo.

— Não, não, não — imploro a ela. — Não, Eo. Por favor, não!

— Amordacem esse desgraçado! Ele irrita os ouvidos do ArquiGovernador — ordena Podginus. Bridge coloca à força um nó de pedra na minha boca. Eu engasgo e choro.

Quando a décima terceira chicotada desce sobre o corpo dela, quando murmuro para que ela não faça isso, Eo me olha bem nos olhos uma última vez e então começa a cantar sua canção. É uma canção tranquila, uma canção triste, como a canção que as minas profundas sussurram quando o vento bate nos eixos abandonados. É a canção de morte e lamento, a canção que é proibida. A canção que eu só ouvi uma vez antes.

Por isso eles a matarão.

Sua voz é suave e sincera, nunca tão bela quanto ela. Ela ecoa pelo Comunitário, ascendendo como um chamado sobrenatural vindo das sereias. As chicotadas param. O cabeçaFalante estremece. Até mesmo os Latões balançam tristemente a cabeça quando reconhecem a letra. Poucos homens gostam verdadeiramente de ver a beleza queimar.

Podginus olha constrangidamente para o ArquiGovernador Augustus, que desce nas suas gravBotas para observar mais de perto. Seus brilhantes cabelos cintilam na sua nobre testa. Maxilares pronunciados captam a luz. Aqueles olhos dourados examinam minha mulher como se asas de borboleta tivessem repentinamente brotado de um verme. Sua cicatriz se curva quando ele fala com uma voz que poreja poder.

— Deixe-a cantar — diz ele a Podginus, sem se importar em esconder seu fascínio.

— Mas, meu senhor…

— Nenhum animal além do homem se lança espontaneamente às chamas, Cobre. Deleite-se com essa visão. Você não a verá novamente. — Para sua equipe de filmagem: — Continuem gravando. Editaremos as partes que considerarmos intoleráveis.

Como as palavras dele tornam o sacrifício dela inútil.

Mas nunca Eo me pareceu tão bonita quanto naquele momento. Face a face com o poder frio, ela é fogo. Essa é a menina que dançava em meio à taverna esfumaçada com uma juba vermelha. Essa é a menina que teceu para mim uma faixa matrimonial feita com o seu próprio cabelo. Essa é a menina que escolhe morrer por uma canção de morte.

Meu amor, meu amor
Lembre-se dos gritos
Quando o inverno deu lugar aos céus da primavera
Eles rosnaram e rosnaram
Mas nós seguramos nossa semente
E plantamos uma canção
Contra a ganância deles

E
Lá embaixo no vale
Ouça o ceifeiro ceifar, o ceifeiro ceifar
O ceifeiro ceifar
Lá embaixo no vale
Ouça o ceifeiro ceifar
O fim de uma história de inverno

Meu filho, meu filho
Lembre-se das algemas
Quando o ouro governava com rédeas de ferro
Nós rosnamos e rosnamos
E nos contorcemos e berramos
Pelo nosso vale
Um vale de sonhos melhores

À medida que sua voz finalmente infla e a letra da canção acaba, eu sei que a perdi. Eo se torna algo mais importante; e ela estava certa, eu não compreendo.

— Uma canção exótica. Mas essa é toda a força que você tem? — pergunta-lhe o ArquiGovernador quando Eo termina. Ele olha para ela mas fala em voz bem alta, para a multidão, para aqueles que assistirão nas outras colônias. Seu séquito ri da arma de Eo, uma canção. O que é uma canção além de notas no ar? Inútil como um fósforo numa tempestade contra o poder dele. Ele nos envergonha. — Algum de vocês gostaria de se juntar a ela na canção? Eu imploro a vocês, ousados

Vermelhos de... — Ele olha para seu assistente, que fala baixinho o nome. — ... Lykos, juntem-se a ela se assim desejam.

Mal consigo respirar por causa da pedra na minha boca. Ela arranha meus molares. Lágrimas escorrem pelo meu rosto. Nenhuma voz se eleva da multidão. Vejo minha mãe tremendo de raiva. Kieran segura com firmeza sua mulher. Narol olha para o chão. Loran choraminga. Estão todos lá, todos quietinhos. Todos amedrontados.

— Infelizmente, Vossa Excelência, nós nos damos conta de que a menina está sozinha no seu fanatismo — declara Podginus. Eo tem olhos apenas para mim. — Está claro que a opinião dela é a de uma mentirosa, de uma proscrita. Quem sabe possamos prosseguir?

— Sim — diz o ArquiGovernador preguiçosamente. — Tenho um compromisso com Arcos. Enforque essa cadela enferrujada senão ela vai continuar a uivar.

6

A MÁRTIR

Por Eo, não reajo. Eu sou raiva. Eu sou ódio. Sou tudo. Mas continuo olhando fixamente para ela mesmo enquanto eles a levam para longe e encaixam a corda no seu pescoço. Levanto os olhos para Bridge, e ele silenciosamente tira a mordaça da minha boca. Meus dentes jamais serão os mesmos. Lágrimas crescem nos olhos do Latão. Eu o deixo e cambaleio tropegamente até a parte inferior do cadafalso para que Eo possa me ver enquanto morre. Essa é a escolha dela. Estarei com ela até o fim. Minhas mãos tremem. Soluços vêm da multidão atrás de mim.

— As últimas palavras, para quem você as pronunciará antes que a justiça seja feita? — pergunta a ela Podginus. Ele respinga solidariedade para a câmera.

Eu me preparo para Eo dizer meu nome, mas ela não o faz. Seus olhos jamais deixam de me encarar, mas Eo chama sua irmã. "Dio." A palavra treme no ar. Ela agora está assustada. Não reajo quando Dio sobe os degraus do cadafalso; não compreendo, mas não ficarei com ciúmes. Isso não me diz respeito. Eu a amo. E a escolha dela está feita. Não compreendo, mas não deixarei que ela morra com qualquer outro pensamento que não seja meu amor.

Ugly Dan precisa ajudar Dio a subir no patíbulo; ela está tremendo e abobalhada enquanto se aproxima da irmã. O que quer que esteja sendo dito, não consigo ouvir; mas Dio deixa escapar um gemido que me perseguirá para sempre. Ela olha para mim enquanto choraminga. O que minha mulher falou a ela? As mulheres estão chorando, os homens enxugam os olhos. Eles precisam chacoalhar Dio para puxá-la de lá, mas ela se gruda aos pés de Eo, chorando. O ArquiGovernador faz um gesto com a cabeça, embora nem se importe o bastante em ver o momento em que, da mesma maneira que meu pai, Eo é enforcada.

— *Viva por mais* — Eo balbucia para mim. Ela enfia a mão no bolso e tira o haemanthus que eu lhe dei. Está arrebentado e amassado. Em seguida, em alto e bom som, ela berra a todos que lá estão reunidos. — Rompam as correntes!

O alçapão embaixo dela se abre. Ela cai e, por um instante, seus cabelos ficam suspensos ao redor da cabeça, um esplendor vermelho. Então seus pés dão chutes no ar e ela cai. Sua garganta fina fica sufocada. Os olhos estão bastante arregalados. Se ao menos eu pudesse salvá-la disso. Se ao menos eu pudesse protegê-la, mas o mundo é frio e duro comigo. Ele não se enverga como eu gostaria que ele se envergasse. Eu sou fraco. Assisto à minha mulher morrer e meu haemanthus cair da mão dela. A câmera registra tudo isso. Saio correndo para beijar seu tornozelo. Abraço as pernas dela. Não a deixarei sofrer.

Em Marte não existe muita gravidade, de modo que você precisa puxar os pés da pessoa para que o pescoço seja quebrado. Eles deixam isso ao encargo dos entes queridos.

Logo, não há mais som, nem mesmo o ranger da corda.

Minha mulher é leve demais.

Ela era apenas uma menina.

Então a batida do Réquiem da Partida começa. Punhos nos peitos. Milhares. Rápidos, como batimentos cardíacos acelerados. Mais lentos. Uma batida por segundo. Uma batida a cada cinco segundos. A cada dez. Então nunca mais, e a massa entristecida desaparece como poeira na palma da mão como os velhos túneis choramingam com os ventos profundos.

E os Ouros, estes voam para longe.

O pai de Eo, Loran e Kieran ficam sentados em frente à porta da minha casa a noite inteira. Eles afirmam que estão lá para me fazer companhia. Mas estão lá para me dar proteção, para garantir que eu não morra. Quero morrer. Mamãe põe curativos nos meus ferimentos com seda que Leanna, minha irmã, roubou do Tear.

— Mantenha o nervonucleico seco ou então você terá uma cicatriz.

O que são cicatrizes? Como elas têm pouca importância. Eo não as verá, então por que eu deveria me importar? Ela não vai passar a mão pelas minhas costas. Ela nunca vai beijar meus ferimentos.

Ela se foi.

Deito-me na cama de costas para poder sentir a dor e esquecer minha mulher. Mas não consigo esquecer. Ela está pendurada até agora. De manhã vou passar por ela a caminho das minas. Logo ela estará fedendo e apodrecendo. Minha bela mulher brilhava muito intensamente para ter uma vida longa. Ainda sinto seu pescoço estalando de encontro às minhas mãos; elas tremem agora durante a noite.

Há um túnel oculto no meu quarto que escavei na rocha muito tempo antes para poder sair às escondidas quando criança. Eu o uso agora. Saio pelo caminho secreto, descendo da minha casa sorrateiramente, de modo que meus companheiros jamais tenham como me ver deslizar na luz baixa.

Está tudo quieto no distrito. Quieto com exceção do hc, que faz minha mulher morrer com uma trilha sonora. Eles tiveram a intenção de mostrar a inutilidade da desobediência. E obtiveram sucesso nisso, mas há algo mais no vídeo. Eles mostram meu suplício, e o de Eo, e tocam a canção dela ao longo do processo. E, enquanto ela morre, eles tocam novamente, o que parece dar ao vídeo o efeito errado. Mesmo que ela não fosse minha mulher, vejo uma mártir, a bela canção de uma jovem bonitinha silenciada pela corda de homens cruéis.

Então o hc pisca em preto por alguns momentos. Ele nunca ficou preto antes. E Octavia au Lune volta a aparecer com a mesma mensagem velha. Quase temos a impressão de que alguém invade a transmissão, porque minha mulher aparece brilhando mais uma vez na tela gigantesca.

— Rompam as correntes! — grita ela. Então ela some e a tela volta a ficar preta. Ela estala. A imagem volta. Ela grita mais uma vez. Preto de novo. A programação-padrão volta à tela e então há um corte para ela berrando uma última vez; em seguida aparece minha imagem puxando as pernas dela. Depois, estática.

As ruas estão quietas enquanto sigo meu percurso em direção ao Comunitário. O turno da noite logo estará de volta. Então ouço um ruído e um homem surge na rua à minha frente. O rosto do meu tio olha de esguelha para mim das sombras. Uma única lâmpada se pendura sobre sua cabeça, iluminando o frasco na sua mão e sua camisa vermelha esfarrapada.

— Você é filho do seu pai, seu putinho. Estúpido e fútil.

Cerro os punhos.

— Veio me deter, tio?

Ele grunhe:

— Não consegui deter seu pai e impedir que ele matasse a si mesmo, cacete. E ele era bem melhor do que você, porra. Ele se precavia mais.

Dou um passo à frente.

— Não preciso da sua permissão.

— Não precisa, não, seu merdinha. — Ele passa a mão pelos cabelos. — Mas não faça o que você está prestes a fazer. Isso vai deixar sua mãe arrasada. De repente você pode estar pensando que ela não sabe que você deu essa escapadinha. Ela sabe. Ela me contou. Me disse que você ia morrer como meu irmão, como sua garota.

— Se a mamãe soubesse, ela teria me impedido.

— Que nada. Ela deixa a gente, os homens, cometermos nossos próprios erros. Mas isso não é o que sua garota queria que acontecesse.

Aponto um dedo para meu tio.

— Você não sabe de nada. Não sabe de nada sobre o que ela queria. — Eo disse que eu não entenderia o que era ser um mártir. Vou mostrar a ela que sei.

— Tudo bem — diz ele, dando de ombros. — Vou andar com você, já que sua cabeça está cheia de rochas. — Ele ri. — Nós, Lambdas, amamos a forca.

FÚRIA VERMELHA **67**

Ele joga para mim seu frasco e eu dou um passo em falso ao lado dele.

— Tentei convencer seu pai a desistir daquele pequeno protesto dele, você sabe disso. Falei a ele que letras de música e danças têm tanto significado quanto poeira. Tentei acertar as contas com ele. Estraguei tudo. Ele passou a me tratar com frieza. — Ele movimenta lentamente a mão direita, como quem vai dar um soco. — Chega uma hora na vida em que você percebe que um homem está com a cabeça feita e acaba sendo um insulto contestar.

Bebo do frasco dele e o devolvo. A zurrapa tem um sabor estranho, está com uma textura mais densa do que o habitual. Estranho. Ele me obriga a acabar com o conteúdo.

—A sua está direita? — pergunta ele, dando um tapinha na cabeça. — Claro que está. Eu me esqueço de que fui eu quem te ensinou a dançar.

— Teimoso como uma víbora-das-cavidades. Não foi assim que você me definiu? — digo quase num sussurro, permitindo-me um sorrisinho.

Caio em silêncio com meu tio por um momento. Ele põe a mão no meu ombro. Um soluço quer sair do meu peito. Eu o engulo.

— Ela me deixou — sussurro. — Simplesmente me deixou.

— Deve ter tido um motivo. Aquela ali não era burrinha, não. Não era mesmo.

As lágrimas surgem enquanto entro no Comunitário. Meu tio me dá um abraço e beija o alto da minha cabeça. É tudo o que ele tem a oferecer. Ele não é um homem feito para afetos. Seu rosto está pálido e fantasmagórico. Trinta e cinco anos de vida, cansado demais. Uma cicatriz enruga seu lábio superior. Listras grisalhas nos seus cabelos fartos.

— Dê um alô pra eles por mim lá no vale — diz ele no meu ouvido, sua barba áspera encostada no meu pescoço. — Faça um brinde pros meus irmãos e dê um beijo na minha mulher, e especialmente em Dancer.

— Dancer?

— Você vai reconhecê-lo. E se você der de cara com seu avô e sua avó, diga-lhes que nós ainda dançamos pra eles. Eles não vão ficar muito tempo sozinhos. — Ele se afasta. Então para e, sem se virar, diz: — Rompa as correntes. Escutou?

— Escutei.

Ele me deixa lá no Comunitário com minha mulher pendurada na corda. Sei que as câmeras me observam enquanto subo o cadafalso. É de metal, portanto os degraus não rangem. Ela está pendurada como uma boneca. Seu rosto está pálido como giz e seus cabelos se mexem ligeiramente à medida que os ventiladores zunem acima dela.

Quando a corda é cortada com a curviLâmina que roubei das minas, seguro sua extremidade desgastada e baixo Eo delicadamente. Pego minha mulher nos braços e, juntos, saímos da praça e nos dirigimos ao Tear. Uma equipe do turno da noite está trabalhando suas horas finais. As mulheres me observam em silêncio carregar Eo até o duto de ventilação. Lá eu vejo Leanna, minha irmã. Alta e quieta como minha mãe, ela me observa com olhos duros, mas não faz nada. Nenhuma das mulheres faz nada. Elas não vão fofocar sobre onde minha mulher está enterrada. Elas não vão falar, nem mesmo pelo chocolate dado aos espiões. Somente cinco almas foram enterradas em três gerações — alguém sempre é enforcado por conta disso.

Esse é o ato de amor definitivo. O silencioso réquiem de Eo.

As mulheres começam a chorar e, à medida que eu vou passando, elas se aproximam para tocar o rosto de Eo, tocar meu rosto e me ajudar a abrir o duto de ventilação. Arrasto minha mulher através do apertado espaço de metal, levando-a até onde fizemos amor sob as estrelas, onde ela me contou seus planos e eu não escutei. Seguro seu corpo sem vida e espero que sua alma me veja num lugar onde nós estejamos felizes.

Faço um buraco perto da base de uma árvore. Minhas mãos, cobertas com nossa terra, estão vermelhas como os cabelos dela enquanto lhe pego a mão e beijo sua faixa matrimonial. Coloco o bulbo externo do haemanthus em cima do seu coração e pego a parte interna e a deposito perto do meu. Em seguida beijo seus lábios e a enterro. Mas soluço antes de conseguir terminar. Descubro seu rosto e beijo-a novamente e mantenho meu corpo grudado ao dela até ver um sol vermelho nascendo através do telhado de bolhas artificiais. As cores do lugar escaldam meus olhos e eu não consigo deter as lágrimas. Quando me levanto, vejo a minha faixa de cabeça escapando do bolso dela. Ela a fez para mim, para que recebesse meu suor. Agora dou à faixa minhas lágrimas e a levo comigo.

Kieran me dá um tapa na cara quando vê que voltei para o distrito. Loran não consegue falar, ao passo que o pai de Eo está encostado num muro, arrasado. Eles acham que fracassaram comigo. Ouço a mãe de Eo chorar. Minha mãe não diz nada enquanto me prepara uma refeição. Não me sinto bem. Está difícil respirar. Leanna aparece mais tarde e a ajuda, beijando-me na cabeça enquanto como, permanecendo tempo suficiente para sentir o cheiro dos meus cabelos. Preciso usar uma das mãos enquanto movo a comida do prato para a boca. Minha mãe segura minha outra mão entre suas palmas calejadas. Ela observa minha mão em vez de olhar para mim, como se estivesse se lembrando de quando era pequena e suave e imaginando como se tornara tão dura.

Termino a refeição no exato momento em que Ugly Dan aparece. Minha mãe não sai da mesa enquanto sou levado. Seus olhos permanecem fixos no local onde minha mão está. Acho que ela acredita que, se não levantar os olhos, isso não acontecerá. Nem ela consegue suportar muito mais do que isso.

Eles me enforcam diante de uma assembleia completa às nove da manhã. Estou tonto por algum motivo. Meu coração está com uma sensação engraçada, com uma certa lentidão. Ouço as palavras do ArquiGovernador para minha mulher ecoando nos meus ouvidos.

"Essa é toda a força que você tem?"

Meu povo canta, nós dançamos, nós amamos. Essa é nossa força. Mas também escavamos. E depois morremos. Raramente temos a opção de escolher o motivo. Essa escolha é poder. Essa escolha tem sido nossa única arma. Mas não é suficiente.

Eles me dão o direito de dizer minhas últimas palavras. Chamo Dio. Seus olhos estão vermelhos e inchados. Ela é uma coisinha frágil, muito diferente da sua irmã.

— Quais foram as últimas palavras de Eo? — pergunto a ela, embora minha boca se mova lenta e estranhamente.

Ela olha de relance para mamãe, que finalmente apareceu mas agora balança a cabeça. Há algo que elas não estão me contando. Algo que elas não querem que eu saiba. Um segredo retido, muito embora eu esteja prestes a morrer.

— Ela disse que te ama.

Não acredito em Dio, mas sorrio e beijo sua testa. Ela não consegue suportar mais nenhuma pergunta. E eu estou tonto. Está difícil falar.

— Vou falar a Eo que você mandou lembranças.

Eu não canto. Sou feito para outras coisas.

Minha morte é disparatada. É amor.

Mas Eo estava certa, eu não compreendo isso. Isso não é minha vitória. Isso é egoísmo. Ela me disse para viver por mais. Ela queria que eu lutasse. Mas aqui estou eu, morrendo apesar do que ela queria que eu fizesse. Desistindo por causa da dor.

Entro em pânico como acontece com os suicidas ao perceberem sua insensatez.

Tarde demais.

Sinto a portinhola embaixo de mim se abrindo. Meu corpo cai. A corda rasga a pele do meu pescoço. Minha coluna cervical se parte. Agulhas penetram minha região lombar. Kieran avança aos tropeções. Tio Narol o empurra para longe dali. Com uma piscadela, ele toca meus pés e me puxa.

Espero que eles não me enterrem.

Parte II
RENASCIDO

Há um festival em que usamos rostos de demônios para espantar os espíritos malignos dos nossos mortos no vale. Às vezes não conseguimos.

7
OUTRAS COISAS

Não vejo Eo ao morrer. Minha gente acredita que vemos nossos entes queridos quando falecemos. Eles esperam por nós num vale verde onde fumaça de madeira queimada e o cheiro de comida cozida impregnam o ar. É o Local da Espera. Há um Velho com gotas de orvalho no boné que torna o vale seguro, e ele fica com nossa gente esperando por nós ao longo de uma estrada de pedra ao lado da qual ovelhas pastam. Dizem que a névoa no local é fresca e as flores doces, e aqueles que são enterrados passam pela estrada de pedra com mais rapidez.

Mas não vejo meu amor. Não vejo o vale. Não vejo nada além de luzes fantasmáticas na escuridão. Sinto pressão, e sei, como saberia qualquer mineiro, que estou enterrado embaixo da terra. Deixo escapar um grito sem som. A terra entra na minha boca. O pânico toma conta de mim. Não consigo respirar, não consigo me mexer. A terra me abraça até que finalmente consigo me libertar usando minhas mãos. Sinto ar, arquejo oxigênio, respiro ofegante e cuspo terra.

Alguns minutos se passam até eu conseguir levantar os olhos dos meus joelhos. Eu me agacho numa mina abandonada, um velho e longo túnel desabitado mas ainda conectado ao sistema de ventilação. Fede a terra. Uma única chama queima ao lado do meu túmulo, espalhando sombras esquisitas por sobre as paredes. Ela queima minha visão da mesma maneira que o sol ao se elevar sobre o túmulo de Eo.

Não estou morto. A chegada da percepção é mais demorada do que eu imaginava. Mas há um ferimento ensanguentado ao redor do meu pescoço onde a corda cortou minha pele. Minha coluna está tão dolorida que eu não consigo olhar para o lado sem mexer o torso. E há terra nas marcas das chicotadas nas minhas costas.

Mesmo assim não estou morto.

Tio Narol não puxou meus pés com força o suficiente. Mas certamente os Latões teriam verificado isso, a menos que tenham sido preguiçosos. Não há sentido em pensar nisso, mas há algo mais em jogo aqui. Eu estava zonzo demais quando andei até o cadafalso. Até agora estou sentindo alguma coisa nas minhas veias, uma certa letargia, como se tivesse sido drogado. Narol fez isso. Ele me drogou. Ele me enterrou. Mas por quê? E como ele se livraria de ser pego quando puxou meu corpo para baixo?

Quando um zumbido baixo vem da escuridão além da chama, sei que terei respostas. Um veículo semelhante a um fusca com seis rodas rasteja sobre a crista de um túnel longo. Sua grade frontal sibila fumaça assim que ele para à minha frente. Dezoito luzes queimam minha visão; formas saem do veículo, cortando o brilho intenso dos holofotes, para me agarrar. Estou excessivamente atordoado para resistir. Suas mãos são calejadas como as de mineiros e seus rostos estão cobertos com máscaras de demônios estilo Octobernacht. No entanto, as figuras se movem delicadamente, e me guiam em vez de me forçar a entrar na traseira do veículo.

No interior do veículo, a luz do globo é vermelha e sangrenta. Eu me sento num banquinho de metal desgastado em frente às duas figuras que me tiraram do meu túmulo. A máscara da figura feminina é de um tom branco bem reluzente e com chifres semelhantes aos de um espírito maligno. Seus olhos cintilam em tom escuro nos globos oculares. A outra figura é um homem tímido, aparentemente com medo de mim. Sua máscara de um rosto em formato de morcego rosnando não pode esconder seus olhares contidos ou a maneira como ele esconde suas mãos — uma característica dos assustados, como tio Narol sempre afirmava quando me ensinava a dançar.

— Vocês são Filhos de Ares, não são? — tento adivinhar.

O fracote estremece, ao passo que os olhos da mulher estão debochando.

— E você é Lázaro — diz ela. Acho sua voz fria, preguiçosa; ela brinca com os ouvidos como um gato brinca com um camundongo capturado.

— Eu sou Darrow.

— Ah, a gente sabe quem você é.

— Não fale nada pra ele, Harmony! — balbucia o fracote. — Dancer falou pra não discutirmos nada com ele até que a gente chegue em casa.

— Obrigada, *Ralph*. — Harmony suspira para o fracote e sacode a cabeça.

Uma outra figura mascarada dirige o veículo através dos túneis abandonados. O interior sacoleja e chacoalha à medida que descemos por um caminho esburacado. Depois de perceber seu erro, o fracote começa a se mexer desconfortavelmente no assento, mas eu parei por completo de me preocupar com ele. Aqui, a mulher é rei. Ao contrário da máscara do fracote, a dela é feita a partir de um material digital. É uma máscara maleável e poderia com a mesma facilidade imitar o rosto de um homem ou de uma mulher como imita o de um demônio. Troço bacaninha. A princípio isso me faz lembrar de uma história que eu tinha ouvido uma vez sobre os demônios brancos nos túneis profundos e esquecidos de Marte; agora é como aquela história de uma mulher velha, uma das bruxas das cidades destruídas da Terra que faziam sopa do tutano contido nos ossos das crianças.

— Você está um farrapo. — Harmony se aproxima para tocar meu pescoço. Seguro a mão dela e aperto. Seus ossos são quebradiços como plástico oco na mão de um Mergulhador-do-Inferno. O fracote faz menção de pegar um bastão, mas Harmony faz um gesto para que ele se acalme.

— Por que não estou morto? — pergunto. Depois do enforcamento, minha voz está como cascalho arrastado sobre metal.

— Porque Ares tem uma missão pra você, Mergulhadorzinho-do--Inferno.

FÚRIA VERMELHA **77**

Ela pisca para mim enquanto eu lhe aperto a mão.

— Ares… — Minha mente lampeja em imagens de explosões, corpos desmembrados, caos. Ares. Sei que espécie de missão ele vai querer. Estou entorpecido demais para ao menos saber o que direi quando ele me perguntar. Minha mente está em Eo, não nessa vida. Eu sou uma casca. Por que não pude ficar debaixo da terra?

— Você pode me devolver minha mão direita? — pergunta Harmony.

— Se você tirar a máscara. Do contrário, continuo com ela.

Ela ri e tira a máscara. Seu rosto é dia e noite — o lado direito uma confusão de pele distendida e desigual percorrendo e se juntando novamente no seu rosto para formar suaves rios de cicatrizes. Uma queimadura por vapor. Uma visão familiar, mas não em mulheres. É raro uma mulher fazer parte de uma equipe de perfuração.

Contudo, é o lado não queimado do rosto dela que é impactante. Ela é linda, mais linda inclusive do que Eo. Pele macia, clara como leite, ossos proeminentes e delicados. No entanto, ela parece tão fria, tão enraivecida e cruel. Seus dentes inferiores são desnivelados e suas unhas, malfeitas. Ela tem facas nas botas. Posso dizer pelo jeito como ela se esquivou para baixo quando agarrei sua mão.

O fracote, Ralph, é notavelmente feio — rosto escuro, fino e comprido, os dentes todos intervalados e fuliginosos como os tubos no Fluxo. Ele olha pela janela do veículo enquanto sacolejamos e rolamos em meio aos túneis abandonados até alcançarmos estradas de túneis iluminadas e pavimentadas feitas para se dirigir em alta velocidade. Não conheço esses Vermelhos, e embora eles tenham o Sinete Vermelho brasonado nas mãos, não confio neles. Eles não são de Lambda ou de Lykos. Podem muito bem ser Pratas.

Por fim avisto outros utilitários e veículos pela janela traseira. Não sei onde estamos, mas isso me perturba menos do que a tristeza cada vez maior no meu peito. Quanto mais avançamos e quanto mais tempo eu dedico aos meus pensamentos, pior a dor se torna. Passo o dedo na minha faixa matrimonial. Eo ainda está morta. Ela não está esperando por mim no final dessa viagem. Por que eu sobrevivi e ela não? Por que puxei os pés dela com tanta força? Será que ela também poderia ter continuado viva? Meu estômago me dá a sensação de ser um buraco negro. Um peso terrível comprime meu peito, e sinto uma vontade extrema de simplesmente saltar na frente de um veículo que está passando por nós. A morte é fácil quando você já tentou dar de cara com ela. Mas eu não salto; fico sentado com Harmony e Ralph. Eo queria mais para mim. Ela morreu para que eu pudesse ser mais do que um outro mártir, e então me matei. Ou pelo menos tentei. A vergonha me consome. Aperto com força a faixa de cabeça escarlate no punho.

A estrada do túnel se alarga ligeiramente quando chegamos a um posto de controle vigiado por Latões sujos usando equipamentos gastos. O portão elétrico não está nem carregado de voltagem. Eles liberam o veículo à nossa frente depois de escanear um painel ao lado dele. Então é nossa vez e eu estou me mexendo desconfortavelmente no assento ao lado de Ralph. Harmony ri desdenhosamente enquanto o Latão de cabelos cinza escaneia a lateral do veículo e nos libera a passagem pelo portão.

— Nós temos visto de passagem. Não há cérebros em escravos. Os Latões das Minas são uns idiotas. Você precisa ficar de olho é nas elites Cinzas ou nos monstros Obsidianos. Mas eles não perdem o tempo aqui.

Estou tentando convencer a mim mesmo de que isso tudo não é alguma espécie de truque dos Ouros, que Harmony e Ralph não são inimigos, quando saímos da estrada do túnel principal e entramos num beco sem saída de depósitos de utilitários não muito maior do que o Comunitário. Ásperas luzes de enxofre estão penduradas em estruturas utilitárias. Metade das lâmpadas está queimada. Uma delas tremeluz acima de uma garagem próxima a um depósito marcado com um símbolo estrambótico feito numa tinta estranha. Entramos na garagem. A porta se fecha, e Harmony faz um gesto para mim indicando que eu saia do veículo.

— Lar, doce lar — diz ela. — Chegou a hora de conhecer Dancer.

8

DANCER

Dancer me perpassa com seu olhar. Ele tem quase minha altura, o que é raro. Mas é encorpado e terrivelmente velho, talvez na casa dos quarenta. Tons de branco nas têmporas. Uma dúzia de cicatrizes gêmeas marcam seu pescoço. Já vi esse tipo de cicatriz antes. Picadas de víboras-das-cavidades. O braço no lado esquerdo do seu corpo pende inerte. Estragos nos tecidos nervosos. Mas seus olhos me arrebatam; são mais brilhantes do que os da maioria, rodopiando em padrões de vermelho de verdade, não vermelho-ferrugem. Ele tem um sorriso paternal.

— Você deve estar imaginando quem somos nós — diz Dancer delicadamente. Ele é grande, mas sua voz é suave. Oito Vermelhos estão com ele, todos homens com exceção de Harmony, e me observam com olhos extasiados. Todos mineiros, acho, cada qual com as mãos fortes e cheias de cicatrizes típicas da nossa classe de pessoas. Eles se movem com a graciosidade do nosso povo. Sem dúvida nenhuma alguns deles foram saltadores e fanfarrões, como chamamos aqueles que correm ao longo das paredes e executam os saltos nas danças. Algum Mergulhador-do-Inferno?

— Ele não está imaginando. — Harmony leva tempo com as palavras, rolando-as ao longo da língua. Ela aperta a mão de Dancer enquanto o contorna para olhar para mim. — Esse tampinha da porra sacou a coisa uma hora atrás.

— Ah. — Dancer sorri suavemente para ela. — É claro que ele sacou, senão Ares não teria mandado a gente correr o risco de extrair o cara de lá. Você sabe onde está, Darrow?

— Pouco importa — murmuro. Olho para as paredes ao redor, para os homens, para as luzes balançando. Tudo é tão frio, tão sujo. — O que importa é que… — Não consigo terminar minha própria sentença. Um pensamento de Eo corta minha voz. — O que importa é que vocês querem alguma coisa de mim.

— Sim, isso importa — diz Dancer. Sua mão toca meu ombro. — Mas isso pode esperar. Estou surpreso por você estar de pé. Os ferimentos nas suas costas estão feios. Você vai precisar de antibac e de tratamento de pele pra não ficar com cicatrizes.

— Cicatrizes não importam — digo. Olho fixamente para as duas gotas de sangue que pingam da fralda da minha camisa em direção ao chão. Meus ferimentos abriram novamente quando eu saí do túmulo. — Eo está… *morta*, não está?

— Está, sim. Não conseguimos salvá-la, Darrow.

— Por que não? — pergunto.

— Simplesmente não conseguimos.

— Por que não? — repito. Olho com raiva para ele, para seus seguidores e sibilo as palavras uma a uma. — Vocês me salvaram. Vocês poderiam ter salvo Eo. Ela era a pessoa que vocês iriam querer. A porra da mártir. Ela se importava com tudo isso. Ou será que Ares só precisa de Filhos, e não de Filhas?

— Mártires não valem um tostão furado — diz Harmony, bocejando.

Deslizo para a frente como uma serpente e seguro o pescoço dela; ondas de raiva percorrem meu rosto até ele ficar entorpecido e eu sentir lágrimas encharcando meus olhos. Os abrasadores chiam ao se posicionar ao meu redor. Um deles encosta na minha nuca. Sinto sua ponta fria.

— Solte-a! — alguém grita. — Vamos logo com isso, rapaz!

Cuspo neles, sacudo o corpo de Harmony uma vez e jogo-a para o lado. Ela se agacha no chão, tossindo, e então uma faca reluz na sua mão enquanto ela se levanta.

Dancer se posta desajeitadamente entre nós dois.

— Parem com isso! Vocês dois! Darrow, por favor!

— Sua garota era uma sonhadora, moleque — cospe Harmony para mim do outro lado de Dancer. — Valia tanto quanto uma chama na água.

— Harmony, cale essa porra dessa goela! — late Dancer. — Guarde essa sua porcaria de faca. — Os abrasadores se acalmam. Um tenso silêncio se segue e ele se aproxima para falar comigo. Sua voz está mais baixa. Minha respiração está acelerada. — Darrow, nós somos amigos. Somos amigos. Agora, não posso responder por Ares, não sei por que ele não pôde ajudar a gente a salvar sua garota; eu sou apenas um dos ajudantes dele. Não posso acabar com as dores. Não posso trazer sua esposa de volta pra você. Mas, Darrow, olhe pra mim. Olhe pra mim, Mergulhador-do-Inferno. — Eu olho. Bem naqueles olhos vermelho-sangue. — Não posso fazer muitas coisas. Mas posso te dar justiça.

Dancer vai até Harmony e sussurra alguma coisa, provavelmente está dizendo a ela que temos de ser amigos. Não seremos. Mas eu prometo não estrangulá-la e ela promete não me apunhalar.

Ela está quieta enquanto me guia através de corredores de metal apertados até uma pequena porta aberta por uma maçaneta torcida. Nossos pés ecoam sobre as calçadas enferrujadas. A sala é pequena e entulhada de mesas e suprimentos medicinais. Ela me manda tirar a roupa e me sentar numa das mesas frias para que ela possa limpar meus ferimentos. Suas mãos não são delicadas ao tirar a sujeira das minhas costas laceradas. Tento não gritar.

— Você é um otário — diz ela enquanto raspa restos de rocha de um ferimento profundo. Eu arquejo por causa da dor e tento falar alguma coisa, mas ela enfia o dedo nas minhas costas, cortando minhas palavras. — Sonhadores como sua mulher são limitados, Mergulhadorzinho-do-Inferno. — Ela é hábil em garantir que eu não fale nada. — Entenda isso. O único poder que eles têm é na morte. Quanto mais duras as mortes deles, mais alta é a voz deles, mais fundo os ecos que elas produzem. Mas sua mulher serviu ao propósito dela.

O propósito dela. Isso soa muito frio, muito distante e triste, como se minha garota de sorrisos e gargalhadas não tivesse nenhuma serventia além da morte. As palavras de Harmony penetram fundo em mim e eu olho fixamente para a grade de metal antes de me virar e olhar bem fundo nos olhos raivosos dela.

— Então, qual é seu propósito? — pergunto.

Ela levanta as mãos, empapadas de terra e sangue.

— O mesmo que o seu, Mergulhadorzinho-do-Inferno. Fazer o sonho se tornar realidade.

Depois que Harmony retira toda a sujeira das minhas costas e me dá uma dose de antibac, ela me leva para uma sala próxima a geradores barulhentos. O esconderijo está cheio de catres e dispõe de líquido corrente. Ela me deixa lá. O chuveiro é uma coisa aterrorizante. Embora mais delicado do que o ar do Fluxo, metade do tempo eu tenho a sensação de que estou me afogando e a outra metade me parece uma mistura de êxtase e agonia. Giro a torneira de líquido quente até que o vapor sobe denso e a dor atinge minhas costas.

A dor faz com que meus pensamentos acerca de Eo pareçam tolices. Fornece uma falsa perspectiva. Quero gostar da dor, mas consigo apenas manipulá-la, se tanto. A mistura de água e sangue forma poças nos meus pés brancos. Pensar nos pés de Eo pendendo faz com que eu caia no chão em soluços. Encosto o corpo na lateral do chuveiro até que a dor pare meus pensamentos e mordo minha língua até sair sangue. Não sou tão durão quanto imaginava ser. Nenhum Mergulhador-do-Inferno de fato é. Nenhum homem de fato é.

Sou um homem, eu me lembro, não um menino. Um homem de dezesseis anos. Quando me casei com Eo, eu me senti muito forte e sábio. Quando a enterrei, tudo isso se foi. Dezesseis. Quase dezessete. Somente nove anos mais novo do que a idade do meu pai quando morreu aos vinte e cinco. Parece uma vida inteira.

Limpo, visto os estranhos trajes que eles disponibilizaram para mim. Não é um macacão ou algo tecido em casa como os trajes que

FÚRIA VERMELHA **83**

estou acostumado a usar. O material é liso, elegante, como algo que alguém de uma Cor diferente usasse. É preto, bem semelhante a um robe curto, e não machuca minhas costas quando eu o visto. Tem um colarinho alto e dragonas. As calças são pretas e justas, os sapatos macios e estranhos.

Dancer entra na sala quando estou parcialmente vestido. Seu pé esquerdo se arrasta atrás dele, quase tão inútil quanto seu braço esquerdo. Contudo, ele é um homem impressionante, com mais musculatura do que Barlow, mais bem-apessoado do que eu apesar da idade e das cicatrizes de picadas no pescoço. Ele leva consigo um vaso de estanho e senta-se num dos catres, que range ao receber seu peso.

— Nós salvamos sua vida, Darrow. Portanto, sua vida é nossa, concorda?

— Meu tio salvou minha vida — digo.

— O bêbado? — diz Dancer, resfolegando. — A melhor coisa que ele fez na vida foi falar pra gente sobre você. E ele devia ter feito isso quando você era criança, mas te manteve em segredo. Ele trabalha pra gente como informante desde antes da morte do seu pai, sabia?

— Ele foi enforcado?

— Agora que ele te puxou? Espero que não. Demos a ele uma geringonça que faz desligar todas as câmeras antigas. Ele fez o trabalho de um fantasma.

Tio Narol. CabeçaFalante, mas bêbado como uma porta. Sempre pensei que ele fosse um sujeito fraco. Ainda é. Nenhum homem forte beberia daquele jeito ou seria tão amargo. Mas ele nunca mereceu o desdém que eu lhe dirigia. Contudo, por que ele não salvou Eo?

— Você dá a entender que meu tio deve alguma porra a você — digo.

— Ele deve ao povo dele.

— *Povo*. — Eu rio para esse termo. — Existe família. Existe clã. Pode até existir o distrito e a mina, mas povo? *Povo*. E você age como se fosse meu representante, como se tivesse direito à *minha* vida. Mas você não passa de um otário, todos vocês Filhos de Ares não passam de uns otários. — Minha voz está definhando em condescendência.

— Otários que só sabem mesmo explodir coisas. Tipo crianças dando chutes em ninhos de víboras-das-cavidades por pura raiva.

É isso o que eu quero fazer. Quero dar chutes, quero reagir com agressividade. É por isso que o insulto, é por isso que cuspo nos Filhos de Ares apesar de não ter nenhum motivo real para odiá-los.

O rosto bem-feito de Dancer se contorce num sorriso cansado, e só então percebo o quanto seu braço morto é realmente frágil — mais fino do que seu musculoso braço direito, envergado como a raiz de uma flor. Mas, apesar do membro definhado, há uma ameaça peculiar em torno a Dancer, de um tipo menos óbvio do que a encontrada em Harmony. Ela surge quando eu rio dele, quando debocho dele e dos seus sonhos.

— Nossos informantes existem para nos fornecer informações e nos ajudar a encontrar os desgarrados pra que a gente possa extrair os melhores Vermelhos das minas.

— Pra que vocês possam nos usar.

Dancer sorri rigidamente e tira o vaso de cima do catre.

— Vamos jogar um jogo pra ver se você é um desses desgarrados, Darrow. Se você vencer, vou te levar pra ver uma coisa que poucos baixoVermelhos já viram.

BaixoVermelhos. Nunca ouvi esse termo antes.

— E se eu perder?

— Aí você não é um desgarrado e os Ouros vão vencer novamente.

Estremeço diante da ideia.

Ele estende o vaso e explica as regras.

— Existem duas cartas nesse vaso. Uma delas tem a foice do ceifeiro. A outra tem um cordeiro. Se você pegar a foice, você perde. Se você pegar o cordeiro, você vence.

Só que eu reparo que a voz de Dancer flutua quando ele diz essa última parte. Isso é um teste. O que significa que não há nenhum elemento de sorte nele. O teste deve estar então medindo minha inteligência, o que significa que existe um truque. A única maneira de o jogo poder testar minha inteligência é as duas cartas terem foices; essa é a única variável que poderia ser alterada. Simples. Olho fixamente para os bonitos olhos de Dancer. Trata-se de um jogo armado; estou acostumado com esses jogos, e normalmente sigo as regras. Só que não dessa vez.

— Eu vou jogar.

Meto a mão no vaso e tiro uma carta, tomando cuidado para que apenas eu possa ver o que ela contém. É uma foice. Os olhos de Dancer não desgrudam dos meus.

— Venci — digo.

Ele faz um gesto para pegar a carta, mas eu a enfio na boca antes que ele consiga se apoderar dela. Ele não tem chance de ver qual foi a carta que tirei. Dancer me observa mastigar o papel. Eu engulo, tiro a carta restante do vaso e jogo na direção dele. Uma foice.

— A carta do cordeiro parecia boa demais pra não ser comida — digo.

— Perfeitamente compreensível.

O vermelho nos olhos dele brilha e ele põe o vaso de lado. Um jeito mais caloroso retorna a Dancer, como se ele jamais tivesse parecido uma ameaça.

— Você sabe por que nos chamamos Filhos de Ares, Darrow? Pros romanos, Marte era o deus da guerra. Um deus de glória militar, de defesa do forno e do lar. Honorável e coisa e tal. Mas Marte é uma fraude. Ele é uma versão romantizada do deus grego Ares.

Dancer acende um queimador e entrega um outro para mim. Os geradores zumbem com ar renovado e o queimador me preenche com uma névoa similar à medida que sua fumaça percorre meus pulmões.

— Ares era um filho da puta, um maligno patrono da raiva, da violência, da carnificina e do massacre — diz ele.

— Quer dizer então que quando vocês dão seu nome em homenagem a ele, estão apontando pra verdade das coisas que rolam no interior da Sociedade. Beleza.

— Algo assim. Os Ouros iam preferir que a gente esquecesse a história. E a maioria de nós esqueceu, ou jamais fomos ensinados a respeito disso. Mas eu sei como o Ouro ascendeu ao poder centenas de anos atrás. Eles chamam isso de Conquista. Qualquer um que se opusesse a eles foi chacinado. Massacraram cidades, continentes. Não muitos anos atrás, eles reduziram um mundo inteiro a cinzas: Rhea. Jogaram bombas nucleares no lugar e ele sumiu do mapa. Era com a ira de Ares que eles agiam. E agora nós somos os filhos dessa ira.

— Você é Ares? — pergunto, a voz baixa. Mundos. Eles destruíram mundos. Mas Rhea é muito mais distante da Terra do que Marte. É uma das luas de Saturno, acho. Por que eles jogariam bombas nucleares num mundo tão longe daqui?

— Não, eu não sou Ares — responde ele.

— Mas você pertence a ele.

— Eu não pertenço a ninguém a não ser a Harmony e ao meu povo. Sou como você, Darrow, nascido num clã de escavadores de terra, mineiros da colônia de Tyros. Só que eu sei mais sobre o mundo. — Ele franze o rosto para minha expressão impaciente. — Você me considera um terrorista. Eu não sou.

— Não? — pergunto.

Ele se curva para trás e dá uma tragada no queimador.

— Imagine que houvesse uma mesa coberta de moscas — explica ele. — Elas saltavam e saltavam a alturas desconhecidas. Então apareceu um homem e colocou uma jarra de vidro sobre as moscas. Elas saltaram e atingiram o topo da jarra e não puderam ir além disso. Em seguida o homem retirou a jarra, mas mesmo assim as moscas não saltaram além do que a altura a que já haviam se acostumado a saltar, porque elas acreditavam que ainda havia ali um teto de vidro. — Ele solta fumaça pela boca. Vejo seus olhos brilharem através da fumaça como a ponta de brasa de um queimador. — Nós somos as moscas que saltam alto. Agora deixe eu te mostrar a altura que a gente salta.

Dancer me acompanha ao longo de um corredor fino até um elevador cilíndrico de metal. É uma coisa enferrujada, e chia enquanto subimos.

— Você devia saber que sua mulher não morreu em vão, Darrow. Os Verdes que ajudam a gente se apossaram da transmissão televisiva. Nós invadimos e passamos a versão verdadeira em todos os HCS do nosso planeta. O planeta, os clãs das centenas de milhares de colônias de mineração e os das cidades ouviram a canção da sua mulher.

FÚRIA VERMELHA **87**

— Você inventa cada história — resmungo. — Não existe nem metade dessas colônias todas que você está falando.

Ele me ignora.

— Eles ouviram a canção dela e já estão a chamando de Perséfone.

Eu estremeço e olho para ele de cima a baixo. Não. Esse não é o nome dela. Eo não é o símbolo deles. Ela não pertence a esses bandidos com nomes inventados.

— O nome dela é Eo — digo, sarcasticamente. — E ela pertence a Lykos.

— Eo agora pertence ao povo dela, Darrow. E eles se lembram das histórias antigas de uma deusa roubada da sua família pelo deus da morte. Mas mesmo quando ela foi roubada, a morte não conseguiu ficar com ela pra sempre. Ela era a Donzela, a deusa da primavera destinada a retornar depois de cada inverno. A beleza encarnada pode tocar a vida até no túmulo; é assim que eles consideram sua mulher.

— Ela não vai voltar — digo para terminar a conversa. É inútil debater com esse homem. Ele simplesmente fala e fala sem parar.

Nosso elevador para e nós saímos num pequeno túnel. Seguindo-o, chegamos a um outro elevador de metal mais liso, mais bem conservado. Dois Filhos guardam-no com abrasadores. Logo subiremos mais uma vez.

— Ela não vai voltar, mas sua beleza, sua voz, vai ecoar até o fim dos tempos. Eo acreditava em algo além dela própria, e sua morte deu à voz dela um poder que sua mulher não tinha em vida. Ela era pura, como seu pai. Nós, você e eu — diz ele, e toca meu peito com as costas do dedo indicador —, somos sujos. Somos feitos pro sangue. Mãos ásperas. Corações sujos. Somos criaturas menores no grande esquema das coisas, mas sem nós, homens de guerra, ninguém exceto aqueles de Lykos ouviriam a canção de Eo. Sem nossas mãos ásperas, os sonhos dos corações puros jamais seriam realizados.

— Vá logo pro ponto principal — interrompo. — Você me quer pra alguma coisa.

— Você tentou morrer antes — diz Dancer. — Você quer fazer isso novamente?

— Eu quero… — O que eu quero? — Quero matar Augustus — digo, lembrando daquele rosto frio de Ouro ordenando a morte da minha mulher. Tão distante, tão desinteressado. — Ele não vai ficar vivo enquanto Eo está morta. — Penso no Magistrado Podginus e em Ugly Dan. Também vou matá-los.

— Vingança, então — diz ele, suspirando.

— Você disse que poderia me dar isso.

— Eu disse que iria te dar *justiça*. Vingança é uma coisa vazia, Darrow.

— Ela vai me encher. Me ajude a matar o ArquiGovernador.

— Darrow, suas metas são muito discretas. — O elevador acelera. Meus ouvidos estalam. Para cima, para cima, para cima. Até que altura vai esse elevador? — O ArquiGovernador é meramente um dos Ouros mais importantes de Marte. — Dancer me entrega um par de óculos escuros. Eu os coloco sem muita convicção enquanto meu coração dá pulos no peito. Nós vamos para a superfície. — Você precisa ampliar seu ponto de vista.

O elevador para. As portas se abrem. E eu estou cego.

Por trás dos óculos, minhas pupilas se contraem para se ajustar à luz. Quando por fim sou capaz de abrir os olhos, espero ver um maciço bulbo ou chama reluzente, alguma fonte daquela luminosidade. Mas não vejo nada. A luz é ambiente, vinda de alguma fonte distante, impossível. Algum instinto humano em mim conhece esse poder, conhece essa origem primal da vida. O sol. Luz do dia. Minhas mãos tremem e eu saio com Dancer do elevador. Ele não fala. Mesmo que ele falasse, duvido que eu conseguisse ouvi-lo.

Estamos numa sala com estranhas construções, diferentes de qualquer coisa que eu tivesse imaginado. Há uma substância debaixo dos nossos pés, dura mas nem feita de metal nem feita de rocha. Madeira. Eu conheço madeira a partir de fotos da Terra que vi no HC. Um carpete de milhares de tons se espalha sobre essa superfície, macia sob meus pés. As paredes ao redor são de madeira vermelha, com árvores e cervos entalhados. Uma música suave pode ser ouvida ao longe. Sigo a melodia mais para dentro da sala, na direção da luz.

Encontro uma bancada de vidro, uma grande parede que permite que o sol entre para brilhar ao longo da extensão de um instrumento atarracado e preto com teclas brancas que toca a si mesmo numa sala alta com três paredes e uma longa bancada de janelas de vidro. Tudo é tão liso aqui. Além do instrumento, além do vidro, encontra-se algo que eu não compreendo. Cambaleio na direção da janela, na direção da luz, e caio de joelhos, pressionando as mãos de encontro à barreira. Dou um gemido numa única nota longa.

— Agora você compreende — diz Dancer. — Nós somos enganados.

Além do vidro se espalha uma cidade.

9
A MENTIRA

A cidade é formada por torres, parques, rios, jardins e fontes. É uma cidade de sonhos, uma cidade de água azul e vida verde num planeta vermelho que é supostamente tão estéril quanto o mais cruel dos desertos. Esse não é o Marte que eles mostram nos HCS. Esse não é um lugar inadequado ao homem. É um lugar de mentiras, riqueza e imensa abundância.

Olho boquiaberto para a bizarrice.

Homens e mulheres voam. Eles cintilam em Ouro e Prata. Essas são as Cores que vejo no céu. Suas gravBotas os levam para cima e para baixo como se eles fossem deuses, a tecnologia tão mais graciosa do que as desajeitadas gravBotas que nossos administradores usam nas minas. Um jovem paira pela minha janela, com a pele reluzente, os cabelos soltos ao vento enquanto leva duas garrafas de vinho na direção de uma torre-jardim nas proximidades; ele está bêbado e seus movimentos trôpegos no ar me fazem lembrar de uma ocasião em que vi o sistema de ar de um Perfurador enguiçar no seu traje-forno; ele arfou em busca de oxigênio enquanto morria, se contorcendo e dançando. Esse Ouro ri como um otário e executa um giro divertido. Quatro garotas, de maneira alguma mais velhas do que eu, voam atrás dele numa alegre caçada, entontecidas e rindo à toa. Seus vestidos justos parecem feitos de líquido e gotejam ao redor das suas jovens curvas. Elas aparentam ter minha idade, de certa forma, mas parecem extremamente tolas.

Eu não compreendo.

Além delas, naves flutuam pelo ar ao longo de avenidas iluminadas por faróis. Pequenas naves, Asas Cortadas, como Dancer as chama, acompanham os mais sofisticados iates aéreos. No chão, vejo homens e mulheres se movimentando por amplas avenidas. Há automóveis, postes de iluminação identificados pelas Cores ao longo dos níveis mais baixos — Amarelo, Azul, Laranja, Verde, Rosa, uma centena de tons de uma dezena de Cores para formar uma hierarquia tão complexa, tão estranha, que mal consigo pensar que se trate de uma concepção humana. Os edifícios através dos quais as trilhas passam são imensos, alguns de vidro, alguns de pedra. Mas muitos deles me fazem lembrar daqueles que vi nos HCS, aqueles edifícios dos romanos, feitos dessa vez para deuses em vez de homens.

Além da cidade, que se estende até praticamente onde consigo enxergar, a superfície vermelha e estéril de Marte é manchada pelo verde dos gramados e das florestas audazes. Uma bolha extravagante envelopa a cidade. Ela refulge como alguma espécie de barreira mágica. O céu acima é azul, maculado de estrelas. A terratransformação está completa.

Esse é o futuro. Só deveria ser assim daqui a várias gerações.

Minha vida é uma mentira.

Tantas vezes Octavia au Lune disse a nós, povo de Lykos, que éramos os pioneiros de Marte, que éramos as corajosas almas que se sacrificavam pela raça, que logo nossa labuta em prol da humanidade estaria acabada. Logo as Cores mais suaves iriam se juntar a nós, assim que Marte estivesse habitável. Mas eles já se juntaram a nós. A Terra veio para Marte e nós pioneiros fomos deixados num nível inferior, trabalhando como escravos, labutando, sofrendo para criar e manter a fundação de tudo isso... desse império. Somos como Eo sempre disse que éramos — os escravos da Sociedade.

Dancer está sentado numa cadeira atrás de mim e espera até que eu consiga falar. Ele diz uma palavra, e as janelas se escurecem. Ainda consigo enxergar a cidade, mas o sol não cega mais meus olhos. Ao nosso lado, o instrumento atarracado, chamado piano, sussurra uma melodia lúgubre.

— Eles diziam pra gente que éramos a única esperança da humanidade — digo num sussurro. — Diziam que a Terra estava superpovoada, que toda a dor, todo o sacrifício, era pela humanidade. O sacrifício é bom. A obediência é a mais alta virtude...

O Ouro ridente alcançou a torre nas proximidades; ele se rende às garotas e a seus beijos. Logo eles estarão tomando o vinho e se divertindo.

Dancer me conta como as coisas são.

— A Terra não está superpovoada coisíssima nenhuma, Darrow. Setecentos anos atrás, houve uma expansão até a lua deles, Luna. Como é muito difícil fazer lançamentos de espaçonaves através da gravidade e da atmosfera da Terra, Luna se tornou o porto da Terra através do qual ela colonizou as luas e planetas do sistema solar.

— Setecentos anos? — digo, boquiaberto, sentindo-me subitamente idiota.

— Em Luna, a eficiência e a ordem se tornaram a preocupação principal. No espaço, qualquer pulmão precisa ter um propósito. Portanto, as primeiras Cores foram sendo gradualmente instituídas e os Vermelhos foram enviados a Marte pra recolher o combustível pra humanidade. As colônias de mineração foram estabelecidas aqui, já que Marte possui a mais alta concentração de hélio-3, que é usado para terratransformar os outros mundos e luas.

Pelo menos isso não era mentira.

— Eles estão terratransformados, essas luas e mundos?

— As luas pequenas, sim. A maioria dos planetas. Obviamente, os gigantes gasosos não estão. — Ele se senta numa cadeira. — Foi nos primeiros estágios da Colonização que os ricos de Luna começaram a perceber que a Terra não era nada mais do que um ralo por onde escoavam seus lucros. Mesmo enquanto Luna colonizava o sistema solar, seus lucros eram taxados e suas propriedades pertenciam a corporações e países na Terra, mas essas mesmas entidades não tinham como garantir suas posses pela força. De modo que Luna se rebelou: os Ouros e sua Sociedade contra os países da Terra. A Terra reagiu e perdeu. Essa foi a Conquista. A economia tornou Luna uma potência e o porto do sistema solar. E a Sociedade começou a se transformar no que é hoje, um império construído sobre o lombo dos Vermelhos.

Observo as Cores se moverem abaixo. Eles são pequenos, é difícil distinguir da altura em que nos encontramos — e meus olhos não estão acostumados a enxergar tão longe ou a ver tanta luz.

— Os Vermelhos foram enviados a Marte quinhentos anos atrás. As outras Cores vieram pra cá mais ou menos há trezentos anos, enquanto nossos ancestrais ainda labutavam abaixo da superfície. Eles viviam nessas cidades paraterratransformadas, cidades com bolhas de atmosfera sobre elas, enquanto o resto do mundo foi terratransformado lentamente. Agora as bolhas estão descendo e o mundo está apto a qualquer ser humano. AltoVermelhos vivem como trabalhadores de manutenção, saneamento, nas colheitas de grão, nas linhas de montagem. BaixoVermelhos são aqueles de nós nascidos abaixo da superfície — os verdadeiros escravos. Nas cidades, os Vermelhos que dançam desaparecem. Os que dão voz a seus pensamentos somem. Os que baixam a cabeça e aceitam as regras da Sociedade e seu lugar nela, como fazem todas as Cores, vivem com relativa liberdade.

Dancer exala uma nuvem de fumaça. Eu nem tinha visto o queimador na mão dele.

Sinto-me como se estivesse fora do meu corpo, como se estivesse assistindo à colonização de mundos, à transformação da espécie humana, através de olhos que não são meus. A gravidade da história levou meu povo para a escravidão. Somos a parte mais baixa da Sociedade, a sujeira. Eo sempre pregou algo assim. Embora ela jamais tivesse conhecido a verdade. Se ela tivesse sabido disso, o quanto não teria falado de maneira ainda mais apaixonada? Essa existência é pior do que o que ela jamais poderia ter imaginado. Não é difícil de entender a convicção com a qual os Filhos de Ares lutam.

— Quinhentos anos. — Balanço a cabeça. — Essa é a porra do nosso planeta.

— Através do suor e da labuta, ele foi feito dessa maneira — concorda ele.

— Então o que vai ser necessário pra tê-lo de volta?

— Sangue. — Dancer sorri para mim como se fosse um gato de rua dos distritos. Existe uma fera por trás dos sorrisos paternais desse homem.

Eo tinha razão. É necessário violência.

Ela era a voz, como meu pai. Então, o que serei eu? A mão vingadora? Não consigo entender que alguém tão puro, tão cheio de amor, pudesse querer que eu desempenhasse esse papel. Mas ela queria. Penso na última dança do meu pai. Penso na minha mãe, em Leanna, Kieran, Loran, nos pais de Eo, no tio Narol, Barlow, em todos que eu amo. Sei como a vida deles será dura e como eles morrerão rapidamente. E agora sei por quê.

Olho para minhas mãos. Elas são exatamente o que Dancer disse que eram: coisas cortadas, cheias de cicatrizes e queimadas. Quando Eo as beijou, elas ficaram delicadas para o amor. Agora que ela se foi, minhas mãos ficaram duras para o ódio. Cerro os punhos até que os nós dos meus dedos fiquem brancos como calotas polares.

— Qual é a missão?

10

O ENTALHADOR

Cresci ao lado de uma garota de sorriso fácil de quinze anos de idade tão apaixonada por seu jovem marido que depois que ele se queimou nas minas e seus ferimentos supuraram, ela passou a vender seu corpo para um Gama em troca de antibióticos. Ela era mais forte do que seu marido. Quando ele sarou e descobriu o que havia sido feito em seu benefício, matou o Gama com uma curviLâmina surrupiada das minas. É fácil adivinhar o que aconteceu depois disso. O nome da garota era Lana e ela era filha de tio Narol. Ela não está mais viva.

Penso nela enquanto assisto ao HC no que Harmony chamou de cobertura enquanto Dancer faz os preparativos. Passeio por vários canais com um movimento de dedo. Até o Gama tinha uma família. Ele escavava como eu. Ele nasceu como eu, passava pelo Fluxo como eu e tampouco jamais viu o sol. Ele apenas recebia um pequeno pacote de medicamentos da Sociedade e observava os efeitos. Muita esperteza da parte deles. Como conseguem criar tanto ódio entre pessoas que deveriam ser como parentes? Mas se os clãs soubessem o luxo que existe na superfície, se eles soubessem o quanto foi roubado deles, sentiriam o ódio que estou sentindo, iriam se unir. Meu clã é formado por pessoas de temperamento quente. Como seria uma rebelião levada a cabo por eles? Provavelmente como o queimador de Dago — queimando intensa porém rapidamente, até se transformar em cinzas.

Pergunto a Dancer por que os Filhos transmitiram a morte da minha mulher aos mineiros. Por que não mostrar, em vez disso, aos baixoVermelhos a riqueza existente na superfície? Isso semearia a raiva.

— Porque uma rebelião agora seria esmagada em questão de dias — explica Dancer. — Precisamos seguir um caminho diferente. Uma nação não pode ser destruída de fora sem que seja destruída de dentro. Lembre-se disso. Nós somos destruidores de nações, não terroristas.

Quando Dancer me disse o que tenho de fazer, eu ri. Não sei se consigo fazer isso. Sou apenas um grão de areia. Existem milhares de cidades em Marte. Beemontes de metal navegam entre os planetas em frotas que carregam armas que podem rachar a cúpula de uma lua. Na distante Luna, edifícios atingem alturas que chegam a oito quilômetros; lá, a Consulesa Soberana, Octavia au Lune, governa com seus Imperadores e Pretores. O Lorde das Cinzas, que transformou em cinzas o mundo de Rhea, é seu capanga. Ela controla os doze Cavaleiros Olímpicos, legiões de Inigualáveis Maculados, e Obsidianos incontáveis como as estrelas. E esses Obsidianos são apenas a elite. Os soldados Cinzas vagam pelas cidades garantindo a ordem, garantindo a obediência à hierarquia. Os Brancos arbitram sua justiça e impõem sua filosofia. Rosas deleitam e servem em lares das altas Cores. Pratas contabilizam e manipulam a moeda e a logística. Amarelos estudam os medicamentos e as ciências. Verdes desenvolvem tecnologia. Azuis navegam as estrelas. Cobres administram a burocracia. Todas as Cores servem a um propósito. Todas as Cores apoiam os Ouros.

O HC me mostra Cores que eu nem sabia que existiam. Mostra moda. Burlesca e sedutora. Existem biomodificações e implantes de carne — mulheres com pele tão lisa e brilhante, seios tão redondos, cabelos tão macios que parecem pertencer a uma espécie diferente da de Eo e de todas as mulheres que conheci até hoje. Os homens são monstruosamente musculosos e altos. Seus braços e peitos são inchados com força artificial, e eles exibem seus músculos como meninas exibindo seus novos brinquedos.

Sou um Lambda Mergulhador-do-Inferno de Lykos, mas o que é isso comparado a tudo o que estou vendo aqui?

— Harmony está aqui. Vamos nessa — diz Dancer da porta.

— Eu quero lutar — digo a ele enquanto descemos no gravElevador com Harmony. Eles aperfeiçoaram meus Sinetes para que ficassem mais brilhantes e pudessem combinar com os Sinetes dos altoVermelhos. Uso o traje folgado de um altoVermelho e carrego comigo um conjunto de equipamentos para varredura de rua. Meus cabelos foram tingidos e lentes de contato foram colocadas nos meus olhos, tudo isso para que minha aparência tivesse um tom mais brilhante de vermelho. Parecesse menos suja. — Eu *não quero* essa missão. E o que é pior, *não sei como* realizar essa missão. Quem saberia?

— Você disse que faria qualquer coisa que necessitasse ser feita — diz Dancer.

— Mas isso… — A missão que ele me deu é uma insanidade, ainda que não seja isso o que me assusta. Meu temor é que eu me transforme em algo que Eo não reconheceria. Vou me tornar um demônio das nossas histórias de Octobernacht. — Me dê um abrasador ou uma bomba. Deixe outra pessoa fazer isso.

— A gente te trouxe pra fazer isso — diz Harmony, suspirando. — E apenas isso. Esse é o maior objetivo de Ares desde que os Filhos nasceram.

— Quantos outros vocês trouxeram? Quantos outros tentaram o que vocês estão me pedindo pra tentar?

Harmony olha para Dancer. Ele não diz nada, de modo que ela responde impacientemente no seu lugar:

— Noventa e sete pessoas fracassaram no Entalhe… até onde a gente sabe.

— *Porra* — xingo. — E o que aconteceu com eles?

— Morreram — diz ela brandamente. — Ou pediram pra morrer.

— De repente, teria sido melhor se Narol tivesse me deixado ser enforcado. — Tento rir.

— Darrow. Venha cá. Venha. — Ele agarra meu ombro e me puxa. — Os outros podem ter fracassado. Mas com você vai ser diferente, Darrow. Sinto isso nos meus ossos.

* * *

Minhas pernas estão trêmulas quando olho pela primeira vez para o céu noturno e para os edifícios espalhados ao meu redor. Tenho uma vertigem. Tenho a sensação de que estou caindo, como se o mundo estivesse fora dos eixos. Tudo está aberto demais, tanto assim que parece que a cidade está prestes a cair no céu. Olho para meus pés, olho para a rua, e tento imaginar que estou nas estradas de túneis indo dos distritos em direção ao Comunitário.

As ruas de Yorkton, a cidade, são um estranho lugar à noite. Bolas luminescentes de luz se enfileiram ao longo das ruas e calçadas. Monitores de HC percorrem como telas líquidas partes da avenida nesse setor high-tech da cidade, portanto a maioria das pessoas anda sobre as calçadas móveis ou usa os transportes públicos com suas cabeças inclinadas para baixo como cabos de bengala. Luzes berrantes tornam a noite quase tão clara quanto o dia. Vejo ainda mais Cores. Esse setor da cidade é limpo. Equipes de trabalhadores sanitários Vermelhos trafegam o tempo todo pelas ruas. Suas estradas e calçadas estão na mais perfeita ordem.

Há uma tênue fita vermelha onde devemos andar, uma fita estreita numa rua ampla. Nosso caminho não se move como o dos outros. Uma mulher Cobre caminha ao longo da sua calçada mais ampla; seus programas favoritos são transmitidos onde quer que ela esteja circulando, a menos que ela caminhe ao lado de um Ouro, situação em que todos os monitores de HC se mantêm em silêncio. Mas a maioria dos Ouros não anda; eles têm permissão de usar gravBotas e automóveis, assim como quaisquer Cobres, Obsidianos, Cinzas e Pratas com a licença adequada, embora as botas licenciadas tenham uma aparência horrorosamente falsa.

Um anúncio de um creme para bolhas aparece no chão à minha frente. Uma mulher de proporções estranhamente esguias desliza de um robe de renda vermelho. Adequadamente nua, ela então aplica o creme num lugar do seu corpo onde nenhuma mulher jamais teve bolhas. Eu enrubesço e desvio o olhar em repulsa, porque só vi até hoje uma única mulher nua.

— Você vai querer esquecer essa sua modéstia — aconselha Harmony. — Isso vai te marcar de forma pior do que sua Cor.

— Isso é revoltante — digo.

— É um anúncio, querido. — Harmony ronrona condescendentemente. Ela compartilha uma gargalhada com Dancer.

Uma Ouro idosa paira acima de nós, mais velha do que qualquer ser humano que eu já tenha visto. Abaixamos nossas cabeças enquanto ela passa.

— Vermelhos aqui em cima têm que ser pagos — explica Dancer quando estamos sozinhos. — Não muito. Mas eles recebem dinheiro e benesses suficientes pra que fiquem dependentes. O dinheiro que têm, eles gastam em bens que são convencidos de que necessitam.

— A mesma coisa ocorre com todos os preguiçosos — sibila Harmony.

— Quer dizer então que eles não são escravos — digo.

— Ah, eles são escravos, sim — diz Harmony. — São escravizados por sugarem nas tetas desses salafrários.

Dancer se esforça para continuar a conversa, de modo que eu me calo enquanto ele fala. Harmony emite um barulho de irritação.

— Os Ouros estruturam tudo pra tornar a vida deles próprios mais fácil. Mandam produzir shows pra entreter e acalmar as massas. Distribuem grana e alimentos pra tornar as gerações dependentes no sétimo dia de cada novo mês terreno. Criam bens pra dar à gente uma aparência de liberdade. Se a violência é o esporte dos Ouros, a manipulação é a forma artística deles.

Entramos num distrito de baixaCor onde não existem calçadas designadas para pedestres. As frentes das lojas estão com fitas eletrônicas Verdes. Algumas lojas colocam em promoção um mês de realidade alternativa ao tempo de uma hora pelo preço de um salário semanal. Dois homens pequenos com rápidos olhos verdes e cabeças calvas com os corpos exibindo vários esporões de metal e tatuagens com códigos digitais cambiantes me fazem imaginar uma viagem a algum lugar chamado Osgiliath. Outras lojas oferecem serviços bancários ou biomodificações ou simples produtos de higiene pessoal. Eles gritam nomes de itens que eu não entendo, falando em números e acrônimos. Nunca vi tamanha agitação.

Bordéis com fitas Rosas me fazem enrubescer, assim como as mulheres e os homens nas janelas. Cada qual tem uma etiqueta piscando com seu preço pendendo divertidamente de um fio; trata-se de um número móvel que se adapta à demanda. Uma garota lasciva me chama. Sua voz é doce e áspera ao mesmo tempo. Junto com os homens e mulheres se encontram máquinas cobertas de maisCarne. Eles são uma empresa de quinta categoria e seus operadores tentam me aliciar enquanto Dancer explica a ideia de dinheiro. Em Lykos, comercializávamos somente com bens e zurrapa e queimadores e serviços.

Alguns quarteirões da cidade são reservados para o uso das Cores altas. O acesso a esses distritos depende de crachás de autorização. Não posso simplesmente entrar num distrito Ouro ou Cobre. Mas um Cobre sempre pode visitar um distrito Vermelho, frequentando um bar ou um bordel. Nunca o contrário, nem mesmo no tresloucado e aberto-a-todos Bazar — um tumultuado local de comércio e barulho e ar pesado cheio de aromas de corpos e comida e exaustores de automóveis.

Entramos no fundo do Bazar. Sinto-me mais seguro nos becos dos fundos aqui do que estava me sentindo nas avenidas abertas dos setores high-tech. O Bazar é mais escuro, embora as luzes ainda brilhem e as pessoas ainda estejam zanzando de um lado para o outro. Os edifícios parecem estar grudados uns nos outros. Uma centena de varandas formam costelas nos altos das vielas. Calçadões fazem zigue-zagues acima de nós e, em todos os lugares ao nosso redor, luzes piscam de dispositivos. Cheiros se elevam no ar como um barulho palpável. É mais úmido aqui, sujo. E vejo menos Latões patrulhando. Dancer diz que há lugares no Bazar os quais nem mesmo um Obsidiano deveria frequentar.

— Nos lugares densos de homens, a humanidade se desintegra com mais facilidade — diz ele.

É estranho estar numa multidão onde ninguém conhece seu rosto ou se interessa pelos seus propósitos. Em Lykos, eu teria esbarrado em homens com quem crescera, dado de cara com garotas com quem eu

FÚRIA VERMELHA **101**

caçara e lutara durante a infância. Aqui, outras Cores me dão encontrões e não oferecem nem mesmo um singelo pedido de desculpas. Isso é uma cidade, e não gosto dela. Sinto-me sozinho.

— Isso somos nós — diz Dancer, fazendo um gesto para que eu entre num local escuro onde um dragão voador eletrônico reluz na superfície da pedra. Um enorme Marrom com um nariz modificado nos detém. Esperamos que o nariz de metal resfolegue e fareje. Ele é maior do que Dancer.

— Tinta nos cabelos dele — ele rosna na minha direção, dando uma cheirada nos meus cabelos. — Um Enferrujado, esse aí.

Um abrasador está visível no seu cinto. Ele tem um tremor atrás do punho — posso afirmar pela maneira pela qual sua mão se mexe. Um outro bandidão se junta a ele no banquinho. Ele possui processadores de joias nos olhos, pequenos rubis vermelhos que tremeluzem quando a luz os capta em cheio. Olho fixamente para as joias e para os olhos castanhos.

— Qual é a desse aí? Ele quer partir dessa pra uma melhor? — cospe o bandidão. — Fica me encarando dessa forma e eu arranco o fígado dele e vendo lá no mercado.

Pensa que eu o estou desafiando. Estou na realidade apenas curioso acerca dos rubis; mas, quando ele me ameaça, eu sorrio e dou uma piscadela como faria nas minas. Uma faca surge na sua mão. As regras são diferentes aqui em cima.

— Moleque, fica brincando aí pra tu ver. Vai nessa. Fica brincando.

— Mickey está esperando a gente — diz Dancer ao homem.

Observo o amigo do Modificado enquanto ele tenta me averiguar de cima a baixo como se eu fosse alguma espécie de criança. O Modificado dá um sorrisinho e debocha do braço e da perna de Dancer.

— Conheço nenhum Mickey, aleijadinho. — Ele olha para seu amigo. — Tu conhece algum Mickey?

— Que nada. Tem Mickey nenhum por aqui, não.

— Que alívio. — Dancer coloca a mão no abrasador debaixo da sua jaqueta. — Como vocês não conhecem Mickey, não vão ter de explicar ao Mickey por que meu... generoso amigo não conseguiu se encontrar com ele. — Ele mexe a jaqueta para que eles possam ver um glifo bordado no cabo da sua arma. O capacete de Ares.

Quando vê o glifo, o Modificado engole em seco e diz:

— Nanico. — Em seguida eles se acotovelam para abrir a porta. — V-v-vocês vão ter que tirar as armas. — Três outros se movem na nossa direção, com os abrasadores parcialmente empunhados. Harmony abre sua veste e mostra a eles uma bomba amarrada à sua barriga. Ela rola um detonador por sobre os finos dedos Vermelhos.

— Que nada. A gente é legal.

O Modificado engole em seco mais uma vez e balança a cabeça.

— Vocês são legais.

O interior do edifício é escuro. É uma escuridão espessa por causa da fumaça e das luzes latejantes — muito semelhantes às minas. A música pulsa. Cilindros de vidro como pilastras se encontram entre as cadeiras e mesas onde alguns homens bebem e fumam. Dentro dos cilindros, mulheres dançam. Algumas se contorcem na água, seus estranhos dedos com membranas e coxas lisas se movendo conforme a música. Outras giram de acordo com a melodia percussiva em espaços de fumaça dourada ou tinta prateada. Enrubesço quando olho para uma mulher nua coberta de fogo azul e laranja. Sua pele lisa não queima. E acho que estou vendo asas nas suas costas. Ela parece bastante jovem, mais jovem ainda quando vejo os homens sentados ao redor dela em sofás com pequenos datapads. Inclino a cabeça.

— Eles estão leiloando a garota — diz Harmony, sombriamente. — Vamos nessa.

Mais bandidos nos guiam até uma mesa nos fundos que parece ser feita de água iridescente. Um homem magro está lá com o corpo reclinado acompanhado de diversas criaturas do tipo mais estranho possível. A princípio penso que se trata de monstros, mas quanto mais de perto eu olho, mais confuso fico. As criaturas são humanas. Mas foram feitas de maneira diferente. Entalhadas de modo diferente. Uma garota bem jovem, não mais velha do que Eo, está sentada olhando para mim com olhos de esmeralda. As asas de uma águia branca brotam da carne nas suas costas. Ela é como algo arrancado de um pesadelo proporcionado por febre alta, exceto pelo fato de que deveria ter sido deixada no pesadelo. Outros seres semelhantes relaxam em meio à fumaça e às estranhas luzes.

Mickey, o Entalhador, é um bisturi em forma de homem com um sorriso trapaceiro e cabelos pretos que descem como uma poça de óleo por um dos lados da sua cabeça. Uma tatuagem facial de uma máscara de ametista envolta em fumaça esvoaça ao redor do seu olho esquerdo. É o Sinete de um Violeta — os criativos —, de modo que está sempre mudando. Outros símbolos violeta mancham suas mãos. Ele está brincando com um pequeno quebra-cabeça eletrônico em formato de cubo que possui faces cambiantes. Seus dedos são rápidos, mais finos e mais compridos do que deveriam ser; e existem doze deles. Fascinante. Nunca vi um artista antes, nem mesmo no HC. Eles são raros como os Brancos.

— Ah, Dancer — diz ele, suspirando sem levantar os olhos do cubo. — Consegui te ouvir por causa do seu arrastar de pé. — Ele estreita os olhos para o cubo nas suas mãos. — E Harmony. Consegui sentir seu cheiro da porta, minha querida. Bomba terrível, por falar nisso. Da próxima vez que você precisar de artefatos ocultos de verdade, dê um toque pro Mickey, beleza?

— Mick — diz Dancer, e se senta à mesa de coisas de sonho. Posso afirmar que Harmony está ficando um pouquinho tonta por causa da fumaça. Estou acostumado a respirar troços piores.

— Agora, Harmony, meu amorzinho — ronrona Mickey. — Você já desistiu desse seu aleijadinho? Venha se juntar à minha família, que tal? Sim? Tá a fim de um par de asas? Garras nas mãos? Um rabo? Chifres? Você teria uma aparência feroz com chifres. Principalmente envoltos nos meus lençóis sedosos.

— Entalhe uma alma pra si mesmo e de repente você arruma alguma coisa — escarnece Harmony.

— Ah, se for preciso ser um Vermelho pra ter uma alma, vou ser obrigado a recusar.

— Então, vamos aos negócios.

— Tão abruptamente, minha querida. A conversa deveria ser considerada uma forma de arte, ou um grande jantar. Cada prato no seu devido tempo. — Seus dedos voam sobre o cubo. Ele está fazendo a combinação baseado na frequência eletrônica deles, mas é um pouquinho lento demais para combiná-los antes que eles mudem. Ele ainda não levantou os olhos.

— Nós temos uma proposta pra você, Mickey — diz Dancer, impaciente. Ele olha de relance para o cubo.

O sorriso de Mickey é longo e trapaceiro. Ele não levanta os olhos. Dancer repete a fala.

— Direto ao prato principal, hein, aleijadinho? Bom, faça essa proposta em outro lugar.

Dancer arranca o cubo das mãos de Mickey. A mesa fica em silêncio. Os bandidos ficam eriçados atrás de nós, e a música continua seu bate-estaca. Meu coração está calmo e olho o abrasador na coxa do bandido mais próximo. Lentamente, Mickey levanta os olhos e corta a tensão com um sorriso maroto.

— O que é o quê, meu amigo?

Dancer balança a cabeça para Harmony e ela desliza uma caixinha para Mickey.

— Um presente? Vocês não deveriam. — Mickey examina a caixa. — Troço reles. Uma Cor muito sem gosto, Vermelho. — Então ele desliza a caixa para abri-la e arqueja, horrorizado. Ele sai da mesa encolhido, fechando a caixa com força. — Seus filhos da puta idiotas do cacete. O que é isso?

— Você sabe o que são essas coisas.

Mickey inclina o corpo para a frente e sua voz se torna um solitário sibilo:

— Vocês as trouxeram pra cá? Como foi que vocês conseguiram isso? Vocês estão malucos? — Mickey olha de relance para seus seguidores, que dão uma espiada na caixa imaginando o que teria deixado seu mestre tão desequilibrado.

— Malucos? Nós somos uns maníacos da porra — diz Dancer, sorrindo. — E precisamos delas atadas. Logo.

— Atadas? — Mickey começa a rir.

FÚRIA VERMELHA **105**

— Nele — diz Dancer, apontando para mim.

— *Saiam daqui!* — berra Mickey para seu séquito. — *Saiam*, seus patifes bajuladores e pretensiosos! Eu estou falando com vocês... *suas aberrações!* Saiam daqui! — Assim que seu bando rasteja para longe, ele abre a caixa e deixa cair o conteúdo em cima da mesa. Duas asas douradas, os Sinetes de um Ouro, batem de encontro à mesa.

Dancer senta-se.

— Queremos que você transforme nosso rapazinho aqui num Ouro.

11

O ENTALHADO

— **Vocês estão malucos.**

— Obrigada — diz Harmony, sorrindo.

— Estou querendo crer que você errou na pronúncia; quer por favor repetir a frase? — diz Mickey, dirigindo-se a Dancer.

— Ares vai te pagar uma quantia maior do que qualquer uma que você já viu se conseguir atar com sucesso isso aqui no meu amigo.

— Impossível — declara Mickey, olhando para mim de cima a baixo, medindo-me pela primeira vez. Ele não demonstra estar impressionado apesar da minha estatura. Não o culpo. No passado, eu me imaginava um cara bem-apessoado dos clãs. Forte. Musculoso. Aqui em cima, sou pálido e magricela, jovem e cheio de cicatrizes. Ele cospe na mesa. — Impossível.

Harmony dá de ombros.

— Isso já foi feito antes.

— Por quem? Eu pergunto. — Ele vira a cabeça. — Não. Você não vai conseguir me seduzir.

— Alguém talentoso — diz Harmony, escarnecendo.

— *Impossível.* — Mickey se curva ainda mais para a frente; seu rosto magro não tem um único poro. — Você precisa de um dicionário? Posso mandar instalar um no seu cérebro, se você precisar. É impossível. Tem DNA para combiná-lo com as asas, extração cerebral.

Você sabia que eles têm marcas subcutâneas nos esqueletos? É claro que você não sabia, datachips atados aos córtices frontais para substanciar as castas deles? E também há as ligações das sinapses, os elos moleculares, os dispositivos de rastreamento, o Comitê de Controle de Qualidade. E também os traumas e os raciocínios associativos. Vamos dizer que a gente consiga tornar o corpo dele perfeito, mesmo assim ainda vai haver um problema: não podemos torná-lo mais inteligente. Não se consegue transformar um camundongo num leão.

— Ele pode pensar como um leão — diz Dancer francamente.

— Oho! Ele pode pensar como um *leão* — diz Mickey, com um risinho reprimido.

— E Ares quer que isso seja feito. — A voz de Dancer é fria.

— Ares. Ares. Ares. Pouco importa o que Ares quer, seu babuíno. Esqueça a ciência. As habilidades mentais e físicas dele são provavelmente tão precárias quanto as da porra de um limpador de privada. E as tangíveis dele não vão combinar. Ele não faz parte da espécie deles! Ele é um Enferrujado!

— Eu sou um Mergulhador-do-Inferno de Lykos — digo.

Mickey ergue as sobrancelhas.

— Oho! Um Mergulhador-do-Inferno. Para tudo, para tudo! Um Mergulhador-do-Inferno, foi isso o que você disse? — Ele está debochando de mim, mas estreita os olhos subitamente como se tivesse me visto antes. Minhas chicotadas foram televisionadas. Muitas pessoas conhecem meu rosto. Mas e se eu me tornar um Ouro, entalhado nas suas augustas similitudes e não nas do meu pai? Dificilmente vou conseguir reconhecer a mim mesmo. — Não me sacaneie — murmura ele.

— Você reconhece meu rosto — confirmo.

Ele puxa o vídeo viral e o observa, olhando seguidas vezes para o vídeo e para mim.

— Você não morreu com aquela sua namorada?

— Esposa — rebato.

Os maxilares de Mickey se movem sob a pele enquanto ele me ignora.

— Você está produzindo um salvador — acusa ele, olhando na direção de Dancer. — Dancer, seu filho da puta. Você está produzindo um messias pra porra da sua causa xexelenta.

Eu nunca tinha olhado para a coisa dessa maneira. Minha pele pinica inquietantemente.

— Exato — é a resposta de Dancer.

— Se eu transformar esse cara num Ouro, o que é que você vai fazer com ele?

— Ele vai se candidatar a uma vaga no Instituto. Vai ser aceito. Lá, ele vai ter um desempenho bom o suficiente pra alcançar as notas dos Inigualáveis Maculados. Na condição de Maculado, ele pode treinar pra se tornar um Pretor, um Legado, um Político, um Questor. Qualquer coisa. Ele vai avançar até uma posição de alta categoria, quanto mais alta melhor. De lá, ele estará numa posição propícia para fazer o que Ares solicitar em prol da causa.

— Mãe de Deus — murmura Mickey. Ele olha fixamente para Harmony, depois para Dancer. — Você quer que ele seja um genuíno Inigualável Maculado. Um Bronzeado não serve?

Um Bronze é um Ouro desbotado. Da mesma classe, mas olhado com desprezo pela aparência, linhagem e capacidades inferiores.

— Bronze, não — confirma Dancer.

— Um Pixie, de repente?

— A gente não quer que ele vá pra casas noturnas pra ficar comendo caviar como aqueles Ouros que não valem coisa nenhuma. A gente quer que ele comande frotas.

— *Frotas*. Galera, vocês são totalmente pirados. Pirados. — Os olhos violeta de Mickey se fixam sobre os meus depois de um longo momento. — Meu garoto, esse pessoal aqui está assinando sua sentença de morte. Você *não é* um Ouro. Você não pode fazer o que um Ouro é capaz de fazer. Eles são matadores, nasceram pra dominar *a gente*; você por acaso já conheceu algum Áurico? Com certeza, eles podem parecer bonitinhos e pacíficos agora. Mas você sabe o que aconteceu na Conquista? Eles são monstros.

Ele balança a cabeça e ri maldosamente.

— O Instituto não é uma escola, é uma peneira onde os Ouros vão se atacar mutuamente até que o mais forte em corpo e mente seja encontrado. Você. Vai. Morrer.

O cubo de Mickey está no lado oposto da extremidade da mesa. Caminho até lá sem dizer uma palavra. Não sei como o objeto funciona, mas conheço os quebra-cabeças da terra.

— Meu garoto, o que é que você está fazendo? — pergunta Mickey, suspirando de pena. — Isso aí não é um brinquedo.

— Você já esteve numa mina? — pergunto a ele. — Alguma vez já usou seus dedos pra escavar através de uma linha falsa num ângulo de doze graus, enquanto faz as contas pra acomodar uma força de 80% de rotação e 55% de empuxo pra que você não acione uma reação de bolsão de gás enquanto está sentado no seu próprio mijo e suor, preocupando-se com víboras-das-cavidades que querem enfiar os dentes na sua barriga pra depositar seus ovos?

— Isso é...

A voz dele some à medida que ele vê como a Perfuratriz-garra ensinou meus dedos a se mover, como a desenvoltura com a qual meu tio me ensinou a dançar é convertida para minhas mãos. Eu assobio enquanto trabalho. Levo alguns instantes, quem sabe um ou três minutos. Mas aprendo o quebra-cabeça e então o decifro facilmente de acordo com a frequência. Parece haver um outro nível para isso, para as charadas matemáticas. Não sei matemática, mas conheço o padrão. Eu o decifro e depois outros quatro quebra-cabeças, então ele muda mais uma vez nas minhas mãos, tornando-se um círculo. Os olhos de Mickey ficam arregalados. Completo os quebra-cabeças do círculo e então jogo o dispositivo de volta para ele. Ele olha fixamente para minhas mãos enquanto trabalha com seus próprios doze dedos.

— *Impossível* — murmura ele.

— Evolução — responde Harmony.

Dancer sorri.

— Nós vamos precisar discutir o preço.

12
MUDANÇA

Minha vida se torna uma agonia.

Meus Sinetes são atados ao metacarpo em cada mão. Mickey retira o velho Sinete Vermelho e cultiva uma nova pele e um novo osso sobre os ferimentos. Em seguida ele começa a instalar um datachip subcutâneo roubado no meu lobo frontal. Recebo a informação de que o trauma me matou e eles tiveram de reiniciar meu coração. Então, morri duas vezes. Eles dizem que fiquei em coma por duas semanas, mas para mim não foi nada além de um sonho. Eu estava no vale com Eo. Ela me beijou na testa e então acordei e senti os pontos e a dor.

Estou deitado na cama enquanto Mickey faz testes em mim. Ele manda eu tirar mármores de um contêiner e colocar em outros contêineres codificados por cores. Faço isso pelo que parece uma vida inteira.

— Nós estamos formando sinapses, meu querido.

Ele faz testes em mim com quebra-cabeças de palavras e tenta me fazer ler, mas eu não sei ler.

— Você vai precisar aprender isso pra entrar no Instituto — diz ele, dando uma risadinha.

Meus sonhos são coisas cruéis. É duro acordar com eles. Nos sonhos, Eo me conforta, mas quando acordo ela não é nada além de uma lembrança fugaz. Estou oco ali deitado no cubículo médico improvisado de Mickey. Um matador de germes de íon zumbe perto da minha cama. Tudo é branco, ainda que eu consiga ouvir o batucar da música vindo da casa noturna dele. Suas garotas trocam minhas fraldas e esvaziam meus sacos de mijo. Uma garota que nunca fala nada me dá banho três vezes por dia. Seus braços são graciosos, seu rosto suave e triste como quando a vi pela primeira vez sentada com Mickey na mesa líquida. As asas que se enroscam para fora das suas costas estão atadas por uma fita carmesim. Ela nunca olha diretamente para mim.

Mickey continua fazendo com que eu desenvolva conexões sinápticas enquanto repara o tecido da cicatriz oriunda da minha cirurgia neural. Ele é todo gargalhadas e sorrisos e toques demorados na minha testa enquanto me chama de seu querido. Sinto-me como uma das suas garotas, um dos anjos que ele esculpiu para seu próprio prazer.

— Mas a gente não deve se satisfazer apenas com o cérebro — diz ele. — Há muito trabalho a ser feito nesse seu corpo Enferrujado se a gente quer mesmo te transformar num Ouro Férreo.

— Ou seja?

— Os ancestrais dourados, eles os chamam de Ouros Férreos. Eram caras durões. Eles se postavam esguios e ferozes nos seus cruzadores de batalha enquanto devastavam os exércitos e as frotas republicanas da Terra. Que criaturas eles eram. — Seus olhos ficam distantes. — Foram necessárias gerações e gerações de eugenia e adaptações biológicas pra fazer esse pessoal. Darwinismo forçado.

Mickey fica quieto por um momento, e parece que uma raiva começa a crescer dentro dele.

— Dizem que Entalhadores jamais duplicarão a beleza do Homem Dourado. O Comitê de Controle de Qualidade fica gozando com nossa cara. Pessoalmente, não quero fazer de você um homem. Homens são tão frágeis. Homens se desfazem. Homens morrem. Não, sempre desejei fazer um deus. — Ele sorri maliciosamente enquanto faz alguns esboços num pad digital. Gira o objeto e me mostra o matador que eu vou me tornar. — Então por que não entalhar você pra se tornar um deus da guerra?

O tecido com as cicatrizes nas minhas costas é retirado com um laser e então a carne viva é polvilhada com culturas da minha própria pele cultivadas em tubos, que é então irradiada para promover laços moleculares. Ela cresce rapidamente no meu corpo, como algum tipo de criatura viva separada de mim mesmo. Coça como um demônio. Mickey substitui a pele das minhas costas e das mãos onde Eo aplicou curativos nas minhas queimaduras. Isso, ele diz, não é para ser minha pele verdadeira. É apenas uma camada-base homogênea.

— Seu esqueleto está fraco porque a gravidade de Marte é 0,3 da gravidade da Terra, meu passarinho delicado. E você também tem uma dieta deficiente em cálcio. A densidade óssea-padrão de um Ouro é cinco vezes mais forte do que a densidade óssea existente naturalmente na Terra. Então, a gente vai ter que tornar seu esqueleto seis vezes mais forte; você precisa ser férreo se quiser durar naquele Instituto. Isso vai ser divertido! Pra mim, não pra você.

Mickey me entalha novamente. A agonia ultrapassa a linguagem e a compreensão. Assisto a vídeos do processo depois de concluído para me distrair da dor residual. Ele usa um bisturi-de-vibração para retalhar a carne da minha coxa até a metade. Separa o músculo e a pele com grampos para expor os ossos das minhas pernas. Em seguida, raspa camadas de osso com um raspador de ossos e pinta novas camadas com sua receita de osso aperfeiçoado.

— Alguém precisa colocar os pingos nos is de Deus.

No dia seguinte, ele abre meus braços. Então faz minhas costelas, minha coluna cervical, meus ombros, meus pés, minha pélvis e meu rosto. Ele também altera as qualidades tensoras dos meus tendões e insere bioculturas para aumentar a densidade dos meus tecidos musculares. Graças a Deus ele só me acorda dessa última cirurgia várias semanas depois. Quando acordo, vejo suas garotas ao redor de mim aplicando novas culturas de carne e massageando meus músculos com seus polegares. Imagino o que acontecerá com elas quando tivermos terminado comigo. Em seguida volto a dormir.

Durmo numa máquina tubular na qual uma luz azul especializada cruza meu corpo para solidificar a fórmula de cálcio embaixo da minha carne. Lentamente, minha pele começa a sarar. Sou uma colcha de retalhos de carne. Eles começam a me alimentar com proteínas

FÚRIA VERMELHA **113**

sintetizadas, creatinas e hormônios de crescimento para promover o crescimento da massa muscular e a regeneração dos tendões. Meu corpo treme durante a noite e coça à medida que eu suo através de novos e pequenos poros. Não posso usar analgésicos suficientes para anestesiar a agonia, porque os nervos alterados precisam aprender a funcionar com o novo tecido e com meu cérebro alterado.

Mickey senta-se ao meu lado nas minhas piores noites e me conta histórias. Só então eu passo a gostar dele, só então penso que ele não é algum monstro formado por essa pervertida Sociedade.

— Minha profissão é criar, passarinho — diz ele uma noite enquanto estamos sentados juntos na escuridão. A luz azul dança por sobre meu corpo, banhando o rosto dele em sombras escalafobéticas. — Quando eu era jovem, morava num lugar que o pessoal chama de Bosque. Era o que você talvez considerasse uma cultura circense. A gente tinha espetáculos todas as noites. Celebrações de cor e som e dança.

— Parece horrível — murmuro com sarcasmo. — Exatamente como as minas.

Ele sorri suavemente e seus olhos encontram aquele lugar distante.

— Tenho a impressão de que isso deve parecer a você uma vida suntuosa. Mas a verdade é que havia uma loucura no Bosque. Eles mandavam a gente ingerir balas. Balas que nos levavam em jornadas ao inferno, em peregrinações ao céu. Pílulas que podiam nos fazer voar entre os planetas em asas de poeira pra visitar os reis encantados de Júpiter e as profundas sereias de Europa. Não havia como escapar dessas jornadas, não havia fim nessas viagens da infância, meu querido. Lá eu ficava babando na grama enquanto os festivais suingavam a todo vapor. Minha mente sempre separada do corpo. Nenhuma paz nisso. Nenhum fim pra essa loucura. — Ele bate palmas nesse momento. — E agora entalho as coisas que vi nos meus sonhos febris, exatamente como eles sempre desejaram. Sonhei com você, acho. No fim, tenho a impressão de que eles vão desejar que eu não tivesse tido nenhum sonho.

— O sonho foi legal? — pergunto.

— O quê?

— O sonho comigo.

— Não. Não, foi um pesadelo. Foi um sonho de um homem do inferno, amante de fogo. — Ele fica em silêncio, como que num encanto.

— Por que é assim tão horrível? — pergunto a ele. — A vida. Tudo isso. Por que eles precisam obrigar a gente a fazer isso? Por que nos tratam como se fôssemos escravos deles?

— Poder.

— Poder não é uma coisa real. É apenas uma palavra.

Mickey pondera silenciosamente. Então dá de ombros, seus ombros magricelas.

— A humanidade sempre foi escravizada, eles vão te dizer. A liberdade escraviza a gente à luxúria, à ganância. Tire a liberdade e eles vão me dar uma vida de sonho. Eles te deram uma vida de sacrifício, família, comunidade. E a sociedade é uma coisa estável. Não existe fome. Não existe genocídio. Não existem guerras. E quando os Ouros lutam, eles obedecem às regras. Eles são… *nobres* em relação a isso quando as grandes casas têm desavenças.

— Nobres? Eles mentiram pra mim. Disseram que eu era um pioneiro.

— E você seria mais feliz se soubesse que era um escravo? — pergunta Mickey. — Não. Nenhum dos bilhões de baixoVermelhos sob a superfície de Marte seria feliz se soubesse o que os altoVermelhos sabem: que são escravos. Então, não é melhor mentir?

— É melhor não escravizar ninguém.

Quando estou pronto, ele insere um gerador-de-força dentro do meu tubo de sono para simular gravidade aumentada na minha estrutura. Nunca senti dor semelhante. Meu corpo dói. Meus ossos e minha pele e meus músculos berram contra a pressão e a mudança até eu tomar uma medicação que transforma o berro num interminável gemido monótono. Antes de o meu esqueleto estar finalizado, Mickey substitui meus dentes por dentes retos tirados de algum laboratório ou de algum cadáver; não sei. Minha língua brinca por cima deles. São bem escorregadios. Semelhantes a ladrilhos frios na minha boca.

Eu durmo por dias. Sonho com minha casa e minha família. Todas as noites acordo depois de ver Eo sendo novamente enforcada. Ela os-

FÚRIA VERMELHA   **115**

cila na corda por toda a minha mente. Sinto falta do calor dela ao meu lado na cama, muito embora eles me deem uma máscara de imersão em HC para minha distração.

Gradualmente, os analgésicos vão sendo suspensos. Meus músculos ainda não estão acostumados com a densidade dos meus ossos, de modo que minha existência se torna uma melodiosa dor. Eles começam a me alimentar com comida de verdade. Mickey fica sentado na ponta do meu catre acariciando meus cabelos noites e noites afora. Não me importo com o fato de que seus dedos me dão a sensação de pernas de aranha. Não me importo que ele pense que eu sou alguma espécie de arte, de arte produzida por ele. Ele me dá uma coisa chamada hambúrguer. Eu adoro. Carnes vermelhas e cremes espessos e pães e frutas e legumes compõem minha dieta. Nunca comi tão bem.

— Você precisa das calorias — diz Mickey, carinhosamente. — Você foi bem forte pra mim; coma bem. Você merece essa comida.

— Como estou indo? — pergunto.

— Ah, as partes difíceis já acabaram, meu querido. Você é um rapaz brilhante, sabia? Eles me mostraram as gravações dos procedimentos de outros Entalhadores que tentaram fazer isso. Ah, como os outros Entalhadores fizeram barbeiragens, e como os pacientes deles eram fracos. Mas você é forte e eu sou brilhante. — Ele me dá um tapinha no peito. — Seu coração é como o coração de um garanhão. Nunca vi nenhum como o seu antes. Você pode até desconhecer isso, mas ele tem esse tamanhão todo porque você foi mordido por uma víbora-das-cavidades quando era mais novo. Estou certo?

— Fui, sim. É verdade.

— Foi o que pensei. Seu coração teve de se ajustar pra reagir aos efeitos do veneno.

— Meu tio sugou a maior parte do veneno quando fui mordido — digo.

— Não — diz Mickey, rindo. — Isso é um mito. O veneno não tem como ser sugado. Ele ainda percorre suas veias, forçando seu coração a se manter forte pra que você continue vivo. Você é algo especial, exatamente como eu.

— Então não vou morrer aqui? — consigo dizer.

Mickey ri.

— Não! Não! Nós agora já superamos essa fase. Vai haver dor. Mas já superamos a ameaça de morte. Logo já teremos terminado de transformar um homem num deus. Vermelho em Ouro. Nem sua mulher te reconheceria.

Isso é tudo o que eu temia.

Quando eles tiram meus olhos e me dão olhos de ouro, sinto-me morto por dentro. É uma simples questão de reconectar o nervo óptico aos olhos do "doador", afirma Mickey. Uma coisa simples que ele já fez dezenas de vezes por motivos cosméticos; a parte difícil foi a cirurgia do lobo frontal, diz ele. Eu discordo. Há dor, é verdade. Mas, com os novos olhos, enxergo coisas que não conseguia ver antes. Os elementos estão mais claros, mais nítidos e mais dolorosos de suportar. Odeio esse processo. Tudo isso não passa de uma confirmação da superioridade dos Ouros. Tudo isso é necessário para fazer de mim um equivalente físico deles, tudo isso para corrigir o que a natureza fez de errado. Talvez devêssemos *de fato* servir a eles.

Não sei quanto tempo eu durmo. Quando acordo, meu corpo rejeita o entalhe dos olhos. Estou gritando e suando. Mordi o pulso até sangrar durante o sono e fiz um furo de um milímetro de profundidade na córnea do meu olho esquerdo com um arranhão. Não do *meu* olho esquerdo. Meu olho está num contêiner em algum lugar. Arranhei o olho de uma outra pessoa e está doendo. Como poderia estar doendo? Ele não é meu. Nada disso é meu. Minha pele está macia demais, lustrosa demais, perfeita demais. Não reconheço meu corpo sem cicatrizes e não reconheço as costas das minhas próprias mãos. Eo não me reconheceria.

Mickey tira meus cabelos em seguida, arrancando os folículos e substituindo-os por fios dourados que coçam como se fossem pequenos gorgulhos dourados furando meu couro cabeludo. Tudo está mudado.

São semanas de terapia física. Caminhando lentamente ao redor da sala com Evey, a garota alada, sou abandonado a meus próprios pensamentos. Nenhum de nós se importa muito em falar. Ela tem seus demônios e eu tenho os meus, de modo que ficamos quietos e calmos, exceto quando Mickey vem falar daquele jeito carinhoso dele sobre as crianças lindas que nós dois faríamos juntos. Evey senta-se ao lado da cama quando tenho meus sonhos febris. Eu acordo e ela está lá, sempre quieta, sempre calada.

Um dia, Mickey traz até uma cítara antiga para mim, com um corpo de madeira em vez de plástico. É a coisa mais delicada que ele já fez até o momento. Eu não canto, mas toco as solenes canções de Lykos. As tradicionais do meu clã que ninguém além dos mineiros jamais terá escutado. Ele e Evey sentam-se comigo às vezes, e embora eu considere Mickey uma criatura sórdida, sinto que ele entende a música. Sua beleza. Sua importância. E depois, ele não diz nada. Gosto de Mickey nesse momento também. Em paz. Deve ser muito disparatada essa sensação de paz em relação ao caos da infância dele. Que músicas deviam tocar para Mickey enquanto ele comia as balas e eles deformavam sua mente?

— Bom, você é um pouquinho mais duro do que o que eu medi a princípio — me diz Harmony uma manhã quando acordo.

— Onde você esteve? — pergunto, abrindo os olhos.

— Encontrando doadores. — Ela estremece quando vê meus olhos. — O mundo não para porque você está aqui — diz ela. — Tínhamos trabalho a fazer. Mickey falou que você já consegue andar. É verdade?

— Estou ficando mais forte.

— Não forte o bastante — presume ela, olhando para mim de alto a baixo. — Você parece um bebê girafa, vou consertar isso.

Harmony me leva para um lugar embaixo da casa noturna de Mickey. Para um ginásio imundo iluminado por lâmpadas de enxofre. Gosto da sensação da pedra fria nos meus pés descalços. Meu equilíbrio retornou, e isso é uma coisa boa porque Harmony não me oferece seu braço; em vez disso, ela acena para o centro do ginásio escuro.

— Nós compramos isso aqui pra você — diz Harmony.

Ela aponta para dois dispositivos no centro do espaço escuro. As geringonças são prateadas e me fazem lembrar os trajes que os cavaleiros usavam séculos antes. A armadura está suspensa entre dois arames de metal.

— São máquinas de concentração.

Deslizo o corpo para o interior da máquina. Um gel seco abraça meus pés, minhas pernas, meu torso e os braços e pescoço até que apenas minha cabeça fica livre. A máquina é construída para resistir aos movimentos, ainda que responda até mesmo aos mais singelos estímulos. Se o arco do meu pé é flexionado, a resistência entra em ação perto do dedo, distendendo o músculo. Uma cãibra ocorre imediatamente. A ideia de ganhar músculo é exercitá-lo, o que não é nada além de usar o músculo intensamente o bastante para criar rasgos microscópicos nas fibras do tecido. Essa é a dor que se sente nos dias depois de um exercício intenso (tecido rasgado): falta de ácido lático. Quando o músculo repara os rasgos, ele cresce em si mesmo. Esse é o processo que a máquina de concentração visa facilitar. É a própria invenção do demônio.

Harmony desliza o capacete do dispositivo sobre meus olhos.

Meu corpo ainda está no ginásio, mas vejo a mim mesmo correndo sobre uma rugosa paisagem de Marte. A máquina de concentração pode manobrar em eixos independentes, de modo que quando eu salto sobre uma saliência de trinta metros, estou saltando na máquina de concentração. Em seguida estou novamente correndo, bombeando as pernas contra a resistência da máquina de concentração, que aumenta de acordo com o humor de Harmony ou a localização do estímulo. Às vezes me aventuro nas selvas da Terra, onde aposto corrida com panteras na vegetação rasteira, ou me dirijo à superfície manchada de Luna antes de ter sido povoada. Mas sempre retorno a Marte para correr no seu solo vermelho e saltar sobre suas violentas ravinas. Aprendo o planeta dessa maneira, em busca das partes terratransformadas do mundo onde rios fluem da dura paisagem vermelha em direção a vales de vegetação e árvores. Mares percorrem milhares de quilômetros, crescendo com grandes máquinas fortalecidas por hélio-3 derretido sob glaciares subterrâneos. Harmony às vezes me acompanha na outra máquina para que eu possa ter alguém com quem disputar uma corrida.

Ela força bem a barra para cima de mim, e às vezes imagino se ela não está tentando me derrotar. Eu não permito.

— Se você não está vomitando pensando em exercícios, então você não está tentando — diz ela.

Os dias são excruciantes. Meu corpo está em pandarecos, doendo das plantas dos pés à nuca. As Rosas de Mickey me fazem massagem todos os dias. Não há maior prazer no mundo, mas três dias depois do início de meu treinamento com Harmony, acordo vomitando na cama. Tremo e estremeço e ouço xingamentos.

— Há uma ciência nisso aqui, sua bruxinha maldosa — grita Mickey. — Ele vai ser uma obra de arte, mas não se você colocar água na pintura antes dela estar pronta. Não arruíne o cara!

— Ele precisa estar perfeito — diz Harmony. — Dancer, se Darrow tiver qualquer tipo de fraqueza, as outras crianças vão acabar com ele como se ele fosse um mineiro calouro.

— Você está acabando com ele! — choraminga Mickey. — Você está destruindo Darrow! O corpo dele não consegue suportar esse esgotamento muscular.

— Ele não se opôs ao tratamento — lembra Harmony.

— Porque ele não sabe que *pode* se opor! — diz Mickey. — Dancer, ela não entende nada sobre as biomecânicas que envolvem esse processo. Não deixe que ela destrua meu menino.

— Ele não é *seu menino*! — diz Harmony, escarnecendo.

A voz de Mickey se torna suave.

— Dancer, Darrow é como um garanhão, um desses velhos garanhões da Terra. Belas feras que correm com a intensidade que você exige delas. Elas correm. E correm. E correm. Até não correrem mais. Até que seus corações explodam.

Há um silêncio por um momento, e então a voz de Dancer:

— Ares uma vez me contou que é o fogo mais quente que forma o aço mais resistente. Continue forçando a barra com o moleque.

Fico ressentido com dois dos meus professores depois de ouvir essas palavras: Mickey por me considerar fraco; Dancer por achar que eu sou uma ferramenta dele. Somente Harmony não me deixa enfurecido. Sua voz, seus olhos, crepitam com uma raiva que eu sinto na minha própria alma. Ela pode ter Dancer agora, mas já perdeu alguém no passado. A parte do seu rosto sem cicatrizes me diz isso. É fria como o espaço. Ela não é adepta de esquemas como Dancer ou o mestre dele, Ares. Ela é como eu — cintilando com uma raiva que torna todo o resto inconsequente.

Nessa noite, eu choro.

Ao longo dos dias seguintes, eles me fazem ingerir drogas que aceleram as sínteses proteicas e a regeneração muscular. Depois que meu tecido muscular se recuperou do trauma inicial, eles me fazem passar por treinamentos mais duros do que os anteriores, inclusive Mickey — embora seus olhos estejam com linhas pretas ao redor deles e seu rosto magro esteja pálido, ele não se opõe. Ele esteve distante essas últimas semanas, não mais me contando histórias — como se temesse o que acabou criando, agora que estou assumindo uma forma mais bem desenvolvida.

Harmony e eu falamos muito pouco um com o outro, mas há uma sutil mudança no nosso relacionamento, alguma espécie de compreensão animal primeva que nos diz que nós dois fazemos parte da mesma espécie de criaturas. Mas, à medida que meu corpo fica mais forte, Harmony não consegue mais manter seu ritmo, muito embora seja uma mulher endurecida oriunda das minas. Isso ocorre apenas duas semanas depois do início do treinamento. A distância entre nossas capacidades continua crescendo. Após mais um mês, ela é como se fosse uma criança em relação a mim. Uma criança desenvolta, mas uma criança. Pequena. Fraca. Rápida ainda. Muito rápida. Mas isso é tudo. Mesmo nesse momento, eu não paro de me aprimorar.

Meu corpo começa a mudar. Eu me adenso. Meus músculos se tornam fortes e salientes com a máquina de concentração, que agora complemento com supinos em altaGrav. A princípio é como se eu estivesse sendo esmagado pela nova gravidade e mal consiga mover os

FÚRIA VERMELHA 121

pesos livres de um lado da sala ao outro. Gradualmente, a força vai se formando. Meus ombros ficam mais largos, arredondados; vejo tendões emergindo nos meus antebraços; uma tensa massa de músculos enrijecidos percorre meu torso como se fosse uma armadura. Até minhas mãos, que sempre foram mais fortes do que o resto do corpo, ficam ainda mais poderosas nas máquinas de concentração. Com um simples aperto, consigo pulverizar rochas. Mickey ficou aos pulos quando viu isso. Ninguém aperta mais minha mão.

Durmo em altaGrav para que, quando estiver me movendo em Marte, possa me sentir rápido, veloz, mais ágil do que antes. Minhas fibras de alta velocidade se formam. Minhas mãos se movem como se fossem raios, e quando elas acertam o saco de pancadas em forma humana do ginásio, ele dá um salto como se tivesse sido atingido por um abrasador. Consigo agora atravessá-lo com meus socos. É difícil me exercitar já que estou tão em boa forma. Às vezes demoro trinta minutos até começar a suar na minha faixa de cabeça escarlate.

Meu corpo está se tornando o de um Ouro, um corpo de primeiríssima qualidade, não um Pixie, não um Bronze. Meu corpo é o da raça que conquistou o sistema solar. Minhas mãos são monstruosas. Elas são lisas, bronzeadas e habilidosas, como deveriam ser as mãos de qualquer Ouro. Mas há um poder nelas desproporcional ao resto do meu corpo. Se eu for uma lâmina, elas são meu fio.

As mudanças não são apenas no meu corpo. Antes de dormir bebo um tônico feito com realçadores de processamentos e escuto em altíssima velocidade *As cores*, *Ilíada*, *Ulisses*, *As metamorfoses*, as peças tebanas, *Os rótulos draconianos* e trabalhos restritos como *O conde de Monte Cristo*, *O Senhor das Moscas*, *A penitência de Lady Casterly*, *1984* e *O grande Gatsby*. Acordo conhecendo três mil anos de literatura e códigos legais e história. O efeito colateral é que às vezes fico com espasmos por causa do "choque cerebral" quando passo por algum forte sinal eletromagnético. Mickey diz que isso vai sumir. Todos os Ouros passam pelo mesmo processo quando crianças. Não existem aprimoramentos cognitivos a longo prazo. Apenas processamentos de curto prazo.

Meu último dia com Mickey começa dois meses depois da última cirurgia. Harmony sorri comigo depois dos nossos exercícios físicos quando me deixa no quarto. Escuto uma música bate-estaca ao fundo. As dançarinas de Mickey estão a todo vapor esta noite.

— Vou pegar sua roupa, Darrow. Dancer e eu queremos jantar com você pra comemorar. Evey vai te dar um banho.

Ela me deixa sozinho com Evey. Hoje, como sempre, o rosto dela está tão quieto quanto a neve que vi no HC. Eu a observo no espelho enquanto ela corta meus cabelos. A sala está escura a não ser pela luz sobre o espelho. Evey brilha de cima, de modo que está com a aparência de um anjo. Inocente e pura. Mas ela não é inocente nem pura. Ela é uma Rosa. Eles as reproduzem para o prazer, para as curvas dos seus seios e quadris, para os abdomes retesados e as dobras grossas dos seus lábios. No entanto, ela é uma garota e seu brilho ainda não se apagou. Eu me lembro da última vez que fracassei em proteger uma garota como ela.

E eu? É difícil olhar para mim mesmo no espelho. Sou o que imagino que deva ser o diabo. Sou arrogância e crueldade, o tipo de homem que matou minha mulher. Sou Ouro. E sou tão frio como os Ouros.

Meus olhos brilham como lingotes. Minha pele é macia e rica. Meus ossos estão mais fortes. Sinto a densidade no meu torso esguio. Quando Evey termina de cortar os cabelos dourados, ela se afasta e olha fixamente para mim. Consigo sentir o temor dela, e sofro esse temor em mim mesmo. Não sou mais um ser humano. Fisicamente, eu me tornei algo mais.

— Você está bonito — diz Evey silenciosamente, tocando meus Sinetes dourados. Eles são bem menores do que as asas de pena dela. O círculo está colocado no centro da parte externa de cada uma das mãos. Asas rodopiam para trás ao longo da carne, curvando-se como foices nas laterais dos meus punhos.

Olho para as asas brancas de Evey e sei o quanto ela deve achá-las feias, localizadas nas suas costas, o quanto ela deve odiá-las. Quero dizer alguma coisa gentil para ela. Quero fazê-la sorrir, se é que ela consegue. Eu falaria a Evey de sua beleza, mas ela viveu uma vida

FÚRIA VERMELHA **123**

com homens dizendo isso em busca de um ou outro ganho pessoal. Ela não acreditaria num garoto como eu. E eu não acredito no que ela diz para mim. Eo era bonita. Ainda me lembro do fluxo de sangue nas suas bochechas quando ela dançava. Ela tinha todas as cores cruas da vida, a crua beleza da natureza. Eu sou o conceito humano de beleza. Ouro tornado macio e maleável até se transformar na forma humana.

Evey beija o topo da minha cabeça antes de sair correndo e me deixar sozinho assistindo ao HC no reflexo do espelho. Não reparei que ela deslizara uma pena das suas asas para o interior do meu bolso.

Estou cansado de assistir ao HC. Conheço a história deles agora e estou aprendendo mais a cada dia. Mas estou cansado de ficar dentro de casa, cansado de escutar o bate-estaca que vem da boate de Mickey e de sentir o cheiro das folhas de menta que ele fuma. Cansado de ver as garotas que ele traz para o seio da sua família apenas para negociá-las quando alguém faz uma oferta alta o suficiente. Cansado de ver todos os olhos cheios se esvaziarem. Isso aqui não é Lykos. Não há amor, não há família ou confiança. Esse lugar me dá nojo.

— Meu menino, você parece estar apto a se tornar capitão de uma frota de naveChamas — diz Mickey da porta. Ele entra, com o cheiro dos queimadores que fuma. Seus dedos finos tiram a pena de Evey do meu bolso e ele a rola para a frente e para trás por sobre os nós dos dedos. Ele bate com a pena em cada um dos meus Sinetes dourados. — Asas são minhas favoritas. Não são as suas? Elas representam as melhores aspirações da humanidade.

Ele se coloca atrás de mim enquanto permaneço sentado mirando o espelho. Suas mãos vão até meus ombros e ele fala baixinho na minha cabeça, pousando o queixo sobre ela como se eu fosse sua propriedade. É fácil perceber que ele imagina que eu sou. Minha mão esquerda vai até o Sinete na mão direita, permanecendo lá.

— Eu te disse que você era brilhante. Agora chegou o momento de você voar.

— Você dá asas às garotas, mas não as deixa voar. Deixa? — pergunto.

— É impossível fazê-las voar. Elas são coisas mais simples do que você. E eu não posso me dar ao luxo de comprar uma licença pra obter gravBotas. Então elas dançam pra mim. Os ossos delas não são ocos como os dos passarinhos, entende? — explica Mickey. — Uma vez eu fiz uma oca, Navia. Mas quer saber? Ela não voou. É uma questão de física, elas não conseguem. Mas você vai voar, não vai, meu menino brilhante?

Olho fixamente para ele mas não falo nada. Seus lábios formam um sorriso, porque eu o deixo perturbado. Sempre deixei.

— Você está com medo de mim — digo a ele.

Ele ri.

— Estou? Oho! Eu estou, meu menino?

— Está. Você está acostumado a saber o que é o quê. Você pensa como todos os outros. — Mexo a cabeça indicando o reflexo no HC. — As coisas são imutáveis. As coisas são bem-ordenadas. Vermelhos no fundo, todo o resto nas nossas costas. Agora você está olhando pra mim e está percebendo que a gente lá de baixo não gosta porra nenhuma do que está acontecendo. Os Vermelhos estão se levantando, Mickey.

— Oh, ainda falta muito pra vocês…

Eu me levanto e lhe agarro os punhos de modo que ele não consegue se mexer. Ele olha fixamente para mim no reflexo do espelho, lutando contra minha pegada. Nada é mais forte do que a pegada de um Mergulhador-do-Inferno. Eu sorrio para o espelho, fixando meus olhos dourados nos seus olhos violeta. Ele tem cheiro de medo. Terror primevo. Como um camundongo encurralado por um leão.

— Seja gentil com Evey, Mickey. Não a obrigue a dançar. Dê a ela uma vida luxuosa ou então vou voltar aqui pra arrancar suas mãos.

FÚRIA VERMELHA

13
COISAS RUINS

Matteo é um Rosa alto e magro com membros compridos e um rosto bonito e fino. Ele é um escravo. Ou era um escravo para prazeres carnais. No entanto, ele caminha como um lorde das águas. Beleza nos passos. Boas maneiras e elegância ao mexer as mãos. Ele tem uma quedinha por usar luvas e em farejar até mesmo o mais ínfimo pedacinho de sujeira. A manutenção corporal tem sido seu propósito na vida. Portanto, ele não acha estranho quando me ajuda a aplicar um exterminador de folículo capilar nos meus braços, pernas, torso e partes íntimas. Mas eu acho. Quando o processo acaba, estamos os dois xingando — eu por conta das agulhadas e ele por conta do soco que lhe aplico no ombro. Eu o desloquei acidentalmente apenas ao socá-lo. Ainda não conheço minha própria força. E eles realmente fazem seus Rosas com uma estrutura bem frágil. Se ele for a rosa, eu sou os espinhos.

— Careca como um recém-nascido, seu bebezinho frenético — suspira Matteo com o máximo de propriedade que alguém pode demonstrar ao dizer tais coisas. — Exatamente como prega a *novíssima* moda de Luna. *Agora*, com um pouquinho de escultura nessa sobrancelha… Oh, como suas sobrancelhas são parecidas com lagartas que comem fungo… E uma erradicação dos pelos do nariz, um reajuste de cutícula, embranquecimento dentário nesses novos dentes lisinhos (que, se você me permite, estão amarelos como mostarda salpicada de dente-de-leão)... Diga pra mim, você já escovou esses seus dentes novos?... E remoção de cravos (que deve ser como extrair hélio-3), ajuste de tonalidade e algumas injeções de melatonina, você vai estar nos trinques.

Eu bufo para toda essa tolice.

— Já tenho aparência de Ouro.

— Você tem aparência de Bronze! Um Ouro de enganação! Um desses bastardos de linhagem baixa que têm mais aparência de cáqui do que de Ouro. Você precisa ficar perfeito.

— Você é um gozador do cacete, hein, Matteo?

Ele me dá um tapa.

— Muito cuidado! Um Dourado de boa cepa jamais usaria esse linguajar deslizante de mineiro. — "Maldição" ou "droga"; e "baixote" em vez de "nanico". Sempre que você falar "cacete" ou "porra", vou te dar um tapa não na goela, mas na boca. E se você falar "nanico" ou "goela" vou te dar um chute no saco escrotal, que eu sei muito bem onde fica... O que eu vou fazer também se você não se livrar desse seu sotaque *horrível*. Seu sotaque é como o de alguém que nasceu numa maldita lixeira.

Ele franze o cenho e deposita as mãos nos estreitos quadris.

— E então nós teremos que lhe ensinar boas maneiras. E cultura, cultura, *bom-homem*.

— Eu tenho boas maneiras.

— De acordo com o criador, nós teremos que te fazer renegar bastante, bastante, esse seu sotaque, bem como esses palavrões que você cultiva.

Ele me cutuca enquanto faz uma lista das minhas falhas.

— Eu podia, de repente, tentar adotar algumas das suas boas maneiras, *seu bundão* — rosno.

Ele tira uma das minhas luvas e me dá um tapa na cara, pega uma garrafa e a encosta no meu pescoço. Eu rio.

— Você vai ter que recobrar logo, logo seus reflexos de Mergulhador-do-Inferno pra combinar com esse novo corpo aparvalhado.

Olho a garrafa.

— Vai me cutucar até eu morrer?

— Isso é uma espada de polieno, *bom-homem*. Uma lâmina, em outras palavras. Num momento ela é macia como cabelo, mas, com um impulso orgânico, ela se torna mais dura do que diamante. É a única coisa que consegue cortar um pulsEscudo. Num momento um chicote, em outro momento uma espada perfeita. É a arma de um cavalheiro. De um Ouro. Se qualquer outra Cor carregá-la, significa a morte.

— Isso é uma garrafa, seu demente...

Ele me aperta o pescoço de modo que me sinto sufocado.

— E foram suas maneiras que me forçaram a puxar minha lâmina e a desafiá-lo, encerrando dessa forma, precipitosamente, sua vida desavergonhada. Você pode ter lutado com punhos pela honra naquela choça que você chamava de casa. Você era um inseto nessa época. Uma formiga. Um Áurico luta com uma lâmina ao menor indício de provocação. Eles têm uma espécie de honra sobre a qual você não sabe coisa alguma a respeito. Sua honra era pessoal; a deles é pessoal, familiar e planetária. Isso é tudo. Eles lutam por riscos mais elevados, e não perdoam quando o derramamento de sangue é efetivado. Menos ainda os Inigualáveis Maculados. Boas maneiras, *bom-homem*. Boas maneiras vão protegê-lo até que você consiga proteger a si mesmo da minha garrafa de *xampu*.

— Matteo... — digo, esfregando o pescoço.

— Sim? — diz ele, suspirando.

— O que é xampu?

Uma outra parada na sala de entalhe de Mickey talvez fosse preferível à tutela de Matteo. Pelo menos Mickey tinha medo de mim. Matteo é só insultos e troças, que não me perturbariam se eu pudesse dar uns socos no magricela. Mas, se eu fizesse isso, sei que poderia arrebentá-lo. Contudo, apesar de todos os insultos da parte dele, não desgosto do sujeito. Ele me faz lembrar Loran, com toda aquela esperteza e energia, apenas abastecidas com a atitude resmungona do tio Narol. Sinto falta de ambos.

* * *

Na manhã seguinte, Dancer tenta me renomear.

— Você vai ser o filho de uma família relativamente desconhecida oriunda dos aglomerados de asteroides mais distantes. Logo a família estará morta por causa de um acidente numa nave. Você será o sobrevivente solitário e o único herdeiro das dívidas e do status pobre deles. O nome dele, seu nome, será Caius au Andromedus.

— Corta essa — respondo. — Eu vou ser Darrow ou não vou ser nada.

Ele coça a cabeça.

— Darrow é um nome… estranho.

— Você me obrigou a me desfazer dos cabelos que meu pai me deu, dos olhos que minha mãe me deixou, da Cor em que nasci, portanto vou ficar com o nome que eles me deram, e você vai fazer esse nome funcionar.

— Eu gostava mais quando você não agia como um Ouro — resmunga Dancer.

— Agora, o segredo pra jantar como um Áurico é comer lentamente — diz Matteo enquanto estamos sentados juntos numa mesa na cobertura onde Dancer me mostrou o mundo pela primeira vez. — Você vai se sentir sujeitado a muitos banquetes Trimalquianos. Em tais ocasiões, haverá sete pratos: entrada, sopa, peixe, carne, salada, sobremesa e libações.

Ele faz um gesto na direção de uma pequena bandeja com pratos de prata e explica os vários métodos para se comer cada um dos pratos.

Então me diz:

— Se você necessita urinar ou defecar durante uma refeição, controle-se. Controlar as funções corporais é algo que se espera de um Áurico.

— Quer dizer então que esses mauricinhos de cara dourada não têm permissão pra cagar? E quando eles fazem isso, imagino, o que sai de dentro deles é ouro?

Matteo dá um tapa na minha bochecha com sua luva.

— Se você está ansioso pra voltar a ver vermelho, deixe sua língua escorregar desse jeito na presença deles, *bom-homem*, e eles terão o maior prazer em lhe lembrar qual é a cor em que sangram todos os homens. Modos e controle! Você não tem nenhum dos dois. — Ele balança a cabeça. — Agora, diga-me pra que esse garfo é usado.

Quero dizer a Matteo que o garfo é usado para garfar o rabo dele, mas suspiro e dou a resposta correta:

— Peixe, mas só se as espinhas ainda estiverem no prato.

— E quanto desse peixe você vai comer?

— Todo ele — adivinho.

— Não! — grita Matteo. — Você não estava escutando? — Suas mãozinhas agarram seus cabelos e ele respira bem fundo. — Eu preciso lembrar a você? Existem os Bronzes, existem os Ouros. E existem os Pixies.

Ele deixa o resto para que eu termine.

— Os Pixies não têm autocontrole — eu me lembro em voz alta. — Eles absorvem todas as características do poder, mas mijam na cabeça de todo mundo pra merecê-las. Eles nascem e vão à caça do prazer. Beleza?

— Certo, não *beleza*. Agora o que se espera de um Ouro? Ou de um Inigualável Maculado?

— Perfeição.

— O que significa?

Minha voz é fria enquanto imito o sotaque dos Ouros:

— Significa controle, *bom-homem*. Autocontrole. Tenho permissão pra ter prazer com vícios, contanto que jamais permita que eles usurpem meu controle. Se há um segredo pra se compreender os Áuricos, ele se encontra na compreensão do controle em todas as suas formas. Coma o peixe, deixe 20% pra indicar que o fato de ele estar delicioso não sobrepujou minha resolução ou me tornou escravo das minhas papilas gustativas.

— Então você estava escutando, afinal de contas.

Dancer me encontra no dia seguinte enquanto, estou praticando meu sotaque Áurico no holoespelho da cobertura. Consigo ver uma representação tridimensional da minha cabeça à frente. Os dentes se movem estranhamente, pegando minha língua enquanto tento rolar as palavras. Ainda estou me acostumando com meu corpo, mesmo meses depois da última cirurgia. Meus dentes estão maiores do que eu imaginava que estivessem inicialmente. Também não ajuda em nada que os Testas-douradas falem como se tivessem pás enfiadas nas porras dos seus buracos malcheirosos. Então acho mais fácil falar como um deles se consigo ver que sou um deles. A arrogância vem com mais facilidade.

— Suavize seus R — me diz Dancer. Ele está sentado bastante atento enquanto leio num datapad. — Finja que existe um H na frente de cada R. — Seu queimador me faz lembrar de casa e eu me recordo da aparência do ArquiGovernador Augustus em Lykos. Eu me recordo da serenidade do homem. Da sua paciente condescendência. Do seu sorriso afetado.

— *Essa é toda a força que você tem?* — digo para o espelho.

— Perfeito — elogia Dancer com um tremor bem-humorado. Ele bate com a mão boa no joelho.

— Logo vou também estar sonhando como um porra de um Testa--dourada — digo, chateado.

— Você não devia falar "porra". Diga "maldição" ou "maldito" em vez disso.

Olho com raiva para ele.

— Se eu me visse nas ruas, ia me odiar. Ia querer sacar minha cur-viLâmina e me cortar dos cornos ao rabo e depois queimar os restos. Eo vomitaria se me visse assim.

— Você ainda é jovem — diz Dancer, rindo. — Meu Deus, às vezes me esqueço de como você é jovem. — Ele tira um frasco da bota e bebe um pouco antes de jogá-lo para mim.

Eu rio.

— A última vez que bebi, tio Narol me drogou. — Tomo um gole. — De repente, você se esqueceu de como são as minas. Eu não sou jovem nada.

Dancer franze o cenho.

— Não tive intenção de te ofender, Darrow. É só pra que você entenda o que tem a fazer. Você entende por que tem que fazer isso. Mas ainda perde perspectiva e julga a si mesmo. Nesse exato momento você provavelmente está sentindo náuseas só de olhar pra esse seu visual dourado. Estou certo?

— Certinho. — Dou um longo gole.

— Mas você está apenas desempenhando um papel, Darrow. — Ele mexe o dedo e uma lâmina em forma de gancho desliza do anel no seu dedo. Meus reflexos estão de volta e com tanta rapidez que eu poderia até ter enfiado o objeto na garganta de Dancer se imaginasse que ele estava com a intenção de me fazer algum mal, mas lhe deixo dar um golpe com sua lâmina no meu dedo indicador. Sai sangue. Sangue vermelho. — Só pra você se lembrar do que realmente é, caso tenha se esquecido.

— Esse cheiro me lembra minha casa — digo, chupando o dedo. — Mamãe costumava fazer sopa de sangue tirado das víboras-das-cavidades. Nem é tão ruim assim, pra ser sincero.

— Você molha o pão de linhaça nele e salpica em flor de quiabo?

— Como é que você sabe? — pergunto.

— Minha mãe fazia a mesma coisa — diz Dancer, rindo. — A gente comia isso nas festas da Dança, ou então antes da festa da Láurea quando eles anunciavam o vencedor. Sempre um escroto de um Gama.

— Um brinde aos Gamas. — Eu rio e tomo outro gole.

Dancer me observa. O sorriso por fim escapa do seu rosto e seus olhos ficam frios.

— Matteo vai te ensinar a dançar amanhã.

— Pensei que você faria isso — digo.

Ele dá uma batidinha na perna ruim.

— Tem um tempo que não faço isso. Já fui o melhor dançarino de Oikos. Eu conseguia me mexer como um vento dos túneis profundos. Todos os nossos melhores dançarinos eram Mergulhadores-do-Inferno. Fui um deles por vários anos, sabia?

— Eu tinha imaginado.

— Tinha?

Faço um gesto na direção das cicatrizes dele.

— Só um Mergulhador-do-Inferno teria sido mordido tantas vezes por víboras-das-cavidades sem que aparecesse algum Perfurador pra tirar os bichos. Eu também fui mordido. Tenho um coração maior por causa disso, pelo menos.

Ele balança a cabeça em reconhecimento e seus olhos ficam distantes.

— Eu caí num ninho quando estava consertando um nódulo na Perfuratriz-garra. Elas estavam dentro de um dos dutos, mas eu não vi. Eram do tipo perigoso.

Vejo onde ele quer chegar com isso.

— Eram filhotes — digo.

Ele faz que sim com a cabeça.

— Eles têm menos veneno. Muito menos do que os pais, então a intenção deles não era depositar ovos dentro de mim. Mas quando eles morderam, usaram toda a maldade que podiam usar. Felizmente, a gente tinha antídotos na mina. Fiz uma transação com uns Gamas pra conseguir. — Em Lykos não temos antídotos.

Ele se curva na minha direção.

— A gente vai jogar você num ninho de filhotes de víboras, Darrow. Lembre-se disso. As provas de admissão são daqui a três meses. Vou monitorar seu estudo junto com as lições que você vai receber de Matteo agora. Mas se não parar de julgar a si mesmo, se continuar odiando sua aparência atual, você não vai passar nas provas ou, pior ainda, vai passar e depois vai dar alguma cochilada e acabar sendo descoberto no Instituto. E vai dar uma merda geral.

Eu me mexo na cadeira. Por um momento, um novo temor me acomete — não o temor de eu não me tornar algo que Eo não me reconheceria, mas um temor mais primevo, um temor mortal dos meus inimigos. Como eles serão? Já consigo ver os olhares debochados, o desprezo estampado nos seus rostos.

— Pouco importa se eles me descobrirem — digo, dando um tapinha no joelho de Dancer. — Eles já tiraram tudo o que podiam tirar de mim. É por isso que eu sou uma arma útil pra vocês.

— Errado — rebate Dancer. — Você é útil porque é mais do que uma arma. Quando sua mulher morreu, ela não te deu apenas uma vendeta. Ela te deu o sonho dela. Você é a pessoa que vai manter o sonho dela vivo. A pessoa que vai realizar esse sonho. Então, não comece a cuspir raiva e ódio. Você não está lutando contra eles, independente do que Harmony diga. Você está lutando pelo sonho de Eo, pela sua família que ainda está viva, pelo seu povo.

— Essa é a opinião de Ares? Enfim, essa é a sua opinião?

— Eu não sou Ares — repete Dancer. Eu não acredito nele. Vi a maneira como seus homens olham para ele, como até mesmo Harmony o trata com deferência. — Olhe pra dentro de si mesmo, Darrow, e você perceberá que é um homem bom que terá que fazer coisas ruins.

Minhas mãos estão sem cicatrizes e eu tenho uma sensação estranha quando as aperto até que os nós dos dedos adquirem aquele familiar tom esbranquiçado.

— Veja. É justamente isso que eu não entendo. Se eu sou um homem bom, então por que vou querer fazer coisas ruins?

14
ANDROMEDUS

Matteo não consegue me ensinar a dançar. Ele me mostra como são as cinco formas de dança dos Áuricos e ficamos por isso. Mais ênfase é dada ao seu parceiro nas danças dos Ouros do que nas danças que meu tio me ensinou, mas os movimentos são similares. Executo todas as cinco formas com mais habilidade do que Matteo. Para me exibir, vendo meus olhos e executo cada dança mais uma vez uma depois da outra sem música, de memória. Tio Narol me ensinou a dançar e, com mil noites enchendo o tempo sem nada para fazer a não ser dançar e cantar, eu me tornei mestre em registrar os movimentos do meu corpo, inclusive desse novo corpo. Ele pode fazer coisas que meu antigo corpo não podia. As fibras musculares se contraem diferentemente, os tendões se estendem mais, os nervos queimam com mais rapidez. Sinto uma queimadura agradável nos músculos enquanto meu corpo flui em meio aos movimentos.

Uma dança, a *Polemides*, me proporciona uma sensação nostálgica. Matteo me faz segurar um bastão enquanto me movo para cima e para baixo em passos rodopiantes, o braço com o bastão esticado como se estivesse lutando com uma lâmina. Mesmo enquanto meu corpo se mexe, ouço os ecos do passado. Sinto as vibrações da mina, o aroma do meu clã. Já vi essa dança antes, e a executo melhor do que todas as outras. É uma dança para a qual meu corpo foi feito, uma dança bastante semelhante à nossa ilegal Dança da Colheita.

Quando termino, Matteo está irritado.

— Isso é alguma espécie de jogo? — rosna ele.

— Como assim?

Ele olha para mim com fúria e bate no pé.

— Você nunca esteve além das minas?

— Você sabe a resposta — retruco.

— Você nunca lutou com espada e escudo?

— Já. Já lutei. Também já fui capitão de cruzadores estelares e já jantei com Pretores. — Eu rio e pergunto a que se refere tudo isso que ele está dizendo.

— Isso aqui *não é* um jogo, Darrow.

— Por acaso eu disse que era? — Estou confuso. O que eu fiz para provocá-lo? Cometo um erro ao rir para aliviar a tensão.

— Você ri? Rapaz, essa é a Sociedade na qual você está se emaranhando. E você ri? Eles não são uma ideia distante. Eles são uma realidade fria. Se descobrirem quem você é, não vão te enforcar. — O rosto de Matteo parece perdido enquanto ele diz isso. Como se ele soubesse muito bem sobre o que está falando.

— Eu sei disso.

Ele me ignora.

— Os Obsidianos vão te pegar e te entregar aos Brancos, que vão te levar pras celas escuras deles e vão te torturar. Vão arrancar seus olhos e cortar qualquer coisa que faça de você um homem. Eles possuem métodos mais sofisticados, mas aposto que informações não serão seu único objetivo; eles têm compostos químicos pra isso se assim desejarem. Logo depois de você lhes contar tudo, eles vão me matar, vão matar Harmony e Dancer. E vão matar sua família com esfolaCarnes e esmagar a cabeça dos seus sobrinhos e sobrinhas. Essas são as coisas que eles não mostram nos HCS. Essas são as consequências de ter como seus inimigos os dominadores de planetas, rapaz. *Planetas*.

Sinto um calafrio percorrer meus ossos. Eu sei dessas coisas. Por que ele continua me martelando com isso? Já estou assustado. Não quero estar, mas estou. Minha tarefa é me engolir por inteiro.

— Então eu te pergunto mais uma vez: você é a pessoa que Dancer diz que você é?

Faço uma pausa. Ah. Eu imaginava que essa crença fosse bem arraigada entre os Filhos de Ares, que eles tivessem uma única opinião. Existe aqui uma rachadura, uma divisão. Matteo é um aliado de Dancer, mas não seu amigo. Algo na minha dança fez com que ele pensasse duas vezes. Então me dou conta. Ele não viu Mickey me entalhando. Ele está se apoiando puramente na fé ao levar em consideração que fui um Vermelho no passado, e como essa experiência deve ter sido difícil para mim. Alguma coisa na minha dança fez com que ele pensasse que eu nasci para essa missão. Alguma coisa a ver com aquela última dança, a dança chamada *Polemides*.

— Meu nome é Darrow, sou filho de Dale, um Lambda Mergulhador-do-Inferno nascido em Lykos. Nunca fui nenhuma outra pessoa, Matteo.

Ele cruza os braços.

— Se você estiver mentindo pra mim…

— Eu não minto pra Vermelhos.

Mais tarde naquela noite pesquiso as danças que executei. *Polemides* é uma palavra grega que significa "filho da guerra". É a dança que me fez lembrar bastante as danças de tio Narol. É a dança da guerra dos Ouros, a que eles ensinam às crianças quando são pequenas para prepará-las para os movimentos de utilização dos armamentos marciais e para o uso das lâminas. Observo um holo de Ouros em batalha e meu coração vai parar no estômago. Eles lutam como uma canção de verão. Não como os trovejantes e monstruosos Obsidianos. Mas como pássaros se aglomerando num vento fresco. Eles lutam em pares, gingando, dançando, matando, devastando um campo de Obsidianos e Cinzas como se estivessem brincando com foices e todos os corpos que caíam à medida que eles atacavam fossem como talos de trigo espalhando sangue em vez de joio amarelado. Suas armaduras douradas refulgem. Suas lâminas brilham. Eles são deuses, não homens.

E eu tenho a intenção de destruí-los?

Durmo muito mal na minha cama de seda naquela noite. Muito

depois de beijar o haemanthus de Eo, caio no sono e sonho com meu pai e com a hipotética experiência de ter convivido com ele na idade adulta, de ter aprendido a dançar com ele em vez de ter aprendido com seu irmão bêbado. Estou segurando com força a faixa de cabeça escarlate quando acordo. Segurando-a com o mesmo carinho que seguro minha faixa matrimonial. Todas essas coisas que me fazem lembrar de casa.

Contudo, isso não é suficiente.

Estou com medo.

Dancer me encontra durante o café da manhã.

— Você vai ficar contente em saber que nossos hackers passaram duas semanas hackeando a nuvem do Comitê de Controle de Qualidade pra mudar o nome Caius au Andromedus pra Darrow au Andromedus.

— Legal.

— Isso é tudo o que você tem a dizer? Você sabe o quanto... Ah, deixa pra lá. — Ele balança a cabeça e dá uma gargalhada. — Darrow. Um nome tão *desColorido*. Vai ter muita gente franzindo as sobrancelhas.

Dou de ombros para esconder meu medo.

— Então vou chacinar a maldita prova deles e eles não terão nada com que se preocupar.

— Palavras de um Ouro.

No dia seguinte, Matteo me leva numa nave até os estábulos de Ishtar, não muito distante de Yorkton. Trata-se de um lugar à beira-mar onde campos verdes se estendem sobre uma sucessão de morros. Jamais estive num lugar tão amplo. Jamais vi a terra se afastar de mim dessa maneira. Jamais vi um horizonte de verdade ou animais tão aterrorizantes quanto os quadrúpedes que Matteo disponibilizou para nossa lição. Eles batem firme no chão com seus pés e relincham, balançando os rabos e mostrando seus monstruosos dentes amarelos. Cavalos. Sempre tive medo de cavalos, apesar da história que Eo me contava a respeito de Andrômeda.

— São monstros — sussurro para Matteo.

— Mas fazem parte do estilo de vida de um cavalheiro — sussurra ele de volta. — Você precisa cavalgá-los bem se não quiser se sentir constrangido em determinadas situações formais.

Olho os outros Ouros passando por mim nos seus cavalos. Há apenas três hoje no estábulo, cada qual acompanhado de um serviçal como Matteo, Rosas e Marrons.

— Uma situação como essa aqui? — sibilo para ele. — Ótimo. Ótimo. — Aponto para um enorme garanhão preto com cascos que fuçam o chão. — Vou ficar com aquele cavalo ali.

Matteo sorri.

— Esse aqui tem mais a ver com sua velocidade.

Matteo me dá um pônei. Um pônei grande, mas um pônei. Não há nenhuma interação social aqui; os outros cavaleiros passam trotando e curvam a cabeça para nos dar bom-dia, mas isso é tudo. Então seus sorrisos são o suficiente para que eu saiba o quanto pareço ridículo. Eu não monto bem. E meu desempenho fica ainda pior quando meu pônei dispara enquanto Matteo e eu percorremos uma trilha que vai dar num pequeno bosque. Do outro lado do bosque, salto da criatura e aterrisso habilmente na grama. Alguém ri ao longe, uma garota de cabelos compridos. Ela monta o garanhão que eu escolhera anteriormente.

— De repente seria melhor você não sair da cidade, Pixie — grita ela para mim, e em seguida galopa para longe com seu cavalo. Eu me levanto e observo-a cavalgar à distância. Seus cabelos soltos pelas costas, mais dourados do que o sol poente.

15
A PROVA

Minha prova chega após dois meses treinando a mente com Dancer. Eu não memorizo. Nem mesmo aprendo de fato quando estou com ele. Ao contrário, o treinamento dele é projetado para ajudar minha mente a se adaptar a mudanças de paradigma. Por exemplo, se a gravidade fosse subitamente revertida, a maior parte dos cérebros seria incapaz de se ajustar para a mudança de paradigmas. A minha processa, digere e calcula. Um outro exemplo: se um peixe possui 3453 escamas no lado esquerdo do corpo e 3453 escamas do lado direito, qual lado do peixe possui a maior quantidade de escamas? O lado externo. Eles chamam isso de pensamento extrapolacional. Foi como eu soube que deveria comer a carta da foice quando me encontrei pela primeira vez com Dancer. Sou muito bom nisso.

Acho irônico o fato de Dancer e seus amigos poderem criar uma história falsa para mim, uma família falsa, uma vida falsa, mas não poderem falsificar minha prova de admissão. Portanto, três meses depois do começo dos meus treinamentos, faço a prova numa sala muito bem iluminada perto de uma barulhenta garota Testa-dourada com cara de ratinho que bate incessantemente com sua caneta na pulseira de jade. Ela pode fazer parte da prova, até onde sei. Quando ela não está olhando, arranco a caneta dos seus dedos e a escondo debaixo da manga da minha camisa. Sou um Mergulhador-do-Inferno nascido em Lykos. Portanto, é verdade sim que posso roubar a caneta de uma garota idiota sem que ela fique sabendo disso. Ela fica olhando apalermada para todos os lados como se tivesse sido vítima de uma espécie de magia. Em seguida começa a choramingar. Eles não lhe dão outra caneta, o que faz com que ela saia correndo da sala com lágrimas nos olhos. Mais tarde, o Inspetor de Centavos olha para seu datapad e volta as imagens de um vídeo da sua nanoCâmera. Ele olha para mim e sorri. Tais feitos são aparentemente admiráveis.

Uma garota Ouro com a aparência de uma lâmina discorda e pronuncia a palavra "Cortador" debochadamente no meu ouvido, enquanto passa às pressas por mim indo em direção ao corredor externo. Matteo me disse para não falar com ninguém porque ainda não estou preparado para socializar, de modo que mal consigo dar a ela uma resposta bem Vermelha à altura. A palavra dela ressoa nos meus ouvidos. Cortador. Cortador de garganta. Maquiavélico. Implacável. Tudo isso descreve o que ela pensa a meu respeito. O mais engraçado é que a maioria dos Ouros interpretaria o termo como um louvor.

Uma voz musical se dirige a mim.

— Acho que ela acabou de te fazer um elogio, na realidade. Portanto, não ligue pra ela. Ela é bonitinha como um pêssego, mas é toda podre por dentro. Já dei uma mordida antes, se é que você me entende. Saborosa e depois pútrida. Fantástico da sua parte pegar a caneta e esconder, aliás. Eu estava prestes a arrancar os olhos da cara daquela idiotazinha. Maldito barulho!

A voz brilhante vem de um jovem saído diretamente das páginas de um poema grego. Arrogância e beleza porejam dele. Genética impecável. Nunca vi um sorriso tão largo e branco, uma pele tão lisa e lustrosa. Ele é tudo o que eu desprezo.

Ele me dá um tapinha no ombro e aperta minha mão numa das diversas maneiras de se fazer uma apresentação semiformal. Aperto ligeiramente. Ele também tem um aperto firme, mas, quando tenta estabelecer dominância, eu aperto sua mão até que ele a retira. Uma fagulha de preocupação pisca nos seus olhos.

FÚRIA VERMELHA

— Deus do céu, sua mão é como um torno! — diz ele, rindo. Ele se apresenta rapidamente como Cassius, e tenho sorte por ele me dar pouco tempo para falar porque sua testa fica enrugada quando eu o faço. Meu sotaque ainda não está perfeito.

— Darrow — repete ele. — Bem, esse é um nome bem desColorido. Ah... — Ele olha para seu datapad, procurando minha história pessoal. — Bem, você não vem de ninguém. Um campônio de um planeta bem distante. Não é de estranhar que Antonia tenha escarnecido daquele jeito. Mas, escute, vou te perdoar por isso se você me contar como foi na prova.

— Oh, você vai me perdoar?

Suas sobrancelhas ficam unidas.

— Estou tentando ser gentil aqui. Nós, Bellona, não somos reformadores, mas sabemos que bons homens podem vir de origens baixas. Trabalhe comigo, companheiro.

Por causa da aparência dele, sinto uma necessidade de provocá-lo.

— Bem, eu ousaria dizer que esperava que a prova fosse ser mais difícil. Posso ter errado aquela da vela, mas fora isso...

Cassius me observa com um risinho magnânimo. Seus olhos vívidos dançam sobre meu rosto enquanto imagino se sua mãe faz cachinhos com seus cabelos todas as manhãs utilizando ferros de ouro.

— Com mãos como as suas, você deve ser um terror com a lâmina — diz ele com ares de liderança.

— Eu sou razoável — minto. Matteo não vai permitir que eu toque na coisa.

— Modéstia! Você foi criado pelos Capuzes-Brancos, cara? Pouco importa, estou indo pra Agea depois das provas físicas. Quer ir comigo? Ouvi falar que os Entalhadores fizeram um trabalho esplêndido com as mulheres novas do Temptation. E eles acabaram de mandar instalar gravPisos em Tryst; podemos flutuar por lá sem gravBotas. O que você me diz? Isso te interessa? — Ele dá um tapinha numa das suas asas e pisca. — Um montão de pêssegos por lá. Nenhum deles podre.

— Infelizmente, não vou poder.

— Oh. — Ele dá um salto como se tivesse acabado de se lembrar que eu sou um campônio de um planeta distante. — Não se preocupe com isso, *bom-homem*. Eu vou pagar tudo.

Declino educadamente, mas ele já está indo embora. Ele dá um tapinha no meu datapad antes de sair. A holotela disposta no interior do meu braço esquerdo pisca. As dimensões do seu rosto e informações acerca da nossa conversa são deixadas para trás — o endereço dos clubes aos quais ele se referiu, a referência enciclopédica para Agea e as informações da sua família. Cassius au Bellona, é o que está escrito. Filho do Pretor Tiberius au Bellona, Imperador da Sexta Frota da Sociedade e talvez o único homem em Marte capaz de rivalizar em poder com o ArquiGovernador Augustus. Aparentemente, as famílias se odeiam. Parece que eles cultivam o desagradável hábito de se matarem uns aos outros. Filhotes de víboras-das-cavidades com toda a certeza.

Pensei que ficaria com medo dessas pessoas. Pensei que eles agiriam como se fossem pequenos deuses. Mas, exceto por Cassius e Antonia, muitos deles nem chamam a atenção. Existem apenas setenta na minha sala de prova. Alguns se parecem com Cassius. Mas nem todos são bonitos. Nem todos são altos e com postura imperiosa. E pouquíssimos me fazem crer que são efetivamente homens e mulheres. Apesar da visível estatura física, eles são crianças com um exagerado senso de autoestima; eles desconhecem as durezas da vida. Bebês. Pixies e Bronzes, em sua maioria.

Eles testam em seguida minhas propriedades físicas. Eu me sento despido numa poltrona de uma sala branca enquanto os examinadores Cobres do Comitê de Controle de Qualidade me observam através das nanoCâmeras.

— Espero que vocês estejam gostando do que estão vendo — digo.

Um trabalhador Marrom entra e aplica alguma coisa no meu nariz. Seus olhos são vazios. Nenhuma postura agressiva nele, nenhum desprezo por mim. Sua pele é pálida e seus movimentos, esquisitos e desajeitados.

Sou instruído a prender a respiração pelo tempo que meus pulmões aguentarem. Dez minutos. Depois disso, o Vermelho retira a presilha e sai. Em seguida, tenho de respirar fundo e exalar. Faço isso e percebo que, subitamente, não há mais oxigênio no recinto. Quando começo a me mexer no assento, o oxigênio retorna. Eles congelam a sala e medem quanto tempo eu levo até começar a tremer descontroladamente. Então aquecem a sala para ver quando meu coração começa a lutar. Eles amplificam a gravidade no recinto até que meu coração não consegue bombear sangue e oxigênio o bastante para o cérebro. Então veem o quanto eu consigo me mover até vomitar. Estou acostumado a dirigir uma perfuratriz de noventa metros, portanto eles são obrigados a desistir.

Assim que estou apto e preparado para matar quem quer que esteja no controle dessa salinha infernal, eles enviam atendentes Marrons para me deslizarem para dentro de um traje biométrico e me conduzir a um ginásio. Lá eles medem o fluxo de oxigênio nos meus músculos, meus batimentos cardíacos, a densidade e a extensão das minhas fibras musculares, a tensão dos meus ossos. Tudo isso depois de eu correr em alta velocidade e escalar um paredão rochoso com gravidade alta. É como uma caminhada no parque depois do inferno que passei com Harmony.

Eles me mandam arremessar bolas, depois me encostam numa parede e me pedem para deter pequenas bolas que jogam na minha direção com uma máquina circular. Minhas mãos de Mergulhador-do-Inferno são mais rápidas do que a máquina deles, de modo que trazem um técnico Verde para ajustar a coisa até que ela começa a arremessar verdadeiros petardos. Por fim, sou atingido por uma bola na testa. Desmaio por um breve espaço de tempo. Eles também medem isso.

Um exame de olho, ouvido e boca mais tarde e está tudo acabado. Sinto-me vagamente distante de mim mesmo depois do teste. Como se eles tivessem testado meu corpo e meu cérebro, mas não a mim. Não tive nenhuma interação pessoal com ninguém a não ser com Cassius. A coisa toda me deu uma sensação de muita frieza, de algo bastante institucionalizado.

Cambaleio até o vestiário, dolorido e confuso. Há alguns outros se trocando, de modo que eu tiro a roupa e me dirijo a uma seção mais discreta das longas fileiras de armários de plástico. Então ouço um estranho assobio. Uma canção que eu conheço. Uma canção que ecoa através dos meus sonhos. A canção que motivou a morte de Eo. Sigo o som e dou de cara com uma garota se trocando no canto do vestiário. Ela está de costas para mim, músculos definidos ao vestir a blusa. Faço um barulho. Ela se vira repentinamente e, por um estranho momento, fico lá parado enrubescido. Não se espera que Ouros se importem com nudez. Mas não consigo evitar minha reação. Ela é linda — rosto em formato de coração, lábios grossos, olhos que riem de você. Eles riem agora como riram quando ela estava cavalgando. Trata-se da mesma garota que me chamou de Pixie quando eu estava montando o pônei.

Ela franze uma das sobrancelhas. Não sei o que dizer, de modo que, em pânico, lhe dou as costas e saio o mais rápido que posso do vestiário.

Um Ouro não teria feito isso. Mas enquanto estou sentado com Matteo na nave que nos transporta de Yorkton a Towton, eu me lembro do rosto da garota. Ela também ficou vermelha.

É uma viagem curta, não longa o bastante. Observo Marte através do piso de durovidro. Embora o planeta esteja terratransformado, a vegetação é esparsa ao longo da nossa plataforma de voo. A superfície do planeta é listrada com faixas de verde nos vales e ao redor do equador. A vegetação se assemelha a cicatrizes verdes que cortam a superfície manchada. Fiz viagens virtuais pelo planeta praticamente todos os dias desde que recebi meus olhos dourados.

A água preenche as crateras impactantes, criando grandes lagos. E a bacia Borealis, que se estende ao longo do hemisfério norte, brilha com água fresca e abriga uma bizarra fauna marinha. Grandes planícies onde redemoinhos reúnem coberturas de solo arável e rasgam as terras cultiváveis. Tempestades e gelo dominam os polos onde os Obsidianos treinam e vivem. Estima-se que a temperatura lá seja brutal e fria, embora climas temperados sejam agora prevalecentes ao longo de grande parte da superfície de Marte.

Existem mil cidades em Marte, cada qual comandada por um Governador, o ArquiGovernador presidindo todas elas. Cada cidade está situada no centro de uma centena de colônias de mineração. Os Go-

FÚRIA VERMELHA **145**

vernadores administram essas colônias, com os Magistrados-das-Minas individuais como Podginus controlando o dia a dia. A cidadela do ArquiGovernador está localizada em Agea, no Valles Marineris, o maior cânion do sistema solar.

Com tantas minas e tantas cidades, foi o acaso, suponho eu, que trouxe o ArquiGovernador à minha casa com sua equipe de filmagem. O acaso e minha posição de Mergulhador-do-Inferno. Eles queriam fazer de mim um exemplo; Eo foi uma consequência. E ela não teria cantado se o ArquiGovernador não estivesse lá. As ironias da vida não são encantadoras?

— Como é esse Instituto, caso eu consiga ser admitido? — pergunto a Matteo enquanto espio pela janela.

— Cheio de turmas, imagino. Como é que eu vou saber?

— Você não tem nenhuma intel pra me dar?

— Não.

— Não? — pergunto.

— Bom, acho que tenho algumas — admite Matteo. — Três tipos de pessoas se formam: os Inigualáveis Maculados, os Graduados e os Indignos. Os Inigualáveis podem ascender socialmente; os Graduados também podem, mas suas perspectivas são relativamente limitadas e eles ainda precisam receber suas cicatrizes; e os Indignos são mandados a colônias duras e distantes, como Plutão, pra supervisionar os primeiros anos de terratransformação.

— Como alguém se torna um Inigualável?

— Imagino que exista alguma espécie de sistema de ranking; *talvez* uma competição. Não sei. Mas os Ouros são uma espécie que se constrói mediante a conquista. Faria sentido se isso também fosse parte da sua competição.

— Tudo isso é muito vago — digo, suspirando. — Às vezes você ajuda tanto quanto um cachorro sem perna.

— Eu vou explicar.

— Ninguém está te *impedindo*, droga!

— O jogo, *bom-homem*, na sociedade Ouro, é o patrocínio. Suas ações no Instituto servem como um exame ampliado a esse patrocínio.

Você precisa de um aprendizado. Você precisa de um benfeitor poderoso. — Ele dá um sorrisinho. — Portanto, se você quiser ajudar nossa causa, vai fazer essa *porra* desse trabalho da melhor forma que puder. Imagine se você se tornasse um aprendiz de um Pretor. Em dez anos você mesmo poderia se tornar um Pretor. Poderia ter uma frota! Imagine o que você não poderia fazer com uma frota, meu *bom-homem*. Apenas imagine.

Matteo nunca fala sobre tais voos fantasiosos, de modo que o entusiasmo estampado nos seus olhos é contagiante. Faz com que eu imagine.

16
O INSTITUTO

Os resultados da minha prova chegam quando estou praticando meu reconhecimento cultural e a modulação do sotaque com Matteo na nossa cobertura. Temos uma vista da cidade, o sol se pondo adiante. Estou no meio da leitura de uma inteligente réplica acerca do clube esportivo de falsaGuerra Supernova de Yorkton quando meu datapad soa com uma mensagem prioritária enviada à stream do aparelho. Quase derramo o café.

— Meu datapad foi escravizado por outra pessoa — digo. — É o Comitê de Controle de Qualidade.

Matteo dá um pulo da cadeira.

— Nós temos talvez quatro minutos. — Ele entra correndo na biblioteca da suíte, onde Harmony está lendo num ergossofá. Ela dá um pulo e está fora do quarto em menos de três arquejos. Eu me certifico de que as holofotos com minha família falsa estão arrumadas no meu quarto e em toda a cobertura. Quatro serviçais contratados — três Marrons e um Rosa — cuidam das tarefas domésticas na cobertura. Eles usam a farda Pégaso da minha família falsa.

Um dos Marrons vai para a cozinha. A outra, uma mulher Rosa, massageia meus ombros. Matteo engraxa meus sapatos no quarto. É claro que há máquinas para fazer essas coisas, mas um Áurico jamais usaria uma máquina para algo que pudesse ser feito por uma pessoa. Não há poder nisso.

A urbanave parece uma libélula ao longe. Ela cresce à medida que se aproxima zunindo e paira do lado de fora da janela da cobertura. Suas portas de acesso se abrem deslizando e um homem num traje Cobre faz uma mesura formal. Deixo meu datapad abrir a janela de durovidro e o homem flutua para o interior do apartamento. Três Brancos estão com ele. Cada qual tem um Sinete branco nas mãos. Membros dos Acadêmicos e um burocrata Cobre.

— Tenho o prazer de me dirigir a um certo Darrow au Andromedus, filho do recentemente falecido Linus au Andromedus e Lexus au Andromedus?

— Você tem a honra.

O burocrata olha para mim de cima a baixo de uma maneira bastante deferente, porém impaciente.

— Eu sou Bondilus ci Tancrus do Comitê de Controle de Qualidade do Instituto. Há algumas perguntas que precisamos lhe endereçar, por obséquio.

Nós nos sentamos à mesa de carvalho da cozinha, eu de um lado e eles à minha frente. Lá, eles engancham meu dedo numa máquina e um dos Brancos coloca um par de óculos que analisará minhas pupilas e outras reações fisiológicas. Eles serão capazes de dizer se estou mentindo.

— Vamos começar com uma pergunta de controle cujo intuito é avaliar sua reação normal quando estiver dizendo a verdade. Você é da família Andromedus?

— Sim.

— Você pertence ao gene Áurico?

— Sim — minto baixinho, arruinando as perguntas de controle deles.

— Você mentiu na prova de admissão realizada dois meses atrás?

— Não.

— Você usou nervonucleicos pra estimular alta compreensão e funções analíticas durante a prova propriamente dita?

— Não.

— Você usou uma rede widget pra agregar ou sintetizar recursos externos em tempo real?

— Não — digo, suspirando impacientemente. — Havia um embaralhador na sala, portanto isso teria sido impossível. Estou feliz por vocês terem feito essa pesquisa e não estarem desperdiçando meu tempo, Cobre.

O sorriso dele é burocrático.

— Você tinha conhecimento prévio das questões?

— Não. — Tenho preparada uma resposta irritada a essa altura. — E do que se trata tudo isso? Não estou acostumado a ser chamado de mentiroso por alguém da sua laia.

— Trata-se de um procedimento básico com todos os postulantes da elite, lorde Áurico. Peço sua compreensão, por obséquio — fala o burocrata monotonamente. — Qualquer não residente da elite extremamente afastado do desvio-padrão está sujeito ao inquérito. Você escravizou seu widget ao de algum outro indivíduo durante a prova?

— Não. Como eu disse antes, havia um embaralhador. Obrigado por continuar na mesma toada, patetão.

Eles retiram uma amostra do meu sangue e fazem uma varredura no meu cérebro. Os resultados são instantâneos, mas o burocrata não os compartilha.

— Protocolo — ele me avisa. — Você terá seus resultados em duas semanas.

Nós os recebemos em quatro. Eu passo no exame do Controle de Qualidade. Não menti. Então chega minha pontuação na prova, dois meses depois de eu ter feito a droga do negócio, e percebo o motivo pelo qual eles haviam imaginado que eu mentira. Errei uma questão. Uma única questão. Em cem. Quando compartilho os resultados com Dancer, Harmony e Matteo, eles simplesmente olham para mim. Dancer cai numa cadeira e começa a rir; uma espécie de riso histérico.

— Cacete — xinga ele. — A gente conseguiu.

— Ele conseguiu — corrige Matteo.

Dancer leva um minuto para ter a perspicácia de pegar uma garrafa de champanhe, mas ainda sinto seus olhos me observando como se eu fosse algo diferente, algo estranho. É como se eles tivessem subitamente deixado de entender o que haviam criado. Toco a flor de haemanthus no bolso e sinto a faixa matrimonial no pescoço. Eles não me criaram. Ela me criou.

Quando um valete chega para me escoltar ao Instituto, despeço-me de Dancer no interior da cobertura. Ele aperta minha mão com firmeza e me olha como meu pai me olhou antes de ser enforcado. Um olhar de confiança. Mas por trás disso existe preocupação e dúvida. Ele me preparou para o mundo? Ele cumpriu sua tarefa? Meu pai tinha vinte e dois anos quando olhou para mim daquele jeito. Dancer tem quarenta e um. Não faz diferença. Eu rio. Tio Narol jamais me olhou desse jeito, nem mesmo quando me deixou cortar a corda de Eo. Provavelmente porque já levara diversos ganchos da minha direita para saber a resposta. Mas se penso nos meus professores, meus pais, tio Narol foi o que mais me moldou. Ele me ensinou a dançar; ele me ensinou como ser homem, talvez porque soubesse que esse seria meu futuro. E embora ele tivesse tentado me dissuadir da ideia de ser um Mergulhador-do-Inferno, foram suas lições que me mantiveram vivo. Agora aprendi novas lições. Esperemos que elas façam a mesma mágica.

Dancer me dá a facAnel que usou para cortar meu dedo meses antes. Mas ele refez o formato do objeto para que se parecesse com um L.

— Eles vão achar que isso aqui é a divisa que os espartanos usavam nos seus escudos — disse ele. — L de Lacadaemonia. — Mas é de Lykos. De Lambda.

Harmony me surpreende ao pegar minha mão direita e beijá-la onde o Sinete Vermelho foi outrora brasonado. Ela tem lágrimas num dos olhos, o olho frio, o desprovido de cicatriz. O outro não pode chorar.

— Evey vai vir morar com a gente — Harmony me diz. Ela sorri antes que eu possa perguntar por quê. — Você acha que é a única pessoa que repara nas coisas? Ela vai ter uma vida bem melhor com a gente do que com Mickey.

Matteo e eu trocamos um sorriso e uma mesura. Usamos termos honoríficos adequados um com o outro e ele estende a mão. A dele não segura a minha. Em vez disso, ela arranca a flor do meu bolso. Tento recuperá-la, mas ele ainda é o único homem que conheci até hoje que é mais rápido do que eu.

— Você não pode levar isso consigo, *bom-homem*. A faixa matrimonial na sua mão já é mais do que suficiente. A flor extrapola.

— Então me dê uma pétala — digo.

— Imaginei que você fosse pedir isso. — Ele pega um colar. É o Sinete de Andromedus. Meu Sinete, eu me lembro. É dourado. Ele o coloca na minha mão. — Sussurre o nome dela. — Faço isso e o Pégaso se abre como um botão de haemanthus. Ele deposita uma pétala no centro. Ele se fecha novamente. — Esse é seu coração. Então o guarde com metal.

— Obrigado, Matteo — digo, com lágrimas nos olhos. Eu o levanto e lhe dou um abraço apesar dos seus protestos. — Se eu viver mais de uma semana, terei que agradecer a você, meu *bom-homem*. — Ele enrubesce quando o ponho de volta no chão.

— Administre esse seu temperamento — ele me lembra, sua voz miúda adquirindo um tom sombrio. — Modos, modos. Depois destrua a *porra* da casa desses caras do chão ao teto.

Seguro o Pégaso com firmeza enquanto a nave atravessa o campo marciano. Faixas verdes se estendem sobre a terra que eu vivia para escavar. Imagino quem deve ser agora o Mergulhador-do-Inferno de Lambda. Loran é jovem demais. Barlow é velho demais. Kieran? Ele é muito responsável. Tem filhos para amar, e já viu mortes o bastante na nossa família. Não há fogo no seu ventre. Leanna tem o suficiente, mas mulheres não têm permissão para escavar. Provavelmente seja Dain, o irmão de Eo. Selvagem, mas não brilhante. O típico Mergulhador-do--Inferno. Pensar nisso me deixa enjoado.

Não somente pensar nisso. Estou nervoso. Percebo isso lentamente enquanto olho ao redor do interior da nave. Seis outros jovens estão sentados em silêncio. Um deles, um rapaz esguio com um olhar franco e um sorriso bonito, capta meu olhar. Ele é do tipo que ainda ri de borboletas.

— Julian — declara ele apropriadamente, e pega meu antebraço. Nós não temos informações a trocar um com o outro através dos nossos datapads; eles os levaram quando embarcamos na nave. Portanto, em vez disso, ofereço a ele o assento à minha frente. — Darrow, um nome bem interessante.

— Você já esteve em Agea? — pergunto a Julian.

— Claro — diz ele, com um sorriso. Ele está sempre sorrindo. — Como assim? Você quer dizer que nunca esteve lá? Estranho. Eu achava que conhecia muitos Ouros, mas praticamente nenhum deles conseguiu passar pelas provas de admissão. É um admirável mundo novo de rostos, acredito eu. De um jeito ou de outro, eu te invejo pelo fato de jamais ter pisado em Agea. É um lugar estranho. Bonito, sem dúvida nenhuma, mas a vida lá é acelerada, e barata, pelo menos é o que dizem.

— Mas não pra nós.

Ele ri.

— Suponho que não. A menos que você jogue na política.

— Não gosto muito de jogar. — Reparo a reação de Julian, de modo que rio e pisco para ele com o intuito de afastar a seriedade das palavras. — A menos que haja aposta, cara. Entendeu?

— Entendi! Qual é seu jogo? Xadrez-de-sangue? Cruzadas-Gravitacionais?

— Oh, xadrez-de-sangue é uma boa. Mas falsaGuerra é meu preferido — digo com um risinho Dourado.

— Principalmente se você torcer pro Nortown! — concorda ele.

— Oh… *Nortown.* Acho que a gente não vai se dar muito bem um com o outro — digo, piscando. Bato com o polegar no peito e digo: — Yorkton.

— *Yorkton!* Acho que não há a menor possibilidade da gente se dar bem um com o outro! — diz ele, rindo.

E embora eu sorria, ele não sabe o quanto sou frio por dentro; a conversa, as provocações, os sorrisos, tudo isso representa um padrão de sociabilidade. Matteo me instruiu bem, mas, para dar algum crédito a Julian, ele não parece um monstro.

FÚRIA VERMELHA **153**

Ele devia ser um monstro.

— Meu irmão já deve ter chegado ao Instituto. Ele já estava em Agea na propriedade da nossa família, sem dúvida nenhuma causando problemas! — Julian balança orgulhosamente a cabeça. — O melhor homem que eu conheço. Ele vai ser o Primus, fique de olho. O orgulho e a alegria do nosso pai, e isso já é dizer muita coisa, tendo em vista a quantidade de familiares que eu tenho! — Nem um tiquinho de inveja na sua voz, somente amor.

— Primus? — pergunto.

— Oh, conversa de Instituto: significa líder da Casa dele.

As Casas. Conheço isso. Existem doze delas folgadamente baseadas em características pessoais subjacentes. Cada uma é nomeada em homenagem a um deus do panteão romano. As Casas do Instituto são instrumentos de convívio e clubes sociais do lado de fora da escola. As famílias são os verdadeiros poderes na Sociedade. Elas têm seus próprios exércitos e frotas e contribuem para as forças da Soberana. A lealdade começa com elas. Há pouco amor pelos residentes do seu próprio planeta. Eles são, no máximo, competidores.

— Vocês já pararam de se estapear, seus babacas? — debocha um moleque endiabrado do canto da nave. Ele é tão desmazelado que sua cor é cáqui em vez de Ouro. Seus lábios são finos e seu rosto é semelhante a um gavião cruel no momento exato em que avista um camundongo. Um Bronze.

— Estamos te incomodando? — Meu sarcasmo possui uma pontinha de educação.

— Dois cachorros se pegando poderiam me incomodar? É bem provável que sim. Se eles fizerem barulho.

Julian se levanta.

— Peça desculpas, seu animal.

— Vá se ferrar — diz o molequinho. Em meio segundo, Julian saca uma luva branca de lugar nenhum. — Isso aí é pra limpar meu cu, seu chupador de rola dourado?

— O quê? Seu barbarozinho! — diz Julian, chocado. — Quem foi que te criou?

— Lobos, depois que a xereca da sua mãe me expeliu.

— Seu verme!

Julian joga a luva no molequinho. Estou observando tudo e pensando que a cena é uma comédia de alto nível. O moleque parece ter saído diretamente de uma fornada de Lykos, Beta quem sabe. Ele é bem parecido com um Loran feio, diminuto e irritado. Julian não sabe o que fazer, de modo que propõe um desafio.

— Um desafio, *bom-homem*.

— Um duelo? Você ficou tão ofendido assim? — O moleque horroroso bufa para o principezinho. — Tudo bem. Vou remendar o orgulho da sua família depois da Passagem, seu chupador de rola. — Ele assoa o nariz na luva.

— Por que não agora, covarde? — pergunta Julian, com o peito inflado, exatamente como seu pai deve ter lhe ensinado. Ninguém insulta sua família.

— Você é idiota ou o quê? Você está vendo alguma lâmina por aqui? Imbecil. Vá embora. A gente vai duelar depois da Passagem.

— Passagem…? — Julian finalmente pergunta o que estou pensando.

O moleque magricela ri maldosamente. Até os dentes dele são cáqui.

— É a última prova, seu idiota. E o melhor segredo desse lado dos anéis ao redor da xereca de Octavia au Lune.

— Então como é que você sabe a respeito dele? — pergunto.

— Informações internas — diz o moleque. — E eu não sei a respeito disso. Eu sei disso, seu cara de mijo gigante.

Seu nome é Sevro, e eu gosto do jeito dele.

Mas a conversa sobre a Passagem me deixa preocupado. Sei poucas coisas, percebo enquanto escuto Julian travar uma conversa com o último membro da nossa nave. Eles falam sobre as notas que tiraram na prova. Existe uma grave disparidade entre suas notas baixas e as minhas. Reparo Sevro bufar enquanto eles dizem suas pontuações em voz alta. Como é que candidatos com notas tão baixas conseguem passar? Tenho uma sensação desagradável no estômago. E quais foram as notas de Sevro?

Chegamos ao Valles Marineris na escuridão. É uma grande faixa de luz que atravessa a superfície preta de Marte, indo até onde a vista alcança. No centro dela, a capital do meu planeta surge à noite como um jardim de espadas preciosas. Casas noturnas piscam nos telhados, pistas de dança feitas de ar condensado. Garotas magras e rapazes tolos sobem e descem à medida que os gravMisturadores brincam com a física. Bolhas sônicas separam os quarteirões da cidade. Passamos no meio deles e ouvimos mundos de sons diferentes.

O Instituto se localiza além dos distritos noturnos de Agea e foi construído na lateral das paredes de oito quilômetros de altura do Valles Marineris. As paredes se erguem como ondas de pedras verdes nutrindo a civilização com a flora. O Instituto em si é feito de pedra branca — um lugar de colunas e esculturas, romano até o cerne.

Nunca estive aqui antes. Mas já vi as colunas. Já vi a destinação da nossa viagem. A amargura toma conta de mim como bile que me sobe do estômago à garganta enquanto penso no rosto dele. Penso nas palavras dele. Nos seus olhos ao vascular a multidão. Assisti seguidamente no HC ao ArquiGovernador fazer seu discurso para as diversas turmas anteriores à minha. Logo ouvirei em pessoa essas palavras dos seus próprios lábios. Logo sentirei a raiva. Sentirei o fogo lamber meu coração ao vê-lo em pessoa mais uma vez.

Pousamos numa plataforma e somos conduzidos a uma praça de mármore a céu aberto com vista para o vasto vale. O ar noturno é fresco. Agea se espalha atrás e os portões do Instituto se estendem diante de nós. Estou parado com mais de mil Testas-douradas, todos olhando ao redor com a arrogante certeza da sua raça. Muitos se reúnem em grupinhos, amigos de fora das paredes brancas da escola. Eu não achava que as turmas seriam tão grandes.

Um Dourado alto flanqueado por Obsidianos e um séquito de conselheiros Ouros se ergue num par de gravBotas diante do portão. Meu coração congela quando reconheço seu rosto, ouço sua voz e vejo o brilho nos seus olhos metálicos.

— Bem-vindos, filhos dos Áuricos — diz o ArquiGovernador Nero au Augustus numa voz tão macia quanto a pele de Eo. Uma voz sobrenaturalmente alta. — Imagino que vocês compreendam a importância da sua presença aqui. Das mil cidades de Marte, de todas as Grandes Famílias, vocês foram os escolhidos. Vocês são o auge da pirâmide humana. Hoje, vocês darão início à sua campanha para se juntar à melhor casta da nossa raça. Seus companheiros se encontram, como vocês, nos Institutos de Vênus, dos Hemisférios Leste e Oeste da Terra, de Luna, das Luas Gasosas Gigantes, de Europa, do Aglomerado Astrodiano Grego e do Aglomerado Astrodiano Troiano, de Mercúrio, de Calisto, dos empreendimentos Enceledas e Ceres, e dos pioneiros extremos das Hildas.

Parece ter sido ontem que eu achava que era um pioneiro de Marte. Parece ter sido ontem que eu sofria para que a humanidade, desesperada para deixar a Terra moribunda, pudesse se espalhar pelo planeta vermelho. Oh, como mentiram bem meus governantes.

Atrás de Augustus, nas estrelas, há movimento, mas não são as estrelas que se movem. Nem os asteroides nem os cometas. São a Sexta e a Quinta Frotas. A Armada de Marte. Perco a respiração. A Sexta Frota é comandada pelo pai de Cassius, ao passo que a menor, a Quinta Frota, está sob o controle direto do ArquiGovernador. A maioria das naves é de propriedade de famílias que devem obediência ou a Augustus ou a Bellona.

Augustus mostra por que nós — eles — governam. Minha carne pinica. Sou tão pequeno. Um bilhão de toneladas de duroaço e nanometal se movem através dos céus, e jamais estive além da atmosfera de Marte. São como pontinhos de prata num oceano de tinta preta. E eu sou tão menos. Mas esses pontinhos poderiam devastar Marte. Eles poderiam destruir uma lua. Esses pontinhos governam a tinta. Um Imperador comanda cada frota; um Pretor comanda esquadrões dentro de cada frota. O que eu poderia fazer com esse poder...

Augustus é altivo no seu discurso. Engulo a bile na garganta. Por causa da impossível distância dos meus inimigos, minha raiva foi, no passado, marcada pela frieza. Agora ela queima dentro de mim.

— A Sociedade possui três estágios: Selvageria, Ascendência, Decadência. A grande ascensão por causa da Selvageria. Eles governam na Ascendência. Eles caem por causa da sua própria Decadência.

FÚRIA VERMELHA **157**

Ele nos conta como os persas foram derrotados, como os romanos entraram em colapso porque seus governantes se esqueceram de como seus pais haviam conquistado um império para eles. Ele tagarela acerca das dinastias muçulmanas e da delicadeza europeia, do regionalismo chinês, do ódio por si mesmos e do neutralismo que se impõem os americanos. Todos os nomes antigos.

— Nossa Selvageria começou quando nossa capital, Luna, se rebelou contra a tirania da Terra e se libertou dos grilhões da Demokracia, da Nobre Mentira, a ideia de que os homens são irmãos e foram criados em igualdade.

Augustus tece suas mentiras pessoais com aquela língua dourada. Ele fala do sofrimento dos Dourados. As Massas sentaram-se na carroça e esperaram que os grandes lhes puxassem, lembra ele. Eles ficaram sentados chicoteando os grandes até que não conseguimos aguentar mais.

Eu me lembro de chicotadas diferentes.

— Os homens não foram criados em igualdade; nós todos sabemos disso. Existem os médios. Existem os desgarrados. Existem os feios. Existem os bonitos. Não seria assim se fôssemos todos iguais. Um Vermelho não pode comandar uma nave estelar, assim como um Verde não pode servir como médico!

Há mais risos do outro lado da praça quando ele nos diz para olhar a patética Atenas, o berço do câncer chamado Demokracia.

— Olhem o que isso ocasionou em Esparta. A Nobre Mentira tornou Atenas fraca. Fez com que os cidadãos se voltassem contra seu melhor general, Alcibíades, por inveja. Até as nações da Terra ficaram com inveja umas das outras. Os Estados Unidos da América exigiram essa ideia de igualdade através da força. E quando as nações se uniram, os americanos ficaram surpresos ao descobrir que não eram vistos com bons olhos! As Massas são invejosas! Que sonho maravilhoso seria se todos os homens fossem criados em igualdade! Mas nós não somos. É contra a Nobre Mentira que lutamos. Mas, como eu disse antes, e como repito a vocês agora, existe um outro mal contra o qual guerreamos. Trata-se de um mal ainda mais pernicioso. Trata-se de um mal subversivo, lento. Não é um fogo-fátuo. É um câncer. E esse câncer é a Decadência. Nossa Sociedade passou da Selvageria à Ascendência. Mas, assim como nossos ancestrais espirituais, os romanos, também nós podemos entrar em Decadência.

Ele está falando dos Pixies.

— Vocês são a nata da humanidade. Mas foram mimados. Vocês foram tratados como crianças. Tivessem vocês nascido numa Cor diferente, teriam desenvolvido mais calos. Teriam cicatrizes. Conheceriam a dor.

Ele sorri como se conhecesse a dor. Odeio esse homem.

— Vocês acham que conhecem a dor. Vocês acham que a Sociedade é uma inevitável força da história. Vocês acham que Ela é o fim da história. Mas muitos pensaram isso antes. Muitas classes dominantes acreditaram que seriam os últimos. O pináculo. Eles ficaram moles. Preguiçosos. Eles esqueceram que os calos, as feridas, as cicatrizes, a dureza, preservam todas aquelas ótimas casas de prazer que vocês jovens adoram frequentar e todas aquelas sedas finas e aqueles diamantes e unicórnios que vocês meninas pedem de aniversário. Muitos Áuricos não se sacrificaram. É por isso que eles não usam isso. — Ele mostra uma longa cicatriz na bochecha direita. Octavia au Lune possui a mesma cicatriz. — A Cicatriz de um Igual. Não somos os mestres do sistema solar porque nascemos assim. Somos os mestres porque os Inigualáveis Maculados, os Ouros Férreos, assim quiseram.

Ele toca a cicatriz na bochecha. Eu faria uma outra nele se estivesse mais próximo. As crianças ao meu redor engolem o lixo desse homem como se fosse oxigênio.

— Neste exato momento, as Cores que extraem minérios desse planeta são mais duras do que vocês. Eles nascem com calos. Nascem com cicatrizes e ódio. Eles são duros como nanoAço. Felizmente, são também muito estúpidos. Por exemplo, essa *Perséfone* sobre quem sem dúvida nenhuma vocês ouviram falar não é nada mais do que uma menina sem brilho que pensava que cantar uma música pudesse valer um enforcamento.

Mordo um buraco na bochecha. Minha pele estremece por causa

da emoção que parece percorrer todo o meu corpo quando descubro que minha mulher faz parte do discurso desse filho da puta.

— A menina nem sabia que o vídeo vazaria. Contudo, foi seu desejo de sofrer as durezas que lhe adviriam que deu a ela seu poder. Mártires, vejam bem, são como abelhas. O único poder de que dispõem é proveniente da morte. Quantos de vocês se sacrificariam não pra matar, mas somente pra ferir seu inimigo? Nenhum de vocês, aposto.

Sinto gosto de sangue na boca. Tenho comigo a facAnel que Dancer me deu. Mas respiro fundo e controlo minha fúria. Eu não sou mártir. Não sou vingança. Sou o sonho de Eo. Mesmo assim, não fazer nada enquanto o assassino dela se vangloria me dá uma sensação de traição.

— No devido tempo, vocês receberão suas Cicatrizes da minha espada — conclui Augustus. — Mas primeiro precisam merecê-las.

17
A SELEÇÃO

— **Filho de Linus e Lexus au Andromedus,** ambos da Casa Apolo. Você prefere se marcar como requisitando preferência pela Casa Apolo? — pergunta-me um tedioso administrador Áurico.

A primeira lealdade dos Testas-douradas é com a Cor, depois com a família, depois com o planeta, depois com a Casa. A maioria das Casas é dominada por uma ou duas famílias poderosas. Em Marte, a família Augustus, a família Bellona e a família Arcos influenciam todas as outras.

— Não — respondo.

Ele mexe no seu datapad.

— Muito bem. Como você acha que foi seu desempenho na prova de giriAstúcia? Essa é uma prova de extrapolação — esclarece ele.

— Acho que o resultado fala por si.

— Você não estava prestando atenção, Darrow. Posso marcar isso contra você. Estou pedindo pra *você* falar sobre seu resultado.

— Acho que meu resultado foi uma maldita porcaria, *senhor*.

— Ah. — Ele sorri. — Bem, foi sim. Foi sim. A Casa Minerva pra cérebros talvez seja uma opção correta pra você. Quem sabe Plutão, pelos desvios. Apolo pelo orgulho. Sim. Hum. Bem, eu tenho uma prova pra você. Por favor, complete-a com o máximo das suas habilidades. As entrevistas terão início quando você a tiver concluído.

FÚRIA VERMELHA **161**

A prova é rápida e é no formato de um jogo de imersão. Há um copo numa colina que eu necessito adquirir. Muitos obstáculos se encontram no caminho. Passo por eles da maneira mais racional possível, tentando ocultar minha raiva quando um pequeno elfo rouba uma chave que eu tenho. Mas em cada passo ao longo do percurso existe alguma droga de obstáculo, alguma inconveniência. E é sempre imprevisível. É sempre alguma coisa além do limite da extrapolação. No fim, alcanço o copo, mas somente depois de matar um feiticeiro irritante e de escravizar a raça de elfos por meio da varinha de condão do tal feiticeiro. Eu teria deixado os elfos livres. Mas eles me irritaram.

Logo, os entrevistadores aparecem em intervalos. Descubro qué eles são chamados Inspetores. Cada um deles é um Inigualável Maculado. Eles são escolhidos pelo ArquiGovernador para dar aulas e representar os alunos da Casa no Instituto.

Enfim, os Inspetores são impressionantes. Há um enorme Maculado com cabelos semelhantes à juba de um leão e um raio no colarinho em homenagem a Júpiter, uma matrona com suaves olhos dourados e um homem perspicaz com pés munidos de asas na gola. Ele não consegue ficar parado e seu rosto de bebê parece estar imensamente fascinado pelas minhas mãos. Ele me faz jogar um jogo no qual coloca ambas as mãos na horizontal com as palmas voltadas para cima e eu ponho as minhas em cima das dele com as palmas voltadas para baixo. O Inspetor tenta dar tapas nas minhas mãos, mas jamais consegue. Ele vai embora depois de bater palmas em júbilo.

Um outro estranho encontro acontece quando um bonito homem com cabelos encaracolados me entrevista. Um arco marca seu colarinho. Apolo. Ele me pergunta o quanto me considero atraente e fica chateado quando se dá conta de que minha opinião está abaixo das suas expectativas. Mesmo assim, acho que ele gosta de mim, porque me pergunta o que eu gostaria de ser um dia.

— Um Imperador de frota — digo.

— Você poderia fazer coisas fantásticas com uma frota. Mas uma escolha muito elevada — diz ele, suspirando e acentuando cada palavra com um ronronar felino. — Talvez elevado demais pra sua família.

Quem sabe se você tivesse um benfeitor com uma origem familiar melhor. Sim, nesse caso talvez isso fosse possível. — Ele olha para seu datapad. — Mas improvável por causa do seu nascimento. Hum. Boa sorte.

Fico sentado sozinho por uma hora ou mais até que um homem taciturno vem se juntar a mim. Seu rosto desafortunado é contraído, fino e comprido, mas ele tem a Cicatriz e o cabo de uma lâmina pende da sua cintura. Seu nome é Fitchner. Uma goma de mascar preenche sua boca. O uniforme que ele usa é preto e ouro, e quase esconde a discreta pança que transborda apesar do leve cheiro de metabolizantes. Como tantos outros, ele usa distintivos sobre sua patronagem. Um lobo dourado com duas cabeças decora seu colarinho. E uma estranha mão marca seu punho.

— Eles me dão os cães ensandecidos — diz ele. — Eles me dão os matadores da nossa raça, os cheios de mijo e napalm e vinagre. — Ele fareja o ar. — Você cheira a pura merda.

Não digo nada. Ele se encosta na porta e franze o cenho para ela como se o objeto o ofendesse de alguma maneira. Então volta a olhar para mim, farejando deselegantemente.

— O problema é que nós da Casa Marte sempre enguiçamos. Os moleques dominam o Instituto a princípio. Aí eles descobrem que o napalm dura mais ou menos… — Ele estala os dedos. Não dou nenhuma resposta. Ele suspira e desaba numa cadeira. Depois de um tempo me observando, ele se levanta e me dá um soco na cara. — Se você revidar o soco vão te mandar de volta pra casa, Pixie.

Eu lhe dou um chute na canela.

Ele se afasta, mancando, rindo como um tio Narol embriagado.

Não sou mandado de volta para casa. Em vez disso, sou escoltado junto com cem outros até o interior de uma sala grande com Cadeiras Flutuantes e uma grande parede dominada por uma espécie de grade. A grade forma um tabuleiro de xadrez quadrado na parede, dez fileiras na vertical, dez fileiras na horizontal. Sou levado num elevador até a fileira do meio, uns quinze metros acima do chão. Os noventa e nove outros alunos são instados a entrar até que cada caixa esteja preenchida. Essa é a leva principal, a nata dos alunos. Olho de dentro da minha caixa, espiando acima de mim. Os pés de uma garota pendem da caixa acima da minha cabeça. Números e letras aparecem na frente da minha caixa. Minhas estatísticas. Supostamente, sou imprudente demais e possuo características superiores à média dos desgarrados nos quesitos intuição, lealdade e, o que mais chama a atenção, no quesito raiva.

Há doze grupos na audiência. Cada grupo senta-se bem próximo uns dos outros em Cadeiras Flutuantes ao redor de emblemas dourados verticais. Vejo um arqueiro, um raio, uma coruja, um lobo com duas cabeças, uma coroa de cabeça para baixo e um tridente, entre outros. Um dos Inspetores acompanha cada grupo. Apenas eles não têm os rostos cobertos. Os outros usam máscaras cerimoniais, desprovidas de feições e douradas e ligeiramente semelhantes aos animais das suas Casas. Se ao menos eu tivesse sabido de antemão que isso aconteceria. Eu poderia muito bem ter trazido uma bomba nuclear. Esses são os Selecionadores, os homens e mulheres de mais alto prestígio. Pretores e Imperadores e Tribunos e Adjudicadores e Governadores estão lá sentados me observando, tentando escolher os novos alunos para suas Casas, tentando encontrar rapazes e moças a quem podem testar e oferecer aprendizados. Com uma bomba, eu poderia ter destruído os melhores e mais brilhantes dos dominadores Dourados. Mas talvez seja minha impetuosidade falando.

A Seleção começa quando um titânico menino de um geneAlt é escolhido primeiro para a Casa do raio. A Casa Júpiter. Em seguida vão mais meninas e meninos de beleza e habilidades físicas sem paralelo. Posso apenas intuir que eles também sejam gênios. A quinta escolha ocorre. O entrevistador com cara de bebê e pés com asas flutua na minha direção em botas douradas. Diversos Selecionadores da Casa Mercúrio flutuam com ele. Eles falam silenciosamente entre eles antes de me fazer perguntas.

— Quem são seus pais? Quais são as conquistas da sua família?

Conto a eles a respeito da minha modesta falsa família. Um deles parece ter em alta estima um parente meu que faleceu há muito tempo. Mas, apesar das objeções do Inspetor, eles me rejeitam e escolhem um outro aluno de uma família detentora de noventa minas e participação em empreendimentos de um dos continentes mais ao sul de Marte.

O Inspetor Mercúrio fala alguns impropérios e lança um rápido sorriso na minha direção.

— Espero que você esteja disponível na próxima rodada — diz ele.

Em seguida escolhem uma menina delicada com um sorriso debochado. Mal consigo prestar atenção e, às vezes, é difícil ver quem mais está sendo selecionado. Somos dispostos de uma maneira estranha. Com a décima escolha, o Inspetor que me socou na entrevista flutua na minha direção. Há uma discordância entre os Selecionadores. Tenho dois ardentes defensores: um é tão alto quanto Augustus, mas seus cabelos lhe caem pela coluna em três cachos dourados. E o segundo é mais largo, não muito alto. É velho. Dá para ver pelas cicatrizes e rugas nas suas espessas mãos. Mãos que sustentam o anel com o selo de um Cavaleiro Olímpico. Eu o reconheço imediatamente mesmo sem ver seu rosto. Lorn au Arcos. O Cavaleiro Raivoso, o terceiro homem mais importante de Marte, que escolheu servir a Sociedade salvaguardando o Pacto da Sociedade em vez de ir em busca de coroas na política. Quando ele aponta para mim, Fitchner dá um risinho.

Sou o décimo escolhido. O décimo em mil.

18

COLEGAS DE TURMA

Sinto um embrulho no estômago à medida que ando com a massa barulhenta em direção à sala de jantar. É um local gigantesco — pisos brancos de mármore, um holocéu exibindo pássaros voando no pôr do sol. O Instituto não é o que eu esperava. De acordo com Augustus, as aulas devem ser duras com esses pequenos deuses. Eu rio com desdém. Deixe essa galera passar um ano numa mina.

Há doze mesas, cada qual com cem lugares. Nossos nomes flutuam acima das cadeiras em letras douradas. O meu flutua à direita da cabeceira de uma mesa. É um local de distinção. A primeiraSeleção. Uma barra única flutua à direita do meu nome. Um número 1 está à esquerda. O primeiro a obter cinco barras se torna Primus da sua Casa. Cada barra representa uma recompensa por um ato meritório. Aparentemente, minha nota alta na prova foi o primeiro pedaço de mérito.

— Maravilhoso, um cortador na liderança pra se tornar Primus — diz uma voz familiar. A garota da prova. Leio o nome dela. Antonia au Severus. Ela possui uma aparência cruelmente bela: maxilares proeminentes, um sorriso afetado, desprezo nos olhos. Seus cabelos são compridos e dourados como o toque de Midas. Ela nasceu para ser odiada e para odiar. Um número 5 flutua ao lado do nome dela. É a segunda nota mais próxima da minha à mesa. Cassius, o rapaz que conheci durante a prova, senta-se numa posição diagonal em relação a mim. Um número 6 cintila ao lado do seu amplo sorriso. Ele passa a mão pelos cachinhos.

Um outro rapaz senta-se bem em frente a mim; um número 1 e uma barra dourada flutuam ao lado do seu nome. Enquanto Cassius relaxa no seu assento, esse outro rapaz, Priam, senta-se com o corpo reto como uma navalha. Seu rosto é celestial. Seus olhos, alertas. Seus cabelos, bem tratados. Ele é alto como eu, mas com ombros largos. Tenho a impressão de que jamais vi um ser humano com tamanha perfeição. Uma porra de uma estátua. Ele não estava na Seleção, descubro. É o que eles chamam um Premier; eles não podem ser selecionados. Seus pais escolhem a Casa dele. Então descubro o motivo: sua mãe escandalosa, uma mulher-emblema da Casa Bellona, é dona das duas luas de nosso planeta.

— O destino nos reuniu novamente — me diz Cassius, rindo. — E Antonia. Meu amor! Parece que nossos pais conspiraram pra nos colocar lado a lado.

Antonia responde com um sorriso sarcástico:

— Não me deixe esquecer de agradecê-los vivamente por isso.

— Toni! Não precisa ser tão desagradável. — Ele balança um dedo. — Agora, mande um sorriso pra mim como uma bonequinha bem-comportada.

Ela mostra os dedos em forma de cruz para ele.

— Prefiro mandar você pela janela, Cassi.

— Urgh. — Cassius envia um beijo para ela, que o ignora. — E então, Priam, eu imagino que nós dois teremos de ser delicados com esses bobões, certo?

— Oh, eles me parecem tipos bacanas — responde Priam afetadamente. — Tenho a impressão de que formaremos um grupo bem interessante.

Eles falam no altoIdioma.

— Se a escória da Seleção não nos esmagar, meu *bom-homem*! — Ele faz um gesto na direção da extremidade da mesa e começa a nomeá-los: — Cara Ferrada, por motivos óbvios. Palhaço, por causa daquele ridículo cabelo fofo. Erva, porque, bem, porque ele é magro. Oi!

FÚRIA VERMELHA **167**

Você, você é a Cardo porque seu nariz parece enganchado como um cardo. E... aquele pequenininho ali perto do camarada com aparência de Bronze, aquele ali é o Pedrinha.

— Eu acho que eles vão nos surpreender — diz Priam em defesa da extremidade da mesa. — Eles podem não ser tão altos ou tão atléticos ou mesmo tão inteligentes quanto você ou eu, se é que a inteligência pode mesmo ser mensurada por aquela prova, mas não acho que seria um ato de caridade afirmar que eles serão a espinha do nosso grupo. O sal da terra, se você preferir. Bons tipos.

Eu vejo o molequinho da nave, Sevro, bem no fim da mesa. O sal da terra não está fazendo amizades. E nem eu. Cassius olha de relance para meu i. Eu o vejo admitir que Priam possa talvez ter tido uma nota melhor do que a dele, mas Cassius observa que jamais ouviu falar dos meus pais.

— E então, meu caro Darrow, como foi que você mentiu? — pergunta ele. Antonia olha de relance do meio da sua conversa com Arria, uma garotinha feita de cabelos encaracolados e covinhas no rosto.

— Ah, qual é, cara — digo, rindo. — Eles mandaram o Controle de Qualidade atrás de mim. Como é que eu poderia ter mentido? Impossível. Você mentiu? Sua nota foi alta.

Eu falo o médioIdioma. É mais confortável do que aquele altoIdioma com o qual o pó-de-peido do Priam matraqueia.

— Eu? Mentir! Não. Apenas não tentei o bastante, aparentemente — responde Cassius. — Se eu tivesse sido um pouco mais inteligente, teria passado menos tempo com as garotas e mais tempo estudando, como você.

Ele está tentando me dizer que se ele tivesse tentado poderia ter se dado tão bem quanto eu. Mas Cassius é ocupado demais para se esforçar tanto. Se eu o quisesse como amigo, eu o deixaria escapar impune.

— Você estudou? — pergunto. Sinto um súbito anseio em constrangê-lo. — Eu não estudei nada.

Um calafrio atravessa o ar.

Eu não deveria ter dito isso. Meu estômago desaba. *Modos.*

O rosto de Cassius adquire um tom amargo e Antonia sorri afetadamente. Eu o insultei. Priam franze o cenho. Se quero uma carreira na frota, então é muito provável que eu necessite do patrocínio do pai de Cassius au Bellona. Filho de um Imperador. Matteo treinou isso comigo. Como é fácil esquecer. A frota é onde se encontra o poder. Frota ou governo ou exército. E eu não gosto do governo, sem falar que esse tipo de insulto é o que origina os duelos. O medo percorre minha coluna enquanto me dou conta do quanto estou pisando em cascas de ovos. Cassius sabe duelar. Eu, apesar de todas as minhas novas habilidades, não sei. Ele me despedaçaria por inteiro, e seu olhar me indica que é exatamente isso o que ele deseja fazer.

— Estou brincando. — Inclino a cabeça para Cassius. — Qual é, cara. Como é que eu posso ter tirado uma nota tão alta sem ter estudado até meus olhos começarem a sangrar? Eu gostaria muito de ter podido passar mais tempo me divertindo como você, afinal de contas a gente está agora no mesmo ponto. O que esse estudo todo me fez foi engordar.

Priam balança a cabeça demonstrando sua aprovação à oferta de paz.

— Aposto que esse foi um golpe violento! — tripudia Cassius, mexendo a cabeça para reconhecer meu peculiar pedido de desculpa. Minha expectativa era que a brincadeira lhe subisse à cabeça. Pensei que seu orgulho o cegasse para meu súbito pedido de desculpa; o Ouro pode ser orgulhoso, mas não é estúpido. Nenhum deles é. Tenho de me lembrar disso.

Depois do incidente, eu me torno um motivo de orgulho para Matteo. Paquero uma garota chamada Quinn, faço amizade e conto piadas para Cassius e Priam — que provavelmente jamais falou um palavrão na sua vida —, estendo a mão para um brutamontes alto chamado Titus cujo pescoço é tão grosso quanto minha coxa. Ele aperta demais minha mão propositalmente. E fica surpreso quando eu quase lhe quebro a mão, mas o aperto dele é forte pra caramba. O rapaz é ainda mais alto do que Cassius e eu, e tem uma voz de titã, mas dá um risinho quando percebe que meu aperto de mão é mais forte do que o dele. Entretanto, há alguma coisa estranha na sua voz. Alguma coisa decididamente desdenhosa. Há também um rapaz que mais se assemelha a uma pena chamado Roque e que se comporta e fala como um poeta. Seus sorrisos são lentos, escassos, porém genuínos. Raro.

— Cassius! — chama Julian. Cassius se levanta e abraça seu irmão gêmeo mais magro e mais bonito. Eu não havia percebido isso antes, mas eles são irmãos. Gêmeos. Não idênticos. Julian havia realmente dito que seu irmão já estava em Agea.

— O Darrow aqui não é o que parece — diz Julian ao resto da mesa com um rosto bastante circunspecto. Ele tem um pendor para o teatro.

— Você não está querendo dizer que... — Cassius coloca a mão na boca.

Meu dedo roça a faca de carne.

— Sim — diz Julian, balançando solenemente a cabeça.

— Não. — Cassius balança a cabeça. — Ele não é torcedor do *Yorkton*, é? Julian, diga que isso não é verdade! Darrow! Darrow, como é que você pôde? Eles nunca venceram uma falsaGuerra! Priam, você está ouvindo isso?

Levanto as mãos num pedido de desculpas.

— Uma maldição de nascimento, suponho. Sou um produto da minha criação. Torço pra patuleia. — Consigo não zombar das palavras.

— Ele confessou isso pra mim na nave.

Julian se mostra orgulhoso de me conhecer. Orgulhoso por seu irmão saber que ele me conhece. Ele procura a aprovação de Cassius. Cassius tampouco se mostra indiferente a isso; ele oferece gentilmente um elogio e Julian deixa os membros da altaSeleção e retorna a seu assento da médiaSeleção na parte central da mesa com um sorriso satisfeito e ombros aprumados. Eu não imaginava que Cassius seria do tipo gentil.

Dos que eu conheço por lá, apenas Antonia demonstra abertamente não gostar de mim. Ela não me observa à mesa como os outros. Da parte dela, sinto apenas um distante tipo de desprezo. Num momento ela está rindo, flertando com Roque. Em seguida ela sente meu olhar sobre si e se torna gélida. A sensação é mútua.

O Instituto é dirigido por Clintus, uma mulher. Magra e insípida, ela comanda a sala apenas em virtude da sua voz. É culta porém aterrorizante, como o grito de uma águia. Não sei por quê. Ela nos dá uma breve acolhida de boas-vindas, reitera os mesmos pontos que Augustus esclareceu anteriormente e sente-se tão entediada quanto eu com o que tem de dizer. Ela não dá a mínima para nós.

— Vocês são o mais elevado percentil da sua Cor. — Et cetera, et cetera, et cetera. A sensação ruim ainda está no meu estômago. — A Passagem terá início amanhã. Até lá, durmam bem, alunos.

Meu dormitório é digno de sonho. Adornos dourados percorrem uma janela que dá para o vale. Uma cama está equipada com sedas e acolchoados e cetins. Eu me deito nela quando uma massagista Rosa entra e fica por uma hora pressionando meus músculos. Mais tarde, três graciosas Rosas aparecem para atender às minhas necessidades. Eu as envio para o quarto de Cassius. Para acalmar a tentação, tomo um banho frio e faço uma imersão numa holoexperiência de um Perfurador na colônia mineira de Corinth. O Mergulhador-do-Inferno na holoexperiência é menos talentoso do que eu mesmo era, mas os sacolejos, o calor simulado, a escuridão e as víboras me reconfortam tanto que eu enrolo meu velho trapo escarlate na cabeça.

Mais comida chega. O discurso de Augustus era só conversa. Comilança cheia de exageros. Essa é a versão deles de dureza. Sinto-me culpado quando caio no sono de estômago cheio, segurando o medalhão com a flor de Eo no interior. Minha família vai com fome para a cama esta noite. Sussurro o nome dela. Tiro a faixa matrimonial do bolso e a beijo. Sinto a dor. Eles a roubaram. Mas ela permitiu. Ela me abandonou. Ela me deixou lágrimas e dor e saudades. Ela me abandonou para me deixar com raiva, e eu não posso evitar odiá-la por um momento, muito embora além desse momento haja apenas amor.

— Eo — sussurro, e o medalhão se fecha.

19
A PASSAGEM

Vomito ao acordar. Um segundo soco acerta em cheio meu estômago. Depois um terceiro. Estou vazio e arquejando em busca de ar. Afogando no meu enjoo. Tossindo. Dando pontapés. Tento me afastar cambaleando. A mão de um homem me agarra pelos cabelos e me joga de encontro a uma parede. Deus, o cara é forte pra cacete. E tem dedos extras. Tento pegar minha facAnel, mas já me arrastaram até o corredor. Nunca fui tão maltratado; nem mesmo meu novo corpo consegue se recuperar dos ataques. Há quatro deles vestidos de preto — Corvos, os matadores. Eles me descobriram. Eles sabem quem eu sou. Está tudo acabado. Seus rostos são caveiras desprovidas de qualquer expressão. Máscaras. Puxo da cintura a faca que trouxe do jantar e estou prestes a atingir um deles na virilha. Então vejo o brilho do Ouro nos seus punhos e eles batem em mim até eu soltar a faca. É uma prova. Os ataques que eles desferem contra uma Cor mais elevada são sancionados pelo distribuidor dos braceletes. Eles não me descobriram coisa nenhuma. Uma prova. É disso que se trata. É um teste.

Eles poderiam ter usado atordoadores. Há um propósito na surra. É algo que a maioria dos Ouros jamais experimentou na vida. Portanto espero. Eu me encolho e deixo que eles me espanquem. Quando percebem que não estou resistindo, acham que fizeram seu trabalho. Eles meio que fizeram; quando se sentem satisfeitos, já estou me sentindo um farrapo.

Sou arrastado pelo corredor por homens com quase três metros de altura. Um saco é colocado sobre minha cabeça. Eles não estão usando tecnologia para me assustar. Imagino quantos desses moleques já sentiram no corpo uma força física como essa. Quantos já se sentiram tão desumanizados? O saco fede a morte e mijo enquanto eles me arrastam. Começo a rir. É como a porra do meu traje-forno. Então um punho atinge meu peito e eu me encolho todo, arfando.

O capuz também possui um dispositivo sonoro instalado. Não estou respirando com dificuldade, mas meus arquejos retornam mais altissonantes do que deveriam. Há mais de mil alunos. Dezenas deles devem sofrer esse destino ao mesmo tempo, ainda que eu não esteja ouvindo nada. Eles não querem que eu ouça os outros. Tenho de pensar que estou sozinho, que minha Cor não significa nada. Surpreendentemente, eu me sinto ofendido pelo fato de eles ousarem me agredir desse jeito. Eles não sabem que eu sou um Ouro, porra? Então contenho um riso. Truques eficientes.

Sou erguido e jogado com força no chão. Sinto uma vibração, o cheiro de escapamento. Logo estamos ao ar livre. Alguma coisa no saco que cobre minha cabeça me desorienta. Não sei dizer para qual direção estamos voando, que altura atingimos. O som da minha própria respiração exasperada se tornou terrível. Acho que o saco também filtra o oxigênio para fora, porque estou respirando com dificuldade. Mesmo assim, não é pior do que um traje-forno.

Mais tarde — uma hora depois? Duas? — nós pousamos. Eles me arrastam pelos calcanhares. Minha cabeça bate numa pedra, me sacudindo. Só bem mais tarde eles tiram o saco da minha cabeça numa sala vazia iluminada apenas por uma única lâmpada. Outra pessoa já está aqui. Os Corvos tiram minha roupa, arrancam meu precioso pingente de Pégaso. Eles saem.

— Frio aqui dentro, Julian? — digo, rindo, enquanto me levanto, a faixa de cabeça vermelha ainda na testa. Minha voz ecoa. Estamos ambos nus. Finjo mancar com minha perna direita. Sei o que é isso.

— Darrow, é você? — pergunta Julian. — Você está bem?

FÚRIA VERMELHA   **173**

— Estou ótimo. Mas eles arrebentaram minha perna direita — minto.

Ele se levanta também, dando um impulso com a mão esquerda. Sua mão dominante. Ele parece alto e frágil à luz. Como feno encurvado. Contudo, eu levei mais chutes e socos do que ele, muitos mais. Minhas costelas podem muito bem estar quebradas.

— O que você acha que é isso? — pergunta ele, cobrindo suas partes íntimas.

— A Passagem, obviamente.

— Mas eles mentiram. Disseram que seria amanhã.

A espessa porta de madeira range nas dobradiças enferrujadas e o Inspetor Fitchner entra gingando e estourando uma bola de chiclete.

— Inspetor! Senhor, você mentiu pra nós — protesta Julian. Ele tira os bonitos cabelos da frente dos olhos.

Os movimentos de Fitchner são arrastados, mas seus olhos são como os de um gato.

— Mentir requer uma grande quantidade de esforço — rosna ele preguiçosamente.

— Bem… como você ousa nos tratar dessa maneira? — rebate Julian. — Você deve saber quem é meu pai. E minha mãe é um Legado! Posso processá-lo por ataque num piscar de olhos. E machucaram a perna do Darrow!

— É uma da manhã, seu babaca. Já é amanhã. — Fitchner estoura outra bola de chiclete. — Também há dois de vocês. Infelizmente, apenas uma vaga está disponível na sua turma. — Ele joga um anel dourado brasonado com o lobo de Marte e um escudo estelar do Instituto no sujo piso de pedra. — Eu podia tornar isso ambíguo, mas vocês parecem dois rapazes com cara de ferrugem. Apenas um sai daqui com vida.

Ele sai da maneira como entrou. A porta range e então se fecha com um barulho. Julian estremece com o som. Eu não. Nós dois miramos o anel e tenho uma sensação desagradável no estômago que me diz que sou o único na sala que sabe o que acabou de acontecer.

— O que eles acham que estão fazendo? — Julian me pergunta. — Será que eles esperam que a gente…

— Mate um ao outro? — termino. — Sim. É isso que eles esperam. — Apesar do nó na minha garganta. Cerro os punhos, a faixa matrimonial de Eo presa com firmeza no meu dedo. — Pretendo usar esse anel, Julian. Você vai deixar que eu fique com ele?

Sou maior do que ele. Não tão mais alto. Mas isso não importa. Ele não tem a menor chance.

— *Preciso ficar com ele, Darrow* — murmura Julian. Ele levanta os olhos. — Sou da família Bellona. Não posso voltar pra casa sem ele. Você sabe quem nós somos? Você pode voltar pra casa sem se tornar indigno. Eu não. Preciso dele mais do que você!

— Nós não vamos voltar pra casa, Julian. Uma pessoa apenas sai daqui com vida. Você o ouviu.

— Eles não fariam uma coisa dessas… — tenta ele.

— Não?

— Por favor. Por favor, Darrow. Vá pra casa e pronto. Você não precisa disso como eu preciso. Você não precisa. Cassius… ele ficaria tão envergonhado se eu não conseguisse. Eu não teria como olhar para ele. Todos os membros da minha família são Maculados. Meu pai é um Imperador. Um Imperador! Se o filho dele não conseguir nem mesmo ultrapassar a Passagem… O que os soldados dele iriam pensar?

— Ainda assim ele te amaria. O meu me amaria.

Julian balança a cabeça. Ele respira fundo e empina o corpo.

— Eu sou Julian au Bellona da família Bellona, meu *bom-homem*.

Não quero fazer isso. Não consigo explicar o quanto a ideia de machucar Julian me desagrada. Mas quando o que me agrada ou desagrada teve alguma importância na minha vida? Meu povo precisa disso. Eo sacrificou sua felicidade e sua vida. Eu posso sacrificar o que me agrada. Posso sacrificar esse principezinho magricela. Posso até sacrificar minha alma.

Faço o primeiro movimento na direção de Julian.

— Darrow… — murmura ele.

Darrow era gentil em Lykos.

Eu não sou. Eu me odeio por isso. Acho que estou chorando, porque minha visão não está clara.

FÚRIA VERMELHA **175**

As regras, os modos e a moral da sociedade estão distantes. Basta uma sala de pedra e duas pessoas necessitadas da mesma coisa escassa. No entanto, a mudança não é instantânea. Mesmo quando soco Julian no rosto e seu sangue mancha os nós dos meus dedos, a coisa não parece uma luta. A sala está quieta. Esquisito. Eu me sinto grosseiro agredindo-o. Como se estivesse encenando. A pedra é fria em contato com meus pés. Minha pele pinica. A respiração ecoa.

Eles querem que eu o mate porque ele não foi bem nas provas. Isso aqui é um falso jogo. Sou a foice de Darwin. A natureza se livrando do refugo. Não sei como matar. Nunca matei um homem. Não tenho comigo uma lâmina, um bastão ou um abrasador. Parece impossível que eu consiga fazer esse menino de carne e músculo sangrar a seco apenas com minhas mãos. Eu quero rir, e Julian o faz. Sou uma criança nua dando tapas numa outra criança nua numa sala fria. A hesitação dele é óbvia. Seus pés se movem como se ele estivesse tentando se lembrar de uma dança. Mas quando seus cotovelos alcançam a altura dos meus olhos, entro em pânico. Não sei como ele está lutando. Julian me ataca sem entusiasmo de um modo estranho, artístico. Ele é errático, lento, mas seu punho tímido atinge meu nariz.

Sou tomado de raiva.

Meu rosto fica dormente. Meu coração troveja. Está na minha garganta. Minhas veias pululam.

Quebro o nariz dele com um direto. Deus, minhas mãos são fortes.

Ele choraminga e se abaixa na minha direção, agarrando meu braço num ângulo estranho. Ele estala. Eu uso minha testa. Ele é atingido exatamente na ponte do nariz. Eu agarro sua nuca e o atinjo novamente com a testa. Ele não consegue se soltar. Eu bato novamente. Alguma coisa estala. Sangue e cuspe molham meus cabelos. Seus dentes cortam meu couro cabeludo. Eu caio para trás como se estivesse dançando, faço uma reversão usando o pé esquerdo, avanço e o atinjo no peito com todo o meu peso concentrado no meu punho direito. Meus nós de Mergulhador-do-Inferno despedaçam o esterno reforçado dele.

Há um grande arquejo. E um ruído de estalo como de galhos se partindo.

Ele cambaleia para trás e cai no chão. Eu estou tonto por tê-lo atingido com a testa. Estou vendo vermelho. Estou vendo duplo. Cambaleio na direção dele. Lágrimas escorrem pelo meu rosto. Ele está se contorcendo. Quando seguro seus cabelos dourados, encontro-o já mole. Como uma pena dourada molhada. O sangue jorra do seu nariz. Ele está quieto. Não se mexe mais. Não sorri mais.

Murmuro o nome da minha esposa enquanto caio para acomodar a cabeça dele nas minhas mãos. Seu rosto ficou semelhante a uma flor de sangue.

Parte III
OURO

"Essa é sua curviLâmina, filho. Ela vai raspar os veios da terra pra você. Ela vai matar víboras-das-cavidades. Mantenha a lâmina afiada e, se você ficar preso nas perfuratrizes, ela vai salvar sua vida pelo preço de um membro decepado." Assim me disse meu tio.

20

A CASA MARTE

Há uma quietude na minha alma enquanto olho para o rapaz arrebentado. Nem mesmo Cassius reconheceria Julian agora. Uma cavidade foi entalhada no meu coração. Minhas mãos tremem à medida que o sangue pinga delas em direção à pedra fria. Rios fluindo ao longo dos Sinetes dourados sobre minhas mãos. Sou um Mergulhador-do-Inferno, mas os soluços surgem mesmo depois de as lágrimas terem partido. O sangue dele goteja do meu joelho e escorre pela minha canela sem pelos. É vermelho. Não é dourado. Meus joelhos sentem a pedra e minha testa a toca enquanto soluço até que a exaustão preenche meu peito.

Quando levanto os olhos, ele ainda está morto.

Isso não foi correto.

Eu pensava que a Sociedade só fazia seus jogos com os escravos. Errado. Julian não teve as mesmas notas que eu nas provas. Ele não era tão fisicamente capaz quanto eu. Portanto, era um cordeiro a ser sacrificado. Uma centena de alunos por Casa e os cinquenta menos cotados estão aqui somente para ser mortos pelos cinquenta do topo. Isto é apenas uma porra de uma prova… para mim. Até a família Bellona, poderosa que é, não pôde proteger seu filho menos capaz. E *essa* é a questão.

Eu me odeio.

Sei que eles me obrigaram a fazer isso. Contudo, ainda tenho a sensação de que a escolha foi minha. Como no momento em que puxei as pernas de Eo e senti o estalo na sua pequena coluna cervical. Minha escolha. Mas que outra escolha havia para ela? Para Julian? Eles fazem isso para que fiquemos com a culpa dentro de nós.

Não há nada com que eu possa limpar o sangue, apenas pedra e dois corpos nus. Essa não é a pessoa que eu sou, a pessoa que eu quero ser. Quero ser pai, marido, dançarino. Deixe-me cavar a terra. Deixe-me cantar as canções do meu povo e saltar e rodopiar e correr ao longo das paredes. Eu jamais cantaria a canção proibida. Eu trabalharia. Eu baixaria a cabeça. Deixe-me limpar a sujeira das minhas mãos em vez de sangue. Quero apenas viver com minha família. Nós éramos felizes juntos.

A liberdade tem um preço muito alto.

Mas Eo discordava disso.

Dane-se ela.

Eu espero, mas ninguém aparece para ver a bagunça que fiz. A porta está destrancada. Deslizo o anel dourado sobre o dedo depois de fechar os olhos de Julian e caminho nu até o corredor frio. Está vazio. Uma luz suave me guia escada acima por degraus intermináveis. A água pinga do teto do túnel subterrâneo. Eu a uso para tentar limpar meu corpo, mas tudo o que consigo fazer é molhar o sangue na minha pele, afinando-o. Não consigo escapar dele, do que fiz, independentemente do quanto eu penetre neste túnel. Estou sozinho com meu pecado. É por isso que eles dominam. Os Inigualáveis Maculados sabem que esses feitos sombrios seguem conosco por toda a vida. Eles não podem ser superados. Eles precisam estar conosco se queremos dominar. Essa é a primeira lição deles. Ou será que a primeira lição é que os fracos não merecem viver?

Eu os odeio, mas os escuto.

Vença. Aguente a culpa. Reine.

Eles querem que eu seja impiedoso. Eles querem que minha memória seja curta.

Mas fui criado de maneira diferente.

Tudo o que meu povo canta diz respeito à memória. Portanto, eu me lembrarei dessa morte. Ela será como um fardo para mim de um jeito que não será para meus companheiros de turma — não posso permitir que isso mude. Não posso me tornar um deles. Eu me lembrarei que cada pecado, cada morte, cada sacrifício é pela liberdade.

No entanto, agora estou com medo.

Será que conseguirei suportar a lição seguinte?

Será que conseguirei fingir que sou tão frio quanto Augustus? Eu sei por que ele não estremeceu ao mandar enforcar minha mulher. E estou começando a entender por que os Ouros governam. Eles conseguem fazer o que eu não consigo.

Embora esteja sozinho, sei que logo encontrarei os outros. Eles querem que eu fique embebido na culpa por enquanto. Eles me querem solitário, entristecido, de modo que quando eu me encontrar com os outros, os vencedores, ficarei aliviado. Os assassinatos nos manterão unidos, e vou considerar a companhia dos vencedores um bálsamo para minha culpa. Eu não amo meus companheiros de turma, mas acharei que amo. Vou querer o conforto deles, a garantia que eles me darão no sentido de que eu não sou um ser maligno. E eles vão querer a mesma coisa. Tudo isso tem o intuito de fazer com que nós nos tornemos uma família, uma família com segredos cruéis.

Eu estou certo.

Meu túnel me leva aos outros. Vejo primeiro Roque, o poeta. Ele está sangrando na nuca. Há igualmente sangue no seu cotovelo direito. Não o imaginei capaz de matar. Sangue de quem? Seus olhos estão vermelhos de choro. Encontramos em seguida Antonia. Assim como nós, está nua; ela se move como uma nave dourada, à deriva, silenciosa e distante. Seus pés deixam pegadas ensanguentadas por onde ela pisa.

Abomino a ideia de me encontrar com Cassius. Espero que ele esteja morto, porque tenho medo dele. Cassius me faz lembrar de Dancer — bonito, risonho, ainda que um dragão logo abaixo da superfície. Mas não é por isso que eu tenho medo. Tenho medo porque

FÚRIA VERMELHA **183**

ele tem um motivo para me odiar, para querer me matar. Ninguém na minha vida teve uma causa justa como essa antes. Ninguém me *odiou*. Ele vai me odiar quando descobrir. Então eu percebo. Como a Casa consegue se manter unida com tais segredos? Eu não consigo. Cassius vai saber que alguém aqui matou seu irmão. Outros terão perdido amigos, de modo que a Casa devorará a si mesma. A Sociedade fez isso de propósito; eles querem o caos. Essa será nossa segunda prova. Contenda tribal.

Nós três encontramos os outros sobreviventes numa cavernosa sala de jantar de pedra dominada por uma longa mesa de madeira. Tochas iluminam o recinto. A névoa noturna desliza pelas janelas abertas. É como algo saído de antigas histórias. Da época que eles chamam Medieval. Na direção dos fundos da comprida sala se encontra um plinto. Uma gigantesca pedra assoma no local; encravada no seu centro está uma mão dourada de Primus. Tapeçarias douradas e pretas margeiam a pedra. Um lobo uiva sobre as tapeçarias, como se estivesse dando um sinal de alerta. É a mão de Primus que destroçará essa Casa. Cada um desses pequenos príncipes e princesas pensará que cabe a si próprio por merecimento a honra de liderar a Casa. Contudo, apenas um poderá fazê-lo.

Eu me movo como um fantasma com os outros alunos, vagando pelos corredores pétreos do que parece ser um gigantesco castelo. Há uma sala na qual devemos nos lavar.

Uma tina lança água gelada ao longo do piso frio. Agora o sangue corre com a água para a direita e desaparece na pedra. Sinto-me como se fosse alguma espécie de espectro numa terra de névoa e rochas.

Uniformes em preto e ouro estão dispostos para nós num armário relativamente vazio. Cada aluno encontra um uniforme com seu nome etiquetado. Um símbolo dourado de lobo uivante marca os colarinhos altos e as mangas da nossa vestimenta. Pego minha roupa e me visto sozinho numa espécie de depósito. Lá, caio no canto e começo a chorar, não por causa de Julian, mas porque esse lugar é muito frio e silencioso. É um lugar muito distante de casa.

Roque me encontra. Ele está deslumbrante no seu uniforme —

esguio como um feixe de trigo dourado do verão, com maxilares proeminentes e olhos cálidos, mas seu rosto está pálido. Ele fica de cócoras em frente a mim por vários minutos até se aproximar para me apertar as mãos. Eu me afasto, mas ele continua apertando até que olho para ele.

— Se te jogarem no fundo do mar e você não nadar, você se afoga — diz ele, e ergue as finas sobrancelhas. — Então, continue nadando, certo?

Enxugo minhas lágrimas silenciosas e forço um risinho.

— A lógica de um poeta.

Ele dá de ombros.

— Não chega a tanto. Então vou te dar alguns fatos, meu irmão. Esse é o sistema. As Cores mais baixas têm seus filhos através do uso de catalisadores. Nascimentos rápidos, às vezes apenas cinco meses de gestação antes do trabalho de parto ser induzido. Além dos Obsidianos, somente *nós* esperamos nove meses pra nascer. Nossas mães não recebem catalisadores, sedativos nem nucleicos. Você já se perguntou por quê?

— Pra que o produto possa ser puro.

— E pra que a natureza tenha uma chance de nos matar. O Comitê de Controle de Qualidade está firmemente convencido de que 13,6213% de todas as crianças Ouros deveriam morrer antes de completar um ano de idade. Às vezes eles fazem a realidade se encaixar nesse número. — Ele abre bem as mãos magras. — Por quê? Porque eles acreditam que a civilização enfraquece a seleção natural. Eles fazem o trabalho da natureza pra que não nos tornemos uma raça molenga. A Passagem, ao que parece, é uma continuação dessa política pública. Só que nós somos os instrumentos que eles usam. A minha... *vítima*... era, que Deus abençoe a alma dele, um imbecil. Ele era de uma família do Norte, e não tinha nenhuma *sagacidade*, nenhuma *inteligência*, nenhuma *ambição* — diz ele, franzindo o cenho para as palavras antes de suspirar —, ele não tinha nada que o Comitê valoriza. Há um motivo pra ele ter sido morto.

Havia um motivo para Julian morrer?

Roque sabe o que sabe porque sua mãe faz parte do Comitê. Ele odeia a mãe, e só então percebo de fato que deveria gostar dele. Não apenas isso, eu me refugio nas suas palavras. Ele discorda das regras, mas as segue. Isso é possível. Posso fazer o mesmo até ter poder suficiente para mudá-las.

— Temos que nos juntar aos outros — digo, me levantando.

Na sala de jantar, nossos nomes flutuam acima das cadeiras em letras douradas. As notas das nossas provas não estão mais lá. Nossos nomes também aparecem agora embaixo da mão de Primus na pedra preta. Eles flutuam, dourados, para o alto na direção da mão dourada. Eu sou o que está mais próximo, embora ainda haja uma considerável distância a ser cumprida.

Alguns dos alunos choram juntos em pequenos grupos na longa mesa de madeira. Outros se sentam encostados na parede, com a cabeça nas mãos. Uma garota que está mancando procura sua amiga. Antonia olha com raiva para a mesa onde o pequeno Sevro está sentado comendo. É claro que ele é o único que está com apetite. Francamente, estou surpreso por ele ter sobrevivido. Ele é pequenininho, era o nonagésimo nono e foi o último a ser selecionado. Pelas regras descritas por Roque, ele deveria estar morto.

Titus, o gigante, está vivo e machucado. Os nós dos dedos dele parecem um bloco de açougueiro sujo. Ele se mantém arrogantemente separado do resto, rindo como se aquilo tudo fosse uma esplêndida diversão. Roque fala calmamente com a garota que manca, Lea. Ela cai no chão chorando e joga o anel. Ela parece um cervo, com os olhos arregalados e cintilantes. Ele senta-se com ela e lhe segura a mão. Há uma paz em Roque que é singular naquele recinto. Imagino como ele não deve ter estrangulado pacificamente até a morte algum outro moleque. Rolo meu anel, ora tirando-o, ora recolocando-o no dedo.

Alguém dá um tapa de leve na minha cabeça por trás.

— Oi, meu irmão.

— Cassius — digo, balançando a cabeça.

— Parabéns pela vitória. Eu estava preocupado, pensando que talvez você tivesse apenas cérebro — diz Cassius, rindo. Seus cachos dourados não estão nem despenteados. Ele me abraça e avalia a sala com um nariz franzido. Ele finge essa indiferença toda; dá para ver que ele está apreensivo.

— Ah. Existe algo mais horroroso do que pena de si mesmo? Toda essa choradeira. — Ele ri afetadamente e aponta para uma garota com um nariz arrebentado. — E ela acaba de se tornar agressivamente desagradável. Não que ela já tenha sido flor que se cheire. Hein? Hein?

Eu me esqueço de falar.

— Apavorado, homem? Eles te acertaram a traqueia?

— Só não estou muito a fim de piadas agora — digo. — Levei alguns socos na cabeça. O ombro também está um pouco ferrado. Não estou muito acostumado com esse tipo de coisa.

— O ombro pode ser endireitado. Vamos recolocá-lo no lugar. — Ele segura casualmente meu ombro deslocado e o torce para recolocá-lo no lugar antes que eu possa protestar. Arquejo de dor. Ele dá uma risadinha. — Ótimo. Ótimo. — Ele me dá um tapa no mesmo ombro. — Agora me ajude aqui, certo?

Ele estica a mão esquerda. Seus dedos deslocados parecem raios. Eu os puxo para colocá-los na posição correta. Ele ri por causa da dor, sem saber que o sangue do seu irmão está debaixo das minhas unhas. Tento não ficar ofegante.

— Já avistou o Julian, cara? — diz ele finalmente. Ele fala no médioIdioma agora que Priam não está por perto.

— Nem sinal.

— Hum, o moleque provavelmente está tentando ser delicado na sua luta. Papai nos ensinou Kravat, a Arte Silenciosa. Julian é um prodígio nela. Ele acha que sou melhor do que ele — diz Cassius, franzindo o cenho. — Pensa que eu sou melhor do que ele em tudo, o que é compreensível. Só preciso fazer com que Julian siga o caminho dele. Por falar nisso, quem foi que você chacinou?

Sinto um nó no estômago.

Invento uma mentira, e é uma boa mentira. Vaga e entediante. De um jeito ou de outro, ele agora só quer falar de si mesmo. Afinal de contas, é para isso que Cassius foi criado. Existem, por alto, quinze moleques que possuem esse mesmo brilho quieto nos olhos. Não se trata de maldade. Apenas entusiasmo. E são esses que devem ser vigiados, porque são os matadores por natureza.

Olhando ao redor, é fácil ver que Roque estava certo. Não houve muitas lutas duras. Aquilo foi uma seleção natural forçada. A raspa do tacho sendo massacrada pelos que estão no alto. Quase ninguém está seriamente ferido, exceto alguns pequenos membros da baixaSeleção. A seleção natural às vezes tem suas surpresas.

A luta de Cassius foi fácil, diz ele. Ele procedeu de modo direto, justo e rápido. Esmagou a traqueia do oponente com um golpe de lâmina dez segundos depois de iniciado o confronto. Mas seus dedos foram atingidos de maneira estranha. *Ótimo.* Transformei em cadáver o irmão do melhor matador. O pavor percorre meu corpo.

Cassius fica mais quieto quando Fitchner entra gingando no recinto e nos manda sentar à mesa. Um a um, os cinquenta assentos vão sendo preenchidos. E centímetro a centímetro, o rosto de Cassius vai ficando sombrio à medida que cada chance de Julian se juntar à mesa desaparece. Quando o último assento é ocupado, ele não se move. É uma raiva fria que se irradia. Não quente como eu imaginei que seria. Antonia senta-se em frente a nós, em frente a mim, e o observa. A boca dela trabalha mas ela não diz nada. Pessoas do tipo dele não são reconfortadas. E eu não achei que ela fosse do tipo que tentasse fazê-lo.

Julian não é o único que está faltando. Arria, toda cachinhos e covinhas no rosto, está deitada inerte num piso frio em algum lugar. E Priam se foi. O perfeito Priam, herdeiro das luas de Marte. Ouvi falar que ele era a Primeira Espada no sistema solar pelo seu ano de nascimento. Um duelista sem par. Imagino que suas habilidades com os punhos não deveriam ser tão letais. Olho as caras fatigadas ao redor. Quem foi que o matou, cacete? O Comitê fez besteira nisso, e aposto que sua mãe vai fazer um escarcéu, porque certamente não era para ele ter morrido.

— Nós estamos desperdiçando nossos melhores — murmura Cassius cadenciadamente.

— Olá, seus comedorezinhos de merda — diz Fitchner, bocejando e pondo os pés em cima da mesa. — Agora, talvez vocês tenham se dado conta de que a Passagem pode muito bem ser chamada de Peneira. — Fitchner coça a virilha com o cabo da navalha.

Os modos dele são piores do que os meus.

— E vocês podem achar que isso seja um desperdício de bons Ouros, mas são uns idiotas se pensam que cinquenta crianças podem fazer algum estrago nos nossos números. Há mais de um milhão de Ouros em Marte. Mais de cem milhões no sistema solar. Mas nem todos chegam a ser Inigualáveis Maculados, não é mesmo? Agora se vocês ainda acham que isso foi uma coisa aviltante, pensem que os espartanos matavam mais do que 10% de todas as crianças nascidas na sua sociedade; a natureza matava outros 30%. Nós somos uns malditos humanitaristas em comparação. Dos seiscentos alunos que restam, a maioria estava entre o primeiro 1% de candidatos. Dos seiscentos que estão mortos, a maioria estava entre o último 1% de candidatos. Não houve desperdício. — Ele dá uma risadinha e olha ao redor da mesa com uma surpreendente quantidade de orgulho. — Exceto por aquele idiota do Priam. É isso aí. Há uma lição pra todos vocês nisso. Ele era um rapaz brilhante: bonito, forte, veloz, um gênio que estudava dia e noite com uma dezena de tutores. Mas ele era mimado. E alguém, eu não vou dizer quem, porque isso poria em cheque a diversão de todo esse currículo, mas alguém o derrubou na pedra e depois pisou na sua traqueia até ele morrer. Levou um certo tempo.

Ele põe suas mãos atrás da cabeça.

— *Agora!* Essa é sua nova família. A Casa Marte. Uma das doze Casas. Não, vocês não são especiais porque vivem em Marte e estão na Casa Marte. Aqueles na Casa Vênus em Vênus não são especiais. Eles apenas se encaixam na Casa. Vocês estão me entendendo. Depois do Instituto, vocês vão estar atrás de aprendizados, esperemos que com as famílias Bellona, Augustus ou Arcos, se quiserem me deixar orgulhoso. Graduandos anteriores da Casa Marte podem ajudá-los a encontrar esses aprendizados, ou eles mesmos podem lhes oferecer os aprendizados, ou quem sabe vocês serão tão bem-sucedidos que não necessitarão da ajuda de ninguém. Mas deixemos isso bem cristalino. Neste exato momento, vocês são bebês. Bebezinhos estúpidos. Seus pais entregaram tudo a vocês. Outras pessoas limparam suas bundas. Fizeram comida pra vocês. Lutaram em guerras por vocês. Cuidaram dos seus narizinhos brilhantes à noite. Os Enferrujados escavam antes de ter uma chance de trepar; eles constroem suas cidades e encontram seu combustível e retiram sua merda. Os Rosas aprendem a arte de conquistar alguém antes mesmo de que eles precisem se barbear. Os Obsidianos têm a vida mais maldita que vocês podem imaginar — nada além de gelo e aço e dor. Eles foram reproduzidos pra realizar o trabalho deles, treinados desde cedo pra isso. Tudo o que vocês principezinhos e princesinhas tiveram que fazer foi parecer pequenas versões de mamãe e papai e aprender seus modos e tocar piano e fazer equitação e praticar esportes. Mas agora vocês pertencem ao Instituto, à Casa Marte, à Prefeitura de Marte, à sua Cor, à Sociedade. Blá-blá-blá.

O sorriso afetado de Fitchner é preguiçoso. Sua mão repleta de veias está pousada na pança.

— Esta noite vocês finalmente fizeram alguma coisa com as próprias mãos. Venceram um bebê exatamente como vocês. Mas isso tem tanto valor quanto um peido soltado por uma puta Rosa. Nossa pequena Sociedade se equilibra na ponta de uma agulha. As outras Cores arrancariam o maldito coração de vocês se tivessem a chance. E há também os Pratas. Os Cobres. Os Azuis. Vocês acham que eles seriam leais a um bando de bebês? Vocês acham que os Obsidianos vão seguir cocozinhos como vocês? Aqueles estranguladores de bebês fariam de vocês os escravinhos de prazer deles se vissem alguma fraqueza. Portanto, vocês não devem demonstrar nenhuma.

— E daí? O Instituto tem como função nos deixar durões? — grunhe o imenso Titus.

— Não, seu imbecil colossal. O Instituto tem como função torná-los cruéis, sábios, duros. Tem como função envelhecê-los cinquenta anos em dez meses e mostrar a vocês o que seus ancestrais fizeram pra lhes dar esse império. Posso continuar?

Ele faz uma bola com o chiclete.

— Agora, Casa Marte. — Sua mão magra coça a barriga. — É isso aí. Nós temos uma Casa orgulhosa que poderia quem sabe inclusive rivalizar com algumas das famílias Anciãs. Nós temos Políticos, Pretores e Judiciários. Os atuais ArquiGovernadores de Mercúrio e Europa, um Tribuno, dezenas de Pretores, dois Justiceiros, um Imperador de frota. Até Lorn au Arcos da família Arcos, terceira família mais importante de Marte, pra quem já está se perdendo, mantém seus laços conosco. Todos esses bemAltos estão em busca de novos talentos. Eles escolheram vocês dentre os outros candidatos para preencher a lista. Impressionem esses importantes homens e mulheres, e vocês terão um aprendizado depois de saírem daqui. Vençam e terão a possibilidade de fazer seus aprendizados na Casa de uma família Anciã; quem sabe até mesmo o próprio Arcos pode vir a querer um de vocês. Se isso acontecer, o escolhido estará dando passos largos para adquirir posições, fama e poder.

Eu me curvo para a frente.

— Mas vencer? — pergunto. — O que há pra ser vencido?

Ele sorri.

— Neste momento, vocês se encontram num remoto vale terratransformado na parte mais ao sul do Valles Marineris. Nesse vale, existem doze Casas em doze castelos. Depois da orientação dada amanhã, vocês irão guerrear com seus companheiros alunos pra dominar o vale por seja lá quais meios que possam estar à disposição de vocês. Considerem isso um estudo de caso referente a como ganhar e como dominar um império.

Há murmúrios de entusiasmo. Trata-se de um jogo. E eu pensei que aqui teria de estudar alguma coisa numa sala de aula.

— E se você for o Primus da Casa vencedora? — pergunta Antonia. Ela gira um dedo pelos cachos dourados.

— Então bem-vinda à glória, querida. Bem-vinda à fama e ao poder.

Portanto, eu tenho de ser Primus.

Comemos um jantar simples. Quando Fitchner vai embora, Cassius se agita, e sua voz vem fria e repleta de humor sombrio.

FÚRIA VERMELHA   **191**

— Vamos todos jogar um jogo, meus amigos. Cada um de nós vai dizer quem matou. Eu começo. Nexus au Celintus. Eu o conhecia desde que éramos crianças, assim como conheço alguns de vocês. Parti a traqueia dele com meus dedos. — Ninguém fala nada. — Vamos lá. Famílias não devem guardar segredos.

Mesmo assim, ninguém responde.

Sevro é o primeiro a sair, deixando claro seu desprezo pelo jogo de Cassius. Primeiro a comer. Primeiro a dormir. Eu quero ir também. Em vez disso, jogo conversa fora com o pacífico Roque e com o imenso Titus depois que Cassius desiste do seu jogo e também se retira. Titus é alguém impossível de se gostar. Ele não é engraçado, mas tudo para ele é uma piada. É como se ele debochasse de mim, de todo mundo, muito embora esteja sorrindo. Quero atingi-lo, mas ele não me dá um motivo. Tudo o que ele diz é perfeitamente inócuo. Contudo, eu o odeio. É como se ele não me considerasse um ser humano; em vez disso, sou apenas uma peça de xadrez e ele está esperando para me mexer pelo tabuleiro. Não. Para me empurrar pelo tabuleiro. De alguma maneira ele se esqueceu que tem dezessete ou dezoito anos como o resto do grupo. Ele é um homem. Mais de dois metros de altura fácil, fácil. Quem sabe até quase com dois metros e meio. O ágil Roque, por outro lado, me faz lembrar muito do meu irmão Kieran, se Kieran conseguisse matar. Seus sorrisos são gentis. Suas palavras são pacientes, pensativas e sábias, exatamente como haviam sido antes. Lea, a garota que parece um filhote de cervo mancando, o segue para todos os lugares. Ele é paciente com ela de uma maneira que eu não conseguiria ser.

Tarde da noite, procuro os lugares onde os alunos morreram. Não consigo encontrá-los. A escada não existe mais. O castelo a engoliu. Encontro o sossego num comprido dormitório cheio de colchões finos. Lobos uivam nas névoas moventes que encobrem as montanhas além do nosso castelo. O sono chega rapidamente.

21
NOSSO DOMÍNIO

Fitchner nos acorda em nossos amplos dormitórios antes do alvorecer. Resmungando, rolamos dos nossos beliches duplos e seguimos o caminho da fortaleza à praça do castelo, onde fazemos alongamento e em seguida começamos a correr. Galopamos com facilidade na grav.37.

As nuvens liberam uma chuvinha suave. Os paredões do cânion cinquenta quilômetros a oeste e quarenta quilômetros a leste do nosso pequeno vale assomam seis quilômetros de altura. Entre eles existe um ecossistema de montanhas, floresta, rios e planícies. Nosso campo de batalha.

Nosso território se localiza em terras altas. Lá se encontram colinas musgosas e picos escarpados que mergulham em ravinas gramadas em formato de U. A névoa encobre tudo, inclusive as densas florestas que cobrem os sopés das colinas como os trajes tecidos em casa. Nosso castelo se encontra numa colina ao norte de um rio no meio de uma ravina com formato semelhante ao de um vaso — metade grama, metade floresta. Colinas maiores abraçam a ravina num semicírculo ao norte e ao sul. Um local a meu gosto. E também ao gosto de Eo. Mas, sem ela, eu me sinto tão solitário quanto parece estar nosso castelo na sua colina alta e separada. Procuro o medalhão, procuro nosso haemanthus. Nenhum dos dois está comigo. Sinto-me vazio nesse paraíso.

FÚRIA VERMELHA

Três paredes do nosso castelo na colina se erguem sobre penhascos de oitenta metros de altura. O castelo em si é imenso. Suas paredes se levantam a trinta metros. A guarita forma uma protuberância que sai das paredes como se fosse um forte com torreões. Do outro lado das paredes, a praça da nossa fortaleza é parte da parede noroeste e se ergue a cinquenta metros de altura. Um ligeiro despenhadeiro vai do piso da ravina ao portão oeste do castelo, do lado oposto à fortaleza. Descemos correndo esse desfiladeiro ao longo de uma solitária estrada de terra. A névoa nos abraça. O ar frio me dá uma sensação prazerosa. Ele me purifica depois de horas de sono agitado.

A névoa evapora à medida que o dia amanhece. Cervitos, mais magros e mais velozes do que as criaturas da Terra, pastam na floresta de abetos. Pássaros passam voando. Um corvo solitário promete coisas sombrias. Ovelhas enchem o campo e cabras vagam pelas altas colinas rochosas na qual subimos correndo numa fila de cinquenta e um. Os outros da minha Casa podem ver animais da Terra, ou criaturas curiosas que os Entalhadores decidiram fazer por pura diversão. Mas eu vejo apenas comida e roupas.

Os animais sagrados de Marte fazem suas casas no nosso território. Pica-paus martelam carvalhos e abetos. À noite, lobos uivam nas montanhas e ficam à espreita durante o dia nas florestas do nosso território. Há cobras perto do rio. Abutres nas gargantas quietas. Matadores correndo ao meu lado. Que amigos eu tenho. Se ao menos Loran ou Kieran ou Matteo estivessem aqui para me proteger. Alguém em quem eu pudesse confiar. Sou uma ovelha usando roupas de lobo no meio de uma alcateia.

Enquanto Fitchner sobe correndo as encostas rochosas, Lea, a garota que manca, cai. Ele a cutuca preguiçosamente com o pé até nós a carregarmos nos ombros. Roque e eu suportamos o fardo. Titus ri desdenhosamente, e apenas Cassius ajuda quando Roque fica cansado. Então Pollux, um rapaz esguio com voz áspera e cabelos bagunçados, assume o posto no meu lugar. Sua voz parece a de alguém que fuma queimadores desde os dois anos de idade.

Corremos penosamente através de um vale veranil com florestas e campos. Besouros nos beliscam aqui e ali. Os Testas-douradas estão encharcados de suor, mas eu não. Isto aqui é um banho gelado comparado aos rigores do meu antigo traje-forno. Todos ao meu redor estão na mais perfeita forma física, mas Cassius, Sevro, Antonia, Quinn (a porra da garota ou coisa mais rápida que já vi sobre dois pés), Titus, três dos seus novos amigos e eu poderíamos deixar os restantes para trás. Apenas Fitchner com suas gravBotas nos ultrapassaria. Ele salta adiante como se fosse um cervito, então vai à caça de um e sua lâmina soa no ar. Ela contorna o pescoço do animal e ele contrai a lâmina para matá-lo.

— A ceia — diz ele, dando um risinho. — Arrastem o bicho.

— Você poderia ter matado o bicho perto do castelo — murmura Sevro.

Fitchner coça a cabeça e olha ao redor.

— Por acaso alguma outra pessoa ouviu um duendezinho feioso e nanico emitir… bem, seja lá que som um duende possa emitir? Arrastem o bicho.

Sevro agarra a perna do cervo.

— *Babacão.*

Alcançamos o cume de uma montanha rochosa cinco quilômetros a sudoeste do nosso castelo. Uma torre de pedra domina o pico. Do topo, avaliamos o campo de batalha. Em algum ponto do local, nossos inimigos fazem o mesmo. O teatro de guerra se estende ao sul até um ponto bem além da nossa capacidade de visão. Uma extensão de montanha nevada preenche o horizonte a oeste. Para os lados do sudeste, uma floresta primordial enreda a paisagem. Dividindo as duas, encontra-se uma viçosa planície separada por um enorme rio indo para o sul, o Argos, e seus afluentes. Mais para o sul, passando pelas planícies e rios, o solo mergulha em pântanos. Não consigo enxergar além disso. Uma grande montanha flutuante paira dois quilômetros acima no azulado céu pontilhado de estrelas. É Olimpo, explica Fitchner, uma montanha artificial onde os Inspetores assistem às aulas ano após ano. Seu pico refulge como um castelo de contos de fada. Lea se aproxima e se posta ao meu lado.

— Como é que ela flutua? — Lea pergunta docemente.

Não faço a menor ideia.

Olho para o norte.

Dois rios num vale coberto por florestas separam nosso território montanhoso ao norte, que fica no limite de um vasto espaço natural formado por altas montanhas. Eles formam um V apontando para o sudoeste das terras baixas, onde por fim se tornam um afluente do Argos. Cercando o vale estão as terras altas — dramáticas colinas e montanhas anãs nas quais se encontram gargantas onde a névoa ainda permanece.

—Aquela é a Torre Phobos — diz Fitchner. A torre se encontra no extremo sudoeste do nosso território. Ele bebe de um cantil enquanto continuamos sedentos, e aponta para o noroeste onde os dois rios se encontram no vale para formar o V. Uma gigantesca torre coroa uma distante extensão de montanhas anãs logo depois da junção. — E aquilo ali é Deimos. — Ele traça uma linha imaginária para nos mostrar os limites territoriais da Casa Marte.

O rio a leste é chamado Furor. O rio a oeste, que corre ao sul do nosso castelo, é Metas. Uma única ponte abarca o Metas. Um inimigo teria de atravessá-lo para ingressar entre o V no interior do vale e atacar o flanco nordeste por um terreno fácil para alcançar nosso castelo.

— Isso só pode ser alguma piada, certo? — pergunta Sevro ao Inspetor.

— O que exatamente você quer dizer, Duende? — diz Fitchner, estourando uma bola de chiclete.

— Nossas pernas estão tão abertas quanto as de uma puta Rosa. Todas essas montanhas e colinas e qualquer um consegue fácil, fácil chegar na nossa porta. É uma passagem perfeitamente plana das terras baixas até nosso portão. Basta atravessar o riozinho fedido.

— Observando o óbvio, hein? Sabia que eu realmente não vou com a sua cara? Seu duendezinho idiota. — Fitchner olha fixamente para Sevro, por um momento cheio de propósito, e então dá de ombros. — De um jeito ou de outro, eu vou estar no Olimpo.

— O que você quer dizer com isso, Inspetor? — pergunta Cassius acidamente. Tampouco ele está gostando da aparência das coisas. Embora seus olhos estejam vermelhos de chorar a noite inteira por seu irmão morto, tal fato não embotou sua magnificência.

— Eu quero dizer com isso que o problema é de vocês, principezinho, não meu. Ninguém vai consertar nada pra vocês. Eu sou seu Inspetor, não sua mamãezinha. Vocês estão numa escola, lembram-se? Então, se suas pernas estão abertas, bom, façam um cinto de castidade pra proteger as partes suaves.

Há um resmungo geral.

— Podia ser pior — digo. Aponto por cima da cabeça de Antonia, na direção das planícies do sul, onde um forte inimigo abarca um grande rio. — Podíamos estar expostos como aqueles putos sofredores.

— Aqueles putos sofredores têm campos de colheita e pomares — reflete Fitchner. — Vocês têm… — Ele olha ao redor da saliência de pedra tentando achar o cervo que matou. — Bom, o Duende aqui deixou o cervo pra trás, portanto vocês não têm coisa nenhuma. Os lobos vão comer o que vocês não comerem.

—A menos que a gente coma os lobos — murmura Sevro, atraindo estranhos olhares do resto da nossa Casa.

Então, precisamos arranjar nossa própria comida.

Antonia aponta para as terras baixas.

— O que eles estão fazendo?

Uma nave de descarga preta desliza das nuvens. Ela aterrissa no centro da planície gramada entre nós e o distante forte de rio inimigo de Ceres. Dois Obsidianos e uma dúzia de Latões montam guarda enquanto Marrons descarregam presuntos, carnes, biscoitos, vinho, leite, mel e queijos, depositando-os sobre uma mesa a oito quilômetros da Torre Phobos.

— Uma armadilha, obviamente — diz Sevro, bufando.

— Obrigado, Duende — diz Cassius, suspirando. — Mas eu ainda não tomei o café da manhã. — Círculos podem ser vistos ao redor dos seus olhos afoitos. Ele olha na minha direção em meio à multidão dos nossos companheiros e oferece um sorriso. — Está a fim de apostar uma corrida, Darrow?

FÚRIA VERMELHA   **197**

Fico sobressaltado diante da surpresa. Em seguida sorrio.

— Quando você quiser.

E ele parte.

Já fiz coisas mais estúpidas para alimentar minha família. Fiz coisas mais estúpidas quando alguém que eu amava morreu. Cassius tem a honra de fazer parte desse grupo enquanto desce correndo a íngreme encosta.

Quarenta e oito moleques nos observam correr precipitadamente para encher a barriga; nenhum deles nos segue.

— Tragam pra mim uma fatia de presunto ao mel! — grita Fitchner. Antonia nos chama de idiotas. A nave de descarga flutua para longe enquanto deixamos as terras altas para trás e adentramos um terreno menos rugoso. Oito quilômetros em grav.376 (padrão Terra) é sopa. Descemos em disparada encostas rochosas e então alcançamos as planícies das terras baixas a todo vapor através da grama que atinge a altura dos nossos tornozelos. Cassius chega antes de mim às mesas por um corpo de vantagem. Ele é veloz. Cada um de nós toma meio litro de água gelada que estava em cima da mesa. Bebo a minha com mais rapidez. Ele ri.

— Parece a marca da Casa Ceres no mastro da bandeira. A deusa da Colheita. — Cassius aponta para o forte do outro lado das planícies verdes. Algumas árvores pontilham os diversos quilômetros entre nós e o castelo. Flâmulas balançam dos seus baluartes. Ele enfia uma uva na boca. — Seria bom a gente dar uma olhada de perto antes de sair comendo. Explorar um pouquinho o lugar.

— Concordo… mas tem alguma coisa aqui que não está me cheirando bem — digo quase num sussurro.

Cassius ri para a planície aberta.

— Besteira. Se houvesse problema a gente estaria vendo. E eu não acho que algum deles seria mais rápido do que nós dois. A gente pode galopar até o portão deles e dar uma cagada se estivermos a fim.

— Realmente está me dando uma certa vontade — digo, tocando o estômago.

Mesmo assim, há algo errado. E não apenas na minha barriga.

São seis quilômetros de campo aberto entre o forte do rio e nós. O rio gorgoleja ao longe à nossa direita. Floresta na extrema esquerda. Planícies na frente. Montanhas além do rio. O vento assobia no mato alto e um papagaio se aproxima com a brisa. Ele rodopia baixo em direção ao chão antes de hesitar e desaparecer. Eu rio alto e curvo o corpo sobre a mesa.

— Eles estão no mato — sussurro. — Uma armadilha.

— A gente pode roubar uns sacos deles e carregar mais alguma coisa daqui — diz ele em voz alta. — Corremos?

— Pixie.

Ele dá um risinho, embora nenhum de nós esteja certo se temos ou não permissão para começar a luta durante o dia de orientação. Pouco importa.

Contamos até três e chutamos as pernas das mesas até cada um de nós obter um metro de duroplástico para usar como arma. Grito como um ensandecido e saio correndo na direção do ponto em que o papagaio alçou voo. Cassius ao meu lado. Cinco Ouros da Casa Ceres se levantam da grama. Eles estão sobressaltados diante da nossa corrida tresloucada. Cassius acerta o primeiro no rosto com um apropriado ataque de esgrimista. Eu sou menos gracioso. Meu ombro está rígido e dolorido. Grito e parto minha arma num dos joelhos deles. Ele cai uivando. Esquivo-me do golpe de alguém. Cassius se desvia. Nós dois dançamos como um casal. Restam três. Um deles me encara. Ele não tem faca nem bastão. Não, ele tem algo no qual estou mais interessado. Uma espada em forma de ponto de interrogação. Uma curviLâmina para ceifar cereal. Ele me encara com a mão na cintura e a lâmina torta exposta como uma navalha. Se fosse uma navalha, eu estaria morto. Mas não é. Eu o faço errar, bloqueio um dos golpes dos agressores de Cassius. Avanço na direção do meu agressor. Sou bem mais rápido do que ele e minha pegada é como duroaço comparada à dele. Então arrebato da mão dele a curviLâmina e sua faca antes de esmurrá-lo e derrubá-lo.

Quando vê a maneira como eu manipulo a curviLâmina na mão, o último rapaz ainda não ferido sabe que é o momento de se render.

Cassius salta bem alto em grav.376 e desfere um desnecessário chute no rosto do rapaz girando o corpo pela lateral. Isso me faz lembrar dos dançarinos e dos saltadores de Lykos.

Kravat. A Arte Silenciosa. Fantasmagoricamente similar às danças exibicionistas dos jovens Vermelhos.

Nada é silencioso nos xingamentos dos rapazes. Sinto pena desses alunos. Todos eles assassinaram alguém na noite anterior, da mesma forma que eu. Não existem inocentes nesse jogo. A única coisa que me preocupa é ver como Cassius despachou suas vítimas. Ele é desenvoltura e elegância. Eu sou raiva e impulso. Ele poderia me matar num segundo, se soubesse meu segredo.

— Que comédia! — cantarola ele. — Você foi aterrorizante, droga! Você simplesmente tirou a arma dele! Que maldita rapidez! Fico contente de não termos nos enfrentado antes. Troço de primeira! O que vocês têm a dizer, seus espiões idiotas?

Os Ouros capturados apenas nos xingam.

Eu me coloco sobre eles e empino a cabeça.

— Esta foi a primeira vez que vocês perderam em alguma disputa? — Nenhuma resposta. Minhas sobrancelhas se arqueiam. — Bem, isso deve ser constrangedor.

O rosto de Cassius resplandece — por um momento ele se esqueceu por completo da morte do irmão. Eu não. Sinto uma escuridão. Um vazio. Uma atmosfera maligna quando a adrenalina evapora. Por acaso é isso o que Eo desejava? Que eu disputasse esse tipo de jogo? Fitchner chega no ar acima de nós, batendo palmas. Suas gravBotas cintilam em tom dourado. Ele está com seu pedaço de presunto entre os dentes.

— Reforços chegando! — diz ele, rindo.

Titus e meia dúzia dos garotos e garotas mais velozes correm na nossa direção das terras altas. Do lado oposto, uma forma dourada ascende da distante fortaleza do rio e voa na nossa direção. Uma bela mulher com cabelos cortados bem curtos se posiciona ao lado de Fitchner no ar. A Inspetora da Casa Ceres. Ela leva consigo uma garrafa de vinho e duas taças.

— Marte! Um piquenique! — fala ela, referindo-se a ele pelo nome da deidade da sua Casa.

— E então, quem foi o responsável por esse drama, Ceres? — pergunta Fitchner.

— Oh, Apolo, eu suponho. Ele está solitário lá na sua propriedade nas montanhas. Olhe aqui, este é um zinfandel das vinhas dele. Muito melhor do que o varietal do ano passado.

— Delicioso! — proclama Fitchner. — Mas seus garotos estavam agachados na grama. Quase como se esperassem que o piquenique fosse se manifestar espontaneamente. Atitude suspeita, não?

— Detalhes! — diz a Inspetora de Ceres, rindo. — Detalhes pedantes!

— Bom, aqui está o detalhe. Parece que dois dos meus valem por cinco dos seus este ano, minha cara.

— Esses menininhos bonitinhos? — debocha Ceres. — Eu pensava que os vaidosos fossem pra Apolo e Vênus.

— Oho! Bem, os seus certamente lutam como donas de casa e lavradores. Eles estavam muito bem posicionados.

— Não os julgue ainda, seu malcriado. Eles são provenientes da médiaSeleção. Os que vieram da minha altaSeleção estão em algum outro lugar, ganhando seus primeiros calos por mérito próprio!

— Aprendendo a usar os fornos? Uau! — declara Fitchner ironicamente. — Padeiros se tornam de fato os melhores governantes. Pelo menos foi o que me disseram.

Ela o cutuca.

— Oh, *seu demônio*. Não é de estranhar que você fizesse entrevistas para o jornal *Cavaleiro Raivoso*. Que salafrário!

Eles batem suas taças enquanto nós assistimos.

— Como eu amo o dia de orientação — diz Ceres, sufocando um risinho. — Mercúrio acabou de soltar cem mil ratos na cidadela de Júpiter. Mas Júpiter estava preparado porque Diana fez um mexerico e cuidou pra que mil gatos fossem entregues. Os meninos de Júpiter não vão ficar esfomeados como no ano passado. Os gatos vão ficar tão gordos quanto Baco.

FÚRIA VERMELHA   **201**

— Diana é uma rameira — declara Fitchner.

— Seja gentil!

— Eu fui. Mandei pra ela um enorme bolo fálico recheado de pica-paus vivos.

— Você não fez isso.

— Fiz, sim.

— Canalha! — Ceres acaricia o braço dele e eu noto a postura de amor livre que essas pessoas têm. Imagino se os outros Inspetores também não são amantes. — A fortaleza dela vai ficar cheia de buracos. Oh, o som deve ser horrível. Bem tramado, Marte. Dizem que Mercúrio é cheio de artimanhas, mas suas troças sempre têm um certo... *sabor*!

— Sabor, é? Bem, eu tenho certeza de que poderia preparar pra você alguns truques deliciosos no Olimpo...

— Uau! — arrulha ela sugestivamente.

Eles brindam mais uma vez, flutuando sobre seus suados e ensanguentados alunos. Não posso deixar de rir. Essas pessoas são loucas. Loucas da porra nas suas cabeças Douradas vazias. Como é que elas podem ser minhas governantes?

— Oi! Fitch! Por gentileza. O que nós devemos fazer com esses lavradores? — fala Cassius. Ele cutuca o nariz de um dos nossos cativos feridos. — Quais são as regras?

— Coma-os! — grita Fitchner. — E, Darrow, baixe essa maldita foice. Você parece um ceifeiro de trigo.

Eu não solto a foice. Ela tem a forma semelhante à curviLâmina que uso em casa. Não tão afiada porque não foi feita para matar, mas o equilíbrio é bem similar.

— Vocês podiam muito bem liberar meus meninos e devolver a eles a foice — sugere Ceres, olhando para nós.

— Me dê um beijo e o acordo está selado — fala Cassius.

— O filho do Imperador? — pergunta ela a Fitchner. Ele faz que sim com a cabeça. — Venha pedir um beijo quando se tornar um Maculado, principezinho. — Ela olha por cima do ombro. — Até lá, eu o aconselharia a correr daqui com seu amiguinho ceifeiro.

Ouvimos os cascos antes de ver os cavalos pintados galopando na nossa direção vindos do outro lado da planície. Eles vêm dos portões abertos do castelo da Casa de Ceres. As garotas sobre os cavalos carregam redes.

— Eles te deram cavalos! Cavalos! — reclama Fitchner. — Isso é injusto demais!

Nós corremos e mal conseguimos alcançar a floresta. Não gostei do meu primeiro encontro com cavalos. Eles ainda me dão um susto do cacete. Relinchando e galopando até não poder mais. Cassius e eu arquejamos em busca de ar. Meu ombro dói. Dois dos reforços de Titus são capturados ao se encontrarem indefesos no chão. O corajoso Titus acerta um cavalo e ri enquanto está prestes a detonar uma das garotas com sua bota. Ceres o ataca com um soco-atordoante e faz as pazes com Fitchner. O soco-atordoante faz com que Titus mije nas calças. Apenas Sevro é tão despreocupado a ponto de rir. Cassius diz alguma coisa sobre falta de educação, mas faz uma gozação silenciosa. Titus repara.

— Temos ou não permissão pra matar? — rosna ele à noite durante o jantar. Nós comemos as sobras do banquete de Baco. — Ou será que vou ser atordoado toda hora?

— Bom, a questão não é matá-los — diz Fitchner. — Então, não. Vocês não vão sair por aí massacrando seus colegas, seu gorila tresloucado.

— Mas a gente fez isso antes! — protesta Titus.

— Qual é o problema com você? — pergunta Fitchner. — A Passagem é onde ocorre a peneira. Não se trata mais da sobrevivência dos mais aptos, seu colossal e insano saco de músculos. O que adiantaria nós termos agora os mais aptos assassinando uns aos outros até que sobrassem apenas uns poucos? As provas agora são de outro teor.

— Crueldade. — Antonia cruza os braços. — Quer dizer então que agora isso não é mais aceitável? É isso o que você está dizendo?

— Ah, é melhor que isso seja aceitável — rosna Titus para que todos possam ouvir. Ele se gabou a noite inteira sobre ter derrubado o cavalo, como se isso fizesse todos se esquecerem do mijo que manchou suas calças. Alguns se esqueceram. Ele já reuniu um bando de cães. Parece que apenas Cassius e eu temos um grama do respeito dele, mas até mesmo nós somos vítima dos seus risinhos afetados. Assim como Fitchner.

Fitchner baixa seu presunto ao mel.

— Vamos esclarecer as coisas, crianças, pra que esse búfalo das águas não saia por aí pisoteando crânios. Crueldade é aceitável, sim, cara Antonia. Se alguém morre acidentalmente, isso é compreensível. Acidentes acontecem com os melhores dentre nós. Mas vocês não vão assassinar uns aos outros com abrasadores. Vocês não vão pendurar pessoas dos seus parapeitos a menos que elas já estejam mortas. Os medBots estão de prontidão caso alguma atenção médica seja diretamente necessária. Eles são rápidos o suficiente pra salvar vidas, na maioria das vezes.

Ele estoura uma bola de chiclete.

— Mas *lembrem-se*, a questão não é matar. Nós não ligamos se vocês são tão cruéis quanto Vlad Drácula. Mesmo assim, ele perdeu. A questão é vencer. É isso o que nós queremos.

E esse simples teste de crueldade já faz parte do passado.

— Queremos que vocês nos mostrem seu brilhantismo. Como Alexandre. Como César, Napoleão e Merrywater. Queremos que vocês conduzam um exército, distribuam justiça, providenciem provisões de comida e armaduras. Qualquer idiota consegue enfiar a lâmina na barriga de outro. O papel da escola é encontrar os *líderes* de homens, não os *matadores* de homens. Então a questão, suas criancinhas tolas, não é matar, mas conquistar. E como vocês conquistam num jogo onde existem onze tribos inimigas?

— Acabando com elas uma depois da outra — responde Titus espertamente.

— Não, ogro.

— *Imbecil* — diz Sevro, rindo para si mesmo. O bando de Titus observa silenciosamente o menor dos garotos no Instituto. Nenhuma ameaça é rosnada. Nenhum rosto se contrai. Apenas uma silenciosa promessa. É difícil se lembrar de que todos eles são gênios. Eles são muito bonitinhos. Muito atléticos. Muito cruéis para serem gênios.

— Alguém além do Ogro tem uma resposta? — pergunta Fitchner.

Ninguém responde.

— Você transforma doze tribos em uma única — digo finalmente. — Escravizando.

Exatamente como a Sociedade. Construindo nas costas dos outros. Não é cruel. É prático.

Fitchner bate palmas debochadamente.

— Ótimo, Ceifeiro. Ótimo. Parece que alguém aqui está querendo ser Primus. — Todos se mexem agitadamente diante desta última parte do discurso. Fitchner tira uma caixa comprida de debaixo da mesa. — Agora, senhoras e senhores, isso aqui é o que vocês usam pra escravizar. — Ele puxa nosso estandarte. — Protejam isso. Protejam o castelo. E conquistem todos os outros.

22

AS TRIBOS

Fitchner foi embora de manhã. Na sua cadeira se encontra o estandarte. Trata-se de um pedaço de ferro de mais ou menos trinta centímetros de comprimento com uma ponta em formato de um lobo uivante; uma serpente está espiralada embaixo dos pés do lobo, a pirâmide da Sociedade com uma estrela na ponta embaixo dela. Um pau de carvalho de um metro e meio de altura se conecta à extremidade do ferro. Se o castelo é nosso lar, o estandarte é nossa honra. Com ele, somos capazes de transformar inimigos em escravos encostando-o nas suas testas. Escravos devem obedecer às nossas ordens expressas ou viverem para sempre como Indignos.

Eu me sento em frente ao estandarte na manhã escura, comendo as sobras de Apolo. Ouve-se um lobo na névoa. Seu uivo atravessa a janela elevada do forte. A alta Antonia é a primeira a se juntar a mim. Ela flutua como uma torre solitária ou uma bela aranha dourada. Não decidi qual caminho sua personalidade segue. Trocamos olhares, mas não cumprimentos. Ela quer ser Primus.

Cassius e o áspero Pollux entram gingando. Pollux resmunga sobre ter sido obrigado a ir para a cama sem que um Rosa o tivesse ajeitado nas suas cobertas.

— Um estandarte absolutamente hediondo, vocês não acham? — reclama Antonia. — Eles poderiam pelo menos ter mandado pintá-lo. Acho que ele devia ser pintado de vermelho pela raiva e pelo sangue.

— Não é muito pesado. — Cassius levanta o estandarte pelo pau. — Calculei que seria de ouro. — Ele admira a mão dourada de Primus no interior do bloco de pedra preta. Ele também o quer. — E eles nos deram um mapa. Maneiro.

Um novo mapa de pedra domina uma das paredes. Os detalhes perto do nosso castelo são notáveis. O resto, nem tanto. A névoa de guerra. Cassius me dá um tapinha nas costas e se junta à refeição. Ele não sabe que eu o ouvi chorando novamente durante a noite. Compartilhamos um novo beliche no acampamento situado na torre alta do forte. Muitos outros ainda estão dormindo na torre principal. Titus e seus amigos ficaram com a torre baixa, muito embora não tenham um número suficiente de indivíduos para preenchê-la.

A maior parte da Casa já está acordada quando Sevro arrasta o corpo de um lobo pelas pernas. Ele já foi eviscerado e esfolado.

— O Duende trouxe víveres! — diz Cassius, aplaudindo regaladamente. — Hum. Nós vamos precisar de lenha. Alguém sabe como fazer uma fogueira? — Sevro sabe. Cassius dá uma risadinha. — É claro que você sabe, Duende.

— Achou as ovelhas fáceis demais de abater? — pergunto. — Onde foi que você conseguiu a arma?

— Nasci com elas. — Suas unhas estão ensanguentadas.

Antonia enruga o nariz.

— Em que lugar do inferno você cresceu?

Sevro apresenta seu dedo médio para ela, o Cruzeiro do Sul.

—Ah — diz Antonia, farejando. — No inferno, então.

— Então, como tenho certeza de que todos vocês repararam, vai demorar algum tempo até que alguém tenha conseguido barras de méritos suficientes pra se tornar Primus — declara Cassius quando estamos todos reunidos ao redor da mesa. — Naturalmente, eu estava pensando que a gente precisa de um líder antes que o Primus seja escolhido. — Ele se levanta e se afasta rapidamente de Sevro de modo que seus dedos fiquem pousados na borda do estandarte. — Pra podermos funcionar, vai ser preciso que a gente tome decisões imediatas e coordenadas.

FÚRIA VERMELHA **207**

— E qual desses dois debiloides aí você acha que deve ser? — pergunta Antonia secamente. Seus grandes olhos pousam nele e em seguida em mim. Ela se vira para olhar para os outros, a voz suave como melaço espesso. — Nessa altura do campeonato, o que vai fazer de algum de nós mais apto a liderar do que qualquer outro?

— Eles nos trouxeram o jantar... E o café da manhã — diz Lea humildemente, sentada ao lado de Roque. Ela faz um gesto para as provisões que sobraram do piquenique.

— Enquanto estavam se dirigindo pra uma armadilha... — Roque lembra a todos.

Antonia balança a cabeça sabiamente:

— Sim, sim. Uma observação sagaz. A imprudência pode nos causar danos físicos.

— ... mas eles lutaram pra se libertar — finaliza Roque, ganhando em troca um olhar enfurecido de Antonia.

— Com pés de mesa contra armas de verdade — diz Titus, trovejando sua aprovação com uma qualificação. — *Mas* depois eles fugiram e deixaram a comida pra trás. Então, na verdade foi Fitchner quem deu a comida pra gente. Eles teriam dado a comida pro inimigo, teriam entregue a comida como se fossem Marrons.

— Calma aí, você está desvirtuando tudo o que aconteceu — diz Cassius.

Titus dá de ombros.

— A única coisa que vi foi você correndo como um Pixiezinho.

Cassius fica frio.

— Tenha modos, *bom-homem*.

Titus levanta as mãos.

— Estou apenas fazendo uma observação; por que tanta raiva, principezinho?

— Tenha modos, *bom-homem*, ou terei que trocar nossas palavras por lâminas. — Cassius brande seu forcado e o aponta para Titus. — Está me ouvindo, Titus au Ladros?

Titus o olha fixamente e em seguida olha para mim de relance, agrupando-me com Cassius. Subitamente, Cassius e eu formamos uma tribo aos olhos de todos. O paradigma muda com essa rapidez. Política. Ganho tempo girando minha faca espoliada entre os dedos. A mesa inteira observa a faca. Sevro especialmente. Minha mão direita Vermelha extraiu um milhão de toneladas métricas de hélio-3 com sua habilidade. Minha esquerda, meio milhão. A habilidade mediana de um baixoVermelho deixaria esses Ouros sobressaltados. Eu os deixo deslumbrados. A faca é como as asas de um beija-flor nos meus dedos ágeis. Pareço estar calmo, mas minha mente está a mil por hora.

Nós todos matamos. Era aquilo que estava em jogo naquele momento. O que está em jogo agora? Titus já deixou claro que quer matar. Eu poderia detê-lo agora, aposto. Enfiar minha faca no seu pescoço. Mas a ideia quase me faz soltar a lâmina. Sinto a morte de Eo nas minhas mãos. Ouço o baque molhado de Julian morrendo. E não consigo suportar o sangue, principalmente quando ele não parece ser necessário. Posso derrubar esse boneco gigantesco.

Olho friamente para Titus. Seu sorriso é lento, o desdém praticamente irreconhecível. Ele está me chamando. Vamos ter de lutar se ele não desviar o olhar — é isso o que os lobos fazem, acho.

Minha faca gira e gira. E, subitamente, Titus está rindo. Ele desvia o olhar. Meus batimentos cardíacos diminuem. Eu venci. Odeio política. Principalmente numa sala cheia de alfas.

— É claro que estou te ouvindo, Cassius. Você está a três metros de distância — diz Titus, rindo.

Titus não se considera forte o bastante para desafiar Cassius e a mim abertamente, mesmo acompanhado do seu bando. Ele viu o que eu fiz com os garotos de Ceres. Mas, desse jeito mesmo, as linhas são demarcadas. Eu me levanto de repente, confirmando que estou com Cassius. Isso retira qualquer impulso de Titus.

— Tem alguém que não desejaria nenhum de nós como líder? — pergunto.

— Eu não desejaria Antonia como líder. Ela é uma piranha — diz Sevro.

Antonia dá de ombros em concordância, mas empina a cabeça.

— Cassi, por que você está com tanta pressa em arranjar um líder pra nós? — pergunta ela.

— Se não tivermos um líder, quebraremos e acabaremos fazendo o que cada um achar melhor — diz Cassius. — E é assim que perdemos.

— Em vez do que *você* achar melhor — diz ela com um sorriso suave e um balançar de cabeça. — Eu entendo.

— Não precisa me dar essa condescendência, Antonia. Priam até concordou que precisávamos de um líder.

— Quem é Priam? — pergunta Titus, rindo. Ele está tentando retomar a atenção para si mesmo. Todo moleque Ouro do planeta conhece Priam. Agora Titus tenta deixar claro quem o matou, e os outros tomam nota. Impulso reconquistado. Exceto pelo fato de que eu sei que Titus não matou Priam. Eles não colocariam alguém como ele com Priam. Eles teriam colocado um fracote com ele. Então, Titus é tão mentiroso quanto valentão.

— Ah, entendi. Como você conspirava com Priam, você sabe o que precisa ser feito, Cassius? Você sabe melhor do que todos nós? — Antonia acena para a mesa. — Você está nos dizendo que estamos desamparados sem sua orientação?

Ela o prendeu numa armadilha, e a mim também.

— Escutem, rapazes, sei que vocês estão ansiosos pra liderar — continua ela —, eu entendo isso. Todos nós somos líderes por natureza. Cada pessoa aqui nesta sala é um gênio de nascença, um capitão de nascença. Mas é por isso que o sistema de mérito do Primus existe. Quando alguém tiver recebido cinco dedos de mérito e estiver pronto pra ser Primus, aí sim teremos um líder. Até lá, eu digo que a gente precisa manter as coisas como estão. Se Cassius ou Darrow receber os méritos, então que assim seja. Eu vou fazer o que quer que eles ordenem, obediente como uma Rosa, simplória como uma Vermelha.

— Ela faz um gesto para os outros. — Até lá, acho que um de vocês deveria também ter uma chance de receber o Primus… Afinal de contas, isso pode decidir sua carreira!

Ela é astuta. E nos afundou. Cada pirralho na sala ficou em dúvida desejando muito terem sido mais peremptórios no começo. Desejando terem tido uma outra chance de fazer com que as pessoas reparassem neles. Agora Antonia lhes dá exatamente isso. Isso aqui vai virar um caos. E ela pode acabar como Primus. Definitivamente uma aranha.

— Olhe! — diz Lea, ao lado de Roque.

Uma trombeta soa além do castelo.

O estandarte escolhe este momento para cintilar. Cobra e lobo mudam de ferro para ouro refulgente. Não apenas isso, mas o mapa de pedra na parede ganha vida. Nosso galhardete de lobo ondula sobre uma miniatura do castelo. O galhardete de Ceres faz o mesmo. Nenhum outro castelo está marcado no mapa, mas os galhardetes das Casas não descobertas são baixados na chave do mapa. Sem dúvida nenhuma eles encontrarão um lar assim que fizermos uma patrulha nas cercanias do território.

O jogo começou. E agora todos querem ser o Primus.

Vejo por que a Demokracia é ilegal. Primeiro vem o berro. A frustração. A indecisão. As discordâncias. As ideias. Patrulha. Fortificação. Encontrar comida. Montar armadilhas. Blitz. Batidas. Defesa. Ofensa. Pollux cospe. Titus lhe dá um soco sem pensar duas vezes. Antonia sai. Sevro diz alguma coisa falsa para Titus e arrasta seu lobo para Deus sabe onde, sem jamais ter acendido nenhuma fogueira. É como minha equipe Lambda de perfuração sempre que um cabeçaFalante para uma hora por estar se sentindo mal. Foi assim que descobri que eu conseguiria perfurar. Barlow deu uma escapadela para fumar e eu subi na máquina e fiz o que imaginava ser o melhor a fazer. Faço a mesma coisa agora enquanto as crianças brigam.

Cassius, Roque e Lea — que segue Roque onde quer que ele vá — vêm comigo, embora Cassius provavelmente pense que nós estejamos seguindo-o. Estamos de acordo que os outros não vão saber o que fazer e portanto, inevitavelmente, não farão coisa alguma hoje. Eles vão vigiar o castelo ou procurar madeira para fazer fogo ou se aglomerar ao redor do estandarte por medo de que ele saia de lá.

Não sei o que fazer. Não sei se nossos inimigos estão deslizando sorrateiramente pelas colinas e vindo na nossa direção. Não sei se eles estão fazendo alianças contra Marte. Não sei nem como a droga

FÚRIA VERMELHA   **211**

desse jogo é jogado. Mas, por algum motivo, suponho que nem todas as outras Casas terão tantas discordâncias entre si como essa. Nós de Marte parecemos mais propensos a discordâncias.

Pergunto a Cassius o que ele acha que deveríamos fazer.

— Uma vez desafiei um imbecil arrogante a duelar comigo por ter desrespeitado minha família, um Augustus metido. Ele foi bem metódico, ajustou as luvas, prendeu os cabelos para trás, movimentou a lâmina no ar como fazia antes de qualquer maldito treinamento que tivesse tido no Clube de Artes Marciais de Agea.

— E?

— E eu o segurei com um gancho e o acertei no joelho enquanto ele ainda estava brandindo sua lâmina no ar em preparação. — Ele capta a desaprovação de Lea. — *O quê?* O duelo tinha *realmente* começado. Eu sou sorrateiro mas não sou nenhum animal selvagem. Eu simplesmente venço.

— Tenho a sensação de que vocês todos acham isso — digo. — *Nós* todos, quero dizer.

Eles não reparam no meu deslize.

A observação dele tem fundamento. Nossa Casa não pode atacar um inimigo no nosso estado, mas um inimigo poderia nos atacar enquanto corremos de um lado para o outro nos preparando, e arruinar todas as minhas esperanças de ascender na Sociedade. Portanto, informação. Precisamos saber se nossos inimigos estão numa ravina a meio quilômetro ao norte ou se estão a quinze quilômetros ao sul. Estamos no canto do campo de jogo ou no centro? Existem inimigos nas terras altas? A norte das terras altas?

Cassius e eu estamos de acordo. Precisamos efetuar uma busca nas redondezas.

Nós nos separamos. Cassius e eu nos encaminhamos para Phobos e então nos movemos no sentido anti-horário. Lea e Roque se dirigem a Deimos e vasculham no sentido horário. Voltaremos a nos encontrar ao escurecer.

Não vemos uma alma sequer do topo de Phobos. As terras baixas estão vazias de cavalos e de combatentes de Ceres, e a extensão de terra alta na direção sul está cheia de lagos e cabras. A sudeste, no topo de uma montanha anã alta, avistamos parte da Grande Floresta na direção sul e a sudeste. Um exército de gigantes poderia estar escondido lá, para todos os efeitos, e nós não podemos investigar; seria necessário metade de um dia para cobrir a distância e ao menos se aproximar da linha de árvores.

A uns dez quilômetros do nosso castelo, encontramos um forte de pedra em ruínas sobre uma colina baixa guardando um desfiladeiro. Dentro, encontra-se uma rústica caixa de emergência contendo iodo, comida, uma bússola, corda, seis duroSacos, uma escova de dentes, fósforos de enxofre e ataduras simples. Guardamos os itens num duroSaco transparente.

Então, suprimentos foram escondidos ao longo do vale. Algo me diz que há mais itens importantes escondidos no campo do que pequenos kits de sobrevivência. Armas? Transportes? Armaduras? Tecnologia? Eles não podem esperar que lutemos numa guerra com pedaços de pau e pedras e ferramentas de metal. E se eles não querem que nos matemos uns aos outros, armas de atordoamento devem logo substituir nossas armas de metal.

Ficamos com desagradáveis queimaduras solares naquele primeiro dia. A névoa as refresca quando retornamos. Titus e seu bando, seis agora, acabaram de voltar de uma infrutífera incursão às planícies. Eles mataram duas cabras mas não têm fogo para cozinhá-las, já que Sevro foi para algum lugar ninguém sabe onde. Não falo para eles sobre meus fósforos. Cassius e eu estamos de acordo que Titus, se quiser ser o homem grande, deveria pelo menos ser capaz de conquistar fogo. Sevro, seja lá onde estiver, também deve concordar com isso. Os garotos de Titus batem metal em pedra tentando criar fagulhas, mas as pedras do castelo não produzem fagulha. Inspetores sagazes.

O bando de Titus obriga a escória, a baixaSeleção, a recolher madeira, apesar do fato de não terem fogo. Todos eles ficam com fome naquela noite. Apenas Roque e Lea não. Eles conseguem algumas das nossas barras nutritivas do kit de sobrevivência. Eu gosto da dupla mesmo que eles sejam Ouros, e justifico a amizade que faço com os

FÚRIA VERMELHA   **213**

dois dizendo a mim mesmo que ajo assim apenas para construir minha própria tribo. Cassius parece pensar que aquela garota veloz da média-Seleção, Quinn, será útil. Mas ele pode se convencer a pensar isso a respeito da maioria das garotas bonitinhas.

As tribos crescem, e a primeira lição já está em curso.

Antonia faz amizade com um sujeito de cabelos encaracolados, atarracado e rabugento chamado Cipio, e consegue enviar grupos armados com pás e machados encontrados no castelo para defender Deimos e Phobos. A garota pode ser uma bruxa mimada, mas pelo menos não é estúpida. Então o bando de Titus rouba os machados do bando de Antonia enquanto eles estão dormindo e eu revejo minha opinião.

Cassius e eu fazemos batidas juntos. No terceiro dia, vemos fumaça subindo ao longe, quem sabe uns vinte quilômetros a leste. É como um farol no entardecer. Grupos de patrulha inimigos estariam fazendo a mesma coisa que nós. Se estivéssemos mais próximos ou se tivéssemos cavalos, investigaríamos. Ou, se tivéssemos mais homens, talvez pudéssemos partir durante a noite e planejar um ataque em busca de escravos. A distância e nossa falta de coerência fazem toda a diferença. Entre nós e a fumaça existem ravinas e gargantas que poderiam esconder pelotões. Há também os muitos quilômetros de planícies a ser percorridas onde estaríamos absolutamente expostos. Nós não fazemos a viagem. Não quando sabemos que algumas Casas possuem cavalos. Não digo isso a Cassius, mas estou com medo. As terras altas parecem seguras, mas logo ali na paisagem além delas se encontram grupos de deidades psicóticas se movendo. Com deidades eu ainda não quero cruzar.

Pensar em encontrar outras Casas se torna ainda mais aterrorizante pelo fato de que nem mesmo nossa Casa é segura. É como Octavia au Lune sempre diz: nenhum homem pode perseguir algum ideal em face da guerra tribal. Não podemos nos dar ao luxo de deixar Titus sozinho por muito tempo. Ele já roubou amoras que Lea e Quinn colheram. E essa manhã ele tentou usar o estandarte em Quinn para ver se era possível escravizar membros da sua própria Casa para seus grupos de assalto. Não é possível.

— Nós temos que dar um jeito de unir a Casa — me diz Cassius enquanto efetuamos uma busca nas terras altas ao norte. — O Instituto está conosco pelo resto da nossa vida. Se perdermos, pode ser que jamais conquistemos alguma posição.

— E se formos escravizados no decorrer do jogo? — pergunto.

Ele olha para mim com o semblante preocupado.

— Que perda maior poderia haver?

Como se eu precisasse de mais motivação.

— Seu pai venceu no ano dele, aposto. Ele foi Primus? — pergunto. Para ser Imperador, ele teria de ter vencido no seu ano.

— Certo. Sempre soube que meu pai tinha vencido no ano dele, mas eu não tinha a menor noção do que isso significava até a gente chegar aqui.

Nós dois concordamos que, para unir a Casa, Titus precisa ir embora. Mas é inútil combatê-lo diretamente; essa chance passou depois do primeiro dia. A tribo dele ficou grande demais.

— Eu digo que devemos acabar com Titus enquanto ele estiver dormindo — sugere Cassius. — Você e eu poderíamos fazer isso.

As palavras dele me estremecem. Não tomamos nenhuma decisão, ainda que a proposta sirva para me fazer lembrar que ele e eu somos criaturas diferentes. Mas será que somos mesmo? A ira de Cassius é uma coisa cruel, fria. No entanto, nunca mais voltei a ver a raiva dele, nem mesmo na companhia de Titus. Ele é todo sorrisos e risos e está sempre desafiando os membros do bando de Titus a disputar corridas e a lutar quando eles não estão de saída para alguma batida — exatamente da mesma maneira que eu me comporto na companhia dos meus inimigos.

Contudo, enquanto a maioria me olha com cautela, Cassius é amado por todos, com exceção do bando de Titus. Ele começou inclusive a dar umas escapadinhas com Quinn. Eu gosto da garota. Ela matou um cervo com uma armadilha, depois contou uma história sobre como matou a coisa com os próprios dentes. Inclusive nos mostrou uma prova — pelos entre seus dentes e a gengiva juntamente com marcas de mordida no cervo. Nós achamos que tínhamos um Sevro mais bonitinho nas nossas mãos até que ela começou a rir demasiadamente a ponto de não conseguir dar prosseguimento à historinha exagerada. Cassius ajudou-a a tirar os pelos de cervo dos dentes. Eu gosto de uma mentirosa comprometida.

As condições se tornam piores nos primeiros dias. As pessoas permanecem famintas porque ainda temos de fazer uma fogueira no castelo, e a higiene é rapidamente esquecida quando duas das nossas garotas são agarradas por cavaleiros Ceres enquanto tomavam banho no rio logo abaixo do nosso portão. Os Ouros ficam confusos quando até mesmo seus finos poros começam a entupir e eles ganham espinhas no rosto.

— Parece mais uma picada de abelha! — diz Roque para mim e Cassius, rindo. — Ou um sol distante e radial!

Finjo estar fascinado pela coisa, como se não tivesse tido isso durante toda a minha vida de Vermelho.

Cassius curva o corpo para a frente para inspecionar a coisa.

— Irmão, isso aqui não passa de... — Então Roque estoura a espinha bem na cara de Cassius, fazendo com que ele gire o corpo para trás e tenha um acesso de náusea devido ao nojo. Quinn cai de tanto rir.

— Eu às vezes imagino — começa Roque depois de Cassius ter se recuperado — qual seria o propósito de tudo isso aqui. Como é que isso pode ser o método mais eficiente de testar nossos méritos, de fazer da gente seres capazes de governar a Sociedade.

— E você já chegou a alguma conclusão? — pergunta Cassius cautelosamente. Ele agora se mantém à distância.

— Poetas nunca chegam a nenhuma conclusão — digo.

Roque dá uma risada.

— Ao contrário da maioria dos poetas, eu às vezes consigo. E tenho nossa resposta pra isso.

— Diga, logo! — Cassius exige.

— Como se eu não fosse dizer sem as instruções da nossa prima-dona residente. — Roque suspira. — Eles mantêm a gente aqui porque este vale era humanidade antes dos Ouros dominarem. Fraturado. Desunido até mesmo na nossa própria tribo. Eles querem que a gente passe pelo processo pelo qual nossos antepassados passaram. Passo a passo, este jogo vai evoluir pra nos ensinar novas lições. Hierarquias no interior do jogo vão se desenvolver. Vamos ter aqui Vermelhos, Ouros, Cobres.

— Rosas? — pergunta Cassius, esperançoso.

— Faz sentido — digo.

— Oh, isso seria bem estranho — diz Cassius, rindo e torcendo seu anel de lobo no dedo. — Mães e pais iriam começar a ter ataques se a coisa tomasse esse rumo. Provavelmente é esse o motivo pelo qual Titus olha daquele jeito pras garotas. Ele talvez queira um brinquedinho. Por falar em brinquedo, pra onde ele mandou Vixus?

Eu rio. Vixus, provavelmente o mais perigoso seguidor de Titus, e os outros partiram quase duas horas antes, com ordens de Titus, para usar a vantagem da altura da Torre Phobos e dar uma batida nas planícies em preparação para um ataque à Casa Ceres.

— Seria melhor ter Vixus do nosso lado se formos montar algum plano de jogo — digo. — Ele é o braço direito de Titus.

Roque continua numa linha diferente de pensamento.

— Eu… não sei quanto aos Rosas — diz Roque. A ideia de um Ouro sendo um Rosa o ofende. — Mas… o resto é simples. Isso aqui é um microcosmo do sistema solar.

— Parece aquele jogo de pique-bandeira, você se lembra dele? Só que com espadas — respondo. Nunca joguei isso, mas meus estudos com Matteo me atualizaram sobre o que essas crianças jogavam nos jardins dos seus pais.

— Hum. — Cassius balança a cabeça. Ele enfia o dedo de brincadeira no peito de Roque. — Concordo. Então você pode pegar essa sua conversinha mole e colocá-la onde o sol não ousa brilhar, Roque. Nossas duas mentes superiores aqui decidiram. O jogo é pique-bandeira.

— Entendi — diz Roque, rindo. — Nem todos os homens conseguem entender metáforas e baixezas como eu. Mas não temam, amigos musculosos, estarei aqui pra guiá-los em meio às coisas que os cérebros de vocês não vão sacar. Por exemplo, eu posso lhes dizer que nossa primeira prova vai ser unir novamente a Casa antes que um inimigo venha bater à nossa porta.

— Droga — murmuro, olhando por sobre o parapeito.

— Alguma coisa na sua bunda? — pergunta Cassius.

— Parece que o jogo acabou de começar — digo, apontando para baixo.

Do outro lado da ravina, exatamente onde a floresta se encontra com a planície gramada, Vixus arrasta uma garota pelos cabelos. A primeira escrava da Casa Marte. E, longe de estar revoltado, estou com inveja. Inveja de não ter eu mesmo a capturado. O capanga de Titus o fez, e isso significa que Titus agora tem credibilidade.

23
FRATURA

Embora ainda estejamos todos dormindo sob o mesmo teto, foram necessários apenas quatro dias para a Casa se dissolver em quatro tribos. Antonia, aparentemente herdeira de uma família proprietária de um cinturão de asteroides de proporções avantajadas, pega a médiaSeleção: os faladores, os chorões, os cérebros, os dependentes, os fracotes, os esnobes e os políticos.

Titus pega a maioria da altaSeleção ou da médiaSeleção — os espécimes físicos, os violentos, os velozes, os intrépidos, os prototipicamente inteligentes, os ambiciosos, os oportunistas, a óbvia seleção para a Casa Marte. A pianista prodígio, a quieta Cassandra, é dele. Bem como o áspero Pollux e o psicótico Vixus, que treme de prazer diante da mera ideia de enfiar metal em carne.

Se Cassius e eu tivéssemos sido mais políticos, talvez pudéssemos ter conseguido roubar membros da altaSeleção de Titus. Droga, talvez tivéssemos todos prontos para nos seguir se ao menos disséssemos a eles que deveriam nos obedecer. Afinal de contas, Cassius e eu éramos os mais fortes por um breve momento, mas depois demos a Titus tempo para intimidar e a Antonia tempo para manipular.

— Maldita Antonia — digo.

Cassius ri e balança sua cabeça dourada enquanto seguimos para leste ao longo das terras altas em busca de mais depósitos de suprimentos escondidos. Minhas pernas compridas conseguem facilmente transpor um quilômetro em menos de um minuto.

— Oh, você acaba esperando esse tipo de coisa dela. Se nossas famílias não tivessem passado várias férias juntas quando éramos pequenos, talvez eu a chamasse de demokrata logo no primeiro dia. Mas ela dificilmente poderia ser confundida com uma. Ela seria mais um César ou... como é mesmo que eles chamavam essas pessoas? Presidentes? Um tirano usando trajes utilitários.

— Ela é um pedaço de cocô num vaso de zurrapa — digo.

— Que droga de gíria é essa? — diz Cassius, rindo.

Tio Narol podia ter contado a ele.

— Perdão? Oh. Eu ouvi isso uma vez em Yorkton falado por um altoVermelho. Significa que ela é uma mosca no vinho.

— Um altoVermelho? — bufa Cassius. — Uma das minhas babás era altoVermelha. Eu sei. Esquisito. Devia ter sido uma Marrom. Mas a mulher me contava histórias enquanto eu tentava dormir.

— Isso é legal — digo.

— Eu a achava uma malandra presunçosa. Tentei falar pra mamãe fazê-la calar a boca e me deixar em paz, porque tudo o que ela queria era falar de vales e de romances insuportáveis que sempre acabavam em algum tipo de tristeza. Uma criatura deprimente.

— O que foi que sua mãe fez quando você reclamou?

— Mamãe? Ha! Ela me deu um tapinha na cabeça e disse que sempre se pode aprender alguma coisa com qualquer pessoa. Até mesmo com um altoVermelho. Ela e papai gostam de fingir que são progressistas. Isso me deixa confuso. — Ele balança a cabeça. — Mas *Yorkton*. Julian não conseguia acreditar que *você* fosse de Yorkton.

A escuridão retorna em mim. Nem mesmo pensar em Eo a dispersa. Nem mesmo pensar na minha nobre missão e em toda a licença que ela me dá consegue banir a culpa que sinto. Sou o único que não deveria se sentir culpado pela Passagem. No entanto, além de Roque, acho que sou a única pessoa que se sente assim. Olho para minhas mãos e me lembro do sangue de Julian.

Cassius aponta subitamente para o céu a sudoeste de onde estamos.

— Que droga é essa?

Dezenas de medBots piscando saem do flutuante castelo Olimpo. Ouvimos o distante gemido que eles emitem. Inspetores tremeluzem atrás deles como flechas flamejantes na direção das distantes montanhas do sul. Seja lá o que aconteceu, uma coisa é certa: o caos reina no sul.

Embora minha tribo continue dormindo no castelo, mudamos da torre alta para a guarita para não sermos obrigados a dar de cara com o grupo de Titus. Por questões de segurança, a comida que cozinhamos permanece um segredo.

Encontramos nossa tribo para a ceia num lago situado na parte mais ao norte das terras altas. Nem todos eles são altaSeleção. Temos alguns que são — Cassius e Roque. Mas não temos ninguém acima da décima sétima escolha. Temos alguns médiaSeleção — Quinn e Lea —, mas o resto é escória, os baixaSeleção — Palhaço, Cara Ferrada, Erva, Pedrinha e Cardo. Isso incomoda Cassius, apesar de a escória do Instituto ainda ser composta de super-humanos comparada com o resto das Cores. Eles são atléticos. Eles são resilientes. Eles nunca lhe pedem para repetir algo, a menos que estejam fazendo alguma observação. E aceitam minhas ordens, mesmo prevendo o que eu lhes pedirei para fazer em seguida. Dou crédito à educação menos privilegiada que eles tiveram.

A maioria deles é mais inteligente do que eu. Mas eu tenho aquela coisa singular que eles chamam giriAstúcia, comprovada pela minha nota alta na prova de inteligência extrapolacional. Não que isso importe, tenho fósforos de enxofre e isso faz de mim o deus Prometeu. Nem Antonia nem Titus possuem fogo, até onde eu sei. Portanto, sou o único que pode encher a barriga deles. Mando cada um da minha tribo matar cabras ou ovelhas. Ninguém tem permissão para abater a quantidade que quiser, embora Cara Ferrada se esforce ao máximo para isso. Eles não reparam minhas mãos trêmulas ao cortar minha primeira garganta de cabra com uma faca. Há tanta confiança nos olhos do animal, seguida de confusão enquanto ele está morrendo, ainda pensando que sou seu amigo. O sangue é quente, como o de Julian.

FÚRIA VERMELHA **221**

Os músculos do pescoço são duros. Preciso serrar com a faca sem fio, exatamente como Lea faz quando mata sua primeira ovelha, gritando enquanto o faz. Também mando Lea esfolar o bicho com a ajuda de Cardo. E quando ela me diz que não consegue, pego suas mãos e a guio no processo, dando-lhe minha força.

— Papai vai ter de cortar sua carne pra você também? — provoca Cardo.

— Cale a boca — diz Roque.

— Ela pode se defender, Roque. Lea, Cardo te fez uma pergunta. — Lea pisca na minha direção, os olhos arregalados e confusos. — Faça outra pergunta a ela, Cardo.

— O que vai acontecer quando a gente ficar cara a cara com Titus? Você também vai gritar nessa hora? Criança. — Cardo sabe o que eu quero que Lea faça. Eu lhe pedi para fazer isso trinta minutos atrás, antes de trazer a cabra para ela.

Movimento a cabeça de Lea em direção a Cardo.

— Você vai chorar? — pergunta Cardo. — Enxugue os olhos em…

Lea berra e pula em cima dela. As duas rolam pelo chão se socando mutuamente no rosto. Não demora muito até que Cardo prenda Lea num estrangulamento. Roque se agita ao meu lado. Quinn o puxa de volta. O rosto de Lea fica roxo. Suas mãos batem em Cardo. Então ela desmaia. Balanço a cabeça para Cardo em sinal de agradecimento. A garota de cara sombria balança lentamente a cabeça em reconhecimento.

Mas os ombros de Lea estão mais quadrados na manhã seguinte. Ela inclusive reúne coragem suficiente para segurar a mão de Roque. Ela também afirmou ser uma boa cozinheira; não é. Roque faz uma tentativa mas quase não se nota diferença entre os dois. Comer a gororoba deles é como ingerir esponjas secas e pegajosas. Nem mesmo Quinn, com todas as histórias dela, consegue dar vida a alguma receita.

Cozinhamos carne de cabra e cervo na nossa cozinha de acampamento a seis quilômetros do castelo, e o fazemos à noite nas gargantas da colina para que a luz e a fumaça não possam ser vistas. Não matamos as ovelhas; em vez disso, nós as reunimos e as depositamos numa fortaleza ao norte para que fiquem em segurança. Eu poderia trazer mais alimentos para minha tribo, mas os alimentos são não somente uma grande dádiva como também um grande problema. O que Titus e seus matadores não fariam se ele descobrisse que possuímos fogo, comida, água limpa...

Estou retornando ao castelo com Roque de uma incursão de busca no sul quando ouvimos ruídos vindos de um pequeno bosque. Quando nos aproximamos sorrateiramente, ouvimos grunhidos e sons de golpes. Esperando ver um bando de lobos devastando uma cabra, espiamos através da vegetação rasteira e descobrimos quatro dos soldados de Titus agachados ao redor de um cadáver. Seus rostos estão ensanguentados, os olhos sombrios e vorazes à medida que arrancam nacos de carne do cervo abatido com suas facas. Cinco dias sem fogo, cinco dias de amoras ruins, e eles já se transformaram em selvagens.

— Precisamos dar fósforos a eles — me diz Roque mais tarde.

— Não. Se a gente der fósforos a eles, Titus vai ter ainda mais poder.

— E isso importa a essa altura do campeonato? Eles vão ficar doentes se continuarem comendo carne crua. Eles já estão doentes!

— Então que eles caguem nas calças — resmungo. — Há coisas piores.

— Me diga uma coisa, Darrow. Seria pior ter Titus no poder com Marte forte ou ter Darrow no poder com Marte fraca?

— Melhor pra quem? — pergunto de modo petulante.

Ele apenas balança a cabeça.

— Deixe as malditas barrigas deles ficarem podres. — É a opinião de Cassius. — Eles fizeram as camas deles. Agora deixe que caguem em cima delas.

Meu exército concorda.

Eu gosto do meu exército, da escória, da baixaSeleção. Eles não têm tantos títulos nem são tão bem-nascidos quanto a altaSeleção. A maioria se lembra de me agradecer quando lhes dou comida — no início não agradeciam. Eles não ficam se pavoneando atrás de Titus e seus capangas, brandindo machados nas batidas à meia-noite, apenas porque isso acaba com a farra deles. Não, eles nos seguem porque Cassius é tão carismático quanto o sol e, na sua luz, a sombra que eu lanço parece saber o que está fazendo. Ela não sabe. Ela, como eu, nasceu numa mina.

Mesmo assim, parece que tenho alguma estratégia. Dou a ideia de fazermos mapas do nosso território em digilousas que encontramos num porão cheio de água no fundo de uma ravina, mas ainda não temos nenhuma arma além da minha curviLâmina e diversas facas e pedaços de pau afiados. Portanto, seja lá que estratégia nós tenhamos, ela é baseada em informações adquiridas.

A coisa engraçada é que apenas uma tribo possui algum raio de ideia do que está acontecendo. E não é a nossa. Não é a de Antonia. E com uma certeza da porra não é a de Titus. É a de Sevro, e estou quase certo de que ele é o único membro dessa tribo, a menos que já tenha adotado algum lobo. É difícil dizer se ele adotou ou não. Nossa Casa não tem jantares em família. Embora, ocasionalmente, nós o vejamos correndo pelas encostas das colinas à noite em sua pele de lobo parecendo, como Cassius colocou com palavras bem escolhidas, "alguma espécie de cabeludo filho do demônio cheio de alucinógenos na cabeça". E uma vez Roque até ouviu uma coisa, não um lobo, uivando nas nebulosas terras altas. Alguns dias Sevro anda pelas redondezas com um aspecto todo normalzão — insultando tudo que se move, exceto Quinn. Ele abre uma exceção para ela, entregando-lhe carne e cogumelos comestíveis em vez de insultos. Eu acho que ele simpatiza com Quinn, apesar de ela simpatizar com Cassius.

Pedimos que nos conte histórias sobre ele, mas ela se recusa. Quinn é leal, e quem sabe seja esse motivo pelo qual essa garota me faz lembrar de casa. Ela está sempre contando histórias interessantes, a maioria das quais certamente reluzentes mentiras. Uma fagulha de vida se encontra nela, exatamente como a que havia na minha mulher. Ela é a última de nós a chamar Duende de "Sevro". Ela é também a única que sabe onde ele mora. Mesmo com todas as nossas buscas, não conseguimos encontrar um rastro sequer dele. Até onde sei, ele está por aí tirando escalpos além das terras altas. Sei que Titus enviou batedores para persegui-lo, mas não acho que eles tenham obtido algum sucesso. Eles nem conseguem me seguir. Sei que isso deixa Titus enfurecido.

— Acho que ele deve estar batendo uma punheta no mato — diz Cassius, dando uma gargalhada. — Só esperando nós todos nos matarmos.

É quando Lea volta mancando ao castelo que Roque vem procurar a mim e Cassius.

— Eles bateram nela — diz ele. — Não muito, mas deram chutes na sua barriga e levaram o dia de trabalho dela.

— Quem? — pergunta Cassius, eriçando-se. — Quem foi o covardão?

— Pouco importa. O que importa é que eles estão esfomeados. Então, vamos parar de brincar de olho por olho, dente por dente. Isso não pode continuar — diz Roque. — A garotada de Titus está faminta. O que vocês esperam que eles façam? Droga, o brutamontes grandalhão está caçando o Duende porque precisa de fogo e de comida. Se a gente simplesmente der isso a ele, vamos poder unir a Casa, manter a civilidade. De repente, até Antonia vai fazer com que a tribo dela aja com sensatez.

— Antonia? Sensatez? — pergunta Cassius, ridicularizando a afirmação.

— Mesmo que isso aconteça, Titus ainda assim vai ser o mais poderoso de todos — digo. — E isso não é a cura pra coisa alguma.

— Ah. Certo. Isso é uma coisa que você não consegue aceitar. Alguém tendo poder. Beleza, então. — Roque puxa com força seus longos cabelos. — Fale com Vixus ou Pollux. Tire os capitães dele, se preciso for. Mas cure a Casa, Darrow. Do contrário, vamos perder quando outra Casa chegar aqui batendo à nossa porta.

No sexto dia, ponho em prática o conselho dele. Sabendo que Titus está ausente em alguma batida, eu me arrisco a procurar Vixus no forte. Infelizmente, Titus retorna mais cedo do que o esperado.

— Você está com uma aparência lépida e fagueira — me diz ele antes que eu consiga encontrar Vixus nos corredores de pedra do forte. Ele bloqueia minha passagem com seu corpo avantajado, os ombros quase da largura da parede. Sinto uma outra pessoa no corredor atrás de mim. Vixus e mais dois. Meu estômago afunda um pouquinho. Foi

FÚRIA VERMELHA   **225**

estupidez minha fazer isso. — Será que eu poderia saber aonde é que você está indo?

— Eu queria comparar nossos mapas de patrulhas com o mapa principal na sala de comando — digo eu, mentindo, ciente de que tenho no meu bolso uma digilousa.

— Oh, você queria comparar mapas de patrulhas com o mapa principal… pelo bem de Marte, nobre Darrow?

— Que outro bem existe? — pergunto. — Nós todos estamos do mesmo lado, não?

— Oh, nós estamos do mesmo lado — diz ele. Titus troveja um riso insincero. — Vixus, se estamos do mesmo lado, você não acha que seria melhor se compartilhássemos nossos mapinhas uns com os outros?

— Seria pelo bem de todos — concorda Vixus. — Cogumelos. Mapas. Tudo a mesma coisa. — Então foi ele quem agrediu a pequena Lea. Seus olhos estão mortos. Como olhos de corvo.

— Sim. Então vou dar uma olhada pra você, Darrow. — Titus arranca os mapas da minha mão. Não há nada que eu possa fazer para detê-lo.

— Pode usar os mapas à vontade — digo. — Contanto que você saiba que há fogueiras inimigas no extremo leste e prováveis inimigos na Grande Floresta no sul. Faça a varredura que quiser. Só não seja pego com as calças na mão.

Titus fareja o ar. Ele não estava me ouvindo.

— Já que estamos compartilhando, Darrow. — Ele fareja novamente. — Talvez você compartilhe com a gente o motivo pelo qual você está com cheiro de madeira queimada.

Eu enrijeço, sem saber o que fazer.

— Olhe como ele está constrangido. Olhe como ele tece uma mentira. — A voz de Titus é nojo puro. — Sinto o cheiro da sua enrolação. Sinto o cheiro das mentiras gotejando de você como se fosse suor.

— Como uma mulher com tesão — diz Pollux sardonicamente. Ele dá de ombros para mim como quem pede desculpas.

— Nojento — diz Vixus, com um risinho afetado. — Ele é um sujeitinho vil. Um sujeitinho desgraçado e efeminado. — Não sei por que achei que fosse possível jogá-lo contra Titus.

— Você é um parasitazinho de merda — continua Titus. — Fica dando lição de moral porque não tem coragem de ir às vias de fato; fica esperando que meus nobres garotos e garotas morram de fome. — Eles estão fechando o cerco sobre mim por trás e pelos lados. Titus é enorme. Pollux e Vixus são cruéis e quase tão grandes quanto eu. — Você é uma criatura deplorável. Um verme na nossa coluna vertebral.

Dou de ombros casualmente, tentando deixá-los imaginar que não estou preocupado.

— Nós podemos consertar isso — digo.

— Oh? — pergunta Titus.

— A solução é simples, grandão — recomendo. — Traga de volta seus garotos e garotas. Pare de atacar Ceres diariamente, senão alguma outra Casa pode chegar e chacinar vocês todos. Depois a gente conversa sobre fogo. E sobre comida.

— Você pensa que pode dizer o que a gente deve fazer, Darrow? Isso é alguma espécie de pressão? — pergunta Vixus. — Você pensa que é melhor só porque tirou notas mais altas naquela provinha ridícula? Porque os Inspetores escolheram você em primeiro lugar?

— Ele pensa — diz Titus, rindo. — Ele pensa que *merece* ser o Primus.

O rosto belicoso de Vixus se aproxima do meu, os lábios bufando cada palavra. Bonitos em repouso, seus lábios agora estão cruelmente franzidos e seu hálito fede enquanto ele me examina de alto a baixo, avaliando-me e tentando me convencer de que não está impressionado. Ele bufa um riso de desprezo. Eu o vejo mexer a cabeça para cuspir na minha cara. Eu permito. A bola de cuspe me atinge o rosto e escorre lentamente pela bochecha na direção dos meus lábios.

Titus observa com um sorriso lupino. Seus olhos cintilam; Vixus olha para ele em busca de encorajamento. Pollux chega mais perto.

— Você é um babaquinha mimado — diz Vixus. O nariz dele quase roça o meu. — O que eu vou fazer com você é cortar esse seu pauzinho, *bom-homem*.

— Ou você poderia me soltar — digo. — Você parece estar bloqueando a porta.

FÚRIA VERMELHA   **227**

— Oho! — diz ele, rindo e olhando para seu mestre. — Ele está tentando mostrar que não está com medo, Titus. Tentando evitar uma luta. — Ele olha para mim com aqueles olhos dourados e mortos. — Eu já arrebentei garotos petulantes como você nos clubes de duelos umas mil vezes.

— É mesmo? — pergunto, incrédulo.

— Arrebentei todos eles como se fossem gravetos. E depois fiquei com as garotas deles por pura diversão. Quanto constrangimento eu arrumei pra eles na frente dos pais. Deixo garotos como você chorando como bebezinhos; você nem imagina como eu deixo!

— Oh, Vixus — digo com um suspiro, mantendo o tremor da raiva e do medo fora da voz. — Vixus, *Vixus*, *Vixus*. Não existem garotos como eu.

Olho para Titus para me certificar de que nossos olhares estão se cruzando quando giro casualmente minha mão de Mergulhador-do--Inferno e, como se estivesse dançando, atinjo a lateral do pescoço de Vixus bem na jugular com a força de um golpe de martelo. Isso o deixa arruinado, mas eu ainda o atinjo com um cotovelo, um joelho e com minha outra mão enquanto ele cai. Se suas pernas estivessem melhor ancoradas, o primeiro golpe poderia talvez ter partido seu pescoço em dois. Em vez disso, ele dá saltos mortais de lado na baixa gravidade, seguindo na horizontal e tremendo diante da minha chuva de golpes enquanto atinge o chão. Seus olhos ficam vazios. O medo surge na minha barriga. Meu corpo é forte demais.

Titus e os outros estão excessivamente sobressaltados com a súbita violência para me deter enquanto eu passo girando por suas mãos esticadas e saio correndo pelos corredores.

Eu não o matei.

Eu não o matei.

24

A GUERRA DE TITUS

Eu não matei Vixus. Mas matei a chance de unir a Casa. Desço em disparada a escadaria sinuosa do forte. Gritos atrás de mim. Passo pelos alunos de Titus reunidos na sala; estão compartilhando pedaços de peixe cru que conseguiram pegar com uma lança no rio. Eles poderiam me derrubar se soubessem o que eu havia feito. Duas garotas me observam passar e, ouvindo os gritos dos seus líderes, demoram demais para se levantar. Passo pelas mãos delas, passo pela guarita baixa da fortaleza e entro na praça principal do castelo.

— Cassius! — chamo na guarita do castelo onde meus homens dormem. — Cassius! — Ele coloca a cabeça para fora da janela e vê meu rosto.

—Ah, merda. Roque! — grita ele. —Aconteceu! Convoque a Escória!

Três dos garotos de Titus e uma das garotas estão no meu encalço no pátio. Eles são mais lentos do que eu, mas uma outra está vindo do seu posto na parede para impedir minha passagem. Cassandra. Seus cabelos curtos tilintam com os pedacinhos de metal que ela trançou neles. Sem o menor esforço, ela salta os oito metros que separam o parapeito do chão, machado na mão, e corre para interceptar meu trajeto antes que eu alcance a escada. Seu anel dourado de lobo cintila à luz baixa. Ela é uma bela visão.

Então toda a minha tribo surge da guarita. Eles trazem seus pacotes improvisados, suas facas e os bastões que entalhamos a partir de galhos caídos tirados da nossa floresta. Mas eles não vão na minha direção. Eles são inteligentes, portanto escancaram o enorme portão duplo que separa o castelo da longa trilha em declive que vai dar na ravina. A névoa vaza através do portão aberto e desaparece nas trevas. Apenas Quinn é deixada para trás.

Quinn, a mais veloz de Marte. Ela dispara ao longo do piso de paralelepípedos como se fosse uma gazela, vindo em meu auxílio. Seu porrete rodopia no ar. Cassandra não a vê. Um comprido rabo de cavalo dourado balança no ar frio da noite enquanto Quinn gira o corpo, um sorriso no rosto, e ataca Cassandra de surpresa pelo flanco, atingindo-a com toda a força no joelho com seu porrete. O estalo de madeira no osso forte de uma Ouro é alto. Assim como o grito de Cassandra. Sua perna não quebra, mas ela desaba no paralelepípedo. Quinn não diminui suas passadas. Ela gira o corpo para se postar ao meu lado e juntos nós deixamos o bando de Titus para trás.

Alcançamos os outros na reentrância da ravina. O grupo estaciona no outro lado das colinas escarpadas e em seguida se dirige ao forte mais ao norte nas terras altas densamente cobertas de névoas. O vapor gruda nos nossos cabelos, gotejando em pérolas. Alcançamos o forte bem depois da meia-noite. Trata-se de uma cavernosa torre vazia que se projeta sobre uma ravina como um feiticeiro embriagado. O líquen cobre a espessa pedra cinza. A névoa envolve seus parapeitos e nossa primeira refeição consiste dos pássaros que habitam os beirais da torre única. Que escapada. Ouço suas asas na noite escura. Nossa guerra civil começou.

Infelizmente, Titus não é um inimigo estúpido. Ele não vem atrás de nós como havíamos pensado que ele faria. Eu tinha a esperança de que ele tentaria fazer um cerco ao nosso forte nortista, que seu exército veria nossas fogueiras dentro das paredes de pedra e sentiria o cheiro de carne frita na gordura. As ovelhas que juntamos anteriormente teriam nos durado semanas, meses se tivéssemos água. Poderíamos ter realizado banquetes noite após noite. Nesse caso, eles teriam pedido arrego. Teriam deixado Titus para trás. Mas Titus sabe da minha arma, portanto nos evita para que seus garotos e garotas não possam ver o luxo que possuímos.

Ele não deixa sua tribo sozinha o tempo suficiente para pensar. Frenesi e guerra anestesiam os sentidos nos homens. Então eles atacam a Casa Ceres do sexto dia em diante, e Titus cria troféus por atos de bravura e violência, dando a garotos e garotas marcas em sangue nas bochechas que eles exibem orgulhosamente. Nós espreitamos as festas bélicas deles do mato e da grama alta das planícies. Às vezes obtemos um ponto vantajoso nos picos das terras altas a sudeste próximos a Phobos. De lá testemunhamos o sítio à Casa Ceres.

Ao redor da Casa Ceres, a fumaça se ergue numa coroa sinistra. Macieiras são derrubadas. Cavalos são aleijados ou roubados. Os batedores de Titus lançam inclusive uma tocha de um dos baluartes de Ceres numa tentativa de incendiar o castelo de Marte. Cavaleiros de Ceres as apagam com baldes de água antes que eles consigam chegar em casa. Titus berra de raiva quando isso acontece e os cavalos de Ceres voam pelas redondezas, destruindo as chamas com água antes de contornar a casa. Com seu melhor soldado, o áspero Pollux, ele monta na garupa de um dos cavalos com um galho de árvore fazendo as vezes de estaca. A amazona é cuspida da sela e Pollux cai em cima dela. Eles tomam posse de mais dois escravos nesse dia.

É no nosso oitavo dia no Instituto que eu assisto ao sítio com Cassius e Roque das terras altas. Hoje, Titus está montando o cavalo capturado abaixo da parede da Casa Ceres com um laço, desafiando seus arqueiros a dar flechadas nele e no seu cavalo. Uma pobre garota curva a cabeça para obter um ângulo melhor com seu arco. Ela puxa a flecha até a altura da orelha, mira e, pouco antes de estar prestes a soltar a flecha, Titus joga seu laço para cima. Ele chicoteia o ar. Ela joga o corpo para trás. Não foi rápida o bastante. A corda enlaça seu pescoço e Titus dispara com o cavalo para longe da parede, apertando o laço. Os amigos dela correm para agarrá-la. Eles seguram com firmeza, mas são forçados a soltar antes que o pescoço dela se parta.

FÚRIA VERMELHA   **231**

Os berros dos seus amigos ecoam pela planície enquanto ela é puxada violentamente do topo da parede e arrastada por Titus até seus entusiasmados seguidores. Lá, Cassandra dá um chute na garota para que se ponha de joelhos e a escraviza com nosso estandarte. As chamas das colheitas queimadas lambem o ar do crepúsculo onde diversos Inspetores pairam com jarras de vinho e uma bandeja com algumas guloseimas raras.

— *E violentos corações lançam as mais duras chamas* — murmura Roque de joelhos.

— Ele é ousado — digo de maneira deferente — e gosta disso. — Seus olhos cintilaram quando golpeei Vixus no pescoço. Cassius balança a cabeça em concordância. — Gosta demais.

— Ele é letal — concorda Cassius, mas quer dizer algo diferente. Olho para ele. Há uma aspereza na sua voz. — E é mentiroso.

— É? — pergunto.

— Ele não matou Priam.

Roque fica quieto. Menor do que nós, ele parece uma criança ao permanecer sobre um dos joelhos. Seus cabelos compridos são presos num rabo de cavalo. Há sujeira debaixo das suas unhas, que se tornam visíveis quando ele amarra os cadarços enquanto olha para cima.

— Ele não matou Priam — repete Cassius. O vento geme sobre as colinas atrás de nós. A noite chega lentamente hoje. As bochechas de Cassius afundam na escuridão; mesmo assim, ele é bonito. — Eles não teriam colocado Priam com um monstro como Titus. Priam era um líder, não um comandante. Eles colocariam Priam com alguém fácil como um dos nossos membros da Escória.

Eu sei onde Cassius vai chegar com isso. É a maneira como ele observa Titus; a frieza nos seus olhos me faz lembrar do olhar de uma víbora-das-cavidades ao perseguir sua presa. Meu interior adquire um amargor enquanto faço isso, mas conduzo Cassius na direção que ele parece querer tomar, convidando-o a morder. Roque mexe a cabeça na minha direção, reparando alguma coisa estranha na minha interação com Cassius.

— E eles dariam uma outra pessoa a Titus — digo.

— *Uma outra pessoa* — repete Cassius, assentindo com um movimento de cabeça.

Julian, ele está pensando. Ele não diz isso. Melhor deixar que isso apodreça na sua mente. Melhor deixar que meu amigo pense que nosso inimigo matou seu irmão. Essa é uma saída.

— *Sangue gera sangue gera sangue gera sangue...* — Roque sussurra palavras ao vento, que carregam a si mesmas para oeste na direção da longa planície e na direção das chamas que dançam no horizonte baixo. Além, as montanhas assomam, frias e escuras. A neve já se acumula nos seus picos. É uma visão de tirar o fôlego, ainda que os olhos de Roque jamais me abandonem.

Considero um pequeno prazer o fato de que os escravos de Titus não são aliados bastante efetivos para mim. Longe de serem intensamente doutrinados como talvez sejam os Vermelhos, essas criaturas recentemente tornadas escravas são teimosas. Os escravos seguem ordens ou correm o risco de ser rotulados de Indignos depois da graduação. Mas propositalmente jamais fazem mais ou menos do que ele exige; é seu ato de rebeldia. Eles lutam onde Titus lhes diz para lutar, com quem ele lhes diz para lutar, mesmo quando deveriam recuar. Eles colhem as amoras que ele lhes mostra, mesmo se souberem que são venenosas, e empilham pedras até que a pilha desmorone. Mas se há um portão aberto dando para a fortaleza do inimigo e Titus não lhes diz para entrar nela, eles ficam lá parados deixando o tempo passar.

Apesar da adição de escravos e de terem arrasado os campos de colheita e os pomares de Ceres, a força de Titus, que é bastante impactante em termos de violência, é digna de pena quando tenta fazer qualquer outra coisa. Seus homens esvaziam o intestino em latrinas rasas ou atrás de árvores ou no rio numa tentativa de envenenar os alunos da Casa Ceres. Uma das suas garotas até cai no rio depois de esvaziar os intestinos na água. Ela se debate em meio a seus próprios dejetos. É uma cena de comédia, mas o riso se tornou uma coisa rara, exceto da parte dos alunos de Ceres. Eles se sentam atrás das suas paredes altas e pescam no rio e comem pães assados nos seus fornos e mel dos seus apiários.

Em resposta ao riso, Titus arrasta um dos escravos machos para a frente do portão. O escravo é alto, tem um nariz comprido e um sorriso malicioso cujo alvo são as mulheres. Ele pensa que tudo isso é um jogo até que Titus corta uma das suas orelhas. Então ele começa a chorar pedindo a mãe como se fosse uma criancinha.

Os Inspetores, inclusive os da Casa Ceres, não impedem a violência. Eles assistem do céu em grupos de dois e três, flutuando enquanto medBots descem gemendo do Olimpo para cauterizar uma ferida ou tratar um grave traumatismo craniano.

Na vigésima manhã do Instituto, os defensores jogam uma cesta de pãezinhos enquanto os homens de Titus tentam derrubar o portão alto com uma árvore abatida. Os sitiantes acabam lutando entre si pela comida apenas para descobrir mais tarde que os pães foram assados tendo como recheio navalhas afiadas. Os gritos de dor duram até a tarde.

A resposta de Titus chega pouco antes do cair da noite. Com cinco escravos recém-cunhados, incluindo o macho agora sem a orelha, ele se aproxima do portão até estar quase a um quilômetro da entrada. Titus desfila na frente dos escravos, segurando quatro compridos porretes, os quais entrega a cada um dos escravos com exceção da garota que ele puxou do topo da parede da Casa Ceres com um laço.

Com uma mesura na direção do portão de Ceres, ele acena e ordena que os escravos comecem a espancar a garota. Assim como Titus, ela é alta e poderosa, de modo que é difícil sentir pena dela. Inicialmente.

Os escravos atingem a garota cuidadosamente com os primeiros golpes. Então Titus os lembra da indignidade que para sempre marcará seus nomes caso eles não lhe obedeçam; eles golpeiam com mais força; eles miram a cabeça dourada da garota. Eles a atingem e atingem até que os gritos dela já cessaram há muito e o sangue mancha seus cabelos louros. Quando Titus fica entediado, arrasta a garota ferida de volta a seu acampamento pelos cabelos. Seu corpo amolecido desliza sobre a terra.

Nós assistimos de nosso ponto de observação nas terras altas, e é preciso que não só Lea como também Quinn impeçam Cassius de disparar na direção das planícies. A garota vai sobreviver, digo a ele. Os porretes são pura exibição. Roque cospe amargamente na grama e segura a mão de Lea. É esquisito vê-la dando força a ele.

Na manhã seguinte, descobrimos que a resposta de Titus não parou com a surra. Depois que nos retiramos do castelo, Titus voltou na calada da noite para esconder a garota bem em frente ao portão de Ceres debaixo de uma espessa coberta de grama. Amordaçada e amarrada. Então ele mandou uma das suas seguidoras gritar durante a noite para fingir que era a escrava no acampamento. Ela berrava se referindo a estupros e violações de todo tipo.

Talvez a garota capturada pensasse estar a salvo sob a coberta de grama. Talvez ela pensasse que os Inspetores a salvariam e ela voltaria para casa para reencontrar seu pai e sua mãe, para suas lições equestres, para suas bonecas e seus livros. Mas assim que amanhece ela é pisoteada quando cavaleiros, enfurecidos pelos gritos falsos, galopam da fortaleza de Ceres para resgatá-la do acampamento improvisado de Titus. Eles só ficam sabendo da insanidade que cometeram quando ouvem os medBots descendo atrás deles para carregar o corpo destroçado da garota para o Olimpo.

Ela jamais retorna. Mesmo assim os Inspetores não interferem. Não tenho nem certeza do motivo pelo qual eles existem.

Sinto falta de casa. Lykos, é claro, mas também do lugar onde eu estava em segurança com Dancer, Matteo e Harmony.

Logo não há mais escravos a ser pegos. A Casa Ceres agora não sai da escuridão, e suas paredes altas estão guardadas sem chamas. As árvores do lado de fora da parede foram todas derrubadas, mas há campos cultivados e outros pomares no lado de dentro daquelas compridas paredes. O pão ainda é assado e o rio ainda flui em meio a seus baluartes. Titus não pode fazer nada além de devastar a terra deles e roubar o que resta das suas maçãs. A maioria está repleta de ferrões de vespas. Titus fracassou. E assim, como os olhos de qualquer tirano depois de uma guerra perdida, os dele se voltam para dentro.

25
GUERRA TRIBAL

Trinta dias no Instituto e não vi nenhuma evidência de alguma outra Casa inimiga, exceto por sinais de fumaça oriunda de fogueiras distantes. Os soldados da Casa Ceres rondam as franjas orientais da nossa terra. Eles cavalgam com impunidade agora que a tribo de Titus bateu em retirada para o interior do nosso castelo. Castelo. Não. O lugar se transformou numa choça.

Dou de cara com ela na companhia de Roque de manhã bem cedo. A névoa ainda gruda nos quatro esporões e a luz luta para penetrar o desolado céu do nosso clima montanhoso. Sons do interior das paredes de pedra ecoam na quieta manhã como moedas chacoalhando numa latinha. A voz de Titus. Ele está xingando os membros da sua tribo para que se levantem. Aparentemente, poucos o fazem. Alguém diz para ele ir se ferrar, e isso causa pouco espanto. Os beliches são o único conforto de verdade que o castelo possui, sem dúvida nenhuma colocados lá para estimular a indolência. Minha tribo não possui tais confortos; dormimos na pedra um encostado no outro ao redor das nossas fogueiras crepitantes. Oh, o que eu não daria para ter novamente uma cama.

Cassius e eu percorremos sorrateiramente a estrada de terra enviesada que leva à guarita. Mal conseguimos avistá-la, tão denso é o nevoeiro. Mais sons vindos de dentro. Parece que os escravos estão

FÚRIA VERMELHA   237

acordados. Ouço tosses, resmungos e uns poucos gritos. Um longo rangido e o barulho de correntes de metal significa que o portão está sendo aberto. Cassius me puxa para a lateral da estrada, enfiando-nos no interior da névoa enquanto os escravos passam por nós arrastando seus pés. Seus rostos estão pálidos à baixa luminosidade. Vazios abrigam suas bochechas afundadas, e seus cabelos estão sujos de terra. Pele empapada de terra ao redor dos seus Sinetes. Titus passa perto o bastante de mim para que eu sinta o fedor exalado pelo seu corpo. Enrijeço subitamente, preocupado com a possibilidade de ele sentir novamente em mim o cheiro de fumaça, mas ele não sente. Ao meu lado, Cassius está quieto, ainda que eu sinta sua raiva.

Nós nos esgueiramos de volta através da trilha e observamos os escravos labutarem de um ponto relativamente seguro na floresta. Eles não são Áuricos, já que limpam merda e procuram amoras no meio do matagal de cardo repleto de espinhos. Uns dois estão sem orelhas. Vixus, recuperado do meu ataque, exceto por um enorme hematoma roxo no pescoço, anda pelas cercanias os agredindo com uma vara comprida. Se a prova é unir uma Casa fracionada, estou fracassando.

À medida que as primeiras horas da manhã passam e os apetites mudam com a chegada do sol quente, Cassius e eu ouvimos um som que faz nossa pele pinicar. Gritos. Gritos da torre alta de Marte. Uma espécie particular de grito, um tipo de grito para assombrar os espíritos.

Quando eu era criança em Lykos, minha mãe estava me servindo sopa na mesa de pedra da nossa família na noite da Láurea. Um ano depois da morte do meu pai. Kieran e Leanna estavam sentados comigo, nenhum dos dois com mais de dez anos. Uma única luz tremeluzia acima da mesa, de modo que mamãe estava envolta em escuridão, exceto seu braço do cotovelo para baixo. Então veio o grito, abafado pela distância e pelas voltas e contornos do nosso cavernoso distrito. Ainda vejo como o caldo tremia na concha, como a mão da minha mãe ficou trêmula quando ela ouviu o grito. Os gritos. Não de dor, mas de horror.

— O que ele está fazendo com as garotas… — sibila Cassius para mim enquanto nos afastamos sorrateiramente do castelo ao cair da noite. — Ele é um animal.

— Isso aqui é guerra — digo, embora as palavras pareçam vazias até mesmo aos meus próprios ouvidos.

— Isso aqui é uma escola! — ele me lembra. — E se Titus fizesse isso com nossas garotas? Com Lea… com Quinn?

Não digo nada.

— Nós o mataríamos — responde Cassius para mim. — Nós o mataríamos, cortaríamos o pau dele e enfiaríamos na sua boca. — E sei que ele também está pensando no que Titus deve ter feito com Julian.

Apesar dos resmungos de Cassius, pego o braço dele e o puxo para longe do castelo. Os portões estão trancados para a noite. Não há nada que possamos fazer. Sinto-me novamente desamparado. Desamparado como na ocasião em que Ugly Dan tirou Eo de mim. Mas agora sou diferente. Minhas mãos viraram punhos. Sou mais do que era naquela época.

A caminho do nosso forte nortista avistamos um brilho no ar. GravBotas douradas cintilam à medida que Fitchner desce. Ele está mascando chiclete e põe a mão no coração quando vê nossos olhares malévolos.

— O que foi que eu fiz, meus amiguinhos, pra merecer olhares tão carrancudos?

— Ele está tratando as garotas como animais! — diz Cassius, borbulhando de raiva. As veias do seu pescoço inflam. — Elas são Ouros e estão sendo tratadas por ele como se fossem cachorros, como se fossem Rosas.

— Se ele está tratando as garotas como se fossem Rosas, então é porque elas não mereceram nada melhor nesse mundinho do que os Rosas merecem no nosso mundão.

— Você está de gozação. — Cassius não consegue entender. — Elas são Ouros, não Rosas. Ele é um monstro.

— Então prove que você é um homem e impeça-o de continuar com essa conduta — diz Fitchner. — Contanto que ele não esteja matando uma depois da outra, isso não é problema nosso. Todas as feridas se curam. Até essas.

— Isso é uma mentira — digo a ele. Nunca vou me curar de Eo. Aquela dor durará para sempre. — Algumas coisas não somem. Algumas coisas jamais podem ser endireitadas.

— Contudo, não podemos fazer nada porque ele tem mais *guerreiros* — cospe Cassius.

Uma ideia me ocorre.

— Podemos consertar isso.

Cassius se vira para mim. Ele ouve a morte na minha voz da mesma maneira que eu a vejo nos seus olhos quando ele fala de Titus. Essa é uma coisa peculiar que compartilhamos. Somos feitos de fogo e gelo — embora eu não tenha certeza de qual de nós é gelo e qual é fogo. Todavia, os extremos nos dominam mais do que gostaríamos; é por isso que estamos em Marte.

— Você tem um plano — diz Cassius.

Balanço a cabeça em concordância, friamente.

Fitchner nos observa e dá um risinho.

— Já estava mais do que na maldita hora.

O plano começa com uma concessão que apenas alguém que já tenha sido marido poderia fazer. Cassius não consegue parar de rir quando conto a ele os detalhes. Até Quinn esboça um riso na manhã seguinte. Em seguida ela some, correndo como um cervo na direção da Torre Deimos para levar meu pedido de desculpas formal a Antonia. Ela deverá se encontrar comigo, levando a resposta de Antonia, num dos nossos depósitos de suprimento perto do rio Furor ao norte do castelo.

Cassius guarda nosso novo forte com o que restou da nossa tribo, caso Titus tente atacar enquanto Roque e eu nos dirigimos ao depósito de suprimento durante o dia. Quinn não aparece. O anoitecer, sim. Apesar da escuridão, percorremos a trilha que ela teria de percorrer da Torre Deimos. Seguimos a trilha até alcançar a torre propriamente dita, situada nas colinas baixas cercadas por uma densa floresta. Cinco homens de Titus estão ao redor da base, numa situação de aparente descontração. Roque me segura e me puxa para baixo para que eu me oculte em meio à vegetação rasteira. Ele aponta para uma árvore cinquenta metros distante onde Vixus está escondido num galho alto, à espera. Será que eles pegaram Quinn? Não, ela é rápida demais para ser pega. Será que alguém nos traiu?

De manhã cedinho já estamos de volta ao nosso forte. Tenho certeza de que já estive mais cansado do que isso, mas não consigo me lembrar quando. Bolhas arruínam meus pés apesar dos sapatos no tamanho certo, e meu pescoço está descascando devido aos vários dias seguidos sob o sol. Algo está errado.

Lea me encontra no portão do castelo. Ela abraça Roque e levanta os olhos para mim como se eu fosse o pai dela ou qualquer coisa assim. Ela não está com seu jeito tradicionalmente tímido. Seu corpo de pássaro treme. Não de medo, mas de raiva.

— Você precisa matar aquele sujeito imundo, Darrow. Você precisa cortar fora a porra do saco dele.

Titus.

— O que aconteceu? — Dou uma olhada ao redor. — Lea. Onde está Cassius?

Ela me conta.

Titus capturou Quinn enquanto ela estava voltando da torre. Eles bateram nela. Então Titus mandou uma das orelhas dela para cá. Eles pensavam que Quinn fosse *minha* garota, e Titus imagina que conhece meu temperamento. Eles tiveram a reação que desejavam, só que não de mim.

Cassius estava de vigia e, enquanto os outros dormiam, ele se esgueirou até o castelo para desafiar Titus. De alguma maneira, o jovem brilhante foi presunçoso o suficiente para pensar que centenas de anos de honra e tradição Áuricas sobreviveriam à podridão que consumiu a tribo de Titus em poucas semanas apenas. O filho do Imperador estava equivocado. E ele também está desacostumado à percepção de que sua herança tem tão pouca consequência. No mundo real, ele estaria em segurança. Nesse mundinho aqui, ele não está.

— Mas ele está vivo — digo.

— Pode crer, seu Pixie, eu estou vivo, sim! — Cassius cambaleia do forte sem camisa.

— Cassius! — arqueja Roque. Seu rosto empalidece subitamente.

O olho esquerdo de Cassius está fechado por causa do inchaço. Os lábios rachados. As costelas roxas como uvas. Seu outro olho está ensanguentado. Três dedos deslocados mais parecem raízes de árvores protuberantes, e seu ombro está numa posição esquisita. Os outros olham fixamente para ele com visível tristeza. Cassius era o filho do Imperador — o cavaleiro reluzente deles. E agora seu corpo é uma ruína, e o que está estampado naqueles rostos, a aparência pálida na sua pele, me diz que eles jamais viram na vida alguém lindamente mutilado.

Eu já vi.

Ele fede a mijo.

Cassius tenta desfazer da coisa como se tivesse sido alguma brincadeira idiota.

— Eles me bateram pra valer quando eu o desafiei. Me bateram com uma pá no lado da cabeça. Depois todos eles ficaram ao meu redor e mijaram em cima de mim. Depois me deixaram amarrado naquele forte fedorento, mas Pollux me libertou, como um bom rapaz, e concordou em abrir o portão se a gente achasse isso necessário.

— Nunca imaginei que você pudesse ser tão estúpido assim — digo.

— É claro que ele é, ele quer ser um dos cavaleiros Soberanos — murmura Roque. — E tudo o que eles fazem é duelar. — Ele sacode os longos cabelos. Há sujeira empapada na faixa de couro que os prende no rabo de cavalo. — Você devia ter esperado por nós.

— O que está feito, está feito — digo. — Vamos em frente com o plano.

— Ótimo — resfolega Cassius. — Mas quando chegar a hora, Titus é meu.

26

MUSTANG

Parte de Cassius se foi. Aquele garoto invencível que eu conheci está de certa forma diferente. A humilhação o transformou. Entretanto, não consigo decidir de que maneira, enquanto estico seus dedos e o ajudo a endireitar o ombro. Ele cai devido à dor.

— Obrigado, meu irmão — me diz ele, e apoia-se no lado da minha cabeça para se levantar. É a primeira vez que ele diz isso. — Eu fracassei na prova. — Não discordo dele. — Fui me meter lá como um idiota de primeira. Se isso aqui estivesse acontecendo em algum outro lugar, eles teriam me matado.

— Pelo menos você não perdeu a vida — digo.

Cassius ri.

— Só meu orgulho.

— Bom. Isso é uma coisa que você tem em abundância — diz Roque com um sorriso.

— A gente precisa trazê-la de volta. — A careta de Cassius desaparece quando ele olha para Roque e depois para mim. — Quinn. A gente precisa trazê-la de volta antes que ele a leve pra torre dele.

— A gente vai fazer isso. — A gente vai fazer essa porra.

FÚRIA VERMELHA **243**

Cassius e eu vamos para o leste de acordo com nossos planos, para um ponto ainda mais distante do que aquele em que estivemos antes. Ficamos nas montanhas a noroeste, mas nos certificamos de caminhar ao longo das cristas altas, visíveis às planícies abertas abaixo. Leste e leste, nossos longos passos nos levando com rapidez para um destino cada vez mais distante.

— Um cavaleiro a sudeste — digo. Cassius não olha.

Passamos por uma ravina úmida onde um lago escuro nos oferece a chance de beber um pouco de água em frente a uma família de cervitos. A lama cobre nossas pernas. Besouros batem suas asas sobre a água fria. A terra me dá uma sensação agradável entre os dedos quando me curvo para beber. Molho a cabeça e como com Cassius o que sobrou do nosso carneiro já vencido. Falta sal. Sinto cãibras na barriga pelo excesso de proteína.

— Você calcula que a gente esteja a que distância a leste do castelo? — pergunto a Cassius, apontando atrás de mim.

— De repente uns vinte quilômetros. Difícil precisar. Parece mais distante, mas minhas pernas estão cansadas. — Ele estica o corpo e olha para o local onde estou apontando. — Ah. Saquei.

Uma garota num mustangue malhado nos observa da beirada da ravina. Ela tem uma longa barra coberta amarrada à sua sela. Não dá para distinguir qual é sua Casa, mas já a vi antes. Eu me lembro dela como se a tivesse visto ontem. A garota que me chamou de Pixie quando caí daquele pônei que Matteo me fez montar.

— Eu quero que o cavalo dela retorne — me diz Cassius. Ele não consegue enxergar com seu olho esquerdo mas sua fanfarronice está de volta, um pouco exageradamente. — Ei, querida! — grita ele. — *Merda, isso me dói as costelas.* Você monta muitíssimo bem, hein? Qual é sua Casa?

Estou preocupado com isso.

A garota cavalga a uma distância de dez metros de nós, mas os sinetes na manga e no pescoço estão cobertos por dois pedaços de tecido costurados. Seu rosto tem três linhas diagonais pintadas com suco de amora misturado a gordura animal. Não sabemos se ela é de Ceres.

Espero que não. Ela poderia ser da floresta do sul, do leste, até mesmo das terras altas bem a nordeste.

— Olá, Marte — diz ela presunçosamente, olhando os sinetes nas nossas jaquetas.

Cassius faz uma mesura de maneira patética. Não me importo.

— Bem, isso é legal. — Chuto uma pedra com meu sapato. — Olá... Mustang. Bonito sinete. E cavalo. — Eu a deixo saber que possuir um cavalo é algo raro.

Ela é pequena, delicada. Seu sorriso, não. Ele debocha de nós.

— O que é que vocês estão fazendo aqui no interior? Ceifando trigo?

Acaricio minha curviLâmina.

— Temos o suficiente em casa. — Faço um gesto num ponto ao sul do nosso castelo.

Ela reprime um riso diante da minha frágil mentira.

— Com certeza vocês têm.

— Vou ser sincero com você. — Cassius força seu rosto arrasado a produzir um sorriso. — Você é de uma beleza atordoante. Você só pode ser de Vênus. Pode me bater com seja lá o que houver debaixo desse tecido na sua sela e me levar pro seu forte. Eu vou ser seu Rosa se você me prometer que não vai me compartilhar com ninguém e que vai me manter aquecido todas as noites. — Ele dá um passo desequilibrado à frente, oferece uma asa. — E todas as manhãs. — O mustangue da garota recua até que ele desiste de tentar roubar o cavalo dela.

— Bom, olha só que rapaz bonitão e charmoso. E a se levar em consideração esse forcado na sua mão, você deve ser um guerreiro de primeira também. — Ela pisca os olhos.

Cassius infla o peito em concordância.

Ela espera para ver se ele compreende.

Então ele franze o cenho.

— Pode crer. Oh-oh. Veja bem, a gente não tinha nenhuma ferramenta na nossa fortaleza com exceção daquelas que pertenciam à nossa deidade, entãããão vocês já devem ter cruzado com a Casa Ceres. — Ela curva o corpo para a frente na sela de maneira sardônica. — Vocês não têm colheita nenhuma. Apenas lutaram com os que têm, e vocês não têm nenhuma arma melhor, está bem claro, ou então estariam com elas. Portanto, Ceres também está por esses lados. Provavelmente nas terras baixas próximas à floresta por causa das colheitas. Ou perto daquele rio grande sobre o qual todo mundo está falando.

Ela é toda risos naqueles olhos e desprezo naquela boca num rosto com formato de coração. Cabelos compridos tão dourados que brilham ao sol lhe caem pelas costas em tranças.

— Quer dizer então que vocês estão na floresta? — pergunta ela. — Norte nas terras altas, provavelmente. Ah, isso aqui está divertido! Suas armas são assim tão ruins? Está mais do que claro que vocês não têm cavalos. Que Casa mais pobre.

— Sacana — diz Cassius, sem perder a oportunidade.

— Você parece bem orgulhosa de si mesma. — Ponho minha cur-viLâmina no ombro.

Ela levanta a mão e a balança para a frente e para trás.

— Mais ou menos. Mais ou menos. Mais orgulhosa do que o boni-tão aí deveria se sentir. Ele é cheio de enigmas. — Mexo o corpo para ver se ela repara. Ela recua com o cavalo. — Ora, ora, Ceifeiro, vai me dizer que você também vai tentar subir na minha sela?

— Só estou tentando te derrubar dela, Mustang.

— Curte uma roladinha na lama, hein? Bom, que tal se eu prome-ter deixar você dar uma subidinha aqui se me der mais algumas pistas a respeito de onde se localiza seu castelo? Torres? Expansões? Posso ser uma mestre gentil.

Ela olha para mim de alto a baixo de modo brincalhão. Seus olhos refulgem como talvez refulgissem os de uma raposa. Isso ainda é um jogo para ela, o que significa que sua Casa é um lugar civilizado. Sinto inveja ao examiná-la detalhadamente. Cassius não mentiu: ela é algo digno de ser olhado. Mas eu preferia muito mais derrubá-la do seu mustangue. Meus pés estão cansados e nós estamos jogando um jogo perigoso.

— Que número você foi na Seleção? — pergunto, desejando muito ter prestado mais atenção.

— Superior ao seu, Ceifeiro. Eu me lembro de que Mercúrio queria muito ficar com você, mas os responsáveis pela Seleção dele se recusaram a deixar que ele te escolhesse na primeira rodada. Algo a ver com sua metragem de raiva.

— Você foi superior a mim? Então você não é Mercúrio, porque eles escolheram um garoto em vez de mim, e você não é Jupiter, porque eles levaram um maldito de um moleque monstruoso. — Tento lembrar quem mais foi escolhido antes de mim, mas não consigo, de modo que sorrio. — De repente seria melhor se você não fosse tão fútil. Nesse caso eu não saberia de que Seleção você era.

Reparo a faca sob sua túnica preta, mas ainda não consigo me lembrar dela durante a Seleção. Não estava prestando atenção. Cassius devia ter lembrado dela pela forma como olha para as garotas, mas quem sabe ele consiga apenas pensar em Quinn e na sua orelha decepada.

Nosso trabalho está feito. Podemos ir embora e deixar Mustang para trás. Ela é esperta o bastante para entender o resto. Mas ir embora talvez signifique um problema sem um cavalo, e não acho que Mustang realmente necessite do dela.

Finjo estar entediado. Cassius mantém um olho nas colinas ao nosso redor. Então tenho um súbito sobressalto, como se tivesse reparado algo. Sussurro "Cobra" no ouvido dele enquanto olho para os cascos dianteiros do cavalo. Ele olha também e, a essa altura, o movimento da garota é involuntário. Mesmo enquanto percebe se tratar de um truque, ela inclina o corpo para a frente para dar uma espiada nos cascos. Avanço para ultrapassar o espaço de dez metros que nos separa. Sou rápido. Ela também é, mas está um pouquinho desequilibrada e precisa se curvar para trás para poder fazer com que seu cavalo se afaste. Ele se engalfinha na lama. Mergulho atrás dela e minha forte mão direita segura com firmeza suas longas tranças no exato momento em que o cavalo dispara. Tento puxá-la para fora da sela mas ela é rápida como o fogo do inferno.

Fico com um punhado de fios dourados na mão. O mustangue está longe e a garota ri e xinga por causa dos cabelos. Então o forcado de Cassius balança no ar e dá uma rasteira no cavalo. Garota e cavalo caem na grama enlameada.

— Droga, Cassius! — grito.

— Desculpe!

— Você podia ter matado a garota!

— Eu sei! Eu sei! Desculpe!

Corro para ver se ela está com o pescoço quebrado. Isso arruinaria tudo. Ela não está se mexendo. Eu me curvo para sentir sua pulsação e percebo uma lâmina encostar na minha virilha. Minha mão já está lá para empurrar para longe o punho dela. Pego a faca e a prendo no chão.

— Eu sabia que você queria rolar comigo na lama. — Os lábios exibem um sorrisinho afetado. Então franzem como se ela quisesse um beijo. Eu recuo. Em vez disso, ela assobia e o plano se torna um pouquinho mais complicado.

Ouço cascos.

Todos têm cavalos, menos nós, cacete.

A garota pisca e eu mexo com força o tecido que cobre seu sinete. Casa Minerva. Os gregos a chamariam de Atena. É claro. Dezessete cavalos descem em disparada a ravina vindos do cume da colina. Os cavaleiros têm lanças-de-atordoamento. Onde é que esse pessoal foi conseguir lanças-de-atordoamento, cacete?

— Chegou a hora de correr, Ceifeiro — provoca Mustang. — Meu exército está vindo.

Não há como correr. Cassius mergulha no lago. Eu me afasto de Mustang, corro em meio à lama e me jogo por sobre a margem para me juntar a ele na água. Não sei nadar, mas aprendo facilmente.

Os cavaleiros da Casa Minerva provocam Cassius e a mim enquanto damos nossas braçadas no centro do laguinho. É verão, mas a água está fria e é profunda. Está anoitecendo. Meus membros estão dormentes. Os minervinos ainda circulam o lago, esperando nosso cansaço. Nós não vamos cansar. Tenho nos bolsos três duroSacos. Eu sopro para enchê-los e dou dois para Cassius, ficando eu mesmo com um. Eles ajudam a flutuar, e como nenhum dos minervinos parece disposto a nadar para nos pegar, estamos seguros por enquanto.

— Roque já devia ter aceso a uma hora dessas — sussurro a Cassius algumas horas depois de entrarmos no lago. Ele está em más condições por causa dos ferimentos e do frio.

— Roque vai acender. Fé... *bom-homem*... fé.

— A gente também já deveria estar quase em casa.

— Bom, ainda assim esse plano está indo bem melhor do que o meu — ele responde em voz baixa.

— Você parece estar entediada, Mustang! — grito, batendo os dentes. — Venha nadar um pouco.

— E ficar com hipotermia? Não sou nenhuma idiota. Estou em Minerva, não em Marte, lembre-se! — Ela ri na margem do lado. — Eu preferia muito mais me aquecer na fogueira do seu castelo. Entende? — Ela aponta um local atrás de nós e fala rapidamente com três rapazes altos, um dos quais parece tão grande quanto um Obsidiano, ombros como uma imensa cúmulo-nimbo.

Uma espessa coluna de fumaça ascende ao longe.

Finalmente.

— Como foi que esses malditos putos passaram na prova? — pergunto numa voz bem alta. — Eles entregaram nosso castelo.

— Se a gente voltar, vou afogar esses caras no mijo deles — responde Cassius ainda mais alto. — Exceto Antonia. Ela é muito bonita pra isso.

Nossos dentes batem.

Os dezoito batedores pensam que a Casa Marte é desprovida de cavalos e formada por pessoas estúpidas e despreparadas.

— Ceifeiro, Bonitão, terei de deixá-los agora! — fala Mustang. — Tentem não se afogar antes de eu voltar com o estandarte de vocês. Vocês podem ser meus guarda-costas bonitinhos. E podem ter chapéus combinando! Mas nós vamos ter que ensiná-los a pensar melhor!

Ela galopa para longe com quinze cavaleiros, o imenso Ouro segurando as rédeas no seu cavalo ao lado dela como uma espécie de sombra colossal. Seus seguidores vibram enquanto cavalgam. Ela também nos deixa acompanhados. Dois cavaleiros com lanças-de-atordoamento. Nossas ferramentas de lavrador estão na lama na margem do lago.

— M-mustang é b-bem g-g-ostosa — consegue dizer Cassius, tremendo.

— Ela é a-a-ssustadora.

— L-l-lembra m-m-minha m-mãe.

— T-tem alguma coisa e-e-rrada com v-v-ocê.

Ele mexe a cabeça em concordância.

— Então… Parece que o p-plano está meio que f-f-funcionando.

Se conseguirmos sair do lago sem sermos capturados.

A noite cai com intensidade, e com a escuridão surgem os uivos dos lobos nas enevoadas terras altas. Começamos a afundar quando nossos duroSacos deixam escapar ar de pequenos buracos de pressão. Bem que podíamos ter tido uma chance de escapar à noite, mas os minervinos que permaneceram conosco não estão preguiçosamente sentados ao redor da fogueira. Estão à espreita em meio à escuridão de modo que nem temos condição de saber em que local eles se encontram. Por que eles não podem ficar idiotamente sentados no seu castelo lutando uns contra os outros como nossos companheiros?

Voltarei a ser escravo. Talvez não um escravo de verdade, mas isso não tem importância. Não vou perder. Não posso perder. Eo terá morrido em vão se eu afundar aqui, se eu permitir que meu plano fracasse. Contudo, não sei como vencer meus inimigos. Eles são inteligentes e minhas chances são mínimas. O sonho de Eo afunda comigo na escuridão do lago, e estou prestes a nadar na direção da margem, independentemente do que esse ato acarretará, quando alguma coisa assusta os cavalos.

Então um berro atinge a água.

O medo percorre minha coluna à medida que alguma coisa uiva nas proximidades. Não é um lobo. Não pode ser o que eu acho que é. Uma luz azul pisca quando uma lança-de-atordoamento chicoteia o ar. O garoto berra mais uma vez, xingando. Uma faca o atinge. Alguém corre em sua ajuda e a eletricidade pisca mais uma vez em tom azulado. Vejo um lobo preto em cima de um corpo enquanto um outro cai. Escuridão novamente. Silêncio, então o triste gemido dos medBots descendo do Olimpo.

Escuto uma voz familiar.

— Está limpo agora. Podem sair da água, peixinhos.

Chapinhamos até a margem e arquejamos na lama. Uma leve hipotermia nos acomete. Ela não vai nos matar, mas meus dedos ainda estão lentos enquanto a lama esguicha entre eles. Meu corpo estremece como o de um Perfurador trabalhando.

— Duende, seu psicopata. É você mesmo? — falo.

A quarta tribo desliza para fora da escuridão. Ele está usando a pele do lobo que matou. Ela o cobre da cabeça até as canelas. Moleque pequeno do cacete. O ouro do seu uniforme preto está coberto de lama. Assim como seu rosto.

Cassius se ergue para dar um abraço em Sevro.

— Oh, v-v-você é b-b-bonito, Duende. B-b-bonito, m-m-menino b-b-bonito. E malcheiroso.

— Ele anda comendo cogumelo? — pergunta o Duende por sobre os ombros de Cassius. — Pare de me tocar, seu Pixie. — Ele empurra Cassius para longe de si, aparentemente constrangido.

— Você m-m-matou e-e-sses d-dois? — pergunto, tremendo. Eu me curvo sobre eles e tiro suas roupas secas para trocar pelas minhas molhadas. Sinto suas pulsações.

— Não. — Sevro empina a cabeça e olha para mim. — Era pra ter matado?

— P-p-por que v-você está m-me p-p-perguntando como se eu f-f-fosse seu P-p-pretor? — digo, rindo. — Você conhece as regras.

Sevro dá de ombros.

— Você é como eu. — Ele olha para Cassius com desdém. — E de alguma maneira ainda é como ele. Portanto, era pra eu ter matado os dois? — pergunta ele casualmente.

Cassius e eu trocamos olhares sobressaltados.

— N-n-não — concordamos no exato momento em que os medBots chegam para levar os minervinos. Ele fez uns bons estragos neles, o suficiente para tirá-los do jogo.

— E o que, p-p-por obs-obs-obséquio, você estava fazendo v-v-vagando por aí numa p-p-pele de lobo? — pergunta Cassius.

— Roque disse que vocês estavam pros lados do leste — responde Sevro sumariamente. — O plano ainda está em curso, diz ele.

— Os m-m-minervinos chegaram no cas-cas-castelo? — pergunto.

Sevro cospe na grama. As luas gêmeas lançam sombras fantasmagóricas no seu rosto escuro.

— Como é que eu vou saber dessa porra? Eles passaram por mim quando eu estava vindo pra cá. Mas vocês estão sem nenhum apoio. O plano está fadado ao fracasso. — Será que Sevro está de fato nos ajudando? É claro que sua ajuda começa quando ele lista nossas inadequações. — Se os minervinos chegarem no forte, vão destruir Titus e tomar nosso território.

— Eu sei. Essa é a questão — digo.

— Eles também vão tomar nosso estandarte...

— Esse é um r-r-isco que a gente vai ter que correr.

— Então eu roubei o estandarte do forte e o enterrei na floresta.

Eu deveria ter pensado nisso.

— Você chegou lá e roubou o negócio. Assim sem mais nem menos? — Cassius começa a rir. — Esse moleque é piradinho mesmo. Louco varrido. Cem por cento louco. Louco varrido.

Sevro parece estar perturbado. Satisfeito. Mas perturbado.

— Mesmo assim, a gente não pode garantir que eles vão sair do nosso território.

— S-s-sua sug-sug-sugestão? — pergunto, ainda tremendo porém impaciente. Ele poderia ter nos ajudado antes.

— Arrumar apoio pra tirá-los de lá depois que eles fizerem o serviço de acabar com Titus, *obviamente*.

— Isso. Isso. Saquei. — Eu me livro do que resta do tremor. — Mas como?

Sevro dá de ombros.

— A gente toma o estandarte de Minerva.

— Es-es-espere um p-p-pouco — diz Cassius. — Você s-s-sabe como f-f-fazer isso?

Sevro bufa:

— O que você acha que eu ando fazendo esse tempo todo, seu merdinha sedoso? Você acha que eu estava no mato tocando punheta o tempo todo?

Cassius e eu trocamos olhares.

— Tipo isso — digo.

— Pode crer, a gente pensava isso mesmo — concorda Cassius.

Rumamos para o leste das terras altas montados nos cavalos minervinos. Não sou um cavaleiro dos mais habilidosos. É claro que Cassius é, de modo que aprendo muito bem a agarrar com firmeza suas costelas machucadas. Nossos rostos estão pintados com lama. Vai parecer sombra à noite, o que fará com que eles vejam nossos cavalos, nossas lanças, nossos sinetes e pensem que nós somos do grupo deles.

O castelo minervino se localiza num descampado coberto de flores silvestres e oliveiras. As luas cintilam intensamente sobre a paisagem inclinada. Corujas piam nos galhos retorcidos acima de nós. Quando alcançamos a esparramada fortaleza de arenito, uma voz nos desafia do baluarte acima do portão. Sevro não está muito apresentável no seu manto lupino, de maneira que ele é selecionado para ficar de vigia na saída.

— Encontramos Marte — falo em voz alta. — Oi! Abram essa droga de portão.

— Senha — exige a sentinela preguiçosamente das ameias.

— Cabeça-de-rabo! — grito. Sevro ouviu essa expressão quando esteve aqui pela última vez.

— Ótimo. Onde estão Virginia e os batedores? — pergunta a sentinela.

Mustang?

— Levaram o estandarte deles, cara! Os putos não tinham nem cavalos. De repente, ainda dá pra tomar o castelo!

A sentinela vibra.

— Ótimas notícias! Virginia é um demônio. June preparou a ceia. Comam alguma coisa na cozinha e depois se juntem a mim, se quiserem. Estou entediado e preciso de alguma diversão.

O portão range ao ser aberto muito, muito lentamente. Eu rio quando ele finalmente se abre o suficiente para que nós dois entremos

FÚRIA VERMELHA **253**

ombro a ombro. Cassius e eu não somos nem abordados por guardas. O castelo deles é diferente — mais seco, mais limpo e menos opressivo. Eles têm guardas e oliveiras situadas entre as colunas de arenito do nível inferior.

Nós nos escondemos nas sombras quando duas garotas passam com xícaras de leite. Eles não têm tochas ou fogueiras que um inimigo possa avistar de longe, apenas pequenas velas. Isso torna fácil zanzar por lá sem ser notado. Aparentemente, as garotas são bonitinhas, porque Cassius faz aquela cara dele e finge segui-las escada acima.

Depois de sorrir para mim, ele se esgueira na direção dos sons da cozinha enquanto procuro a sala de comando. Eu a encontro no terceiro nível. Janelas dão para a planície escura. Na frente das janelas está o atlas de Minerva. Uma bandeira flamejante flutua acima do castelo da minha Casa. Não sei o que isso significa, mas não pode ser coisa boa. Uma outra fortaleza, a Casa Diana, encontra-se a sul da Casa Minerva na Grande Floresta. Essas são todas as que foram descobertas.

Eles têm suas próprias folhas de marcação de pontos para registrar seus êxitos. Alguém chamado Pax parece uma porra de um pesadelo. Ele já arrebanhou oito escravos pessoalmente, e fez com que medBots descessem para pegar nove alunos, de modo que imagino que ele seja o tal que é tão alto quanto um Obsidiano.

Não encontro o estandarte deles em lugar nenhum da sala de comando. Assim como nós, eles não são estúpidos o bastante a ponto de deixá-lo simplesmente à vista em qualquer lugar. Sem problema, vamos encontrá-lo à nossa própria maneira. Na hora exata, sinto o cheiro da fumaça produzida por Cassius vazando pelas janelas. Que sala de guerra mais bonitinha eles têm. Bem mais bonitinha do que a de Marte.

Eu quebro tudo.

E quando termino de arruinar o mapa deles e acabo de arrancar o rosto de uma estátua de Minerva, uso o machado que encontrei para entalhar o nome Marte na linda e comprida mesa de guerra. Estou tentado a entalhar o nome de outra Casa nos destroços para confundi-los, mas quero que eles saibam quem fez isso. Essa Casa é muito jeitosinha, muito organizadinha e equilibrada. Eles têm um líder, batedores, sentinelas (ingênuos), cozinheiros, oliveiras, leite quente, lanças-de-atordoamento, cavalos, mel, estratégia. Minervinos. Porcalhões orgulhosos. Que eles se sintam um pouco mais como a Casa Marte. Que eles sintam raiva. Caos.

Gritos surgem. O fogo de Cassius se espalha. Uma garota entra correndo na sala de guerra. Quase a faço desmaiar ao erguer meu machado. Não há nenhum sentido em feri-la. Não podemos levar prisioneiros, não com muita facilidade. Portanto, puxo não só minha curviLâmina como também a lança-de-atordoamento. Há lama no meu rosto. Meus cabelos dourados estão com uma aparência selvagem. Pareço um terror.

— Você é June? — rosno.

— N-não… Por quê?

— Você sabe *cozinhar*?

Ela ri apesar do medo que está sentindo. Três garotos aparecem no canto. Dois deles mais corpulentos porém mais baixos do que eu. Berro como um deus enfurecido. Oh, como eles correm.

— Inimigos! — berram eles. — Inimigos!

— Eles estão nas torres! — rosno seguidamente para confundi-los enquanto desço a escada. — Nos andares de cima! Em todas as partes! São muitos! Dezenas! Dezenas! Marte está aqui! *Marte* chegou! — A fumaça se espalha. Assim como os gritos deles.

— Marte! — gritam eles. — Marte chegou!

Um jovem passa em disparada por mim. Agarro seu colarinho e o jogo pela janela na direção do pátio abaixo, espalhando os minervinos que lá se encontravam reunidos em grande número. Chego à cozinha. O fogo de Cassius não está ruim. Principalmente graxa e arbustos. Uma garota que não para de uivar tenta apagá-lo.

— June! — chamo. Ela se vira na direção da minha lança-de-atordoamento e estremece quando a eletricidade anestesia seus músculos. É assim que eu roubo a cozinheira deles.

Cassius me encontra em disparada através dos jardins minervinos com June nos ombros.

— Que maluquice é essa?

FÚRIA VERMELHA **255**

— Ela é cozinheira — explico.

Ele ri com tanto ímpeto que mal consegue respirar.

Os minervinos estão imersos no caos, correndo das suas casernas. Eles acham que o inimigo invadiu suas torres. Eles acham que sua cidadela está em chamas e prestes a cair. Eles acham que Marte chegou com força total. Cassius me puxa em direção ao estábulo deles. Sete cavalos foram deixados para trás. Roubamos seis deles depois de jogar uma vela acesa nos depósitos de feno e passar pelo portão principal enquanto a fumaça e o pânico consomem a fortaleza. Não estou de posse do estandarte. Exatamente como havíamos planejado. Sevro disse que a fortaleza possuía um portão escondido nos fundos. Apostamos nossas fichas no fato de que alguém bastante desesperado para fugir de uma fortaleza arruinada o usaria para escapar, alguém tentando proteger o estandarte. Tínhamos razão.

Sevro se junta a nós minutos depois. Ele uiva debaixo da sua manta lupina ao chegar. Bem atrás, os inimigos o caçam a pé munidos de lanças-de-atordoamento. Agora são eles que não dispõem de cavalos. E não têm nenhuma chance de recuperar o estandarte de coruja que cintila nas mãos enlameadas de Sevro. A cozinheira inconsciente atravessada na minha sela, cavalgamos sob a noite estrelada de volta a nossas terras altas dilapidadas pelas batalhas, nós três rindo, vibrando, uivando.

27

A CASA DA RAIVA

Encontramos Roque na Torre Phobos com Lea, Cara Ferrada, Palhaço, Cardo, Erva e Pedrinha. Temos oito cavalos — dois roubados no lago, seis roubados no castelo. Nós os acrescentamos ao nosso plano. Cassius, Sevro e eu atravessamos a ponte que une as margens do rio Metas. Uma patrulha inimiga dispara para o norte com o intuito de avisar Mustang. Nossos outros cavalos roubados, conduzidos por Antonia, seguem na direção norte assim que a patrulha se distancia. Roque, desprovido de cavalo, dirige-se ao sul.

Meu cavalo é o único não coberto de lama. Trata-se de uma brilhante égua. E eu sou uma brilhante visão. Levo o estandarte dourado de Minerva na mão esquerda. Nós poderíamos tê-lo escondido. Poderíamos tê-lo mantido em segurança. Mas eles precisam saber que estamos de posse do objeto, e muito embora Sevro o tenha roubado, ele não quer levá-lo consigo. Ele gosta demais das suas facas curvas. Acho que ele sussurra para elas. E nós necessitamos de Cassius para outras coisas além de levar estandartes. E além do mais, se ele o levasse, daria a entender que é o líder. E isso não é possível.

O silêncio é sepulcral enquanto cavalgamos através das nossas terras baixas. A névoa contorna as árvores. Passo no meio dela. Cassius e Sevro cavalgam cada qual de um lado meu. Não consigo vê-los ou enxergá-los agora, mas lobos uivam em algum lugar. Sevro retribui o

FÚRIA VERMELHA **257**

uivo. Luto para me manter na sela enquanto a égua demonstra estar assustada. Caio duas vezes. Os risos de Cassius vêm da escuridão. É difícil lembrar que estou fazendo isso por Eo, tudo isso para começar uma rebelião. A sensação esta noite é de que a coisa é um jogo; de certa forma é, porque estou finalmente começando a me divertir.

Nosso castelo está tomado. Luzes de fogueiras ao longo dos baluartes me dizem isso. O castelo se encontra bem no alto da ravina sobre a colina da qual ela faz parte, suas tochas fazendo estranhos halos na escuridão envolta em névoas. Os cascos do meu cavalo pisam suavemente na grama molhada enquanto à minha direita o Metas gorgulha como uma criança doente no meio da noite. Cassius vai até lá com seu cavalo, mas não consigo enxergá-lo.

— Ceifeiro! — Os gritos de Mustang cortam a névoa. A voz dela não soa como a de uma pessoa que está brincando. Ela está a quarenta metros de distância, próxima à base da estrada em declive que leva ao castelo. Ela curva o corpo para a frente, os braços cruzados sobre a parte mais alta da sela. Seis cavaleiros a flanqueiam. O resto deve estar vigiando o castelo. Do contrário, eu os escutaria. Olho para os garotos atrás dela. Pax, um deles, é tão grande que sua lança parece um cetro nas suas luvas gigantescas.

— Olá, Mustang.

— Então você não se afogou. Teria sido mais fácil se tivesse. — Seu rosto vivaz está sombrio. — Você é uma espécie vil, sabia? — Ela está no interior do forte e não encontra palavras para descrever sua raiva. — Estupro? Mutilação? Assassinato? — cospe ela.

— Eu não fiz nada — digo. — Nem os Inspetores.

— Certo. Você não fez *nada*. Contudo, agora você está de posse do nosso estandarte, e o quê? O Bonitão está escondido em algum lugar na bruma? Vamos lá, finja não ser o líder deles. Finja não ser o responsável.

— Titus é o responsável.

— Aquele filho da puta enorme? Certo, Pax o derrubou. — Ela faz um gesto na direção do garoto em forma de monstro ao lado dela. Os cabelos de Pax são bem curtinhos, seus olhos pequenos, o queixo como um salto de sapato com uma reentrância. Embaixo dele, seu cavalo parece um cachorro. Seus braços nus são carne esticada sobre pedregulhos.

— Não vim aqui pra conversar, Mustang.

— Veio pra cortar minha orelha? — pergunta ela com um risinho afetado.

— Não. O Duende veio pra isso.

Então um dos homens dela desliza da sela gritando.

— O que... — murmura um cavaleiro.

Atrás deles, facas já gotejando, Sevro uiva como um maníaco. Outra meia dúzia de uivos se junta ao dele enquanto Antonia e metade da sua guarnição de Phobos cavalgam das colinas do norte sobre garanhões roubados cobertos de lama preta. Eles uivam como lunáticos na névoa. Os soldados de Mustang giram suas montarias. Sevro derruba mais um. Ele não usa lanças-de-atordoamento. Os medBots gritam no céu, que se encontra subitamente cheio de Inspetores. Todos eles vieram assistir. Mercúrio surge atrás do resto, carregando um punhado de destilados, que ele lança a seus companheiros. Cada um de nós olha para cima para observar aquela estranha aparição; os cavalos continuam correndo. O tempo faz uma pausa.

— À disputa! — debocha o sombrio Apolo do alto. Seu robe dourado demonstra que ele acabou de sair da cama. — À disputa!

Então o caos se instaura quando Mustang grita ordens, estratégia. Quatro outros cavaleiros descem a estrada em declive que vem do portão para dar apoio à tropa dela. Minha vez. Bato com força o estandarte de Minerva no chão de terra e berro assassinato, cacete! Bato com os calcanhares no flanco da minha égua. Ela avança em disparada, quase me perdendo. Meu corpo estremece enquanto ela pisoteia a terra molhada com seus cascos. Minha forte mão esquerda segura as rédeas e eu saco minha curviLâmina. Sinto-me novamente um Mergulhador-do-Inferno ao uivar.

O inimigo se espalha quando me avista vindo a toda a velocidade na direção deles. É a raiva que os confunde. É a insanidade de Sevro, a maníaca brutalidade de Marte. Os cavaleiros se dispersam, exceto um. Pax salta do seu cavalo e dispara na minha direção.

— *Pax au Telemanus* — grita ele, um titã possuído, espumando pela boca. Enterro os calcanhares no meu cavalo e uivo. Então Pax agarra meu cavalo. Seu ombro atinge o esterno do animal. O quadrúpede berra. Meu mundo vira de ponta-cabeça. Voo para fora da minha sela, por sobre a cabeça do cavalo, e caio violentamente no chão.

Tonto, cambaleio de joelhos no campo assolado por cascos.

A insanidade consome o campo. O grupamento de Antonia bate de frente com o flanco de Mustang. Eles têm armas primitivas, mas seus cavalos já são um choque suficiente. Diversos minervinos voam da sela. Outros chutam suas montarias na direção do estandarte abandonado, mas Cassius aparece do meio da névoa num galope frenético e dá um golpe no estandarte, mandando-o para o sul. Dois inimigos vão à caça do objeto, dividindo a tropa. Os outros seis soldados das guarnições da torre sob o comando de Antonia estão esperando para emboscá-los na floresta, onde os cavalos não têm como galopar.

Um reflexo faz com que eu me abaixe quando uma lança é jogada na direção do meu crânio. Já estou de pé com minha curviLâmina. Ataco um punho. Lento demais. Eu me movo como se estivesse numa dança, lembrando o ritmo que meu tio me ensinou nas minas abandonadas. A Dança da Colheita carrega meus movimentos um ao outro como se fosse água corrente. Giro a curviLâmina num joelho. O osso Áurico não quebra, mas a força derruba o cavaleiro da sua sela. Dou um giro para o lado e ataco mais uma vez, e outra, e acerto o casco do cavalo, quebrando um machinho. O animal cai.

Uma lança-de-atordoamento diferente me acerta. Evito o ponto e me livro dela com minhas mãos de Vermelho e emperro a ponta de eletrocução encostando-a na barriga do cavalo de um outro agressor. O quadrúpede cai. Uma montanha o empurra para o lado e corre na minha direção. Pax. Como se eu fosse algum idiota, ele rosna seu nome para mim. Seus pais o criaram para liderar grupos de Obsidianos responsáveis por efetuar aterrissagens em espaçonaves com fissuras no casco.

— *Pax au Telemanus!* — Ele bate a enorme lança no peito e atinge Palhaço com seus cabelos fofos com tanta força que meu amigo literalmente voa para trás. — *Pax au Telemanus.*

— É um chupador de pica! — debocho.

Então o flanco de um cavalo bate de encontro às minhas costas e eu cambaleio na direção do garoto monstruoso. É meu fim. Ele poderia ter me pegado com sua lança. Em vez disso, me abraça. É como ser abraçado por um urso dourado que grita sem parar seu próprio maldito nome. Minhas costas estalam. Mãe-do-Céu. Ele está esmagando meu crânio. Meu ombro dói. Caralho. Não consigo respirar, nunca senti uma força como essa. Deus do céu. Ele é uma porra de um titã. Mas alguém está uivando. Dezenas de uivos. Minhas costas estourando.

Pax ruge sua vitória pessoal.

— Estou com o capitão de vocês! Vou mijar na cabeça de vocês, Marte! Pax au Telemanus acabou com seu capitão! Pax au Telemanus!

Minha visão tremeluz em preto e some. Mas a raiva em mim não.

Rosno um último pedacinho de ira antes de desmaiar. Fica barato. Pax é honrado. Ainda consigo achatar os colhões dele com meu joelho. Eu me concentro para acertar a ambos quantas vezes for possível. Um. Dois. Três. Quatro. Ele geme e desaba. Desmaio em cima dele na lama ao som dos Inspetores dando vivas.

Sevro me conta a história enquanto dá uma busca nos bolsos dos nossos prisioneiros após a batalha. Depois que Pax e eu acabamos um com o outro, Roque partiu em disparada para a ravina com Lea e minha tribo. Mustang, a garota poderosa, escapou para o interior do castelo e consegue ainda mantê-lo em seu poder com seis combatentes. Todos os prisioneiros de Marte que Mustang capturou não serão dela até que os toque com a ponta do seu estandarte. Nem a pau. Nós temos onze dos homens dela e Roque desenterra nosso estandarte para torná-los nossos escravos. Poderíamos sitiar nosso próprio castelo — não há assalto a suas altas paredes —, mas Ceres ou o resto de Minerva poderiam vir a qualquer momento. Se fizerem isso, Cassius deverá cavalgar até Ceres para lhes entregar o estandarte de Minerva. Isso também o mantém afastado enquanto cimento minha posição como líder.

Roque e Antonia vão comigo negociar com Mustang no portão. Eu

FÚRIA VERMELHA **261**

manco e tenho uma costela quebrada. Dói quando respiro. Roque dá um passo para trás de modo que minha posição é a mais proeminente quando alcançamos o portão propriamente dito. Antonia torce o nariz e, por fim, faz a mesma coisa. Mustang está ensanguentada devido ao conflito e eu não consigo encontrar nenhum sorriso no seu lindo rosto.

— Os Inspetores assistiram a tudo isso — diz ela de maneira mordaz. — Eles viram o que foi que aconteceu naquele… lugar. Tudo…

— Foi trabalho de Titus — fala Antonia arrastadamente, a voz cansada.

— E de ninguém mais? — Mustang olha para mim. — As garotas não param de chorar.

— Ninguém morreu — diz Antonia, irritada. — Por mais fracas que elas sejam, vão se recuperar. Apesar do que aconteceu, não houve derramamento de sangue Dourado.

— O sangue Dourado… — murmura Mustang. — Como é que você pode ser tão fria?

— Menininha — suspira Antonia —, o Ouro é um metal frio.

Mustang levanta os olhos para Antonia incredulamente e então balança a cabeça.

— *Marte*. Deidade medonha. Vocês são bem adequados a isso, não são, pessoal? Barbárie? Séculos atrás. Idade das trevas.

Não tenho espírito para receber lições de moral da parte de uma Áurica.

— Gostaríamos que vocês deixassem o castelo — digo a ela. — Faça isso com seus homens e você pode ficar com aqueles que nós capturamos. Não os transformaremos em escravos.

Abaixo da colina, Sevro está ao lado dos cativos com nosso estandarte na mão. Ele está fazendo cócegas num irritado Pax com um pelo de cavalo.

Mustang encosta um dedo no meu rosto.

— Isso aqui é uma escola. Você se dá conta disso, certo? Independente das regras que sua Casa decide utilizar no jogo. Seja cruel da maldita maneira que você bem entender. Mas há limites. Há algumas drogas de limites ao que você pode fazer nesta escola, neste jogo.

Quanto mais bruto você é, mais tolo os Inspetores o consideram, mais tolo os adultos que vão saber o que você fez, o que você é capaz de fazer, o consideram. Você acha que eles querem monstros liderando a Sociedade? Quem iria querer um monstro como aprendiz?

Tenho uma visão de Augustus observando minha mulher pender na forca, os olhos mortos como os de uma víbora-das-cavidades. Um monstro iria querer um aluno à sua própria imagem.

— Eles querem visionários. Líderes de homens. Não ceifeiros de homens. Há limites — continua ela.

Eu rebato:

— Não há droga de limite nenhum.

Os maxilares de Mustang ficam enrijecidos. Ela compreende em que isso redundará. No fim, devolver-nos nosso horrível castelo não lhe custará nada; tentar mantê-lo, sim. Ela pode muito bem acabar como uma das garotas na torre alta. Mustang nunca pensou nessa possibilidade antes. Dá para ver que ela quer ir embora. É seu senso de justiça que a está matando. De alguma forma, ela pensa que deveríamos pagar pelo que ocorreu, que os Inspetores deveriam descer e interferir. A maioria dos moleques tem essa noção a respeito do jogo; droga, Cassius disse isso uma centena de vezes enquanto estávamos juntos nas patrulhas. Mas o jogo não é assim, porque a vida não é assim. Deuses, na vida real, não descem para fazer justiça. Os poderosos fazem isso. É isso o que eles estão nos ensinando, não apenas a dor de se conquistar o poder mas o desespero que surge por não tê-lo, o desespero que surge quando você não é um Ouro.

— Vamos ficar com os escravos de Ceres — exige Mustang.

— Não, eles são nossos — digo, a fala arrastada. — E vamos fazer com eles o que bem entendermos.

Ela me observa por um longo tempo, refletindo:

— Então a gente pega Titus.

— Não.

Mustang rebate:

— A gente vai ficar com Titus ou não haverá acordo.

— Vocês não vão ficar com ninguém.

FÚRIA VERMELHA **263**

Ela não está acostumada a receber não como resposta.

— Quero garantias de que eles estão em segurança. Quero que Titus pague por isso.

— O que você quer tem tanto valor quanto um balde de mijo. Aqui você fica com o que tem. Isso é parte do plano da lição. — Puxo minha curviLâmina e enfio sua ponta no chão. — Titus pertence à Casa Marte. Ele é nosso. Portanto, vá lá e tente pegá-lo.

— Ele será julgado — diz Roque para Mustang com o intuito de tranquilizá-la quanto a isso.

Eu me viro para ele, os olhos flamejantes.

— Cale essa boca.

Ele baixa os olhos, ciente de que não deveria ter aberto a boca. Pouco importa. Os olhos de Mustang não olham para Antonia ou para Roque. Eles não olham para baixo da ribanceira onde Lea e Cipio estão com os guerreiros dela ajoelhados na ravina, e Cardo está sentada nas costas de Pax com Erva, revezando-se em fazer cócegas no gigante. Seus olhos não olham para a lâmina. Eles olham somente para mim. Eu me aproximo dela.

— Se Titus estuprasse uma menininha que por acaso fosse Vermelha, como você se sentiria a respeito?

Ela não sabe como responder. A Lei sabe. Nada aconteceria. Não se trata de estupro, a menos que ela estivesse usando o sinete de uma Casa anciã como Augustus. Mesmo assim, o crime seria contra o mestre dela.

— Agora olhe ao seu redor — digo baixinho. — Não há nenhum Ouro aqui. Eu sou Vermelho. Você é Vermelha. Nós todos somos Vermelhos até um de nós adquirir poder suficiente. Aí sim a gente recebe direitos. Aí sim a gente faz nossa própria lei. — Eu me afasto e elevo a voz. — Este é o propósito de tudo isso aqui. Fazer com que você fique morrendo de medo de um mundo onde você não governa. Segurança e justiça não são dadas. Elas são feitas pelos fortes.

— Você devia ter esperanças de que isso não correspondesse à verdade — diz Mustang baixinho.

— Por quê?

— Porque existe um garoto aqui como você. — O rosto dela adquire um aspecto sombrio, como se ela lamentasse o que precisa dizer. — Meu Inspetor o chama de Chacal. Ele é mais inteligente e mais cruel e mais forte do que você, e vai vencer este jogo e fazer de nós todos escravos dele se todo mundo ficar agindo por aí como animais. — Seus olhos exprimem súplica. — Então, por favor, comece logo a evoluir.

28

MEU IRMÃO

Finjo que os fósforos vieram de um dos minervinos quando acendo nossa primeira fogueira dentro do castelo de Marte. June é pega na sua prisão improvisada, e logo prepara para nós um banquete com a carne das cabras e das ovelhas e com ervas colhidas pela minha tribo. Meu pessoal finge que essa não é a primeira refeição que eles fazem em semanas. Os outros da Casa estão famintos o bastante para acreditar na mentira. Minerva e seus guerreiros há muito já retornaram para casa.

— E agora? — pergunto a Roque enquanto os outros comem na praça. O forte é ainda um lugar cheio de imundície, e a luz da fogueira não faz nada além de iluminar a sujeira. Cassius foi se encontrar com Quinn, de modo que estou sozinho por um momento com Roque.

A tribo de Titus está sentada em grupos quietos. As garotas se recusam a falar com os garotos por causa das coisas que viram alguns deles fazerem. Todos comem com a cabeça baixa. Há vergonha ali. O povo de Antonia está sentado com o meu e olha com raiva para o de Titus. Seus olhos estão cheios de nojo. Também de traição, mesmo enquanto enchem suas barrigas. Diversas rixas já foram amplificadas. Palavras menores se transformando em punhos cerrados. Pensei que a vitória pudesse quem sabe uni-los. Mas isso não ocorreu. A divisão está pior do que nunca, só que agora não consigo defini-la e penso que há apenas uma maneira de remediá-la.

Roque não tem a resposta que eu quero ouvir.

— Os Inspetores não vão interferir porque eles querem ver se, e como, nós lidaremos com a justiça, Darrow. Essa é a peculiaridade mais profunda que esta situação está esquadrinhando. Como administramos a Lei?

— Brilhante — digo. — E daí? A gente deve chicotear Titus? Matá-lo? Isso seria a Lei.

— Seria? Ou isso seria apenas vingança?

— Você é o poeta. Você vai encontrar uma resposta. — Chuto uma pedra para longe dos baluartes.

— Ele não pode ficar amarrado no porão. Você sabe disso. A gente nunca vai sair deste torpor se ele ficar lá, e tem que ser você a decidir o que fazer com ele.

— Cassius não? — pergunto. — Acho que ele fez por merecer uma palavrinha sobre isso. Afinal de contas, Cassius tem direito a ele. — Não quero compartilhar a liderança com Cassius, mas também não quero que ele saia do Instituto sem nenhuma perspectiva. Tenho uma dívida com ele.

— Cassius tem direito a ele? — diz Roque, tossindo. — E você não acha que *isso* soa um tanto quanto bárbaro?

— Então Cassius não deve ter nenhuma participação nisso?

— Eu o amo como se fosse um irmão meu, mas acho que não deve ter, não. — O rosto estreito de Roque fica tenso enquanto ele põe uma das mãos no meu braço. — Cassius não pode liderar esta Casa. Não depois do que aconteceu. A garotada de Titus pode até obedecê-lo, mas não vai respeitá-lo. Eles não vão considerá-lo mais forte do que eles, mesmo que ele seja. Darrow, os caras mijaram em cima dele. Nós somos Ouros. Nós não esquecemos.

Ele está certo.

Puxo os cabelos em frustração e olho com raiva para Roque como se ele estivesse sendo difícil.

— Você não entende o quanto isso significa para Cassius. Depois da morte de Julian… Ele precisa ter sucesso. Ele não pode ser lembrado apenas pelo que aconteceu. Não pode.

FÚRIA VERMELHA **267**

Por que será que me importo tanto com isso?

— O que isso significa pra ele é tão importante pra mim quanto um balde de mijo. — Roque ecoa minhas palavras com um sorriso. Seus dedos são magros como feno no meu bíceps. — Eles nunca vão ter medo dele.

O medo é necessário aqui. E Cassius sabe disso. Por que outro motivo ele está ausente na nossa vitória? Antonia não saiu do meu lado. Pollux, o que abriu o portão, tampouco. Eles ficam vários metros distantes para se associar ao meu poder. Sevro e Cardo os observam com risinhos de esguelha.

— É por isso que você também está aqui, sua raposa astuciosa? — pergunto a Roque. — Pra compartilhar a glória?

Ele dá de ombros e abocanha a perna de carneiro que Lea lhe traz.

— Dane-se isso. Estou aqui por causa da comida.

Encontro Titus no porão. Os minervinos o amarraram e o espancaram com selvageria depois de verem as escravas na torre dele. Essa é a justiça deles. Ele sorri para mim de sua posição inferiorizada.

— Quantas pessoas da Casa Ceres você matou nas suas batidas? — pergunto.

— Chupa aqui meu saco. — Ele escarra um cuspe ensanguentado. Eu me esquivo.

Mal consigo resistir a enchê-lo de pontapés ali mesmo. Pax já foi a conta do dia. Titus tem o descaramento de perguntar o que aconteceu.

— Eu agora governo a Casa Marte.

— Terceirizou seu trabalho sujo aos minervinos, né? Não quis me encarar? Típico covarde Dourado.

Tenho medo dele. Não sei por quê. Contudo, ajoelho-me e olho fixamente para ele.

— Você é um tremendo babaca, Titus. Você não evoluiu em momento algum. Nunca passou nem na primeira prova. Você pensava que essa coisa toda tinha a ver com violência e com matança. Idiota. Tem a ver com civilização, não com guerra. Pra ter um exército você precisa primeiro ter uma civilização. Você foi direto pra violência como eles queriam que a gente fizesse. Por que você acha que eles não deram nada pra gente aqui de Marte e as outras Casas têm tantos recursos? Eles esperavam que a gente lutasse como malucos, mas também esperavam que a gente se acabasse, como aconteceu com você. Mas eu venci essa prova. Agora sou um herói. Não um usurpador. E você é apenas o ogro no calabouço.

— Oba! Oba! — Ele tenta bater palmas com as mãos atadas. — Não estou nem aí pra essa droga.

— Quantos você matou? — pergunto.

— Não o bastante. — Ele inclina a cabeça grande. Seus cabelos estão gordurosos e escuros de terra, quase como se ele tivesse tentado escurecer o ouro. Há terra debaixo das suas unhas e cobrindo sua pele lustrosa. — Tentei cortar as cabeças deles. Tentei matar todo mundo antes dos medBots aparecerem. Mas eles eram rápidos demais o tempo todo.

— Por que você queria matar esse pessoal? Não entendo qual poderia ser o motivo. Eles são seu próprio povo.

Ele ri desdenhosamente dessas palavras.

— Você poderia ter mudado as coisas, seu filho da puta. — Seus olhos grandes estão mais calmos, mais tristes do que eu consigo me lembrar. Ele não gosta de si mesmo, percebo. Alguma coisa nele é extremamente triste. O orgulho que eu pensava que ele tinha não é orgulho: é apenas desdém. — Você fala que eu sou cruel, mas você tinha fósforos e iodo. E não pense que eu não sabia mesmo antes de sentir o cheiro em você. Estávamos passando fome e você usou o que encontrou pra virar líder. Então é o seguinte, não venha com lição de moral pra cima de mim, seu bebedor de mijo traidor do caramba.

— Então por que você não fez nada em relação a isso?

— Pollux e Vixus estavam com medo de você. Aí o resto também ficou. E eles pensavam que o Duende mataria todo mundo enquanto eles estivessem dormindo. O que é que eu podia fazer se eu era o único que não estava assustado?

— Por que você não estava?

FÚRIA VERMELHA **269**

Ele ri com força.

— Você não passa de um garoto com uma curviLâmina. Primeiro pensei que você era durão. Pensei que a gente via as coisas de maneira similar. — Ele lambe o lábio ensanguentado. — Pensei que você era como eu, só que pior do que eu por causa daquela frieza nos seus olhos. Mas você não é frio. Você se importa com aqueles babaquinhas.

Minhas sobrancelhas ficam unidas.

— Como é que é?

— Simples. Você fez amizades. Roque. Cassius. Lea. Quinn.

— E você também. Pollux, Cassandra, Vixus.

O rosto de Titus se contorce horrivelmente.

— *Amigos?* — cospe ele. — Amigo *desses* aí? Desses Testas-douradas? Eles são monstros, são uns filhos da puta desalmados. Nada além de um bando de canibais, todos eles. Eles fizeram a mesma coisa que eu, mas... *pfff*.

— Ainda não estou entendendo por que você fez o que fez com as escravas — digo. — Estupro, Titus. Estupro.

O rosto dele está quieto e cruel.

— Eles fizeram antes.

— Quem?

Mas ele não está escutando. Subitamente, está me contando como eles "a" levaram e "a" estupraram na frente dele. E os putos voltaram uma semana depois para fazer isso mais uma vez. Então ele os matou; esmagou a cabeça deles.

— Eu matei as porras daqueles monstros. Agora as porras das filhas deles estão sentindo a mesma coisa que ela sentiu.

É como se eu tivesse recebido um soco na cara.

Ah, cacete.

Um calafrio percorre meu corpo.

Porra.

Eu tropeço e quase caio para trás.

— Que droga está acontecendo com você? — pergunta Titus. Se eu fosse um Ouro, talvez nem tivesse reparado, talvez tivesse simplesmente ficado entontecido pela palavra esquisita. Não sou Ouro.

— Darrow?

Forço meu corpo a se dirigir ao corredor. Estou me movendo numa névoa. Tudo faz sentido. O ódio. O nojo. A vingança. Canibais comem aqueles da sua própria espécie. Ele os chamou de canibais. Pollux, Cassandra, Vixus — quem são os da espécie deles? A espécie *deles*. Dourados. *Porras*. Não *malditos*. Titus disse *porra*. Nenhum Ouro diz isso. Jamais. E ele chamou minha arma de curviLâmina e não de foice de ceifeiro.

Ah, cacete.

Titus é um Vermelho.

29

UNIDADE

Titus é o que Dancer não queria que eu me tornasse. Ele é como Harmony. É uma criatura de vingança. Uma rebelião com Titus no comando fracassaria em semanas. Pior, se Titus continuar dessa forma, continuar agindo de modo instável, ele vai me colocar em risco. Dancer mentiu, ou então ele não sabia que outros Vermelhos haviam sido entalhados, outros Vermelhos que haviam recebido as máscaras dos Ouros. Quantos mais haverá? Quantos deles Ares mandou plantar aqui, na Sociedade? No Instituto? Pouco importa se são mil ou se é apenas um. A instabilidade de Titus põe todo Vermelho até agora transformado em Ouro em risco. Ele põe o sonho de Eo em risco. E isso é algo que não posso acatar. Eo não morreu para que Titus pudesse matar uns poucos moleques.

Eu soluço ao lado do armário enquanto decido o que deve ser feito.

Mais sangue vai manchar essas mãos, porque Titus é um cachorro louco e precisa ser abatido.

De manhã eu o puxo até a praça em frente à Casa. Eles retiram os restos do banquete da noite anterior. Mando inclusive colocar os escravos lá para que assistam. Alguns Inspetores piscam acima. Não há nenhum medBot flutuando ao lado deles, o que deve significar o consentimento silencioso deles.

Empurro Titus para o chão na frente da sua antiga tribo. Eles observam em silêncio, a névoa pairando no ar acima deles, pés nervosos raspando os frios paralelepípedos do pátio. Um calafrio me percorre as mãos através do duroaço da minha curviLâmina.

— Por crimes de estupro, mutilação e tentativa de assassinato de companheiros membros da Casa, condeno Titus au Ladros à pena de morte. — Listo os motivos. — Alguém contesta meu direito de fazer isso? — Primeiro, olho de relance para os Inspetores acima. Nenhum deles emite um som sequer.

Olho fixamente para o cruel Vixus. Seu hematoma ainda não desapareceu. Meus olhos vão para Cassandra em seguida. Olho até para o áspero Pollux, o que salvou Cassius e abriu o portão para nós. Ele está postado ao lado de Roque. Como as lealdades mudam por aqui.

Como a minha própria mudou. Vou fazer um Vermelho morrer porque matou Ouros. Ele escavava a terra como eu. Ele tem uma alma como a minha. Na morte, ela irá para o vale, mas em vida ele foi estúpido e egoísta com sua mágoa. Ele deveria ter sido melhor do que isso. Nós vermelhos somos melhores do que isso, não somos?

A tribo de Titus permanece em silêncio; sua culpa está atada à do seu líder. Quando ele se for, ela também irá. Isso é o que eu digo a mim mesmo. Tudo se ajeitará.

— Eu contesto a sentença — diz Titus. — E lanço um desafio a você, seu comedor de merda.

— Eu aceito, *bom-homem*. — Faço uma mesura.

— Então um duelo pela tradição da Ordem da Espada — anuncia Roque.

— Então eu escolho — diz Titus, olhando para minha curviLâmina. — Lâminas retas. Nada de lâminas curvas.

— Como você preferir — digo, mas, ao dar um passo à frente, sinto uma mão no meu cotovelo e sinto meu amigo se aproximar de mim.

— Darrow, ele é meu — sussurra Cassius friamente. — *Lembra?* — Não faço nenhum sinal de que estou acatando o pedido. — Por favor, Darrow. Deixe-me honrar a Casa Bellona.

Olho para Roque; ele balança a cabeça. Assim como Quinn. Que está em pé atrás de Cassius. Mas eu sou o líder aqui. E realmente fiz uma promessa a meu amigo, que agora reconhece minha ascendência. Ele solicita em vez de exigir, e assim eu dou a entender que estou avaliando a proposta e em seguida aceitando sua solicitação. Eu me afasto enquanto Cassius dá um passo à frente com uma lâmina reta segura no seu aperto de esgrimista. Trata-se de uma arma feia, mas ele a afiou em pedras.

— Babacão — desdenha Titus. — Maravilha. Vai ser um prazer encharcar novamente seu corpo com mijo quando tudo isso aqui estiver encerrado.

Titus foi feito para rixas. Para campos de batalha enlameados e para guerras civis. Imagino se ele sabe como perderá sua vida facilmente hoje.

Roque desenha um círculo com cinzas ao redor dos dois combatentes. Palhaço e Cara Ferrada saem do local com braços cheios de armas. Titus pega uma longa espada larga que ele tomou de um soldado de Ceres cinco dias antes. O metal raspa a pedra. Ecoa ao redor do pátio. Ele a gira no ar uma vez, duas vezes para testar o metal. Cassius não se move.

— Já está mijando nas calças? — pergunta Titus. — Não se aborreça, eu vou ser rápido com isso aqui.

Roque profere as condições do duelo e dá início ao combate.

Cassius não tem pressa.

As lâminas feias se chocam uma com a outra. Os clangores são duros. As lâminas lascam. Elas trituram. Mas como são silenciosas quando encontram carne!

O único som é o arquejo de Titus.

— Você matou Julian — diz Cassius baixinho. — Julian au Bellona da Casa Bellona.

Cassius puxa a lâmina da perna de Titus e a enfia em alguma outra parte. Ele a arranca.

Titus ri e movimenta a espada fragilmente. A situação está patética a essa altura.

274   PIERCE BROWN

— Você matou Julian. — Uma penetração acompanha as palavras, palavras que ele repete até que eu não estou mais acompanhando. — Você matou Julian. — Mas Titus está morto há muito. Lágrimas escorrem pelo rosto de Quinn. Roque a tira, junto com Lea, do local. Meu exército está em silêncio. Cardo cospe nos paralelepípedos e abraça Pedrinha. Palhaço aparenta estar ainda mais abatido do que de costume. Nem mesmo os Inspetores fazem comentários. É a raiva de Cassius que preenche o pátio, o cruel lamento por um irmão, por um parente. Ele disse que fez isso por justiça, pela honra da sua família e Casa. Mas isso é vingança, e como essa vingança parece vazia.

Fico enregelado.

Isso era para estar acontecendo comigo. Não com o coitado do meu irmão Titus — se é que este era de fato o nome dele. Ele merecia destino melhor do que esse.

Eu vou chorar. A raiva e a tristeza inundam meu peito enquanto abro caminho em meio ao exército. Roque olha para mim quando passo por ele. Seu rosto é como o de um cadáver.

— Isso não foi justiça — murmura ele sem me olhar nos olhos.

Fracassei na prova. Ele está certo. Aquilo não foi justiça. Justiça é desprovida de paixão; é justa. Sou o líder. Decretei a sentença. Eu devia ter feito isso. Ao contrário, dei licença para a vingança e para a vendeta. O câncer não vai ser extirpado; eu o tornei pior.

— Pelo menos Cassius voltou a ser temido — murmura Roque. — Mas esse foi seu único acerto.

Pobre Titus. Eu o enterro num bosque perto do rio. Espero que isso acelere sua ida ao vale.

Essa noite eu não durmo.

Não sei se foi a mulher dele ou a irmã dele ou mesmo a mãe dele que foi agredida. Não sei de que mina ele veio. A dor de Titus é minha dor. A dor dele o derrotou como a minha me derrotou no cadafalso. Mas eu recebi de presente uma segunda chance. Onde estava a dele?

Espero que sua dor desapareça na morte. Só passei a amá-lo depois que ele estava morto; e ele deveria estar morto, mas ainda assim ele é meu irmão. Portanto, rezo para que ele encontre paz no vale e para que eu possa reencontrá-lo algum dia e possamos nos abraçar como irmãos enquanto ele me perdoa pelo que fiz a ele, porque fiz isso por um sonho, por nosso povo.

Meu nome, três barras ao lado dele agora, flutua mais próximo da mão de Primus.

Cassius também ascendeu.

Mas só pode haver um único Primus.

Como não consigo dormir, assumo o turno da guarda que estava com Cassandra. A névoa contorna as ameias, de modo que amarramos as ovelhas nas paredes. Elas vão balir caso o inimigo apareça. Sinto um cheiro estranho, forte e fumarento.

— Pato assado? — Eu me viro e encontro Fitchner em pé ao meu lado. Seus cabelos estão despenteados sobre a testa estreita e ele não está vestindo nenhuma armadura dourada hoje, apenas uma túnica preta com listras douradas. Ele me entrega um pedaço de pato. O cheiro faz meu estômago roncar.

— Todo mundo aqui devia estar puto com você — digo.

O rosto dele exibe surpresa.

— As criancinhas que dizem isso normalmente têm a intenção de explicar por que não estão putos.

— Você e os Inspetores conseguem ver tudo, certo?

— Até mesmo quando você limpa essa sua bunda.

— E você não impediu Titus porque tudo isso faz parte do currículo.

— A verdadeira questão é por que nós não impedimos você.

— De matá-lo.

— Exato, meu pequeno. Ele teria sido valioso no exército, você não acha? Talvez não um Pretor com naves no espaço. Mas que Legado ele não daria, liderando homens em couraçasEstelares através dos portões inimigos com fogo chovendo de encontro a seus pulsEscudos. Você já viu uma Chuva Férrea? Onde homens são lançados da órbita pra tomar cidades? Esse era o destino dele.

Não respondo.

Fitchner limpa a gordura dos lábios com a manga preta da túnica.

— A vida é a mais eficiente escola jamais criada. No passado, eles mandavam as crianças cumprimentar os adultos e ler livros. Demorava séculos até que alguma coisa de positivo acontecesse. — Ele dá um tapinha na cabeça. — Mas agora temos geringonças e datapads, e nós Ouros mandamos as Cores mais baixas fazerem nossas pesquisas. Não precisamos estudar química ou física. Temos computadores e outras pessoas fazem isso por nós. O que precisamos estudar é a humanidade. Pra poder governar, nosso estudo precisa girar em torno das ciências política, psicológica e comportamental. Como os seres humanos reagem desesperadamente uns aos outros, como os bandos se formam, como os exércitos funcionam, como as coisas se desintegram e por quê. Você só poderia aprender isso aqui, e em nenhum outro lugar.

— Não, entendo o propósito — murmuro. — Aprendo mais quando cometo erros, contanto que os erros não me custem a vida. — Como aprendi com minhas tentativas de me tornar um mártir!

— Bom. Você cometeu muitos. Você é um merdinha impulsivo. Mas aqui é o lugar pra superar isso. Pra aprender. Isso aqui é a vida... mas com medBots, segundas chances, cenários artificiais. Talvez você tenha adivinhado que a primeira prova, a Passagem, foi uma mensuração da necessidade *versus* a emoção. A segunda prova foi antagonismo tribal. Depois houve um pouquinho de justiça. Agora novas provas ocorrerão. Mais segundas chances, mais lições aprendidas.

— Quantos de nós podem morrer? — pergunto subitamente.

— Não se preocupe com isso.

— Quantos?

— Existe um limite estabelecido a cada ano pelo Comitê de Controle de Qualidade, mas estamos bem dentro da margem apesar do que aconteceu com o Chacal. — Fitchner sorri.

— O Chacal... — digo. — Foi isso o que aconteceu na outra noite quando os medBots deram uma blitz no sul?

— Eu disse o nome dele, é? Oops. — Ele dá um risinho. — Eu quis dizer que os medBots são bastante eficientes. Eles curam praticamente todos os ferimentos. Mas será que eles vão ser tão eficientes quando Cassius descobrir quem realmente matou o irmão dele?

Meu estômago dá um nó.

— Ele já matou o assassino de Julian. Aparentemente, você não estava assistindo.

— É claro. É claro. Mercúrio acha você brilhante. Apolo acha que você é o mais frouxo aqui. Ele realmente não gosta de você, sabia?

— Isso me preocupa tanto quanto um balde de mijo.

— Oh, você deveria se preocupar bem mais do que isso. Apolo é um babaca.

— Certo. Então o que é que você acha? Você é meu Inspetor.

— Eu acho que você é uma alma antiga. — Ele me observa curvar o corpo de encontro ao baluarte. A noite está enevoada além do castelo. Do meio das suas profundezas, um lobo uiva. — Acho que você é como aquela fera lá fora. Parte de um bando, mas profundamente triste, profundamente solitário. E eu não consigo destrinchar por quê, meu menininho. Tudo isso é tão divertido! Aproveite! A vida não fica melhor do que isso.

— Você é a mesma coisa — digo. — Solitário. Você é só gozação e comentários falaciosos, exatamente como Sevro, mas é só uma máscara. É porque você não se parece com os outros, não é? Ou será que você é pobre? De alguma maneira você é um intruso aqui.

— Minha aparência? — Ele ri como um latido. — Que importância isso tem? Pensa que eu sou um Bronzeado porque não sou nenhum Adônis? — Ele curva o corpo para a frente, porque realmente se importa com o que eu vou falar.

— Você é feio e come como um porco, Fitchner, mas masca metabolizantes quando poderia simplesmente consultar um Entalhador e se consertar pra ficar parecido com os outros. Eles podiam cuidar dessa pança em questão de segundos.

Os músculos da mandíbula de Fitchner se mexem. Será raiva?

— Por que eu deveria consultar um Entalhador? — sibila ele subitamente. — Posso matar um Obsidiano com minhas próprias mãos. Um Obsidiano. Posso superar um Prata em discurso e negociação.

Posso fazer contas que os Verdes só conseguem fazer sonhando. Por que minha aparência deveria ficar diferente?

— Porque é isso que te deixa emperrado.

— Apesar de ter nascido numa posição inferior, sou digno de nota. Sou importante. — Seu rosto fino e comprido me desafia a contradizê-lo. — Eu sou Ouro. Sou um rei em forma de homem. Não mudo pra me adequar aos outros.

— Se isso é verdade, por que você masca metabolizantes? — Ele não responde. — E por que você é apenas um Inspetor?

— Tornar-se um Inspetor é uma posição de prestígio, menino — rebate Fitchner. — Os Selecionadores votaram em mim pra representar a Casa.

— Você não é Imperador. Você não lidera nenhuma frota. Você não é nem um Pretor comandando um esquadrão. Você também não é nenhum tipo de Governador. Quantos homens podem fazer as coisas que você diz poder fazer?

— Poucos — diz ele muito silenciosamente, o rosto uma raiva só. — Muito poucos. — Ele levanta os olhos. — Qual é a recompensa que você deseja por ter capturado o estandarte minervino?

— Por acaso esse não é o acordo de Sevro? — digo, compreendendo que a conversa está se aproximando do fim.

— Ele passou pra você.

Peço cavalos e armas e fósforos. Ele concorda sucintamente e se vira para partir antes que eu possa lhe fazer uma última pergunta. Seguro o braço de Fitchner quando ele começa a ascender. Algo acontece. Meus nervos são fritados. Como agulhas em ácido pela minha mão e pelo braço. Eu arquejo. Meus pulmões não conseguem funcionar por um segundo.

— Droga — tusso, e caio no chão. Ele está usando uma pulsArmadura. Nem consigo ver o gerador. É como um pulsEscudo, mas inserido na própria armadura.

Ele espera sem um sorriso.

— O Chacal — digo. — Você mencionou o nome dele. A garota minervina mencionou o nome dele. Quem é ele?

FÚRIA VERMELHA   **279**

— Ele é o filho do ArquiGovernador, Darrow. E perto dele Titus parece um bebezinho.

Cavalos grandes pastam nos campos na manhã seguinte. Lobos tentam abater uma égua. Um garanhão claro vem ao encontro dela e escoiceia um dos lobos até matá-lo. Eu o escolho. Os outros o chamam de Quietus. Significa "o golpe final".

Ele me faz lembrar do Pégaso que salvou Andrômeda. As canções que nós cantávamos em Lykos falavam de cavalos. Sei que Eo iria gostar de ter a chance de montar um deles.

Só percebo dias depois que, no momento em que eles nomearam meu cavalo de Quietus, estavam debochando de mim por causa da morte de Titus.

30
CASA DIANA

Um mês se passa. Em decorrência da morte de Titus, a Casa Marte se torna mais forte. A força vem não da altaSeleção mas da escória, da minha tribo e da médiaSeleção. Tornei o abuso de escravos ilegal. Os escravos de Ceres, embora ainda retraídos em torno de Vixus e de alguns outros, fornecem nossa comida e nosso fogo; eles são bons para poucas outras coisas. Cinquenta cabras e ovelhas foram reunidas no castelo para a eventualidade de um cerco; pelo mesmo motivo, a lenha foi estocada. Mas não temos água. As bombas para o lavatório pararam de funcionar depois do primeiro dia e não temos baldes para estocar água no interior do castelo caso ocorra um cerco. Duvido que isso tenha sido um acidente.

Transformamos escudos em bacias e usamos capacetes para trazer água do rio que flui ao longo da ravina abaixo do nosso castelo. Cortamos árvores e deixamos os troncos ocos para fazer tinas nas quais estocamos a água. Pedras são recolhidas e um poço é cavado, mas não podemos cavar fundo o suficiente para ultrapassar a lama. Ao contrário, enfileiramos pedras e madeira ao longo do poço e tentamos usá-lo como um tanque de água. Sempre vaza. Então temos nossas tinas e fica por isso mesmo. Não podemos permitir que haja um cerco a nosso castelo.

O forte está mais limpo.

Depois de ver o que aconteceu com Titus, peço a Cassius que me ensine a usar a lâmina. Sou um aluno que aprende a matéria de maneira assombrosamente rápida. Aprendo com uma lâmina reta. Nunca uso minha curviLâmina; ela já faz parte do meu corpo. E a questão não é aprender a usar a lâmina reta, cujo manuseio é muito parecido com o das navalhas, mas aprender como ela será usada contra mim. Também não quero que Cassius aprenda a lutar contra uma lâmina curva. Se algum dia ele descobrir sobre Julian, a curva será minha única esperança.

Não sou proficiente em Kravat. Não consigo dar os chutes. Mas aprendo a arrebentar traqueias. E aprendo a usar minhas mãos apropriadamente. Chega de socos estilo moinho de vento. Chega de defesas tolas. Sou mortífero e rápido, mas não gosto da disciplina que o Kravat requer. Quero ser um lutador eficiente. E pronto. O Kravat parece ter a intenção de me ensinar a paz interior. Essa é uma causa perdida.

No entanto, agora seguro as mãos como Cassius, como Julian, no ar, os cotovelos ao nível do olho de modo que estou sempre atacando ou bloqueando para baixo. Às vezes Cassius menciona Julian e sinto a escuridão surgir. Penso nos Inspetores observando e rindo disso; devo parecer uma coisa maligna, manipuladora.

Esqueço que Cassius, Roque, Sevro e eu somos inimigos. Vermelho e Ouro. Esqueço que um dia eu talvez seja obrigado a matar todos eles. Os três me chamam de irmão, e eu não consigo pensar neles de outra forma.

A batalha com a Casa Minerva se desdobrou numa série de rixas entre grupos militares, nenhum dos lados ganhando vantagem suficiente sobre o outro a ponto de conseguir obter uma vitória decisiva. Mustang não vai arriscar a batalha campal que eu desejo, nem podem eles de fato ser instigados a isso. Eles não são tão facilmente tentados a acessos de glória ou de violência como são meus soldados.

Os minervinos estão desesperados para me capturar. Pax vira um lunático quando me vê. Mustang tentou inclusive oferecer a Antonia, ou pelo menos é o que afirma Antonia, um acordo de defesa mútuo, uma dúzia de cavalos, seis lanças-de-atordoamento e sete escravos a serem trocados por mim. Não sei se ela está mentindo quando me conta isso.

— Você me trairia num piscar de olhos se com isso pudesse conseguir ser Primus — digo a ela.

— Sim — diz ela irritadamente, enquanto interrompo sua fastidiosa atividade de manicure. — Mas como você já espera por isso, a coisa não vai ser de fato uma traição, querido.

— Então por que você não aceitou a oferta?

— Oh, a escória te admira. Seria uma atitude desastrosa a essa altura. Talvez depois de você fracassar em alguma coisa, aí sim, talvez quando o movimento estiver contra você.

— Ah, você está esperando um preço maior.

— Exatamente, querido.

Nenhum dos dois menciona Sevro. Sei que ela ainda tem medo de que ele lhe corte a garganta se ela encostar em mim. Ele agora me segue, usando sua pele lupina. Às vezes ele caminha. Às vezes monta uma pequena égua preta. Ele não gosta de armaduras. Lobos o abordam ao acaso, como se ele fizesse parte do seu bando. Eles aparecem para comer cervos que Sevro mata porque ficaram famintos quando prendemos as cabras e as ovelhas no interior do castelo. Pedrinha sempre deixa comida para eles nas paredes quando alguma fera é abatida por nós. Ela observa como uma criança os lobos se aproximarem em grupos de quatro ou três.

— Matei o líder do bando deles — diz Sevro quando pergunto por que os lobos o seguem. Ele me olha de alto a baixo e exibe para mim um risinho demoníaco debaixo da sua pele lupina. — Não se preocupe, eu não vestiria sua pele.

Dei o comando da escória a Sevro, porque sei que talvez eles sejam as únicas pessoas de quem ele pode vir a gostar algum dia. De início ele as ignora. Então, lentamente, começo a reparar que mais uivos sobrenaturais preenchem a noite do que antes. Os outros os chamam de Uivadores, e depois de algumas noites sob a tutelagem de Sevro, cada um deles usa um manto lupino preto. São seis: Sevro, Cardo,

FÚRIA VERMELHA   **283**

Cara Ferrada, Palhaço, Pedrinha e Erva. Quando você olha para eles, a impressão que dá é que cada um daqueles rostos passivos está olhando do bucho aberto e cheio de presas de um lobo. Eu os uso para tarefas silenciosas. Sem eles, não tenho certeza se ainda permaneceria como líder. Meus soldados sussurram calúnias a meu respeito enquanto passo. As velhas feridas não cicatrizaram.

Preciso de uma vitória, mas Mustang se recusa a me enfrentar, e as paredes de trinta metros da Casa Minerva não são tão facilmente transponíveis quanto eram anteriormente. Em nossa sala de guerra, Sevro anda de um lado para o outro e diz que o jogo foi projetado de um modo estúpido.

— Eles tinham que saber que a gente não poderia passar pelas malditas paredes uns dos outros. E ninguém é tão imbecil a ponto de enviar um pelotão que ninguém pode se dar ao luxo de desperdiçar. Principalmente Mustang. Pax talvez. Ele é um idiota, tem o físico de um deus, mas é um idiota assim mesmo e quer arrancar seus colhões. Ouvi falar que você esmagou um dos dele.

— Os dois.

— Devíamos simplesmente colocar Pedrinha ou o Duende numa catapulta e lançar os dois por cima daquele muro — sugere Cassius. — É claro que a gente teria que achar uma catapulta...

Estou cansado dessa guerra com Mustang. Em algum lugar do sul ou do oeste, o Chacal está se fortificando. Em algum lugar meu inimigo, o filho do ArquiGovernador, está se preparando para me destruir.

— A gente está examinando a coisa de modo errado — digo a Sevro, Quinn, Roque e Cassius. Eles estão sozinhos comigo na sala de guerra. Uma brisa outonal traz o cheiro de folhas mortas.

— Oh, queira compartilhar sua sabedoria — diz Cassius com um riso. Ele está deitado em várias cadeiras, a cabeça no colo de Quinn. Ela brinca com os cabelos dele. — Estamos ansiosos pra ouvir.

— Isso aqui é uma escola que existe há quanto tempo? Mais de trezentos anos? Então, toda permutação já foi vista. Todo problema que encaramos foi projetado pra ser superado. Sevro, você diz que a fortaleza não pode ser tomada? Bem, os Inspetores precisam saber disso.

Então isso significa que temos que mudar o paradigma. Precisamos de uma aliança.

— Contra quem? — pergunta Sevro. — Hipoteticamente falando.

— Contra Minerva — responde Roque.

— Ideia estúpida — rosna Sevro, e limpa a faca e a desliza para dentro da manga preta da sua roupa. — O castelo deles é taticamente inconsequente. Nenhum valor. Nenhum valor mesmo. A terra que nós precisamos é a que fica perto do rio.

— Você acha que precisamos dos fornos de Ceres? — pergunta Quinn. — Até que uns pães seriam bem-vindos.

Seriam bem-vindos a nós todos. Uma dieta de carne e amoras nos deixou músculos e ossos.

— Se o jogo durar até o inverno, sim. — Sevro estala os dedos. — Mas essas fortalezas não caem. Jogo estúpido. Então a gente precisa dos pães deles e do acesso que eles têm à água.

— A gente tem água — Cassius lembra a ele.

Sevro suspira de frustração.

— A gente precisa sair do castelo pra pegar água, senhor Neurônio Mole. Um sítio de verdade? A gente duraria no máximo cinco dias sem encher novamente nosso reservatório de água. Sete se a gente beber o sangue dos animais antes de o sal acabar com a gente. A gente precisa da fortaleza de Ceres. E outra, aqueles babacões da colheita não sabem lutar pra salvar as próprias vidas, mas têm alguma coisa valiosa lá dentro.

— Babacões da colheita? Ha ha ha — crocita Cassius.

— Parem de falar, todos vocês — digo. Eles não param. Para eles isso é divertido. É um jogo. Eles não têm nenhuma urgência, nenhuma necessidade desesperada. Cada minuto que desperdiçamos é um momento em que o Chacal aprimora sua força. Alguma coisa na maneira como Mustang e Fitchner falaram dele me deixa assustado. Ou será o fato de que ele é o filho do meu inimigo? Eu deveria querer matá-lo; em vez disso, quero correr e me esconder só de pensar no nome dele.

O fato de eu ser obrigado a me levantar é um sinal de que minha liderança está murchando.

FÚRIA VERMELHA **285**

— *Silêncio!* — digo, e finalmente eles se calam. — A gente viu fogo no horizonte. A guerra consome a região sul por onde o Chacal circula.

Cassius ri da ideia de um Chacal. Ele acha que o sujeito é um fantasma que eu criei.

— Quer parar de rir de tudo? — rebato Cassius. — Isso aqui não é uma maldita piada, a menos que você ache que seu irmão morreu por diversão.

Isso o faz calar a boca.

— Antes da gente fazer qualquer coisa — prossigo —, a gente precisa eliminar a Casa Minerva e Mustang.

— Mustang. Mustang. Mustang. Eu acho que você quer mesmo é dar uns amassos na Mustang — diz Sevro com um risinho afetado. Quinn emite um som de objeção.

Agarro Sevro pelo colarinho e o levanto no ar com uma das mãos apenas. Ele tenta disparar para longe de mim, mas não é tão rápido quanto eu, de modo que fica pendurado a cinquenta centímetros do chão em função da minha pegada.

— Não repita isso — digo, baixando-o e aproximando-o do meu rosto.

— Registrado, Ceifeiro. — Seus olhos efervescentes estão a centímetros dos meus. — Proibido. — Eu o deposito no chão e ele endireita o colarinho. — Então a gente vai pra Grande Floresta fazer essa aliança, certo?

— Certo.

— Então isso vai ser uma exploração prazerosa! — declara Cassius, sentando-se. — Vamos ser uma tropa!

— Não. Só eu e o Duende. Você não vai — digo.

— Estou entediado, acho que vou junto.

— Você vai ficar — digo. — Preciso de você aqui.

— Isso é uma ordem? — pergunta ele.

— É, sim — diz Sevro.

Cassius olha fixamente para mim.

— *Você* me dando ordens? — diz ele de um modo estranho. — Talvez você tenha se esquecido que eu vou pra onde bem entender.

— Então você vai deixar o controle pra Antonia enquanto nós dois vamos arriscar nossos pescoços? — pergunto.

A mão de Quinn aperta com mais intensidade o antebraço dele. Ela pensa que não estou notando. Cassius olha para ela e sorri.

— É claro, Ceifeiro. É claro que eu vou ficar aqui. Exatamente como você *sugeriu*.

Sevro e eu montamos um acampamento na parte sul das terras altas numa posição avistável da Grande Floresta. Não acendemos nenhuma fogueira. Nossos batedores e outras pessoas perambulam por aquelas colinas à noite. Vejo dois cavalos numa colina distante, suas silhuetas visíveis no sol poente atrás do telhado de bolha. O modo como o sol alcança o telhado proporciona tons purpúreos, avermelhados e róseos ao pôr do sol; isso me faz lembrar das ruas em Yorkton vistas do céu. Então o sol baixa definitivamente e Sevro e eu ficamos sentados na escuridão.

Sevro acha o jogo estúpido.

— Então por que você participa dele? — pergunto.

— Como eu poderia saber como o jogo ia ser? Você acha que tenho algum panfleto? Você por acaso recebeu alguma droga de panfleto? — pergunta ele, irritado. Ele está palitando os dentes com um ossinho. — Estúpido.

Contudo, quando estávamos na nave, ele parecia saber do que se tratava a Passagem. Digo isso a ele.

— Eu não sabia.

— E você parece dispor de todas as malditas habilidades requeridas pra frequentar esta escola.

— E daí? Se sua mãe é boa de cama você imagina então que ela é uma Rosa? Todo mundo se adapta.

— Encantador — murmuro.

Ele me diz para ir logo ao assunto.

— Você se esgueirou na fortaleza, roubou nosso estandarte e depois o enterrou. Você o guardou, portanto. Depois você conseguiu roubar a peça de Minerva. Mas você não recebeu uma única barrinha de mérito pro Primus. Você não acha isso meio estranho?

— Não.

— Fale com seriedade.

— O que eu deveria dizer? Nunca ninguém gostou de mim. — Ele dá de ombros. — Não nasci bonitinho e alto como você e seu amiguinho bundão, esse Cassius. Sempre fui obrigado a lutar pelo que eu queria. Isso não me torna uma pessoa muito agradável aos outros. Só faz de mim um Duende nanico e insuportável.

Digo a ele o que ouvi. Ele foi o último a ser selecionado. Fitchner não o queria, mas os Selecionadores insistiram. Sevro me observa no escuro. Ele não fala.

— Você foi pego porque era o garoto menor. O que tinha aparência de mais fraco. Notas horríveis e pequeno demais. Eles te selecionaram como selecionaram todos os outros que fazem parte da baixaSeleção porque você seria fácil de ser eliminado na Passagem. Um cordeiro sacrificial pra algum outro garoto que fazia parte dos planos deles, planos grandes, aliás. Você matou Priam, Sevro. É por isso que eles não vão te deixar ser Primus. Estou acertando no alvo?

— Você está acertando no alvo. Eu matei Priam como mataria um cachorro bonitinho. Rápido. Fácil. — Ele cospe o osso no chão. — E você matou Julian. *Estou acertando no alvo?*

Nunca mais voltamos a falar sobre a Passagem.

De manhã, deixamos as terras altas para trás e nos encaminhamos para o sopé da colina. Árvores se misturam com gramados. Seguimos em ritmo de galope para a eventualidade de as patrulhas de guerra de Minerva estarem próximas. Vejo um deles ao longe enquanto alcançamos as árvores. Eles não nos viram. Bem para o sul, o céu está esfumaçado. Corvos se reúnem no local onde o Chacal está à espreita.

Eu gostaria de dizer mais coisas a Sevro, perguntar sobre a vida dele. Mas seu olhar é muito penetrante. Não quero que ele faça perguntas a meu respeito, que ele me veja com transparência com a mesma facilidade que vi Titus. É estranho. Esse garoto gosta de mim. Ele me insulta, mas gosta de mim. Mais estranho ainda, eu quero desesperadamente que ele goste de mim. Por quê? Acho que é porque sinto que talvez ele seja o único, incluindo Roque e Cassius, que compreende a vida. Ele é feio num mundo onde deveria ser bonito e, por causa das suas deficiências, foi escolhido para morrer. Ele, de muitas maneiras, não é melhor do que um Vermelho.

Quero dizer a ele que sou Vermelho. Alguma parte de mim pensa que ele também é. E alguma outra parte de mim pensa que ele vai me respeitar mais se souber que sou Vermelho. Não nasci privilegiado. Sou como ele. Mas prendo minha língua; não há dúvida de que os Inspetores nos observam.

Quietus não gosta da floresta. A princípio, o matagal é tão denso que somos obrigados a abrir caminho com nossas espadas. Mas logo o matagal afina e entramos no domínio das deusÁrvores. Poucas coisas mais podem existir aqui. Os colossos bloqueiam a luz, suas raízes se estendem para cima como tentáculos para sugar a energia do solo à medida que elas crescem até atingir a altura de edifícios. Estou novamente numa cidade, uma cidade onde animais se agitam e troncos de árvores, em vez de metal e concreto, obstruem minha visão. Então, enquanto nos aventuramos mais para o fundo da floresta, eu me lembro da minha mina — escura e apertada sob os ramos, como se não houvesse nenhum céu ou sol.

Folhas mortas do tamanho do meu peito se encrespam sob nossos pés. Sei que estamos sendo observados. Sevro não gosta disso. Ele quer se afastar dali para encontrar os olhos que nos examinam por trás.

— Isso acabaria com nosso propósito — digo a ele.

— *Isso acabaria com nosso propósito* — debocha Sevro.

Paramos para um almoço que consiste de azeitonas colhidas e carne de cabra. Os olhos nas árvores pensam que sou estúpido demais para mudar meu paradigma, como se eu jamais pudesse supor que eles se esconderiam acima de mim e não no chão. No entanto, não olho para cima. Não há necessidade de assustar esses idiotas ou deixar que eles saibam que estou a par do jogo deles; terei de conquistá-los logo, logo se ainda for o líder da minha Casa. Imagino se eles têm cordas para atravessar as árvores. Ou será que os ramos são largos o bastante?

FÚRIA VERMELHA **289**

Sevro ainda está louco de vontade de sacar suas facas e escalar uma das árvores. Eu não deveria tê-lo trazido. Sevro e diplomacia não combinam.

Por fim alguém decide falar comigo.

— Olá, Marte — diz um deles. Outras vozes ecoam à minha direita. Crianças estúpidas. Deviam ter guardado seus truques para a noite. Deve ser horrível essa floresta no escuro, vozes vindo de todos os lados. Alguma coisa sobressalta os cavalos. Os animais da deusa Diana são o urso, o javali e o cervo. Trouxemos lanças para os dois primeiros. Supõe-se que haja enormes CostasSangrentas nessa floresta — ursos monstruosos feitos pelos Entalhadores porque, muito provavelmente, os Entalhadores ficam entediados de fazer cervitos. Escutamos os CostasSangrentas vagando nas partes mais profundas da floresta. Tranquilizo Quietus.

— Meu nome é Darrow, líder da Casa Marte. Estou aqui pra me encontrar com seu Primus, se vocês tiverem um. Se não tiverem, seu líder servirá. E se vocês também não tiverem um líder, me levem até a pessoa que tiver os colhões maiores.

Silêncio.

— Obrigado pelo auxílio de vocês — fala Sevro.

Levanto uma sobrancelha para ele, que apenas dá de ombros. O silêncio é bobo. Tem a intenção de me fazer pensar que eles não estão dispostos a receber ordens minhas. Eles fazem as coisas de acordo com sua própria programação. Que garotos e garotas grandes eles são. Então duas garotas altas aparecem, vindas de detrás de uma árvore distante. Elas usam uniformes da cor da floresta. Arcos estão pendurados nas suas costas. Facas nas botas. Acho que uma delas está com uma faca nos cabelos encaracolados. Elas usaram as amoras da floresta para pintar a lua no rosto. Pelagens de animais pendem dos seus cintos.

Eu não gosto de guerra. Lavei meus cabelos até eles ficarem brilhantes. Meu rosto está limpo, os ferimentos cobertos, os rasgões no meu uniforme preto foram costurados. Até lavei as manchas de suor com areia e gordura animal. Minha aparência está — não só Quinn como também Lea confirmaram — demoniacamente bonita. Não quero que a Casa Diana se sinta intimidada. É por isso que deixei Sevro vir comigo. Ele tem uma aparência ridícula e infantil, contanto que suas facas sejam mantidas à distância.

Essas duas garotas riem afetadamente de Sevro e não conseguem deixar de suavizar seus olhos quando me veem. Outros descem. Eles pegam a maior parte das nossas armas — aquelas que conseguem encontrar. E cobrem nossas cabeças com faixas de pelo para que não possamos saber qual é o caminho até a fortaleza deles. Conto os passos. Sevro também conta. As faixas de pelo fedem a podridão. Escuto pica-paus e me lembro da brincadeira de Fitchner. Devemos estar perto, então tropeço e caio no chão. Não há mato. Andamos em círculo mais uma vez e depois somos distanciados dos pica-paus. A princípio fico preocupado com o fato de esses caçadores terem mais inteligência do que a que eu lhes havia creditado anteriormente. Então percebo que isso não é verdade. Pica-paus novamente.

— Ei, Tamara, estamos com eles aqui embaixo!

— Não os tragam aqui pra cima, seus imbecis! — grita uma garota. — Não vamos permitir que eles tenham a possibilidade de fazer uma varredura do nosso território de graça. Quantas vezes eu... Esperem aí. Vou descer.

Eles me levam a algum lugar e me empurram de encontro a uma árvore.

Um garoto fala por cima do meu ombro. Sua voz é lenta e lânguida, como uma lâmina de faca à deriva.

— Eu digo que a gente devia arrancar os colhões deles.

— Cale essa boca, Tactus. Escravize-os e pronto, Tamara. Não existe diplomacia aqui.

— Olhe só a lâmina dele. Foice de ceifeiro do caramba.

— Ah, então é ele — diz alguém.

— Vou ficar com a lâmina dele quando a gente decidir os despojos. Também gostaria de ficar com o escalpo dele, se mais ninguém estiver com essa intenção. — Tactus parece ser um garoto bastante desagradável.

FÚRIA VERMELHA **291**

— Calem a boca todos vocês — rebate a garota. — Tactus, largue essa faca.

Eles tiram a faixa de couro da minha cabeça. Estou com Sevro num pequeno bosque de árvores. Não vejo nenhum castelo mas consigo escutar os pica-paus. Olho ao redor e recebo um golpe forte na cabeça de um jovem esguio e forte com olhos entediados e cabelos brônzeos eriçados com seiva e suco de amora vermelha. A pele dele é escura como mel de carvalho e seus maxilares proeminentes e olhos profundos lhe dão uma aparência de permanente desprezo.

— Então, você é o tal que eles chamam *O Ceifeiro* — diz Tactus com a voz arrastada. Ele movimenta no ar minha lâmina, como que a experimentando. — Bem, você me parece bonitinho demais pra fazer esses estragos que dizem que você faz.

— Ele está me paquerando? — pergunto a Tamara.

— Tactus, vá embora! Obrigada, mas agora vá embora — diz a garota magra e agressiva. Seus cabelos são mais curtos do que os meus. Três garotos grandes a margeiam. A maneira como ela olha com raiva para Tactus confirma o que eu julgara ser o caráter dele.

— Ceifeiro, por que você está acompanhado de um pigmeu? — pergunta Tactus, fazendo um gesto para Sevro. — Ele engraxa seus sapatos? Tira sujeira dos seus cabelos? — Ele dá uma gargalhada olhando para os outros garotos. — De repente ele é um mordomo.

— Vá embora, Tactus! — rosna Tamara.

— É claro — diz Tactus, fazendo uma mesura. — Vou brincar com as outras crianças, mamãe. — Ele joga a lâmina no chão e pisca para mim como se apenas nós dois conhecêssemos a piada que está prestes a ser contada.

— Peço perdão por isso — diz Tamara. — Ele não é muito educado.

— Tudo bem — digo.

— Eu sou Tamara de… eu quase disse o nome da minha família de verdade — diz ela, rindo. — De Diana.

— E eles são? — pergunto, referindo-me aos garotos.

— Meus guarda-costas. E você é… — Ela levanta um dedo. —

Deixe-me adivinhar. Deixe-me adivinhar. *Ceifeiro*. Oh, nós ouvimos falar de você. A Casa Minerva não gosta nem um pouco de você.

Sevro bufa para minha infâmia.

— E ele é? — pergunta ela com as sobrancelhas erguidas.

— Meu guarda-costas.

— *Guarda-costas?* Mas ele é tão baixinho!

— E você parece uma… — rosna Sevro.

— Os lobos também são — respondo, interrompendo o xingamento de Sevro.

— Nós temos mais medo de chacais do que de lobos.

Talvez Cassius devesse ter vindo conosco, só para saber que eu não estou inventando esse filho da puta. Pergunto a Tamara pelo Chacal, mas ela ignora minha pergunta.

— Me dê uma ajudinha aqui — diz Tamara cordialmente. — Se alguém dissesse que o Ceifeiro daquela Casa açougueira viria até minha clareira pedindo diplomacia, eu ia pensar que se tratava de alguma piada de Inspetor. Portanto, o que é que você quer realmente?

— A Casa Minerva longe de mim.

— Pra que você possa vir aqui e lutar com a gente em vez de lutar com ela? — rosna um dos guarda-costas dela.

Eu me viro para Tamara com um sorriso sensato e conto a ela a verdade:

— Eu quero Minerva longe de mim pra que eu possa vir aqui e dar uma surra em vocês, claro. — E depois vencer esse jogo estúpido e destruir sua civilização, por favor.

Eles riem.

— Bom, honesto você é. Mas não tão brilhante, ao que parece. Adequado. Deixe eu te dizer uma coisa, Ceifeiro. Nossa Inspetora diz que sua Casa não vence há anos. Por quê? Porque vocês açougueiros são como um fogo-fátuo. Nos primeiros estágios do jogo, vocês queimam tudo que tocam. Vocês destroem. Vocês consomem. Vocês arruínam Casas porque não conseguem sustentar a si mesmos. Mas aí vocês começam a passar fome, porque não há mais nada a ser queimado. Os cercos. O inverno. O avanço tecnológico. Isso mata sua sede de sangue, a famosa raiva de vocês. Então diga pra mim, por que eu apertaria a mão de um fogo-fátuo quando posso simplesmente me recostar na minha cadeira e assistir ao seu estoque de coisas a ser queimadas se consumir?

Balanço a cabeça em concordância e vou na direção da isca.

— Fogo pode ser útil.

— Explique.

— Podemos morrer de fome enquanto você assiste, mas você vai assistir na condição de escrava de alguma outra Casa? Ou vai assistir da sua fortaleza bem protegida, seus exércitos duas vezes maiores e preparados para varrer as cinzas?

— Não basta.

— Prometerei pessoalmente que a Casa Marte não tolerará agressões à Casa Diana contanto que nosso acordo não seja violado. Se vocês me ajudarem a tomar Minerva, eu os ajudarei a tomar Ceres.

— Casa Ceres… — diz ela, olhando na direção dos seus guarda-costas.

— Não seja gananciosa — digo. — Se vocês atacarem a Casa Ceres por conta própria, não só Marte como também Minerva ficarão contra vocês.

— Sim. Sim. — Ela balança a mão, nitidamente perturbada. — Ceres está perto?

— Muito perto. E eles têm pão. — Olho para as pelagens que os homens dela usam. — O que eu imagino seria uma boa mudança, tendo em vista todo esse excesso de carne que vocês têm por aqui.

Ela mexe os pés e sei que acabei de conquistá-la. Sempre negocie com comida. Faço uma anotação mental a esse respeito.

Tamara limpa a garganta e diz:

— Então você estava dizendo que eu poderia dobrar o tamanho do meu exército?

31

A QUEDA DE MUSTANG

Estou na minha montaria vestido para a guerra. Todo de preto. Cabelos selvagens e presos por tripa de cabra. Antebraços cobertos com braçais de duroaço pilhados em batalha. Minha couraça de duroaço é preta e leve; ela vai desviar qualquer ponta de faca inferior a navalhas ou íonLâminas. Minhas botas estão enlameadas. Listras pretas e vermelhas cobrem meu rosto. CurviLâmina nas costas. Facas em todos os lugares. Nove caveiras de pirata e dez lobos cobrem o flanco de Quietus. Lea os pintou. Cada osso é um oponente incapacitado que é frequentemente curado por medBots e em seguida lançado de volta à contenda. Cada lobo é um escravo. Cassius cavalga ao meu lado. Ele cintila. O duroaço que ele recebeu como butim está tão polido quanto sua espada resplandecente e seus cabelos, que balançam como fontes douradas na sua nobre cabeça. É como se ele jamais tivesse sido deixado no meio de um círculo onde todos ao redor lhe mijaram na cara.

— Bem, eu realmente acredito que sou o raio — declara Cassius.
— E você, meu meditabundo amigo, é o trovão.

— Então eu sou o quê? — pergunta Roque, espicaçando seu cavalo para que empine o corpo ao nosso lado. A lama voa em todas as direções. — O vento?

— Você tem muito disso — bufo. — Do tipo quente.

FÚRIA VERMELHA **295**

A Casa cavalga atrás de nós. Todos, exceto Quinn e June, que ficam para trás na condição de guarnição do nosso castelo. Trata-se de um jogo de azar. Cavalgamos lentamente para que Minerva saiba que estamos chegando. O que eles não sabem é que eu estava lá à noite apenas poucas horas antes e que Sevro está lá agora. Ainda há lama grudada debaixo das minhas unhas.

Os batedores de Minerva disparam ao longo dos cumes das suas colinas rochosas. Eles fazem questão de mostrar para todos que estão escarnecendo de nós, mas a verdade é que estão contando quantos de nós estamos lá para entender melhor nossa estratégia. No entanto, eles parecem confusos quando cavalgamos para o interior do seu campo de grama alta e de oliveiras. Tão confusos que fazem seus batedores se retirarem e se posicionarem atrás das paredes. Jamais viemos em força total como agora. Os Uivadores, nossos batedores, cavalgam completamente visíveis nos seus cavalos pretos, capuzes pretos balançando como asas de corvo. Nossos matadores da altaSeleção se movem como a vanguarda do corpo principal — o cruel Vixus, o áspero Pollux, a rancorosa Cassandra, muitos do grupo de Titus. Os escravos correm próximos a seus donos, aqueles que os capturaram.

Avanço na minha montaria com Cassius e Antonia me flanqueando. Ela carrega o estandarte hoje. Apenas alguns arqueiros guarnecem as paredes, de modo que mando Cassius se certificar de que não seremos emboscados pelos flancos caso algum minervino surja nas proximidades. Ele galopa com seu cavalo para longe.

A fortaleza de Minerva é contornada por uma centena de metros de terra estéril transformada em lama por causa das chuvas torrenciais da semana anterior. É o campo da morte. Penetre naquele anel e os arqueiros tentarão matar seu cavalo. Se ainda assim você não se retirar, eles tentarão te matar. Quase vinte cavalos de ambas as Casas enchem o campo. Cassius conduziu um sangrento ataque a um pelotão de guerra minervino até o alto dos próprios portões do castelo apenas dois dias antes.

Depois do campo de morte há um gramado. Oceanos de grama tão alta em alguns lugares que Sevro poderia ficar de pé no meio dela e ainda assim não seria visto. Nós ficamos no limite do anel de lama em meio a uma campina de flores silvestres caídas. O chão faz um ruído de esguicho e Quietus relincha sob meu corpo.

— *Pax!* — grito então. — *Pax.*

Arremesso o nome de encontro às paredes até que o portão principal se abre pesadamente, tão pesadamente quanto uma vez se abriu naquela noite em que Cassius e eu lá entramos sorrateiramente. Mustang sai a cavalo. Ela trota lentamente através da lama e se aproxima de nós. Seus olhos absorvem tudo.

— Isso é pra ser um duelo? — pergunta ela com um risinho. — Pax da Sábia e Nobre Minerva *versus* o Ceifeiro da Sangrenta Casa Açougue?

— Você até que dá um tom excitante à coisa — diz Antonia, bocejando. Ela não tem um pontinho de sujeira no corpo.

Mustang a ignora.

— E você tem certeza de que não tem nenhum dos seus escondido no mato, esperando pra nos emboscar quando sairmos pra dar o apoio a nosso campeão? — me pergunta Mustang. — Será que é melhor queimarmos todo esse mato pra descobrir?

— Trouxemos todo mundo — diz Antonia. — Você sabe quantos somos.

— Sim, eu sei contar. Muito obrigada. — Mustang não olha para ela. Só para mim. Ela parece preocupada; sua voz fica mais baixa. — Pax vai te machucar.

— Pax, como é que estão seus colhões? — grito por sobre a cabeça de Mustang. Ela estremece quando um tambor soa subitamente de dentro da fortaleza. Só que não se trata de um tambor. Pax passa pelo portão. Seu machado de guerra atinge seu escudo. Mustang grita para ele recuar e ele obedece como um cão, mas a batida do machado no escudo não cessa. Concordamos que o que estará em jogo são todos os escravos restantes entre nós dois. Um butim graúdo.

— Eu pensei que o Bonitão fosse o duelista — diz Mustang, e então dá de ombros. Seus olhos não deixam de examinar a grama em momento nenhum. — Onde está aquele sujeito infeliz? Sua sombra,

FÚRIA VERMELHA **297**

o que lidera aquela alcateia? Ele está escondido na grama? Não quero ver esse garoto aparecendo atrás de mim novamente.

Eu grito para Sevro. Uma mão se levanta em meio aos Uivadores. A lama cobre os rostos que espiam sob os pretos capuzes lupinos. Mustang conta. Todos os cinco Uivadores identificados. Na realidade, toda a nossa força com exceção de uma, Quinn, está identificada. Ainda assim, Mustang não está satisfeita. Temos de reposicionar nosso exército a seiscentos metros do limite do anel de lama. Ela vai queimar toda a grama que houver a uma distância de cem metros de onde estamos agora. Quando a grama tiver parado de queimar, a terra calcinada será o campo onde ocorrerá o duelo. Dez homens da escolha dela irão se juntar a dez escolhidos por mim na criação de um círculo no interior do qual o combate se dará. O resto dos soldados dela permanecerá dentro da cidade, e o resto dos meus permanecerá seiscentos metros afastado.

— Não confia em mim? — pergunto. — Não há nenhum homem meu na grama.

— Bom. Então ninguém vai ficar queimado.

Ninguém fica queimado. Quando o fogo arrefece e o chão é todo cinza e fumaça e lama no interior do campo de batalha, deixo meu exército. Dez dos meus me acompanham. Pax bate com seu machado de guerra num escudo brasonado com uma cabeça de mulher, seus cabelos cheios de cobras. Medusa. Nunca lutei com um homem usando um escudo. Sua armadura é apertada e cobre tudo menos suas juntas. Carrego uma lança-de-atordoamento na mão pintada de vermelho e minha curviLâmina na mão pintada de preto.

Meu coração chacoalha à medida que o círculo se forma ao nosso redor. Cassius faz um gesto para que eu me mova. Mesmo naquela tênue luminosidade, ele refulge em cores vivas. Ele compartilha um sorriso irônico.

— Nunca pare de se mexer. É como o Kravat, isso aqui. — Ele olha para Pax. — E você é mais rápido do que aquele maldito filho da puta. Certo? — Recebo uma piscadela da parte dele. Cassius me dá um tapa no ombro. — Certo, irmão?

— Certo pra caramba. — Retribuo a piscadela dele.

298 PIERCE BROWN

— Trovão e raio, irmão. Trovão e raio!

Pax tem a constituição física de um Obsidiano. Ele tem mais de dois metros de altura, fácil, fácil, e se movimenta como a porra de uma pantera. Nessa grav.37 ele poderia me lançar a trinta metros ou mais. Imagino a altura que ele não deve pular. Eu pulo para esticar as pernas. Quase três metros. Consigo facilmente acertar a cabeça dele. Ainda sobe fumaça do chão.

— Pule. Pule, seu gafanhotozinho — resmunga ele. — Vai ser a última vez que você vai usar suas pernas.

— Como é que é? — pergunto.

— Eu disse que vai ser a última vez que você vai usar suas pernas.

— Esquisito — murmuro.

Ele pisca para mim e franze o cenho.

— Esquisito… o quê?

— Você parece uma garota falando. Será que aconteceu alguma coisa com seus colhões?

— Seu…

Mustang trota com o estandarte deles e diz alguma coisa sobre garotas jamais desafiarem umas às outras em duelos estúpidos.

— O duelo vai até a…

— Rendição — diz Pax impacientemente.

— Até a morte — corrijo. Na realidade, isso pouco importa. Estou apenas sacaneando os dois a essa altura. Tudo o que tenho a fazer é dar o sinal.

— Até a rendição — confirma Mustang. Ela conclui as condições da peleja e o duelo começa. Quase. Uma série de estalos no céu sinaliza explosões sônicas à medida que os Inspetores aparecem para se juntar a nós vindos do Olimpo. Eles descem girando da sua alta montanha flutuante, vindos de diversas torres diferentes. Cada um está usando seu signo hoje, grandes capacetes de ouro cintilante. A armadura deles é espetacular. Eles não necessitam delas, mas adoram se vestir bem. Hoje trouxeram uma mesa com eles. Ela flutua no seu próprio gravElevador, sustentando imensas jarras de vinho e bandejas preparadas para que eles se instalem e participem de uma festa.

FÚRIA VERMELHA

— Espero que a diversão que a gente está prestes a proporcionar seja suficiente — grito para o alto. — Vocês podiam deixar cair um pouco de vinho. Faz um tempão que eu não sei o que é isso!

— Boa sorte contra o titã, pequeno mortal! — grita Mercúrio para baixo. Sua cara de bebê ri com jovialidade e ele leva uma jarra de vinho aos lábios de maneira exibicionista. Um pouco do conteúdo escorre do céu e cai em cima da minha armadura. O vinho goteja como sangue.

— Tenho a impressão de que a gente devia dar um show pra eles — ribomba Pax.

Pax e eu trocamos um risinho de verdade. Trata-se de um cumprimento, mais ou menos isso, ao qual todos eles assistem. Então Netuno, seu capacete tridentino balançando à medida que ela engole um ovo de codorna, grita para que comecemos o combate, e o machado de Pax voa na direção das minhas pernas como uma vassoura maligna. Sei que ele quer que eu pule, porque está prestes a atacar com seu escudo para me dar uma pancada e me fazer sair voando como uma mosca. Portanto, dou um passo para trás e então avanço enquanto o braço dele termina seu golpe. Ele também está se mexendo, mas para cima, em antecipação, de modo que eu passo em disparada pelo braço direito dele e enfio a lança-de-atordoamento nas suas axilas com toda a força que consigo reunir. Ela se parte ao meio. Mas Pax não cai nem quando a eletricidade percorre seu corpo. Em vez disso, ele me dá um soco tão forte com a parte externa da mão que eu saio voando pelo círculo e caio na lama. Molar quebrado. Boca cheia de lama e sangue. Cabeça doendo muito. Já estou rolando.

Eu me levanto atordoado segurando a curviLâmina. Meu corpo está todo coberto de lama. Olho de relance para os muros. O exército deles está enfileirado ao longo do parapeito — não podiam deixar de assistir à luta dos campeões. Essa é a questão. Eu podia dar o sinal. Os portões estão abertos caso eles tenham de enviar ajuda. Nosso cavaleiro mais próximo está a seiscentos metros de distância, muito longe daqui. Eu planejei isso. Contudo, não dou o sinal. Quero minha própria vitória hoje, mesmo que seja uma vitória egoísta. Meu exército precisa saber por que eu sou o líder.

Volto para o círculo. Não tenho nenhuma palavra sagaz a dizer. Ele é mais forte. Eu sou mais rápido. Isso é tudo o que aprendemos acerca um do outro. Isso aqui não é como a luta de Cassius. Não existe nada bonitinho. Somente brutalidade. Ele me golpeia com seu escudo. Fico perto para que ele não consiga brandir seu machado. O escudo está arruinando meu ombro. Cada golpe proporciona um acesso de agonia no meu molar. Ele avança novamente e eu pulo, puxo o escudo com minha mão esquerda e me projeto sobre ele. Uma faca brilha no meu punho e eu lhe dou uma punhalada nos olhos ao passar. Erro o golpe e acerto de raspão o visor do seu capacete.

Colocando um pouco de distância entre nós, pego uma faca e tento um truque familiar. Desdenhosamente, ele afasta a faca com o escudo. Mas quando o abaixa para olhar para mim, eu estou no ar, aterrissando no seu escudo com todo o peso do meu corpo. O caráter repentino da ação abaixa o escudo apenas um pouquinho. Jogo lama no capacete dele com a mão livre.

Ele está cego. Uma das mãos segura o machado. Outra segura o escudo. Nenhuma das duas pode limpar o visor do capacete. Seria uma questão simples se ele pudesse apenas fazer isso. Mas ele não pode. Eu o atinjo uma dezena de vezes no punho até ele soltar o machado. Em seguida pego o monstruoso objeto e o atinjo no capacete com ele. Nem assim a armadura quebra. Ele quase me deixa inconsciente me acertando com o escudo. Balanço novamente o pesado machado para atacá-lo e, finalmente, Pax enverga. Eu caio de joelhos, arfando.

Em seguida, uivo.

Todos uivam.

Uivos preenchem as terras de Minerva. Uivos do meu distante exército. Uivos dos meus dez matadores da baixaSeleção que ajudam a formar o círculo onde ocorre o duelo. Uivos do campo de morte. Mustang ouve o som pavoroso atrás dela e gira o cavalo. Seu rosto exprime terror. Uivos dos ridentes Inspetores, exceto Minerva, Apolo e Júpiter. Uivos das barrigas dos cavalos mortos no meio do campo de morte. Os que estão próximos do portão aberto dela.

— Eles estão na lama! — grita Mustang.

Ela está quase certa. Mas ela pensa como um Ouro. Alguém berra ao ver Sevro e seus Uivadores abrindo caminho para sair das barrigas costuradas e dos cavalos mortos e inchados que enchem o chão enlameado até o portão. Como demônios sendo paridos, eles deslizam de tripas intumescidas e de estômagos abertos. Metade de um pelotão dos melhores soldados da Casa Diana sai com eles. Tactus e seus cabelos eriçados irrompe do ventre de uma égua clara. Ele corre com Erva, Cardo e Palhaço. Todos a uma distância de cinquenta metros dos portões ponderosamente lentos.

Os guardas minervinos se encontram todos sobre os baluartes assistindo ao duelo. Eles não conseguem repelir a repentina blitz dos soldados demônios fechando seus lentos portões. Eles mal conseguem engatar seus arcos antes que Sevro, os Uivadores e nossos aliados deslizem através do portão que se fecha. Do outro lado da cidade, os soldados da Casa Diana estarão lentamente escalando as paredes com as cordas que usam para subir nas suas árvores bobas. Sim. O assobio agora soa do outro lado. Um guarda lá posicionado os viu. Ninguém virá para ajudá-lo. Meu exército avança, inclusive os falsos Uivadores que pegamos emprestado de Diana e estão vestidos para se parecer com Sevro e seu grupo.

Destruímos a Casa Minerva em questão de minutos. Bem no alto, os Inspetores ainda uivam e riem. Acho que eles estão bêbados. Está tudo acabado antes que Mustang possa fazer qualquer coisa exceto galopar para longe, atravessando o campo enlameado em meio à grama ainda esfumaçada. Uma dúzia de cavalos dispara em perseguição a ela, Vixus e Cassandra entre eles. Ela será pega antes do cair da noite, e vi o que Vixus faz com prisioneiros e suas orelhas, de modo que monto em Quietus e disparo atrás deles.

Mustang abandona seu cavalo no limite de uma pequena floresta ao sul. Nós desmontamos e deixamos três homens para vigiar os cavalos, caso ela retorne. Cassandra mergulha na floresta. Vixus me segue, propositalmente espreitando como se eu pudesse saber onde Mustang está escondida. Não gosto disso. Não gosto de estar na floresta com Vixus e Cassandra. Bastaria uma lâmina na minha nuca. Um ou outro faria isso. Ao contrário de Pollux, eles ainda me odeiam, e meus Uivadores e Cassius estão bem distantes. Contudo, nenhuma faca aparece.

Encontro Mustang por um equívoco. Dois olhos dourados espiam de um poço de lama. Eles encontram os meus. Vixus está comigo. Ele jura alguma coisa acerca do quanto está entusiasmado por derrotar a maldita égua, para ver como seria a aparência dela com um cabresto. Lá parado, olhando de soslaio para a vegetação, ele parece torcido, contorcido e maligno — como uma árvore definhando depois de um incêndio. Ele tem menos gordura corporal do que qualquer pessoa que eu já tenha visto até hoje, de modo que cada uma das suas veias e tendões ondulam abaixo da sua pele rígida. Sua língua se mexe sobre os dentes perfeitos. Sei que ele está me instigando, de modo que o afasto do poço de lama.

Eo não merecia morrer como escrava da Sociedade. E, apesar da sua Cor, Mustang não merece nenhuma espécie de cabresto.

32

ANTONIA

Eu passei na prova. A interminável guerra com a Casa Minerva acabou. E também montei uma armadilha para a Casa Diana.

A Casa Diana tinha três opções antes da batalha. Eles poderiam ter me traído com Minerva e escravizado minha Casa, mas eu mandei Cassius cravar estacas no chão para interceptar qualquer cavaleiro. Eles poderiam ter aceito minha proposta. Ou eles poderiam ter ido para nosso castelo e tentado tomá-lo. Eu não daria a mínima se eles tivessem escolhido essa opção; era uma armadilha. Não deixamos água no interior do castelo e poderíamos tê-los sitiado com facilidade.

Agora eles têm a fortaleza minervina e nós estamos do lado de fora, nas planícies. Eles podiam honrar nosso acordo. Nós pegaríamos o estandarte; eles, a cidade e todos os seus habitantes. Mas eu sei que eles irão se tornar gananciosos. E é isso o que acontece. Os portões se fecham, e eles acham que têm um bastião estratégico. Bom. É por isso que eu tenho Sevro lá dentro com eles.

Nuvenzinhas de fumaça logo ascendem. Sevro destrói os estoques de comida enquanto eles escravizam os minervinos e vigiam as paredes de um possível ataque do meu exército. Então o nanico polui os poços com fezes e se esconde com seus Uivadores nos porões.

A Casa Diana não está acostumada com esse tipo de guerra. Inclusive, eles jamais deixaram de fato sua floresta. Não se pode chamar de esforço esperar que eles saiam. Três dias lá dentro e eles aparentemente ainda estão surpresos com o fato de nós não termos ido embora. Ao contrário, nós montamos um acampamento no norte e no sul da cidade com nossos cavalos e acendemos fogueiras ao redor para que eles não possam escapar durante a noite. Eles estão sedentos. A líder deles, Tamara, não me recebe. Ela está muito constrangida por ter sido pega na sua traição.

Por fim, no quarto dia, Tamara me oferece dez escravos minervinos e todos os nossos soldados escravizados se eu permitir que ela tenha livre acesso à sua casa. Envio Lea para lhe dizer que eu quero que ela se dane. Lea está rindo como uma criança ao chegar. Ela mexe os cabelos, segura meu braço e se aproxima para ridicularizar o desespero de Tamara.

— *Tenha decência!* — grita ela. — *Você não é um homem de palavra?*

Quando eles tentam escapar na quinta noite, capturamos todos os membros da Casa dela que ainda restavam. Exceto Tamara. Ela caiu do cavalo e foi pisoteada até a morte na lama.

— A sela dela foi cortada por baixo. — Sevro me mostra a faixa de couro habilidosamente retalhada. — Tactus?

— Provavelmente.

— A mãe dele é Senadora, o pai é Pretor — cospe Sevro. — Eu o conheci quando éramos crianças. Bateu numa garota até a morte porque ela se recusava a dar um beijo no rosto dele. Um malucão filho da puta.

— Deixe isso pra lá — digo. — A gente não tem como provar nada.

Tactus é nosso escravo, como é toda a Casa Diana e toda a Casa Minerva. Inclusive Pax. Estou com Cassius e Roque em cima dos nossos cavalos enquanto observamos os novos escravos no trabalho, empilhando madeira e feno por toda a fortaleza minervina. Eles acendem uma chama gigantesca, e nós três brindamos um ao outro nossa vitória.

— Esta vai ser sua última barra de mérito — me diz Cassius. — Isso faz de você Primus, irmão. — Ele me dá um tapinha no ombro, e eu vejo apenas uma pontinha de inveja nos seus olhos. — Não poderia haver escolha melhor.

— Deus todo-poderoso, nunca imaginei que veria essa faceta do nosso bem-apessoado amigo — diz Roque. — Humildade! Cassius, isso é mesmo você?

Cassius dá de ombros.

— Este jogo é apenas um ano das nossas vidas, quem sabe menos. Depois disso, teremos nossos aprendizados ou nossas academias. Depois disso, teremos nossa vida. Só estou feliz por nós três estarmos na mesma Casa; recompensas justas ocorrerão em algum momento pra todos nós.

Aperto o ombro dele.

— Concordo.

Ele ainda está com os olhos baixos, incapaz de olhar para mim até reencontrar sua voz.

— Eu… posso ter perdido um irmão aqui. Essa dor não passa. Mas tenho a sensação de ter ganhado mais dois. — Ele levanta os olhos ferozmente. — E estou falando sério, pessoal. Estou falando muito sério mesmo. Temos que nos orgulhar aqui. Derrotar mais algumas Casas, vencer essa droga toda; mas meu pai vai precisar de oficiais pras naves da armada dele… Quer dizer, se vocês estiverem interessados. A Casa Bellona sempre precisa de Pretores pra nos deixar mais fortes.

Ele diz esta última parte timidamente, como se talvez nós tivéssemos algo melhor para fazer.

Aperto mais uma vez o ombro dele e balanço a cabeça em concordância, mesmo enquanto Roque diz alguma coisa espertinha sobre se tornar um político porque ele iria preferir mandar as pessoas para a morte a morrer ele próprio. Os Filhos de Ares iriam babar se eu me tornasse Pretor da Casa Bellona.

— E não se preocupe, Roque, vou mencionar sua poesia para o meu pai — diz Cassius, rindo. — Ele sempre desejou ter a seu lado um guerreiro bardo.

— É claro — ornamenta Roque ainda mais. — Não deixe de dizer ao caro Imperador Bellona que eu sou um mestre com a metáfora e um ladino com a assonância.

— Roque, um escroque... oh, meu Deus — digo rindo, enquanto Sevro aparece no seu cavalo com Quinn e uma garota num tipo de cavalo que eu não vi antes. A garota está com um saco sobre a cabeça. Quinn a anuncia como uma emissária da Casa Plutão.

Seu nome é Lilath, e eles a encontraram esperando perto do limite da floresta. Ela gostaria de falar com Cassius.

Lilath foi no passado uma garota com rosto de lua cheia e bochechas que sorriam mas que agora não sorriem mais. Elas estão chupadas e recentemente queimadas, marcadas e cruéis. Lilath conheceu a fome, e há uma frieza nela que não reconheço. Estou assustado. Sinto-me como Mickey ao olhar para mim. Eu era uma coisa fria e silenciosa que ele não entendia. Exatamente como ela. É como olhar para um peixe de um rio subterrâneo.

As palavras de Lilath saem lentas e permanecem no ar.

— Eu venho da parte do Chacal.

— Chame-o pelo nome verdadeiro, se preferir — sugiro.

— Não vim pra falar com você — diz ela sem nenhum indício de emoção. — Eu vim falar com Cassius.

O cavalo dela é pequeno e magro. Seus cascos chanfram. Roupas extras tornam a sela dela mais gorda. Não vejo armas além de uma besta. Eles são uma Casa de montanha: mais roupas para climas mais frios, cavalos menores para cavalgadas mais duras. A menos que seja uma enganação. Eu a faço me mostrar seu anel. É uma árvore de lamento: um cipreste de Plutão. Suas raízes vazam para dentro do chão. Dois dedos dela se foram. Queimaduras selam os cotocos, o que me leva a crer que eles têm armas iônicas. Seus cabelos emitem um som metálico quando ela se movimenta. Não sei por quê.

Ela olha para mim de alto a baixo silenciosamente, como se estivesse me julgando em comparação com seu mestre.

Aparentemente, estou perdendo.

— Cassius au Bellona, meu mestre deseja o Ceifeiro — continua ela, antes de qualquer um de nós conseguir dizer uma palavra. Estamos demasiadamente surpresos. — Vivo. Morto. Pouco importa pra nós. Em retribuição, você receberá cinquenta destas pro seu... exército.

Ela joga para Cassius duas íonLâminas.

— Você pode dizer a seu mestre que ele deveria vir me enfrentar em pessoa — digo.

— Não troco palavras com garotos mortos — diz Lilath para o ar. — Meu mestre marcou o Ceifeiro. Antes da chegada do inverno, ele estará morto. Por uma mão ou por outra.

— Pode ir se danar — responde Cassius.

Ela joga um saquinho para Cassius.

— Pra te ajudar a tomar a decisão.

Ela não volta a falar. Quinn ergue as sobrancelhas e dá de ombros para a confusão que está sentindo enquanto leva Lilath embora.

Olho para o saquinho que Cassius segura em suas mãos. A paranoia toma conta de mim. O que haverá dentro?

— Abra isso aí — digo.

— Que nada. A garota é louca como um Violeta — diz Cassius rindo. — Não quero saber dela infectando a gente. — Contudo, ele encaixa o saquinho na sua bota. Quero gritar com ele para que abra o saquinho, mas sorrio como se não houvesse nada com que se preocupar.

— Havia alguma coisa errada com ela. Não parecia humana — digo casualmente.

— Parecia um dos nossos lobos esfomeados. — Cassius balança a íonLâmina. O ar berra. — Pelo menos estamos com estas duas aqui. Agora posso ensinar vocês a duelar direito. Isso aqui penetra direitinho a duroArmadura. Coisinhas perigosas, com certeza.

O Chacal sabe a meu respeito. A ideia me faz estremecer. As palavras de Roque são ainda piores.

— Vocês repararam aquele som metálico nos cabelos dela? — pergunta ele. Seu rosto está branco. — As tranças da garota estavam cheias de dentes.

Precisamos nos preparar para encontrar o exército do Chacal. Isso significa consolidar minhas forças e eliminar as ameaças que ainda perduram. Preciso que o restante da Casa Diana na Grande Floresta seja destruído. E preciso da Casa Ceres. Mando Cassius com os Uivadores e uma dúzia de cavaleiros para destruir o que resta de Diana. Levo de volta o resto do meu exército e os escravos ao nosso castelo para que se preparem para o Chacal. Ainda não bolei um plano, mas estarei preparado caso ele empine a cabeça.

— Depois de dormirem em cavalos mortos, nossos Uivadores provavelmente vão estar fedendo tanto que não vai sobrar ninguém na Grande Floresta! — Cassius ri enquanto esporeia seu cavalo para longe da coluna principal. — Vou atiçar o Duende pra cima deles e voltar antes mesmo de vocês estarem na cama.

Sevro não quer ir sem mim. Ele não entende por que Cassius precisa da ajuda dele para dar uma limpa no que resta de Diana. Eu lhe conto a verdade.

— Cassius está com um saquinho na bota, o que Lilath deu pra ele. Preciso que você roube esse saquinho.

Os olhos dele não julgam. Nem mesmo agora. Há momentos em que imagino o que fiz para merecer tamanha lealdade. E há outros em que tento não abusar da minha sorte olhando os dentes do cavalo dado.

Naquela noite, enquanto Cassius monta o cerco a Diana na Grande Floresta, o resto do meu exército festeja com um banquete atrás das altas paredes do nosso Castelo Marte nas terras altas. A fortaleza está limpa e a praça alegre. Até os escravos recebem a cabra e a carne de caça assadas no tomilho e polvilhadas de azeite preparada por June. Observo atentamente todo o festim. Os escravos baixam os olhos em constrangimento quando eu passo, até mesmo Pax. O lobo uivante na sua testa esmagou seu orgulho. Apenas Tactus olha para mim. Sua pele cor de mel escuro é como a de Quinn, mas seus olhos me fazem lembrar os olhos de uma víbora-das-cavidades.

Ele pisca para mim.

Depois da minha vitória sobre Pax, os membros da minha altaSeleção parecem ter finalmente abraçado por completo minha liderança, inclusive Antonia. Isso me faz lembrar de como fui tratado nas ruas depois que Mickey me entalhou. Eu sou o Ouro aqui. Sou o poder. É a primeira vez que me senti dessa maneira desde que condenei Titus à morte. Logo Fitchner descerá e me dará a mão do Primus retirada da pedra e tudo estará bem.

Roque, Quinn, Lea e agora Pollux comem comigo. Até Vixus e Cassandra, que normalmente se sentam em comunhão com Antonia, vieram dar suas congratulações em função da vitória. Eles riem e me dão tapinhas no ombro. Cipio, o brinquedinho de Antonia, está contando os muitos escravos. Antonia não se aventura a se aproximar de mim por conta própria, mas balança a cabeça dourada em aprovação. Milagres de fato acontecem.

Sou o Primus. Possuo cinco barras douradas. Logo Fitchner descerá para me conceder a honra. De manhã, a Casa Ceres cairá. Eles têm menos de um terço do nosso número. Com os grãos deles para alimentar meu exército e a fortaleza deles para usar como uma base de operações, terei o poder de quatro Casas. Varreremos do mapa o que quer que ainda reste ao norte e em seguida desceremos ao sul antes mesmo que comece a nevar. Então encararei o Chacal.

Roque vem se postar ao meu lado enquanto acompanhamos o banquete.

— Tenho pensado em beijar Lea — me diz ele subitamente. Eu a vejo rindo com diversos membros da médiaSeleção perto de uma das fogueiras. Ela deixou os cabelos bem curtinhos e nos olha de relance, baixando a cabeça de modo coquete quando percebe que Roque a está encarando. Ele também fica vermelho e desvia o olhar.

— Eu achava que você não gostava dela. Ela te segue pra cima e pra baixo como um cachorrinho — digo, rindo.

— Bom, eu sei. A princípio ela não me intrigava porque eu pensava que ela estava se ligando a mim como alguém se liga a uma boia pra não afundar. Mas… ela cresceu…

Eu o olho de alto a baixo e rio. Não consigo parar de rir.

Nós parecemos lobos louros. Estamos mais magros do que estávamos quando entramos no Instituto. Mais sujos. Nossos cabelos estão mais compridos. Temos cicatrizes. Eu mais do que a maioria. Provavelmente estou muito dependente de carne vermelha. Um dos meus molares está rachado ao meio. Mas eu rio. Eu rio até que o molar não aguenta mais. Eu tinha esquecido que nós somos pessoas, moleques que ficam a fim uns dos outros.

— Bom, não desperdice o primeiro beijo — digo. — Esse é meu único conselho.

Eu digo a ele para levá-la a algum lugar especial. Levá-la a algum lugar que signifique algo para ele, ou para eles. Eu levei Eo para minha perfuratriz — Loran e Barlow fizeram piadas sobre isso. O troço estava desligado e ficava dentro de um túnel ventilado, de modo que não precisávamos usar os trajes-fornos, só tínhamos de ficar atentos às víboras-das-cavidades. Ainda assim ela suava devido à excitação. Os cabelos grudados ao rosto, à nuca. Ela segurava meu pulso com muita força, e só o soltou quando percebeu que me tinha. Quando eu a beijei.

Dou um risinho e um tapinha na bunda de Roque para lhe dar sorte. Tio Narol diz que isso é uma tradição. Ele usava a parte achatada de uma curviLâmina em mim. Acho que ele estava mentindo.

Sonho com Eo à noite. Quase nunca durmo sem sonhar com ela. Os beliches da torre alta do castelo estão vazios. Roque, Lea, Cassius, Sevro e os Uivadores se foram. Com exceção de Quinn, todos os meus amigos estão ausentes. Sou o Primus e, no entanto, estou me sentindo tremendamente só. O fogo crepita. O vento frio do outono penetra no ambiente. Geme como se fosse um vento vindo dos túneis abandonados das minas e me faz pensar na minha mulher.

Eo. Sinto saudades do seu calor na cama ao meu lado. Sinto saudades do seu pescoço. Sinto saudades de beijar sua pele macia, de sentir o cheiro dos seus cabelos, de sentir o sabor da sua boca enquanto ela sussurrava como me amava.

Então ouço passos, e ela desaparece.

Lea passa como um foguete pela porta do dormitório. Ela fala freneticamente. Mal consigo entendê-la. Eu me levanto, assomando sobre ela, e ponho a mão no seu ombro para acalmá-la. É impossível. Olhos maníacos me encaram do rosto emoldurado pelos cabelos curtos.

FÚRIA VERMELHA   311

— Roque! — geme ela. — Roque caiu numa fenda. As pernas dele estão quebradas. Não consigo alcançá-lo!

Eu a sigo com tanta rapidez que nem pego meu manto ou minha curviLâmina. O castelo está adormecido, exceto pelos guardas. Nós voamos através do portão, esquecendo os cavalos. Grito para que um dos guardas venha me ajudar. Não olho para ver se ela faz a mesma coisa. Lea corre à frente, guiando-me ravina abaixo e depois pelo alto das colinas nortistas até a garganta das terras altas onde fizemos nossas primeiras fogueiras na condição de tribo. As névoas estão densas. A noite está escura. E eu percebo o quanto estou sendo estúpido.

Trata-se de uma armadilha.

Paro de seguir Lea. Não digo a ela. Não sei se eles virão por trás de mim, de modo que mergulho de barriga no chão e me dirijo a um rego para me perder no meio da névoa. Ponho samambaias em cima do corpo. Eu os escuto agora. O som de espadas. De pés e de lanças--de-atordoamento. Xingamentos. Quantos haverá? Lea me chama fre-neticamente. Ela agora não está sozinha. Ela me levou a eles. Ouço o perverso Vixus. Sinto o cheiro das flores de Cassandra, que sempre as esfrega na sua pele para disfarçar seu odor corporal.

Suas vozes se chamam mutuamente no meio da névoa. Eles sabem que descobri a armadilha deles. Como conseguirei retornar ao meu exército? Não ouso me mexer. Quantos haverá? Eles estão me procu-rando. Se eu correr, será que conseguiria chegar? Ou será que acabaria no fio de uma espada? Tenho duas facas nas botas. É isso. Eu as tiro.

— Ó Ceifeiro! — chama Antonia da névoa. Ela está em algum lugar acima de mim. — Líder destemido? Ó Ceifeiro. Não há ne-cessidade de se esconder, querido. Não estamos putos por você ficar nos dando ordens como se fosse nosso rei. Não estamos indignados o bastante a ponto de enfiar facas nos seus olhos. Nem um pouquinho. Querido?

Eles gritam insultos, brincando com minha vaidade. Uma coisa que eu nunca tive muito, mas eles não têm como entender isso. Uma bota pisa perto da minha cabeça. Olhos verdes espiam através da es-curidão. Acho que eles estão me vendo. Não estão. ÓticaNoturna. Alguém deu a eles óticaNoturna. Ouço Vixus e Cassandra. Antonia está cada vez mais frustrada.

— Ceifeiro, se você não vier brincar, haverá consequências. — Ela suspira. — Que consequências, você deve estar perguntando. Bem, vou cortar a garganta da Leazinha até o osso. — Ouço um gemido quando os cabelos de Lea são puxados. — A amante de Roque…

Eu não saio. Droga. Eu não saio. Minha vida é mais do que apenas minha. É de Eo, é da minha família. Não posso jogar isso no lixo, não pelo meu orgulho, não por Lea, não para evitar a dor de perder um outro amigo. Será que eles também estão com Roque?

Minha mandíbula dói. Cerro os dentes. Meu molar grita. Antonia não vai fazer isso.

Ela não pode fazer isso.

— Última chance, meu querido. Não vai vir? — Há um som carnudo seguido de um gorgolejo e uma batida enquanto um corpo desaba no chão. — Pena.

Deixo escapar um grito silencioso enquanto ouço o medBot gemer de desgosto através da névoa noturna. Apesar de todo o poder nas minhas mãos, no meu corpo, estou sem poder para parar isso, para pará-los.

Não me mexo até a manhã seguinte, quando tenho certeza de que eles se foram. Os medBots não levaram o corpo de Lea. Os Inspetores o deixaram para que eu soubesse que ela morreu, para que eu não pudesse me ater à esperança de que, de alguma maneira, ela estivesse viva. Bastardos. Seu corpo é frágil na morte. Como um passarinho que tivesse caído do ninho. Construo uma espécie de sepultura sobre ela. As pedras são altas mas não manterão os lobos afastados.

Não encontro o corpo de Roque, portanto não sei o que aconteceu com ele. Será que meu amigo está morto?

Sinto-me um fantasma ao percorrer as terras altas, contornando o castelo para evitar os carrascos de Antonia. Eu me coloco na trilha que Cassius pegará ao retornar da Grande Floresta, escondendo-me nos arbustos para não ser percebido. É meio-dia quando ele volta à frente de uma pequena coluna de cavalos e escravos. Ele espiça o cavalo a avançar para me saudar enquanto saio dos arbustos.

FÚRIA VERMELHA   313

— Irmão! — fala ele. — Eu trouxe um presente pra você! — Ele desmonta e me dá um abraço antes de puxar uma das tapeçarias de Diana e enrolá-la nos meus ombros. Ele se afasta de mim. — Você está pálido como um fantasma. Qual é o problema? — Ele tira uma folhinha dos meus cabelos. Talvez tenha sido nesse momento que ele viu a tristeza nos meus olhos.

Sevro surge atrás dele enquanto eu lhes conto o que aconteceu.

— Que piranha — murmura Cassius. Sevro está em silêncio. — Coitada da Lea. Ela era um amor. Você acha que Roque está morto?

— Não sei — digo. — Simplesmente não sei.

— Droga. — Cassius balança a cabeça.

— Um Inspetor deve ter dado óticasNoturnas a Antonia — especula Sevro. — Ou então o Chacal a subornou. Faz sentido.

— Quem se importa com isso? — chora Cassius, mexendo o braço. — Roque pode estar ferido ou morto em algum lugar por aí, cara. Você ainda não entendeu? — Ele segura com força minha nuca e traz minha testa para perto da dele. — A gente vai encontrá-lo, Darrow. A gente vai encontrar nosso irmão.

Balanço a cabeça em concordância, sentindo uma dormência que se espalha pelo peito.

Antonia jamais retornou ao castelo. Nem seus carrascos, Vixus e Cassandra. Eles não conseguiram me matar e devem ter fugido. Mas para onde?

Quinn agita as mãos no ar e grita para nós enquanto atravessamos o portão.

— Eu não sabia onde estava todo mundo, droga! Havia quatro escravos pra cada um de nós até vocês voltarem. Mas está tudo bem. Está tudo bem. — Ela agarra a mão de Cassius quando lhe contamos o que aconteceu. As lágrimas encharcam seus olhos por causa de Lea, mas ela se recusa a acreditar que Roque esteja morto. Ela não para de balançar a cabeça. — Podemos usar os escravos pra procurar Roque. Provavelmente ele está ferido e escondido por aí. É isso. Só pode ser isso.

Não o encontramos. O exército inteiro procura. Nem sombra dele. Nós nos reunimos na nossa sala de guerra ao redor da comprida mesa.

— Ele provavelmente está morto em algum valão por aí — diz Sevro naquela noite. Quase dou um soco na cara dele. Mas ele está certo.

— Foi o Chacal quem fez isso — murmuro.

— Grande merda — diz ele.

— Como é que é?

— Pouco importa se foi ele quem fez isso, é o que Sevro quer dizer. A gente não pode fazer nada contra o Chacal agora. Mesmo que ele tentasse tirar sua vida, a gente não está em condições de agredi-lo — declara Quinn. — Vamos primeiro cuidar dos nossos vizinhos.

— Besteira — murmura Sevro.

— Que surpresa. Parece que o Duende discorda — rebate Cassius. — Fale aí se você tem alguma ideia na cachola, seu pigmeu.

— Não fale comigo — zomba Sevro.

Cassius dá uma risada.

— Não mije no meu pé, porque você só consegue chegar até meus joelhos.

— Eu sou igual a você em todos os sentidos. — O olhar estampado no rosto de Sevro é tal que eu me curvo para a frente subitamente, assustado com a possibilidade de uma faca aparecer de repente no olho de Cassius.

— Igual a mim? Em quê? Na idade? — diz Cassius, dando uma risada. — Ah, espere um pouquinho, eu me referi à altura, aparência, inteligência, dinheiro. Que tal? Está bom ou quer que eu pare?

Quinn dá um chute forte na cadeira dele.

— Qual é o problema com você, afinal de contas? — retruca ela. — Pouco importa. Cale essa droga dessa boca e pronto.

Sevro olha para o chão. Sinto uma necessidade súbita e urgente de colocar a mão no seu ombro.

— O que é que você estava dizendo, Sevro? — pergunta Quinn.

— Nada.

— Qual é, fale!

— Ele disse nada — diz Cassius, rindo.

— Cassius. — Apenas minha voz o faz se calar. — Sevro.

Sevro suspira e olha para mim, as bochechas enrubescidas de raiva.

FÚRIA VERMELHA   315

— Só achei que a gente não devia ficar aqui parado com a bunda pro ar enquanto o Chacal faz o que bem entende. — Ele dá de ombros. — Me mande pro sul. E me deixe arrumar encrenca.

— Encrenca? — pergunta Cassius. — Você vai fazer o quê? Matar o Chacal?

— Isso. — Sevro olha tranquilamente para Cassius. — Vou enfiar uma adaga no pescoço do Chacal e depois vou fazer um buraco nele até enxergar a cervical.

A tensão é suficiente para me deixar inquieto.

— Você só pode estar brincando — diz Quinn baixinho.

— Ele está falando sério — diz Cassius, a testa franzindo. — E ele está errado. Nós não somos monstros. Pelo menos não você e eu, Darrow. Pretores de Bellona não são facas à noite. Temos quinhentos anos de honra pra proteger.

— Babaquice e mentira. — Sevro dispensa o comentário com um balançar de mão.

— Está nos nossos genes. — Cassius eleva ligeiramente o nariz.

A boca de Sevro se contorce cruelmente.

— Você não passa de um Pixie se acredita mesmo nessa lorota toda. Acha que seu paizinho abriu caminho até se tornar Imperador sendo honrado?

— Pode chamar isso de honra, *Duende* — debocha Cassius. — Não seria certo tentar assassinar alguém a sangue-frio, principalmente numa *escola*.

— Concordo com Cassius — digo, rompendo o silêncio.

— Grande novidade. — Sevro se levanta para sair de modo bastante repentino. Pergunto a ele para onde está indo.

— Você obviamente não precisa de mim. Tenha todos os conselhos que puder administrar.

— Sevro.

— Vou dar uma busca nos valões. *Novamente.* Aposto que Bellona não faria uma coisa dessas. Não sujaria seus preciosos joelhos nem a pau. — Ele faz uma mesura debochada para Cassius antes de sair.

Quinn, Cassius e eu permanecemos na sala de guerra até Cassius bocejar alguma coisa acerca de ter um pouco de sono profundo antes de a madrugada bater as seis horas. Quinn e eu ficamos sozinhos. Seus cabelos foram cortados bem curtinhos e estão pontudos, embora as mechas estejam caindo bem na frente dos seus olhos estreitos. Ela relaxa como um menino na sua cadeira e mexe nas unhas.

— Em que você está pensando? — me pergunta ela.

— Roque... e Lea. — Escuto o gorgolejo na minha mente. Com ele ecoam todos os sons da morte. O estalo de Eo. O silêncio de Julian ao se contorcer no seu próprio sangue. Sou o Ceifeiro e a morte é minha sombra.

— Só isso? — pergunta ela.

— Acho que a gente devia dormir um pouco — respondo.

Ela não diz nada enquanto me observa sair da sala.

33
PEDIDO DE DESCULPAS

Cassius me acorda no meio da noite.

— Sevro encontrou Roque — diz ele silenciosamente. — Ele está em péssimo estado. Venha.

— Onde?

— No norte. Ninguém consegue mexer nele.

Nós nos afastamos do castelo a galope sob a luz das duas luas. Uma neve de início de inverno cai do céu em movimentos dançantes. Sons de sucção vindos da lama enquanto seguimos na direção de Metas, ao norte. Nenhum som a não ser o gorgolejar da água e o vento nas árvores. Esfregando o rosto para me livrar do sono, olho para Cassius. Ele está com nossas duas íonEspadas e, subitamente, um fosso se abre no meu estômago assim que eu percebo o que de fato está sucedendo. Ele não sabe onde Roque está. Mas sabe uma outra coisa.

Ele sabe o que eu fiz.

Essa é uma armadilha da qual eu não posso fugir com meu cavalo. Imagino que haja determinados momentos como esse na vida. É como mirar o chão enquanto você cai de um lugar alto. Ver o fim chegando não significa que você não pode se desviar dele, consertá-lo, pará-lo.

Cavalgamos por mais vinte minutos.

— Não foi nenhuma surpresa — diz Cassius repentinamente.

— O quê?

— Eu sabia há mais de um ano que Julian estava fadado a morrer. — A neve cai silenciosamente enquanto nos movemos juntos em meio à lama. O cavalo quente se move entre minhas pernas. Passo a passo em meio à lama. — Ele estragou a prova dele. Ele nunca foi o mais brilhante, não do jeito que eles queriam. Oh, ele era gentil e brilhante no que concerne às emoções, ele conseguia perceber tristeza ou raiva a um clique de distância. Mas simpatia é uma coisa de baixaCor.

Não digo nada.

— Há conflitos que não mudam, Darrow. Gatos e cachorros. Gelo e fogo. Augustus e Bellona. A minha família e a do ArquiGovernador.

Os olhos de Cassius estão fixos à frente enquanto seu cavalo tropeça e sua respiração produz névoa no ar.

— Então, apesar do que era pressagiado, Julian ficou entusiasmado quando recebeu a carta de aceitação estampada com o selo pessoal do ArquiGovernador. Meus irmãos e eu não achamos aquilo correto. Nunca imaginei que Julian seria a pessoa certa pra esse tipo de coisa. Eu o amava, todos os meus irmãos e primos o amavam; mas você o conheceu: ele não tinha uma mente das mais perspicazes, mas também não era dos mais idiotas; ele não ficaria dentro do 1% de baixo. Não havia necessidade de peneirá-lo do grupo. Mas ele tinha o nome Bellona. Um nome que nosso inimigo odeia. E então nosso inimigo usou a burocracia, usou seu título, seus poderes devidamente estabelecidos, para assassinar um menino gentil. Declinar um convite ao Instituto é um ato ilegal. E ele ficou tão feliz, e nós... minha mãe e meu pai e meus irmãos e irmãs e primos e nossos entes queridos... nós ficamos muito esperançosos por ele. Ele treinou com muito afinco. — A voz dele assume um tom de escárnio. — Mas, no fim, Julian foi dado como comida aos lobos. Ou será que eu deveria dizer lobo?

Ele faz seu cavalo parar, os olhos queimando na minha direção.

— Como foi que você descobriu? — pergunto, olhando à frente por sobre as águas escuras. Flocos de neve desaparecem no interior da superfície preta. As montanhas não passam de montes sombreados ao longe. O rio gorgoleja. Eu não desmonto.

FÚRIA VERMELHA   **319**

— Que você fez o trabalho sujo de Augustus? — Ele ri desdenhosamente. — Eu confiava em você, Darrow. Portanto eu não precisava ver o que o Chacal me enviou. Mas quando Sevro tentou roubar de mim enquanto eu dormia na Grande Floresta, eu soube que havia algum problema. — Ele repara minha reação. — O quê? Você imaginava que estava lidando com imbecis?

— Às vezes, sim.

— Bem, eu assisti àquela noite.

Um holo.

Com Roque e Lea, eu esquecera do saquinho. Seria melhor que eu tivesse esquecido. Seria melhor eu ter confiado nele e não enviado Sevro para roubá-lo. Quem sabe ele o teria descartado naquela ocasião. Quem sabe as coisas seriam diferentes.

— Assistiu a quê? — pergunto.

— Um holo que mostra você matando Julian, *irmão*.

— O Chacal tem um holo — bufo. — Então o Inspetor dele lhe deu um. Imagino que isso signifique que o jogo está armado. Imagino que pouco importe a você que o Chacal seja filho do ArquiGovernador e que ele esteja te manipulando pra que você se livre de mim.

Ele estremece.

— Não sabia que o Chacal era filho dele, hein? Calculo que você o reconheceria se o visse, e é por isso que ele enviou Lilath.

— Eu não o reconheceria. Nunca estive com a cria desse filho da puta. Ele sempre manteve todos eles escondidos de nós antes do Instituto. E minha família me manteve afastado dele depois… — Sua voz desaparece à medida que seus olhos afundam numa distante lembrança.

— A gente consegue derrotá-lo juntos, Cassius. A gente não precisa ficar dividido…

— … porque você matou meu irmão? — Ele cospe. — Não há *a gente*, seu babaca fracote. Desça do seu maldito cavalo.

Eu desmonto e Cassius joga para mim uma das íonEspadas. Fico parado na lama encarando meu amigo. Ninguém a testemunhar isso a não ser os corvos e as luas. E os Inspetores. Minha curviLâmina está na sela; ela pelo menos tem uma curva, mas é inútil contra uma íonEspada. Cassius vai me matar.

— Eu não tinha escolha — digo a ele. — Espero que você saiba disso.

— Você vai apodrecer no inferno, seu filho da puta manipulador — grita ele. — Você permitiu que eu te chamasse de *irmão*!

— Então o que você queria que eu fizesse? Eu devia ter deixado Julian me matar na Passagem? Você teria?

Isso o congela.

— É a maneira como você o matou. — Ele fica quieto por um momento. — Nós chegamos como príncipes e esta escola deve nos ensinar a nos tornarmos feras. Mas você já chegou aqui uma fera.

Eu rio amargamente.

— E você era o que quando despedaçou Titus?

— Eu não era como você! — grita Cassius.

— Deixei você matá-lo, Cassius, pra que a Casa não se lembrasse que uma dúzia de garotos deu uma longa mijada na sua cara. Então não me trate como se eu fosse um monstro.

— Você é — diz ele, com um riso afetado.

— Oh, cale essa maldita matraca e vamos logo com isso. Hipócrita.

O duelo não é longo. Tenho praticado com ele há meses. Ele participou de duelos a vida inteira. As lâminas ecoam no rio. A neve cai. A lama gruda e respinga. Nós arfamos. A respiração forma nuvenzinhas no ar. Meus braços chacoalham à medida que as lâminas se encontram e raspam uma na outra. Sou mais rápido do que ele, mais fluido. Quase acerto sua coxa, mas ele conhece a matemática desse jogo. Com um pequeno movimento dos punhos para afastar minha espada, ele avança e atravessa minha armadura com sua íonEspada, penetrando minha barriga. A arma deveria cauterizar meu ferimento instantaneamente e destruir os nervos, deixando-me com estragos porém vivo, mas ele está com a carga de íon desativada, de modo que sinto apenas um horrível aperto quando um metal estranho desliza para o interior do meu corpo e o calor começa a esguichar.

FÚRIA VERMELHA **321**

Eu me esqueço de respirar. Então começo a arquejar. Meu corpo treme. Abraça a espada. Sinto o cheiro do pescoço de Cassius. Ele está próximo. Próximo como estava quando costumava segurar minha cabeça nas mãos e me chamar de irmão. Seus cabelos estão oleosos.

A dignidade me abandona, e eu começo a choramingar como um cão.

Uma dor latejante tem início — começa como uma pressão, uma inteireza de metal no estômago se transforma num horror doloroso. Estremeço em busca de ar, arquejo. Não consigo respirar. É como um buraco negro no meu estômago. Caio para trás gemendo. Existem dores. Isso é uma coisa. O que está ocorrendo aqui é algo diferente. O que está ocorrendo aqui é terror e medo. Meu corpo sabe que é assim que a vida termina. Então a espada desaparece e a miséria começa. Cassius me deixa sangrando e deslizando na lama. Tudo que eu sou vai embora e me transformo em escravo do meu corpo. Eu choro.

Eu me torno novamente uma criança. Encolho-me ao redor do meu ferimento. Oh, Deus, isso é horrível. Eu não entendo a dor. Ela me consome. Não sou um homem; sou uma criança. Deixe-me morrer com rapidez. Afundo na lama fria, fria. Estremeço e choro. Não consigo evitar. Meu corpo faz coisas. Ele me trai. O metal atravessou meu estômago.

Meu sangue começa a sair. Com ele as esperanças de Dancer, o sacrifício do meu pai, o sonho de Eo. Mal consigo pensar neles. A lama é escura e fria. Isso dói muito. Eo. Sinto saudades dela. Sinto saudades da minha casa. Qual era o segundo presente dela? Nunca descobri. Sua irmã nunca me disse. Agora eu conheço a dor. Nada vale isso. Nada. Deixe-me voltar a ser escravo, deixe-me ver Eo, deixe-me morrer. Só não quero isso.

Parte IV
CEIFEIRO

As Anciãs de Lykos dizem que quando um homem é mordido por uma víbora-das-cavidades, todo o veneno precisa ser extraído da mordida, pois é maligno. Quando fui mordido, aposto que tio Narol deixou um pouco do veneno de propósito.

34
A FLORESTA DO NORTE

Existe agonia.

E claustrofobia.

Estou doente e ferido.

A dor está nos sonhos.

Está na escuridão. No fundo do meu estômago.

Acordo e grito para uma mão delicada.

Avisto alguém.

Eo? Sussurro o nome dela e estendo a mão. Minha mão enlameada suja o rosto dela. O rosto angelical de Eo. Ela veio me levar para o vale. Seus cabelos ficaram dourados. Sempre pensei que ela poderia ser Dourada. As Cores dela são asas douradas. Nenhum Sinete Vermelho nas suas mãos. Foi necessária a morte.

Transpiro apesar da chuva e da neve que caem. Alguma coisa me abriga. Eu tremo. Agarro minha faixa de cabeça escarlate. Há lama nos meus cabelos. Eo a retira com água. Delicadamente acaricia minha testa. Eu a amo. Alguma coisa dentro de mim está sangrando. Ouço Eo falando consigo mesma, com alguém. Não me resta muito tempo. Terei algum tempo ao menos? Estou no vale? Há névoa. Há um céu e uma grande árvore.

Eu tremo e suo. Apodreça no inferno, Cassius. Eu era seu amigo. Posso até ter matado seu irmão, mas não tive escolha. Você tinha. Seu sacana arrogante. Eu o odeio. Eu odeio Augustus. Eu os vejo todos juntos enforcando Eo. Eles me ridicularizam. Eles riem de mim. Odeio Antonia. Odeio Fitchner. Odeio Titus. Odeio. Odeio. Estou queimando e irado e suando. Odeio o Chacal. Os Inspetores. Odeio. Eu me odeio por tudo o que fiz. Tudo o que fiz. Para quê? Para vencer um jogo. Para vencer um jogo para alguém que jamais saberá coisa alguma sobre o que eu faço. Eo está morta. Não existe a possibilidade de ela algum dia retornar para ver tudo o que fiz por ela.

Morta.

Então eu acordo. A dor está lá no meu estômago. Ela me perpassa. Mas não estou mais suando. A febre acabou, e as nervosas linhas vermelhas da infecção sumiram. Estou na entrada de uma caverna. Há uma pequena fogueira e uma garota adormecida a apenas alguns centímetros de onde me encontro. Estou coberto por uma pelagem. Ela respira suavemente o ar esfumaçado. Seus cabelos são dourados e estão despenteados. Ela não é Eo. Mustang.

Choro silenciosamente. Quero Eo. Por que não posso tê-la? Por que não posso desejar tê-la de volta à vida? Quero Eo. Não quero essa garota ao meu lado. A presença dela dói mais do que meu ferimento. Jamais conseguirei consertar o que aconteceu com Eo. Nem consegui comandar meu exército. Não consegui vencer. Não consegui derrotar Cassius, sem falar no Chacal. Eu era o melhor Mergulhador-do-Inferno; aqui não sou nada. O mundo é muito grande e frio. Sou pequeno demais. O mundo esqueceu de Eo. Já esqueceu do seu sacrifício. Não resta mais nada.

Volto a dormir.

Quando acordo, Mustang está sentada ao lado do fogo. Ela sabe que estou acordado, mas me deixa fingir que não. Fico lá deitado com meus olhos fechados, escutando-a cantarolar. É uma canção que eu conheço. É uma canção que escuto em sonhos. O eco da morte da minha amada. A canção cantada por aquela que eles chamam de Perséfone. Cantarolada por uma Áurica, um eco do sonho de Eo.

Eu choramingo. Se alguma vez senti que havia um Deus, é agora que estou escutando esses tristonhos acordes. Minha mulher está morta, mas alguma coisa nela ainda perdura.

Falo com Mustang na manhã seguinte.

— Onde foi que você ouviu essa canção? — pergunto a ela sem me sentar.

— No HC — diz ela, enrubescendo. — Uma garotinha cantava essa música. Ela é tranquilizadora.

— Ela é triste.

— A maioria das coisas é.

Passaram-se quatro semanas, me conta Mustang. Cassius é o Primus. O inverno chegou. Ceres não está mais sitiada. Os soldados de Júpiter às vezes aparecem na floresta. Há sons de batalha entre as duas superpotências do norte, Júpiter e Marte. Júpiter a oeste, Marte a leste. Desde que o rio congelou, eles têm sido capazes de atravessá-lo para se atacarem mutuamente. Nossos imbecis saíram das suas ravinas de inverno. Lobos famintos uivam à noite. Corvos voam do sul. Mas Mustang sabe de fato muito pouco, e começo a ficar impaciente com ela.

— Mantê-lo respirando me deixou um pouco ocupada — ela me lembra. Seu estandarte se encontra debaixo de um cobertor perto dos meus pés. Ela é a última representante da Casa Minerva. Ainda livre do cabresto. E não me escravizou.

— Escravos são estúpidos — diz ela. — E você já é um estropiado. Por que fazer de você estúpido também?

Passam-se dias até eu conseguir voltar a andar. Imagino onde estarão aqueles ágeis medBots agora. Cuidando de alguém do agrado dos Inspetores, sem dúvida nenhuma. Venci o Primus e eles nunca me entregaram. Agora sei por que o Chacal vai vencer. Os Inspetores estão se livrando dos competidores dele.

Mustang caça comigo na floresta durante as semanas seguintes. Eu me movo sem rapidez através da neve espessa, mas minha força está voltando. Ela credita isso aos remédios que encontrou conspicuamente sob uns arbustos. Um Inspetor simpático o colocou lá. Fazemos uma pausa quando avistamos o cervo. Pego o arco, mas não consigo levar a corda até a orelha. Meu ferimento dói. Mustang me observa. Tento novamente. Dor no fundo do meu ser. Deixo a flecha voar. Comemos sobra de coelho naquela noite. O sabor é engraçado e me dá cãibras. Sempre tenho cãibras agora. Também é a água. Nós não temos como fervê-la. Nenhum iodo. Apenas neve e um pequeno riacho de onde bebemos. Às vezes não é possível termos fogo.

— Você devia ter matado Cassius ou tê-lo mandado pra longe — me diz Mustang.

— Na minha concepção você teria atitudes mais nobres — digo enquanto esfolo o coelho que pegamos.

— Gosto de vencer. Característica de família. E às vezes trapacear faz parte das regras. — Ela sorri. — Você recebe uma barra de mérito sempre que recaptura seu estandarte. Portanto, dei um jeito dele não poder ser encontrado pela Casa Diana diversas vezes por intermédio de outra pessoa. Depois eu ia lá a cavalo e o capturava. Ganhei o Primus numa semana.

— Bom truque. E, mesmo assim, seu exército gostava de você — digo.

— Todos gostam de mim. Agora coma essa droga de coelho. Você está esquelético como um cadáver.

O inverno fica mais frio. Estamos vivendo bem no interior da Floresta do Norte, no extremo norte de Ceres, a noroeste das terras altas, minha residência anterior. Ainda não vi nenhum soldado de Marte. Não sei o que faria se visse.

— Eu me escondi de todos, exceto de você — diz Mustang. — Isso me mantém viva e funcionando.

— Qual é seu plano? — pergunto.

Ela ri de si mesma.

— Estar viva e funcionando.

— Você é melhor nisso do que eu.

— Como assim?

— Ninguém na sua Casa teria te traído.

— Porque eu não liderava como você — diz ela. — Você precisa se lembrar: as pessoas não gostam de receber ordens sobre o que devem fazer. Você pode tratar seus amigos como serviçais e eles vão te amar;

mas, se você lhes disser que eles são seus serviçais, eles vão te matar. De um jeito ou de outro, você apostou demais na hierarquia e no medo.

— Eu?

— Quem mais? Dava pra perceber isso a um quilômetro de distância. Você só se importava com sua missão, seja lá qual for. Você é como uma flecha disparada com uma sombra bastante depressiva. Quando nos encontramos pela primeira vez, percebi que você cortaria minha garganta pra conseguir o que quisesse, fosse lá o que fosse. — Ela espera um momento. — A propósito, o que é que você quer?

— Vencer — digo.

— Ah, por favor. Você não é assim tão simples.

— E você me conhece? — O coelho sibila no fogo.

— Sei que você chora durante o sono por uma garota chamada Eo. Irmã? Ou uma garota que você amava? Esse é um nome bem desColorido. Como o seu.

— Sou um caipira de um planeta distante. Ninguém te disse isso?

— Ninguém me disse nada. Não costumo sair muito. — Ela balança a mão. — Enfim, pouco importa. O que importa é que ninguém confia em você, porque é óbvio que você se importa mais com sua meta do que com as pessoas.

— E você é diferente disso?

— Oh, muitíssimo diferente, senhor Ceifeiro. Eu gosto das pessoas mais do que você. Você é o lobo que uiva e morde. Eu sou o mustangue que encosta o focinho na mão. As pessoas sabem que podem trabalhar comigo. Agora, com você? Caramba, com você é matar ou morrer.

Ela tem razão.

Quando eu tinha uma tribo, fazia isso bem. Fiz todo garoto e toda garota me amar. Eu os fiz merecerem o que recebiam. Eu os ensinei a matar uma cabra como se eu mesmo soubesse. Dei a eles fogo parecendo que eu tinha produzido os fósforos. Compartilhei um segredo com eles: que nós tínhamos comida e Titus não. Eles me viram como um pai. Eu me lembro disso nos seus olhos. Quando Titus estava vivo, eu era um símbolo de benevolência e esperança. Então, quando ele morreu... eu me tornei Titus.

— Às vezes esqueço que o Instituto tem a função de me ensinar coisas — digo para Mustang.

Preciso aprender melhor do que eles, não simplesmente derrotá-los. É *assim* que vou ajudar os Vermelhos. Sou um menino. Sou tolo. Mas se eu aprender o que devo fazer para me tornar um líder, vou poder ser mais do que um agente dos Filhos de Ares. Vou poder dar a meu povo um futuro. É isso o que Eo queria.

Os lobos estão famintos agora. Eles uivam à noite. Quando Mustang e eu abatemos algum bicho, às vezes temos de afugentá-los. Mas ao matarmos um caribu no meio da madrugada, um bando desce das terras mais ao norte. Eles vêm das árvores como espectros escuros. Sombras. O maior deles é do meu tamanho. Sua pelagem é branca. A pelagem dos outros é cinza, não mais preta. Esses lobos mudam de acordo com a estação. Observo como eles nos cercam. Cada qual se move com uma astúcia individual. No entanto, cada um deles se move como parte de um bando.

— É assim que a gente devia lutar — sussurro para Mustang enquanto observamos os lobos se aproximarem.

— Será que dá pra gente falar sobre isso uma outra hora?

Abatemos o líder do bando com três flechas. O resto foge. Mustang e eu começamos a esfolar o grandalhão branco. Enquanto desliza a faca ao longo da pelagem, ela levanta os olhos, com o nariz vermelho por causa do frio.

— Escravos não fazem parte do bando, portanto a gente não pode lutar como eles. Não que isso tenha alguma importância. Os lobos também não trabalham isso de forma correta. Eles são centrados demais no seu líder. Corte a cabeça, e o corpo recua.

— Então a resposta é autonomia — digo.

— De repente. — Ela morde o lábio.

Mais tarde naquela noite, Mustang elabora a questão:

— É como uma mão. — Ela se senta perto de mim de modo confortável, sua perna tocando a minha. Perto o bastante para que uma sensação de culpa comece a rastejar pela minha coluna. O caribu está sendo grelhado, impregnando a caverna com um aroma fino e espesso. Uma nevasca cai lá fora e a pelagem lupina seca ao fogo.

— Me dê sua mão — diz ela. — Qual é seu melhor dedo?

— Cada um deles é melhor em coisas diferentes.

— Não seja teimoso.

Eu lhe digo que é meu polegar. Ela manda eu tentar segurar um graveto apenas com meu polegar. Facilmente, ela o puxa do meu dedo. Em seguida ela me diz para segurá-lo sem o polegar e apenas com os outros dedos. Com um golpe dela, o graveto está livre.

— Imagine que seu polegar representa os membros da sua Casa. Os dedos são todos os escravos que você conquistou. O Primus, ou seja lá quem for o líder, é o cérebro. Toda essa maldita engrenagem funciona maravilhosamente bem, certo?

Mustang não consegue puxar o graveto. Eu o coloco no chão e pergunto o que ela está querendo provar.

— Agora tente fazer alguma coisa além de simplesmente agarrar o estandarte. Apenas mexa seu polegar no sentido anti-horário e seus dedos no sentido horário, exceto o dedo do meio.

Eu faço isso. Ela olha fixamente para minhas mãos e ri incredulamente.

— Nojento.

Eu arruíno a demonstração dela. Mergulhadores-do-Inferno são habilidosos. Observo suas mãos enquanto ela tenta fazer a mesma coisa. É claro que ela não consegue. Eu compreendo.

— Uma mão é como a Sociedade — digo.

— É a estrutura dos exércitos no Instituto. A hierarquia é boa para tarefas simples. Alguns dedos são mais importantes do que outros. Alguns são melhores em determinadas coisas. Todos os dedos são controlados pela ordem mais alta, o cérebro. O controle do cérebro é eficiente. Ele faz seu polegar e seus dedos trabalharem juntos. Mas o controle de um único cérebro é limitado. Imagine que cada um dos dedos tenha um cérebro pessoal que interaja com o cérebro principal. Os dedos obedecem, mas funcionam independentemente.

O que a mão poderia fazer então? O que um exército poderia fazer? — Giro o graveto ao longo dos dedos em padrões intricados. — Exatamente.

Os olhos dela permanecem um tempo fixos nos meus, e seus dedos percorrem a palma da minha mão à medida que ela explica. Eu sei que ela quer que eu reaja ao seu toque, mas forço minha mente a se perder em outras coisas.

Essa ideia dela não faz parte das lições dos Inspetores.

A lição deles diz respeito à evolução da anarquia à ordem. Diz respeito ao controle. À sistemática acumulação de poder, à estrutura desse poder, e sua posterior preservação. Trata-se de um modelo para mostrar que a Regra das Hierarquias é a melhor. A Sociedade é a evolução final, a única resposta. Ela simplesmente sacaneou essa regra, ou pelo menos mostrou suas limitações.

Se eu pudesse receber o compromisso de fidelidade voluntário da parte dos escravos, o exército criado não se pareceria nem um pouco com a Sociedade. Seria melhor. Por exemplo, se os Vermelhos de Lykos pensassem poder de fato vencer a Láurea, eles seriam bem mais produtivos. Ou se um Pretor a bordo da sua nave estelar pudesse utilizar não apenas seu próprio gênio, mas também o da sua tripulação de Azuis.

A estratégia de Mustang é o sonho de Eo.

É como se um choque elétrico sacudisse meu corpo inteiro.

— Por que você não tentou isso com os escravos que capturou?

Ela afasta a mão da minha depois que eu não reajo ao seu toque.

— Eu tentei.

Ela fica quieta o resto da noite. Perto do amanhecer, ela começa a tossir.

Mustang fica doente durante os dias seguintes. Ouço fluido nos seus pulmões e a alimento com um caldo feito de tutano e lobo e folhas fervidas num capacete que encontrei. Ela dá a impressão de que vai morrer. Não sei o que fazer. Estamos com pouca comida, portanto saio para caçar. Mas os animais são escassos e os lobos estão famintos. As presas fugiram dessa floresta, então sobrevivemos de pequenas lebres. Tudo o que posso fazer é mantê-la aquecida e rezar para que um medBot desça das nuvens. Os Inspetores sabem onde estamos. Eles sempre sabem onde estamos.

Encontro pegadas humanas na floresta na semana seguinte. Um conjunto de duas. Eu as sigo até um acampamento abandonado na esperança de que talvez lá tenha comida que eu possa roubar. Há ossos de animais e brasas ainda quentes. Mas nenhum cavalo. Provavelmente não se trata de um acampamento de batedores, nesse caso. Blasfemadores, os Indignos que quebraram seus juramentos depois de serem escravizados. Há muitos deles agora.

Sigo suas pegadas através da floresta por uma hora até ficar preocupado. Eles fizeram um contorno que leva a um lugar familiar, que leva à nossa caverna. Já é noite quando volto. Ouço risos no lar que compartilho com Mustang. Sinto a flecha fina nos meus dedos enquanto a engato no arco. Eu devia me ajoelhar para respirar fundo. Meu ferimento dói. Eu arquejo. Mas não posso dar a eles mais tempo. Não se eles estiverem de posse de Mustang.

Eles não podem me ver de pé na beirada da pele congelada do caribu e da neve compacta que forma uma parede e protege nossa caverna da visão exterior e das intempéries. O fogo estala no interior. A fumaça escapa de dutos de ventilação que Mustang e eu levamos um dia fazendo. Dois garotos estão sentados juntos e comendo o que sobrou da nossa carne e bebendo nossa água.

Eles estão sujos e esfarrapados. Cabelos como ervas engorduradas. Compleições manchadas. Cabeças encardidas. Belos no passado, tenho certeza. Um garoto está sentado no peito de Mustang. A garota que salvou minha vida está amordaçada e vestindo apenas a roupa de baixo. Ela treme de frio. Um dos garotos sangra de uma mordida no seu pescoço. Eles estão planejando fazê-la pagar por esse ferimento. Facas estão sendo esquentadas no fogo até ficarem vermelhas. Um dos garotos está obviamente desfrutando a visão de Mustang nua. Ele se aproxima para tocar sua pele como se ela fosse um brinquedo feito para lhe dar prazer.

Meus pensamentos são primitivos, dignos de um lobo. Uma aterrorizante emoção toma conta do meu corpo, uma emoção que eu não sabia que tinha por essa garota. Não até agora. É necessário um mo-

FÚRIA VERMELHA   333

mento até que eu me acalme e faça com que minhas mãos parem de tremer. A mão do garoto está na parte interna da coxa dela.

Dou a flechada na patela do primeiro garoto. Acerto o segundo enquanto ele vai atrás de uma faca. Não tenho uma boa mira. Acerto o ombro dele em vez do olho. Deslizo para o interior do abrigo com minha faca de esfolar animais, preparado para acabar com os garotos que uivam de dor. Algo em mim, a parte humana, foi suspensa, e só paro quando Mustang abre os olhos.

— Darrow — diz ela suavemente.

Mesmo trêmula, ela é linda — a garotinha de sorriso rápido que me trouxe de volta à vida. A alma de olhos iluminados que mantém viva a canção de Eo. Estremeço de raiva. Se eu demorasse dez minutos a mais para voltar, esta noite teria me despedaçado para sempre. Não consigo suportar mais uma morte. Principalmente a de Mustang.

— Darrow, deixe-os vivos — diz ela novamente, sussurrando as palavras para mim como Eo sussurraria que me amava. Isso me penetra bem fundo. Não consigo absorver o som da voz dela, a raiva dentro de mim.

Minha boca não funciona. Meu rosto está dormente; não consigo me livrar da careta de raiva que o controla. Arrasto os dois garotos para fora da caverna puxando-os pelos cabelos e começo a chutá-los até que Mustang se junta a nós. Eu os deixo gemendo na neve e volto para ajudá-la a se vestir. Ela me dá a sensação de estar bastante frágil quando cubro seus ombros ossudos com as pelagens.

— Faca ou neve — pergunta ela aos garotos quando está vestida. Ela está segurando as facas aquecidas no fogo com as mãos trêmulas. Ela tosse. Sei o que ela está pensando: nós os soltamos, e eles nos matam enquanto estamos dormindo. Nenhum dos dois morrerá pelos seus ferimentos. Os medBots chegariam se esse fosse o caso. Ou quem sabe eles não venham para Blasfemadores.

Eles escolhem neve.

Fico contente. Mustang não queria usar a faca.

Nós os amarramos a uma árvore na beirada da floresta e acendemos um sinal de fogo para que alguma Casa os encontre. Mustang insiste em me acompanhar, tossindo o tempo todo, como se estivesse preocupada com a possibilidade de eu não fazer o que ela havia pedido. Ela estava certa em pensar isso.

À noite, depois que Mustang adormece, eu me levanto para voltar ao local e matar os dois Blasfemadores. Se Júpiter ou Marte encontrá-los, eles vão acabar contando onde estamos e seremos pegos.

— Não, Darrow — diz ela, enquanto eu me descubro da pele de caribu. Seu rosto espia das nossas cobertas.

— Nós vamos ter que sair daqui se eles continuarem vivos — digo. — E você já está doente. Você vai acabar morrendo.

Nós estamos aquecidos aqui. Abrigados.

— Então vamos sair daqui de manhã — diz ela. — Sou mais durona do que pareço.

Às vezes, isso é verdade. Desta vez, não.

Acordo de manhã e descubro que ela se mexeu durante a noite e se enroscou para meu lado em busca de calor. Seu corpo é frágil demais. Ele treme como uma folha ao vento. Sinto o cheiro dos cabelos dela. Ela respira suavemente. Rastros de sal marcam seu rosto. Eu quero Eo. Gostaria que esses cabelos fossem dela, que esse calor fosse dela. Mas não a afasto. Há dor quando a abraço, mas a dor vem do passado, não de Mustang. Ela é algo novo, algo esperançoso. Como uma primavera para meu profundo inverno.

Quando a manhã chega, entramos mais para o fundo da floresta e fazemos um abrigo encostado na face de uma rocha com árvores caídas e neve compactada. Jamais ficamos sabendo o que aconteceu com os Blasfemadores ou com nossa caverna.

Mustang mal consegue dormir, tosse em excesso. Quando dorme enroscada em mim, beijo suavemente sua nuca, suavemente a ponto de ela não despertar; embora, em segredo, eu deseje que ela desperte, ao menos para saber que estou aqui. Sua pele está quente. Cantarolo a Canção de Perséfone.

— Nunca consigo lembrar da letra — sussurra ela para mim. Sua cabeça está no meu colo esta noite. — Eu gostaria muito de lembrar.

Não canto desde Lykos. Minha voz está áspera e rouca. Lentamente a canção vem.

Escute, escute
Lembre o declínio
Da fúria do sol e do grão balouçando
Nós caímos e caímos
E juntos dançamos
Pra cantarolar uma triste canção
De acertos e erros.

E
Meu filho, meu filho
Lembre a queimada
Quando as folhas eram fogo e as estações viravam
Nós caímos e caímos
E cantamos uma canção
Pra tecer uma célula
Durante todo o outono

E
Lá embaixo no vale
Escute o ceifeiro em ação, o ceifeiro em ação
O ceifeiro em ação
Lá embaixo no vale
Escute o ceifeiro cantar
Um conto do longo inverno

Minha menina, minha menina
Lembre o calafrio
Quando as chuvas congelam e as neves matam
Nós caímos e caímos
E juntos dançamos
Em meio ao inferno gelado

Até a canção de inverno deles

Meu amor, meu amor
Lembre-se dos gritos
Quando o inverno deu lugar aos céus da primavera
Eles rosnaram e rosnaram
Mas nós seguramos nossa semente
E plantamos uma canção
Contra a ganância deles

Meu filho, meu filho
Lembre-se das algemas
Quando o ouro governava com rédeas de ferro
Nós rosnamos e rosnamos
E nos contorcemos e berramos
Por nosso vale
Um vale de sonhos melhores

E
Lá embaixo no vale
Ouça o ceifeiro ceifar, o ceifeiro ceifar
O ceifeiro ceifar
Lá embaixo no vale
Ouça o ceifeiro ceifar
O fim de uma história de inverno

— É estranho — diz ela.

— O quê?

— Papai me contou que ocorriam tumultos por causa dessa can-ção. Que pessoas morriam. Mas é uma melodia tão suave. — Ela tosse sangue numa pele. — A gente tinha o hábito de cantar ao redor da fogueira, no campo, onde ele mantinha a gente fora do... — Ela tosse novamente. — ... do olhar público. Quando... meu irmão morreu... papai nunca mais cantou comigo.

Eu sei que logo, logo ela vai morrer. É apenas uma questão de tempo. Seu rosto está pálido, seus sorrisos débeis. Há apenas uma coisa que eu posso fazer, já que os medBots não apareceram: terei de deixá-la aqui sozinha para sair em busca de medicamentos. Uma das Casas talvez tenha encontrado alguns ou recebido injetáveis como recompensa. Terei de ir logo, mas primeiro preciso alimentá-la.

Alguém me segue naquele dia enquanto caço sozinho na floresta invernal. Estou trajando meu novo manto lupino branco. Eles também estão camuflados. Não enxergo seja lá quem for, mas ele está lá. Finjo que meu arco precisa de conserto e olho de relance para trás. Nada. Silêncio. Neve. O som do vento nos galhos quebradiços. Eles ainda estão atrás de mim enquanto sigo meu caminho.

Eu os sinto atrás de mim. É como a dor do ferimento no meu corpo. Finjo ver um cervo e passo rapidamente por um arbusto apenas para subir num pinheiro alto do outro lado.

Ouço um *pop* estourando.

Eles passam por mim. Sinto na pele, nos ossos. Então sacudo os galhos sob minhas pernas. A neve acumulada cai. Um vazio distorcido em feitio de homem se forma na neve que cai. Está olhando para mim.

— Fitchner? — chamo.

A bola do chiclete dele estoura de novo.

— Você pode descer agora, garotão — rosna Fitchner. Ele desativa seu fantasManto e suas gravBotas e afunda na neve. Está usando um fino traje térmico preto. Minhas camadas e mais camadas de uniforme e fedorentas peles de animais não me fornecem nem metade do aquecimento que aquela roupa dá a ele.

Faz semanas desde a última vez que o vi. Ele parece cansado.

— Vai terminar o que o Cassius começou? — pergunto ao saltar da árvore.

Ele olha para mim de alto a baixo e dá um sorriso afetado.

— Sua aparência está horrível.

— A sua também. A cama macia, a comida quentinha e o vinho estão atrapalhando sua vida? — observo. Mal conseguimos ver o Olimpo entre os esqueléticos galhos das árvores invernais.

Ele sorri.

— O computador diz que você perdeu nove quilos.

— Gordura de bebê — digo a ele. — A íonEspada de Cassius tirou isso de mim. — Levanto meu arco e aponto para ele. Imagino se ele está usando uma pulsArmadura. Ela deterá praticamente qualquer coisa com exceção de pulsArmas e lâminas. Somente uma placaRecuo pode anular essas armas e, mesmo assim, não muito bem. — Eu devia te dar uma flechada.

— Você não ousaria. Sou um Inspetor, garotão.

Eu lhe dou uma flechada na coxa. Só que a flecha perde velocidade antes de atingir o invisível pulsEscudo, que tremeluz em tons iridescentes, antes de balançar e cair no chão. Então eles usam isso o tempo todo, mesmo quando não estão usando pulsArmaduras.

— Bom, isso aí foi uma coisa petulante da sua parte — boceja ele.

PulsEscudos, gravBotas, fantasManto, parece que ele também tem um pulsoPunho e uma lâmina. A neve derrete ao tocar a pele de Fitchner. Ele me viu na árvore, portanto estou imaginando que seus olhos têm óticas injetadas. Certamente alcance térmico e visão noturna. Ele também tem um widget e um modAnalisador. Ele sabia meu peso. Provavelmente sabe a quantidade dos meus leucócitos. E análise de espectro?

Ele boceja novamente.

— Pouco tempo de sono ultimamente no Olimpo. Dias movimentados.

— Quem deu pro Chacal o holo com imagens minhas matando Julian? — pergunto.

— Bom, você não perde tempo com frivolidades.

Ele fez uma coisa enquanto eu falava, e o som ao redor de nós fica localizado. Não consigo escutar nada além de uma invisível bolha de cinco metros. Eu não sabia que eles tinham brinquedos desse tipo.

— Os Inspetores deram pro Chacal — ele me conta.

— Quais?

— Apolo. Todos eles. Pouco importa.

Eu não compreendo.

FÚRIA VERMELHA   **339**

— Imagino que seja pelo fato de terem uma predileção pelo Chacal. Estou certo?

— Como de costume. — O chiclete dele estala. — Infelizmente, você não tem permissão pra vencer, simples assim, e você estava ganhando impulso. De forma que...

Eu peço a ele que explique. Ele diz que acabou de fazer isso. Seus olhos estão com um contorno escuro e cansados apesar do colágeno e dos cosméticos que ele agora usa para cobrir sua fadiga. Sua barriga cresceu. Os braços continuam magricelas. Algo o preocupa, e não é apenas sua aparência.

— Permissão? — eu ecoo. — Permissão. Ninguém pode ter *permissão* pra vencer. Eu pensava que a maldita questão fosse galgar nossos degraus até o topo. Então, se eu não tenho *permissão* pra vencer, isso significa que o Chacal tem.

— Esforçou-se por isso. — Ele não parece estar muito feliz.

— Então isso não faz o menor sentido. Isso corrompe a coisa toda — digo, exasperado. — Vocês desrespeitaram as regras.

Espera-se que o melhor dos Ouros realize uma ascensão. No entanto, eles já escolheram um vencedor. Isso não apenas arruína o Instituto, como também arruína a Sociedade. Os mais aptos reinam. É o que eles dizem. Agora eles traíram seus próprios princípios ao tomar partido numa luta escolar. Isso aqui é a Láurea novamente. Hipocrisia.

— Então esse moleque é o quê? Um Alexandre predestinado? Um César? Um Gêngis Khan? Um Wiggin? — pergunto. — Isso é uma sacanagem sem sentido.

— Adrius é filho do nosso *querido* ArquiGovernador Augustus. Isso é tudo o que importa.

— Certo, você me contou isso, mas por que ele tem mesmo que vencer? Simplesmente porque o pai dele é importante?

— Infelizmente, sim.

— Seja mais específico.

Ele suspira.

— O ArquiGovernador fez ameaças secretas, subornou e adulou os doze Inspetores até que concordássemos com o fato de que seu filho deveria ser o vencedor. Mas temos de ser cuidadosos na nossa fraude. Os Selecionadores, meus verdadeiros chefes, observam cada movimento dos seus palácios, naves etc. Eles também são pessoas muito importantes. E depois também há o Comitê de Controle de Qualidade pra nos preocuparmos, e a Soberana e os Senadores e todos os outros Governadores em si. Porque, embora haja muitas escolas, qualquer um deles pode te observar quando bem entender.

— O quê? Como?

Ele dá um tapinha no meu anel lupino.

— NanoCâmera biométrica. Não se preocupe, ela está mostrando a eles alguma outra coisa neste exato momento. Acionei uma embaralhÁrea e, de qualquer modo, existe um atraso de meio-dia pra edição das imagens. Em todos os outros momentos, qualquer Selecionador, qualquer Maculado pode te observar pra ver se eles gostariam de lhe oferecer um aprendizado quando tudo isso aqui estiver encerrado. Oh, como eles gostam de você.

Milhares de Áuricos têm me assistido.

Meus órgãos internos, já frios, ficam apertados.

Demetrius au Bellona, Imperador da Sexta Frota, pai de Cassius e Julian, Selecionador da Casa Marte, me assistiu matar um filho seu e trair um outro. Isso me tira o fôlego. E se eu tivesse dito a Titus que sabia que ele era Vermelho porque eu mesmo sou Vermelho? Será que eles repararam em Titus dizendo "porra"? Será que eu disse que ele era Vermelho em voz alta ou foi apenas em pensamento?

— E se eu tirar o anel?

— Aí você desaparece, exceto pras câmeras que escondemos no campo de batalha. — Ele pisca para mim. — Não diga a ninguém. Agora, se os Selecionadores descobrissem o esquema do ArquiGovernador... o inferno se instalaria. Tensão entre as Casas escolares, com toda certeza. Mas, o mais importante: poderia haver uma Guerra de Sangue entre os Augustus e os Bellona.

— E você vai ficar encrencado se eles descobrirem o suborno?

— Eu morrerei. — Ele fracassa em tentar um sorriso.

— É por isso que você está com essa aparência horrível. Você está

FÚRIA VERMELHA **341**

no meio de uma tempestade de merda. E aí, como é que eu me encaixo nisso tudo?

Ele ri secamente.

— Muitos Selecionadores gostam de você. Os da Casa Marte vão te oferecer seus primeiros aprendizados, mas você vai poder avaliar ofertas de fora da Casa. Se você morrer, eles vão ficar muito infelizes. Principalmente o Espada da Casa Marte. O nome dele é Lorn au Arcos; sem dúvida você ouviu falar nele. É um mestre com a lâmina.

— Como. É. Que. Eu. Me. Encaixo? — repito.

— Você não se encaixa. Permaneça vivo. Fique afastado do Chacal. Do contrário, Júpiter ou Apolo vão matá-lo e eu não terei como fazer nada pra evitar.

— Então eles são os cães de guarda do Chacal, é isso?

— Dentre outros, sim.

— Bom, se eles me matarem, os Selecionadores vão saber que há algo errado.

— Não vão. Apolo vai usar outras Casas pra fazer isso ou nós mesmos vamos fazer isso e editar as tomadas das nanoCâmeras. Apolo e Júpiter não são estúpidos. Portanto, não mexa com eles. Deixe o Chacal brincar, e seu futuro estará garantido.

— E o seu também.

— E o meu também.

— Entendi — digo.

— Bom. Bom. Eu sabia que você teria bom senso. Sabia que muitos Inspetores gostam de você? Até Minerva gosta. Ela te odiou de início, mas como você deixou Mustang viva, ela pôde permanecer no Olimpo. Muito menos constrangedor, assim.

— Ela precisa de permissão pra ficar no Olimpo? — pergunto com ar de inocência.

— Naturalmente. São as regras do Instituto. Uma vez que sua Casa é derrotada, o Inspetor volta pra casa pra enfrentar a plateia e explicar aos Selecionadores o que houve de errado. — O sorriso de Fitchner se contorce quando ele vê o súbito brilho nos meus olhos.

— Quer dizer então que se uma Casa é destruída, eles são obrigados a ir embora? E Apolo e Júpiter eram os que me queriam mortos, foi isso o que você disse?

— Não… — implora ele, subitamente ouvindo o tom de ameaça na minha voz.

Inclino a cabeça.

— Não?

— Você… não pode! — explode ele, confuso. — Acabei de te dizer, o Espada da droga da Casa Marte quer tê-lo como aprendiz. E existem outros: Senadores, Políticos, Pretores. Você não deseja um futuro?

— Desejo arrancar os colhões do Chacal. E pronto. Depois faço meu aprendizado. Imagino que se eu fizer isso, vai ser um ato impactante, não?

— Darrow! Seja sensato, rapaz.

— Fitchner, meus amigos Roque e Lea morreram por causa da interferência do ArquiGovernador. Vamos ver o que ele vai achar quando eu transformar o filho dele, o Chacal, num escravo meu.

— Você é insano como um Vermelho! — diz ele com um sacudir de cabeça. — Você está acabando com o sustento dos Inspetores. Nenhum deles está contente com a condição atual em que se encontra. Todos também estão em busca de ascender socialmente. Se você ameaçar o futuro deles, Apolo e Júpiter vão descer e cortar sua cabeça!

— Não se eu destruir as Casas deles antes — digo, franzindo o cenho. — Porque eles vão ter que sair se eu fizer isso, não vão? Alguém confiável me contou que essas eram as regras. — Bato palmas. — *Agora*, tenho outra pessoa que está morrendo e eu gostaria de alguns antibióticos. Seria ótimo se você pudesse me dar alguns.

Ele olha para mim boquiaberto.

— Depois de tudo isso, por que eu faria uma coisa dessas?

— Porque você tem sido um merdinha de um Inspetor até agora. Você me deve recompensas. E você tem seu próprio futuro pra cuidar.

Ele bufa e exibe um riso derrotado.

— Muito justo.

Ele tira um injetável do medEstojo na sua perna e me entrega. Reparo como a pulsArmadura não me machuca quando a mão dele toca

FÚRIA VERMELHA **343**

a minha. Então eles podem desligá-la. Agradeço-lhe dando um tapinha afetuoso no ombro. Ele revira os olhos. A armadura está desligada em todo o corpo dele. Depois volta a ser ligada. Ouço o microzumbido na cintura dele onde o dispositivo se encontra. Agora que eu tenho Inspetores como inimigos, é bom saber disso.

— Então o que é que você vai fazer? — pergunta Fitchner.

— Quem é mais perigoso? Apolo ou Júpiter? Fitchner, seja honesto.

— Ambos são homens monstruosos. Apolo é mais ambicioso. Júpiter é simples; ele apenas se diverte bancando o deus aqui.

— Então a Casa Apolo primeiro. Depois disso, vou esmagar Júpiter. E quando eu tiver acabado com eles, quem é que vai proteger o Chacal?

— O Chacal — diz ele, rindo.

— Então a gente vai ver se ele realmente merece vencer.

Antes de eu ir embora, Fitchner joga no chão um pequeno pacote.

— Não que isso importe agora, mas alguém me deu essa coisa. Fui orientado a dizer que você deve saber que seus amigos não o abandonaram.

— Quem?

— Não posso dizer.

Quem quer que tenha me dado isso é um amigo, porque no interior da caixa se encontra meu Pégaso e, dentro dele, está o haemanthus de Eo. Coloco o colar de Pégaso no meu pescoço.

35
BLASFEMADORES

Meus amigos estão comigo. Qual teria sido a intenção deles ao fazer isso? Quais amigos? Os Filhos de Ares? Ou será que o misterioso amigo estava sendo mais geral, aludindo àqueles que apoiam minhas chances no Instituto? Será que eles sabem o significado do Pégaso? Ou será que estavam simplesmente me reunindo com algo que, na concepção deles, me fizesse talvez muita falta?

Tantas perguntas; nenhuma delas importa. Elas estão fora do jogo. O jogo. O que mais existe a não ser o jogo? Todas as coisas verdadeiras no mundo, todos os meus relacionamentos, todas as minhas aspirações e necessidades estão empacotados neste jogo, empacotados no fato de eu vencer. Para vencer, vou precisar de um exército, mas ele não pode ser composto de escravos. Não de novo. Eu agora preciso, como precisarei ao liderar uma rebelião, de seguidores, não de escravos.

O homem não pode ser libertado pela mesma injustiça que o escravizou.

Uma semana depois de eu injetar o medicamento em Mustang e sua febre desaparecer, nós nos encaminhamos para o norte. Sua força cresce quanto mais avançamos. Sua tosse sumiu e seu sorriso rápido voltou. Às vezes ela precisa de um descanso, mas logo volta a dar passadas quase maiores do que as minhas. Ela também me deixa claro isso. Fazemos o máximo de barulho possível quando nos movemos para atrair nossa presa a nós. Na sexta noite fazendo fogueiras ofensivamente grandes, paramos para beliscar pela primeira vez alguma coisa.

Os Blasfemadores vêm ao longo de um córrego, usando seus sons para mascarar sua aproximação. Gosto deles de imediato. Não fosse nossa fogueira uma armadilha, eles nos teriam pego de surpresa. Mas é uma armadilha e, quando dois deles aparecem na luz, quase avançamos sobre eles. Contudo, se eles são astutos o bastante para vir ao longo do córrego, são astutos o bastante para deixar alguém de prontidão no escuro. Ouço uma flecha sendo engatada num arco. Em seguida há um gemido. Mustang pega o que está no escuro. Pego os outros dois. Eu me levanto da pilha de neve, meu manto lupino cortando a neve, e os derrubo por trás com a parte chata do meu arco.

Depois, o que Mustang atingiu cuida do seu olho inchado ao lado do fogo enquanto eu falo com a líder deles. Seu nome é Milia. Ela é uma garota magra e alta com uma comprida cara de cavalo e uma ligeira curvatura nos ombros. Trapos e peles roubados cobrem seu corpo ossudo. O outro não ferido é Dax. Baixinho, gracioso, com três dedos necrosados devido ao frio. Damos a eles peles extras e acho que isso faz toda a diferença na conversa.

— Vocês entendem que a gente podia escravizá-los, certo? — pergunta Mustang, brandindo o estandarte. — Dessa forma, vocês seriam duplamente Blasfemadores e duplamente afastados uma vez que esse jogo se encerre.

Milia não parece estar se importando. Dax, sim. O outro simplesmente segue Milia.

— Estou cagando e andando pra isso. Não existe diferença entre uma vez e duas vezes — diz Milia. Eles todos carregam a marca de escravos de Marte. Não os reconheço, mas seus anéis dizem que eles são de Juno. — Muito melhor a vergonha do que machucar meus joelhos. Você conhece meu pai?

— Eu não estou nem aí pro seu pai.

— Meu pai — insiste ela — é Gaius au Trachus, Magistrado do hemisfério sul de Marte.

— Continuo não dando a mínima.

— E o pai dele era...

— Não estou nem aí.

— Então você é uma otária — diz ela com a fala arrastada. — Duplamente otária se pensa que pode fazer de mim *sua* escrava. Vou enfiar a faca em vocês à noite.

Faço um gesto com a cabeça para Mustang. Ela se levanta subitamente com o estandarte e o encosta na cabeça de Milia. A marca de Marte se torna a marca de Minerva. Então ela apaga a marca de Minerva e a testa de Milia passa a ser apenas sujeira e ouro. Os olhos de Dax ficam arregalados.

— Mesmo que eu te liberte? — pergunto a Milia. — Mesmo assim você vai me enfiar a faca?

Ela não sabe o que dizer.

— Mily — diz Dax suavemente. — O que você está pensando?

— Nada de escravidão — elaboro. — Nada de espancamentos. Se vocês cavam um poço de merda, eu também cavo um poço de merda pro acampamento. Se alguém enfia a faca em vocês, eu enfio a faca nele. E, então, vocês vão se juntar ao nosso exército ou não?

— O exército *dele* — corrige Mustang. Olho para ela franzindo o cenho.

— E quem é ele? — pergunta Milia, seus olhos fixos no meu rosto.

— Ele é o Ceifeiro.

Demora uma semana até eu conseguir reunir dez Blasfemadores. O modo como eu encaro a coisa é que esses dez já deixaram claro que não querem ser escravos. Portanto, eles podem talvez gostar da primeira pessoa que lhes der um propósito, alimento, peles, que não exija que eles lambam suas botas. A maioria deles já ouviu falar de mim, mas todos estão decepcionados com o fato de eu não ter a famosa curviLâmina que usei para derrotar Pax. Aparentemente, ele se tornou uma lenda e tanto. Os Blasfemadores dizem que ele pegou um cavalo e o cavaleiro e os arremessou no Argos enquanto os escravos de Marte combatiam Júpiter.

À medida que nosso grupo cresce, nós nos escondemos dos exércitos maiores. Marte pode ser minha Casa, mas com Roque morto e

FÚRIA VERMELHA **347**

Cassius meu inimigo, apenas Quinn e Sevro me restam como amigos. Talvez Pollux, mas ele irá aonde quer que o vento sopre.

Não posso estar com minha Casa. Não há lugar para mim lá. Posso ter sido o líder deles, mas lembro muito bem da maneira como eles olhavam para mim. E agora é crucial que eles saibam que estou vivo.

Apesar da guerra entre Marte e Júpiter, a firme Ceres à beira-rio ainda não foi conquistada. Atrás dos seus altos muros, a fumaça de pães assados ainda sobe. Grupos de soldados a cavalo de ambos os exércitos assolam as planícies ao redor de Ceres, atravessando o congelado Argos quando bem entendem. Eles carregam agora íonEspadas com carga baixa, de modo que podem eletrocutar e mutilar uns aos outros com um roçar de metal. MedBots gritam sobre o campo de batalha quando escaramuças se transformam em rixas explícitas, sarando alunos feridos que sangram ou gemem por causa dos ossos quebrados. Os campeões de cada exército usam íonArmaduras para se proteger das novas armas. Cavalos atacam em conjunto. ÍonFlechas voam. Escravos se movem de um lado para o outro acertando uns aos outros com armas mais velhas e simples ao longo da ampla planície que separa as terras altas do grande rio Argos. É uma cena espetacular de se ver, mas tola, muito tola.

Observo Mustang e Milia no momento em que dois pelotões de Marte e Júpiter com armaduras se digladiam ao longo das planícies em frente à torre Phobos. Galhardetes balançam no ar. Cavalos pisoteiam a neve funda. É um confronto de glória munida de armadura quando as duas ondas de metal desabam uma sobre a outra. Lanças soltam fagulhas com a eletricidade atordoante nos amplos escudos e armaduras. Deslumbrantes espadas se chocam com outras lâminas semelhantes às suas próprias. AltaSeleção enfrentando altaSeleção. Escravos correm em grupos para esmagar uns aos outros, peões nessa gigantesca partida de xadrez.

Vejo Pax numa corpulenta armadura carmesim enferrujada e tão antiga que mais parece um traje-forno. Eu rio quando ele agarra um cavalo. Mas, se alguma vez fosse pintado o retrato de um perfeito cavaleiro, não seria o de Pax. Não, seria o de Cassius. Eu o vejo agora. Sua armadura resplandece enquanto ele atordoa oponente após oponente, galopando em meio às fileiras do inimigo, sua espada zunindo à esquerda e à direita, tremeluzindo como uma língua de fogo. Ele consegue lutar, mas estou chocado com a maneira tola como escolhe fazê-lo: mergulhando com nobreza no interior das entranhas do adversário com uma força de lanceiros, capturando inimigos. E então as tropas sobreviventes se reagrupam e fazem o mesmo com ele. Seguidamente, sem que nenhum dos dois lados adquira em momento algum uma vantagem substanciosa.

— Que idiotas — digo a Mustang. — Todas essas armaduras e espadas bonitinhas estão deixando todos eles cegos. Eu sei. De repente, se eles ficarem se batendo desse jeito por mais umas três ou quatro horas, pode ser que funcione.

— Eles têm uma tática — diz ela. — Olhe, uma formação de cunha ali. E um ataque simulado ali que vai se transformar num golpe pelos flancos.

— Mas eu estou certo.

— Mas você não está errado. — Ela observa por um momento. — Como nossa guerrinha de novo e de novo, só que você não está correndo por todos os lados uivando pras pessoas como se fosse um lobo tocado pela lua. — Mustang suspira e coloca a mão no meu ombro. — Ah, bons e velhos tempos.

Milia nos observa com o nariz torcido.

— Tática vence batalhas. Estratégia vence guerras — digo.

— Ooo. Eu sou o Ceifeiro. Deus dos lobos. Rei da estratégia. — Mustang belisca minha bochecha. — Você é mesmo um amorzinho.

Tiro a mão dela do meu rosto. Milia revira os olhos.

— E aí, qual é nossa estratégia, milorde? — me pergunta Mustang.

Quanto mais eu protelar qualquer conflito com um inimigo, mais chances os Inspetores terão de me arruinar. Minha ascensão precisa ser meteórica. Não digo isso a ela.

— Rapidez é nossa estratégia — digo. — Rapidez e prejuízo extremo.

* * *

FÚRIA VERMELHA

Na manhã seguinte, o pelotão da Casa Marte encontra sua ponte sobre o Metas bloqueada por árvores caídas durante a noite. Como esperado, o pelotão dá meia-volta e retorna ao castelo, temendo alguma espécie de armadilha. Seus vigilantes de atalaia em Phobos e Deimos não podem nos ver; eles olham para baixo e enviam sinais de fumaça indicando que não há inimigo na estéril floresta de árvores abatidas ao redor da ponte. Eles não nos veem porque estamos deitados de bruços na mesma posição na floresta a cinquenta metros da ponte desde o raiar do dia. Cada um dos meus Blasfemadores possui agora um manto lupino branco ou cinza. Uma semana foi necessária para encontrar os lobos, mas talvez a dificuldade tenha valido a pena. A caçada criou um laço. Meus dez soldados formam um grupo heterogêneo. Mentirosos, farsantes ardilosos que prefeririam arruinar seus futuros a ser escravos neste jogo. Portanto, um grupo orgulhoso e prático, porém não muito honrado. Exatamente o tipo de grupo de que eu preciso. Nossos rostos estão pintados de branco com cocô de passarinho e argila cinza, de modo que temos a aparência de espectrais feras do inverno com nuvenzinhas escapando das nossas bocarras arreganhadas.

— Eles gostam de ser valorizados por alguém temível — me disse Milia na noite anterior, sua voz tão fria e quebradiça quanto os sincelos pendendo dos álamos. — E eu também.

— Marte vai morder a isca — sussurra Mustang para mim agora. — Não resta muito cérebro na Casa. — Não com Roque morto. Ela escolheu um lugar perto de mim na neve. Tão perto que suas pernas estão esticadas ao lado das minhas, e seu rosto, contorcido lateralmente com ela de bruços, está a apenas centímetros do meu sob nossos mantos brancos. Quando eu inalo, o ar já está morno devido à respiração dela. Acho que essa é a primeira vez que pensei em beijá-la. Afugento o pensamento e evoco a visão dos maliciosos lábios de Eo.

É meio-dia quando Cassius envia tropas — principalmente escravos, por temer uma emboscada — para retirar as árvores caídas da ponte. Na realidade, Cassius faz um jogo bastante sagaz. Como ele acredita que está lutando contra Júpiter, sua suposição é que a emboscada será um repentino ataque de cavalaria assim que a ponte estiver desobstruída. Então ele manda seus cavalos contornar o rio em direção ao sul através das terras altas e fazer um circuito ao redor da extremidade da ponte perto de Phobos para empreender uma emboscada sobre a cavalaria que ele imagina que virá da Grande Floresta ou das planícies. Milia, a garota evasiva, me traz notícias dessa movimentação de cavalos na forma de um uivo do ponto em que se encontra empoleirada a um quilômetro de distância, onde funciona como sentinela nos altos pinheiros. Está na hora de nos movermos.

Nós onze não uivamos ou gritamos enquanto disparamos pela floresta desfolhada na direção dos escravos na labuta. Quatro membros da altaSeleção estão nos seus cavalos observando o trabalho. Um deles é Cipio. Corremos com mais rapidez ainda. Com mais rapidez através das árvores estéreis, vindo do flanco deles. Eles não nos veem. Avançamos em conjunto. Competindo uns com os outros para efetivar o primeiro ataque.

Eu venço.

Saltando cinco metros adiante em baixaGrav, voo para longe da floresta como um demônio possuído e acerto o ombro de Cipio com uma espada cega. Ele é cuspido da sua sela. Cavalos se queixam. Mustang derruba um outro membro da altaSeleção com seu estandarte. Minhas tropas avançam como um enxame, silenciosas e sombreadas em branco e cinza. Dois outros Blasfemadores meus saltam sobre os cavalos de soldados da altaSeleção e desferem porretadas com tacapes e machados cegos. Dei ordem para não matar; tudo se acaba em quatro segundos. Os cavalos nem sabem para onde seus cavaleiros foram. Minhas tropas passam voando pelos cavalos na direção dos escravos que estão retirando as toras caídas da ponte. Metade nem mesmo nos ouve até que Mustang transforma seis deles em escravos de Minerva e ordena a eles que nos ajudem a subjugar o resto. Então há uma gritaria e os escravos de Marte viram seus machados contra minhas tropas.

Os de Minerva reconhecem Mustang e são libertados quando ela limpa a marca de Marte. É como se fosse a mudança de maré. Seis escravos são agora nossos. Eles agarram outros escravos e os prendem no chão enquanto Mustang passa correndo e os converte. Oito, pelo mesmo processo. Dez. Onze, até que apenas um oferece problema. E ele é o prêmio. Pax. Ele não está com sua armadura, graças a Deus. Ele está aqui para trabalhar, mas mesmo assim são necessários sete de nós para derrubá-lo. Ele está rosnando e berrando seu nome. Mergulho em cima dele e lhe dou um soco na cara. Estou cuspindo e rindo enquanto nos agrupamos até que há doze de nós segurando o monstro genético no chão. Mustang o livra da marca de Marte e os rosnados dele se tornam uma gargalhada tão aguda que mais parece a de uma garota.

— *Liberdaaaaaade!* — rosna ele. Pax dá um salto, em busca de alguém a quem possa mutilar. — Darrow au Andromedus! — grita ele para mim, pronto para me quebrar a cara até que Mustang grite para que ele se contenha.

— Ele está do nosso lado — diz Mustang.

— Verdade? — pergunta Pax. Seu rosto de gigante separa-se num sorriso. — Que novidade! — E ele me pega num abraço de urso. — *Liberdaaaaaade*, irmãos... e irmãs! Doce liberdade! — Deixamos Cipio e os outros soldados da altaSeleção gemendo no chão.

Os sinais de fumaça sobem de Phobos e Deimos enquanto disparamos através da floresta do vale em direção às montanhas anãs ao norte antes que os cavaleiros de Marte possam dar meia-volta na ponte bloqueada para nos atacar. As sentinelas viram isso tudo. E devem estar horrorizadas. Aconteceu em menos de um minuto. Pax não para de rir como uma garotinha.

A Casa Marte vai ficar confusa em função do súbito desfalque nas suas fileiras. Mas eu preciso de mais do que isso. Preciso que eles substituam a visão que têm de mim, a de um líder equivocado, por alguma coisa sobrenatural, alguma coisa que esteja além da compreensão deles. Preciso ser como o Chacal — anônimo e sobre-humano.

Naquela noite, deslizo pela neve ao norte do Castelo Marte. Batedores patrulham a ravina. Os cascos das suas montarias pisam com suavidade na grama à noite. Ouço seus cabrestos clicando na escuridão. Não os vejo. Meu manto lupino é branco como a neve que cai.

Coloquei o capuz sobre a cabeça, de modo que pareço uma criatura guardiã vinda dos níveis mais gélidos do inferno. A face da rocha é mais íngreme do que eu me lembrava. Quase caio enquanto sigo ao longo do sinuoso percurso vertical. Alcanço a parede do castelo. Tochas tremeluzem nos baluartes. O vento açoita as chamas aqui e ali. Mustang deveria estar nas proximidades para acender a fogueira.

Eu tiro o manto e o embolo. Minha pele está coberta de carvão. Empurro as pinças de metal nos espaços entre as pedras. É como escalar minha perfuratriz, exceto pelo fato de que agora estou mais forte e não estou usando o traje-forno. Fácil. O Pégaso balança no meu peito enquanto impulsiono o corpo para cima. Não estou nem arfando quando atinjo o topo seis minutos depois.

Meus dedos grudam na pedra logo abaixo dos baluartes. Eu me penduro, escutando a sentinela passando. É claro que é uma escrava. E não é estúpida. Ela me vê enquanto eu pulo sobre o baluarte e encosta uma lança no meu pescoço. Mostro meu anel de Marte e coloco o dedo na frente da boca.

— Por que eu não deveria dar o grito de alerta? — pergunta ela. A garota já foi de Minerva antes.

— Eles falaram pra você vigiar o muro contra a chegada de inimigos? Tenho certeza de que sim. Mas eu sou da Casa Marte. O anel diz isso. Nesse caso não tenho como ser inimigo, certo?

Ela franze o cenho.

— O Primus me disse pra vigiar os muros em busca de intrusos e pra matar ou dar um grito de alerta...

— Aqui é minha casa. Eu sou da Casa Marte. Sou seu mestre e *exijo* que você continue a vigiar o muro em busca de intrusos. Isso é imperativo. — Dou uma piscadela. — Juro que Virginia ficaria feliz se você seguisse as ordens dela ao pé da letra.

Ela empina a cabeça ao ouvir o nome verdadeiro de Mustang e olha ao redor.

— Minha Primus está viva?

— A Casa Minerva não caiu — digo.

O rosto da garota quase se rompe com o sorriso forte que ela exibe.

FÚRIA VERMELHA **353**

— Bem... então... tenho a impressão de que esta é sua casa. Não posso te impedir de entrar. Jurei obediência, jurei, sim. Espere um pouco... eu te conheço. Disseram que você estava morto.

— Agradeça à sua Primus por eu ainda estar respirando.

Descubro com ela que os membros da Casa dormem enquanto os escravos guardam a fortaleza à noite. Esse é o problema com escravos. Eles são muito dispostos a engambelar nas suas tarefas e muito entusiasmados para compartilhar segredos. Eu a deixo para trás e penetro na fortaleza usando uma chave que ela acidentalmente soltou na minha mão.

Esgueirando-me no meu lar, sinto-me tentado a fazer uma visitinha a Cassius. Mas não estou aqui para matá-lo. Violência é a saída dos tolos. Às vezes sou o tolo, mas esta noite estou me sentindo esperto. Também não estou aqui para roubar o estandarte. Eles devem estar vigiando isso. Não. Estou aqui para lhes lembrar que eles já tiveram medo de mim. Que eu sou o melhor deles todos. Posso ir aonde bem entendo. Posso fazer o que bem entendo.

Fico nas sombras, muito embora pudesse usar o mesmo argumento em cada escravo sentinela que encontre pela frente. Em vez disso, entalho uma curviLâmina em cada porta da fortaleza. Deslizo para o interior da sala de guerra e entalho uma curviLâmina na imensa mesa para criar o mito. Em seguida entalho uma caveira na cadeira de Cassius e enterro bem fundo a faca nas costas da cadeira de madeira para criar um rumor.

Ao sair pelo caminho que entrei, vejo que a parte norte do castelo na lateral da colina irrompeu em chamas. Os galhos empilhados no formato da curviLâmina do Ceifeiro queimam na noite.

Sevro, se ainda estiver com Marte, me encontrará. E a ajuda daquele putinho até que viria a calhar.

36
UMA SEGUNDA PROVA

Para poder ter um exército, preciso ser capaz de alimentá-lo. Portanto, levarei os fornos de Ceres, que não só Júpiter como também Marte desejam ardentemente, e vou levá-los com rapidez e suprema agressividade.

Os novos membros do nosso grupo da Casa Minerva acham perfeitamente razoável aceitar minha autoridade. Eu não me iludo. Sim, eles ficaram impressionados com o fato de eu esconder meus Uivadores dentro de cavalos mortos meses antes e se lembram de mim derrotando Pax. Mas eles obedecem apenas porque Mustang confia em mim. Deixamos aqueles da Casa Diana como escravos, por enquanto. Preciso conquistar a confiança deles. Tactus, estranhamente, é o único que parece confiar em mim. Mas também, o lacônico jovem era todo sorrisos quando eu lhe disse que ele seria costurado dentro de um cavalo morto mais de um mês antes. Há mais dois de Diana que eu também costurei. Os outros os chamam de CavalosMortos, e cada um deles usa tranças de pelos equinos. Acho que eles são um pouco desmiolados.

Se existe algo na floresta e nas terras altas é uma abundância de lobos. Nós os caçamos para treinar nossos novos recrutas na minha maneira de combate. Nada de glamorosos ataques de cavalaria. Nada de drogas de lanças. E certamente nada de regras estúpidas de batalha. Todos pegam mantos, que são coisas fedorentas enquanto secam, e retiramos as partes podres. Todos, exceto Pax. Ainda não se produziu um lobo grande o bastante para ele.

— A Casa Ceres está bem acostumada a ser sitiada — diz Mustang. Ela tem razão. À noite eles parecem ter mais soldados acordados do que de dia. Eles ficam de vigia em busca de ataques sorrateiros. Fardos de mechas flamejantes iluminam a base dos muros deles à noite. De alguma maneira, eles agora têm cães, que ficam à espreita ao longo das ameias. O caminho da água está guardado desde que tentei enviar Sevro pelas latrinas muito tempo antes, durante um ataque sigiloso que preparei quando estávamos em guerra com Minerva. Ele quase não me perdoou por isso. Os alunos de Ceres não aparecem mais. Eles aprenderam quais são os riscos de lutar com Casas mais fortes a céu aberto. Eles vão ficar enfurnados durante o inverno, e quando o frio e a fome tiverem enfraquecido as outras Casas, emergirão da sua fortaleza na primavera — fortes, preparados e organizados.

Mas eles nunca vão conseguir ver a primavera.

— Então a gente vai atacar durante o dia? — tenta adivinhar Mustang.

— Naturalmente — digo. Às vezes imagino por que ainda nos preocupamos em falar um com o outro. Ela conhece meus pensamentos. Inclusive os amalucados.

Essa ideia é especialmente amalucada. Nós a praticamos na clareira na Floresta do Norte por um dia inteiro depois de colocar abaixo a floresta com machados. Pax torna o plano possível. Realizamos competições para ver quem tem o melhor equilíbrio na floresta. Mustang vence. Milia Cara de Cavalo fica em segundo, e ela está cuspindo todo o seu amargor com o fato de não ter derrotado Mustang. Eu fico em terceiro.

Como fizemos ao montar a armadilha na Casa Marte, nós nos esgueiramos o mais próximo que ousamos chegar na noite anterior e nos enterramos na neve profunda. Mais uma vez, Mustang e eu formamos um par, bem grudados um no outro sob a neve. Tactus tenta fazer um par com Milia, mas ela fala para ele ir se ferrar.

— Se olhar pra isso de maneira adequada, eu estava tentando fazer um favor pra você — murmura Tactus sobre Milia, enquanto ele se encolhe debaixo do sovaco malcheiroso de Pax. — Você é tão bonitinha quanto a verruga de uma gárgula. Então me diga quando é que você vai ter uma chance de se aninhar com um tipo como eu? Sua porca ingrata.

Mustang e as outras garotas bufam, desdenhosas. Então a calada da noite e o calafrio da gélida planície aberta nos açoitam e ficamos em silêncio.

Quando chega a manhã, Mustang e eu trememos um encostado ao outro, e uma nova nevasca ameaça arruinar nosso plano, enterrando-nos ainda mais fundo na planície. Mas o vento está administrável e os flocos não nos enterram tanto, girando pelo ar. Sou o primeiro a acordar, embora não me mexa. E logo depois de dar um bocejo para me livrar do último vestígio de sono, meu exército acorda organicamente, um aluno agitando e resmungando ao lado do outro até que há uma serpente de Ouros fungando e tossindo enterrados juntos num túnel raso abaixo da superfície de neve. Não consigo enxergá-los, mas escuto seu despertar apesar do som do vento proporcionado pela tempestade de neve.

Gelo se formou ao meu redor durante a noite na parte externa dos meus espessos mantos. As mãos de Mustang estão dentro das minhas peles, quentinhas e encostadas na lateral do meu corpo. A respiração dela aquece meu pescoço. À medida que eu me mexo, ela boceja e estica o corpo, afastando-se um pouco mais ao se espreguiçar, à semelhança de um gato, sob a neve. A neve desaba entre nós dois.

— Maldito inferno, isso aqui está um horror — murmura Dax, o companheiro de Milia. Não consigo enxergá-lo no nosso túnel de neve.

Mustang me cutuca. Mal conseguimos enxergar Tactus enroscado no espaço vazio sob a axila de Pax. Os dois homens estão aninhados e acordam como se fossem amantes, mas quase imediatamente se afastam um do outro quando suas pálpebras cobertas de gelo se abrem.

— Imagino aqui qual dos dois é o Romeu — sussurra Mustang, a garganta áspera.

Dou uma risada e entalho um buraco no teto do nosso túnel para ver que meu grupo de vinte e quatro está sozinho nas planícies, com exceção dos batedores a cavalo ao longe fazendo a ronda do início da manhã. Eles não serão problema. Ventos sopram do rio ao norte, chicoteando duramente meu rosto.

— Você está preparado pra isso? — me pergunta Mustang com um risinho enquanto trago minha cabeça de volta ao abrigo. — Ou está com muito frio?

— Estava mais frio no lago daquela vez que a gente armou pra cima de vocês — digo, sorrindo. — Ah, velhos tempos.

— Tudo parte do meu plano mestre pra ganhar sua confiança, homenzinho. — Mustang dá um sorrisinho afetado e malicioso. Ela vê a preocupação nos meus olhos, de modo que agarra minha coxa e se aproxima de mim para que os outros não possam ouvir. — Você acha que eu estaria aqui agachada com você na neve se esse plano pudesse não dar certo? Negativo. Mas estou aqui congelando até a raiz dos pentelhos e o vento está parando, então vamos nessa, Ceifeiro.

Faço a contagem regressiva e nos levantamos, a neve caindo ao nosso redor, o vento açoitando nossos rostos; disparamos ao longo dos cem metros de planície até os muros. Todo o nosso grupo de vinte e quatro indivíduos. Silêncio novamente. O vento chega aos trancos. Levamos a comprida árvore entre nós, abraçando o tronco apertado como fizemos na noite em que ela compartilhou o túnel conosco. É pesada, mas nós somos vinte e quatro e os pais de Pax deram a ele os genes adequados para derrubar as porras dos cavalos. Arfando. Pernas queimando. Dentes cerrados à medida que a madeira pesa sobre nossos ombros na neve profunda. É um percurso penoso. Um grito vem do muro. Uma chamada vazia e solitária que ecoa pela quieta manhã de inverno. Mais gritos. Ainda assim, poucos. Latidos. Confusão. Uma flecha passa assobiando. Muito silenciosa e fantasmagórica. Em seguida outra. É incrível como o mundo está quieto enquanto as flechas voam pelo ar, carregando a morte. O vento parou novamente. O sol ascende detrás de uma camada de nuvens e somos banhados pelo calor matinal.

Estamos no muro. Gritos se espalham além da fortificação de pedra, provenientes das torres. Uma trombeta de sinalização. Latidos de cães. A neve cai dos parapeitos enquanto arqueiros se curvam sobre as ameias de pedra. Uma flecha treme na madeira ao lado da minha mão. Alguém é derrubado com muito sangue espirrando: Dax. Então Pax rosna a palavra e ele, Tactus e mais cinco dos nossos mais fortes soldados pegam a comprida viga de madeira que cortamos do tronco e enfiam a ponta com o máximo de força possível no muro. Eles mantêm o tronco no local formando um ângulo. Eles estão rugindo em função do fardo. Ainda faltam cinco metros até o topo do muro, mas eu já estou subindo em disparada o fino aclive. Pax grunhe como um javali ao fazer o terrível esforço de sustentar o tronco no ângulo correto. Ele está gritando, rugindo. Mustang está bem atrás de mim, depois Milia. Eu quase escorrego. Meu equilíbrio e minhas mãos de Mergulhador--do-Inferno mantêm minha pegada na madeira nodosa. Nas nossas pelagens, parecemos esquilos, não lobos. Uma flecha sibila através do meu manto. Estou encostado no muro no topo da viga balouçando. Pax e seus garotos grunhem guturalmente devido ao extremo exercício. Mustang está vindo. Preparo as mãos para pegá-la. Ela mexe o pé na corrida e eu a puxo para cima nos últimos cinco metros para ultrapassar as ameias. Sua espada golpeia e ela berra como uma assombração. Então Milia se lança da mesma maneira com o auxílio das minhas mãos, e a corda amarrada na sua cintura fica pendurada atrás dela. Ela consegue se ancorar no topo enquanto uso a corda para impulsionar a mim mesmo nos últimos cinco metros. A viga de madeira se choca com o chão atrás de mim. Minha espada está na minha mão. O local está em polvorosa. A Casa Ceres foi pega de surpresa. Eles jamais tiveram algum inimigo nas ameias. E há três de nós, gritando e atacando. A raiva e o entusiasmo me preenchem e eu começo minha dança.

Eles têm apenas arcos. Faz meses desde a última vez que eles usaram espadas. As nossas não estão afiadas ou com fusíveis de eletricidade, mas um golpe de duroaço frio é desagradável de se receber de qualquer jeito. Os cães são a parte mais difícil de lidar. Dou um chute na cabeça de um. Jogo outro por cima das ameias. Milia está no chão. Ela morde o pescoço de um cachorro e lhe dá socos nos colhões até que o bicho começa a se afastar gemendo.

Mustang arranca alguém das ameias. Acerto um dos arqueiros que estava mirando-a com o arco. Do lado de fora, Pax grita para eu abrir os portões. Ele está, na realidade, berrando para lutar.

Sigo Mustang até o pátio abaixo, saltando dos parapeitos até o local onde ela está lutando com um corpulento aluno de Ceres. Acabo com o garoto usando meu cotovelo e dou a primeira olhada na fortaleza do pão. O castelo tem um desenho que não me é familiar, um pátio que dá para diversos edifícios e uma imensa fortificação onde os pães são assados, o que faz com que meu estômago comece a roncar; mas tudo o que me importa é o portão. Disparamos até ele. Gritos vindos de trás de nós. Muitos indivíduos para combatermos. Chegamos ao portão no exato momento em que três dúzias de alunos da Casa Ceres correm na nossa direção atravessando o pátio vindos da fortificação.

— Corra! — grita Mustang. — Ei, *corra!*

Milia, dos parapeitos, lança flechas no inimigo.

Então abro o portão.

— PAX AU TELEMANUS! PAX AU TELEMANUS!

Ele me empurra para o lado. Está sem camisa, maciço, musculoso, berrando. Seus cabelos estão pintados de branco e eriçados com seiva para formar dois chifres. Um pedaço de madeira tão comprido quanto meu corpo funciona como seu tacape. Os alunos da Casa Ceres recuam, trêmulos. Alguns caem. Alguns tropeçam. Um garoto grita à medida que Pax se aproxima com sua passada trovejante.

— PAX AU TELEMANUS! PAX AU TELEMANUS!

Ele não quer apelido nenhum enquanto avança como um minotauro possesso. Quando atinge a massa de alunos da Casa Ceres, é uma ruína. Garotos e garotas voam pelos ares como trigo cortado em dia de colheita.

O resto do meu exército dispara atrás do tresloucado filho da puta. Eles começam a uivar, não porque eu lhes disse para fazê-lo, não porque eles acham que são os Uivadores de Sevro, mas porque esse foi o som que eles ouviram quando meus soldados cortaram o ventre dos cavalos para sair dos seus esconderijos, o som que fez seus corações afundarem enquanto eles estavam sendo conquistados. Agora é a vez de eles uivarem enquanto transformam a batalha numa insana confusão. Pax berra seu nome, também berra o meu enquanto conquista para mim a cidadela quase que sem ajuda de ninguém. Ele levanta um garoto pela perna e o utiliza como um tacape. Mustang vaga pelo campo de batalha como uma espécie de Valquíria, escravizando aqueles que se deitam no chão, atordoados.

Em cinco minutos, os fornos e a cidadela são nossos. Fechamos os portões, uivamos e comemos um pouco da porra daquele pão deles.

Liberto os escravos da Casa Diana que me ajudaram a capturar a fortaleza e perco alguns instantes com cada um deles para compartilhar umas risadas. Tactus senta-se sobre as costas de algum infeliz e faz tranças de menininha em forma de rabo de porco nos cabelos dele até que eu o cutuco para que pare com isso. Ele dá um tapa na minha mão.

— Não toque em mim — rebate ele.

— O que foi que você disse? — rosno.

Ele se levanta rapidamente, seu nariz chegando apenas à altura do meu queixo, e fala de modo bem silencioso para somente eu ouvir:

— Escute aqui, grandalhão. Eu sou do gene Valii. Meu sangue puro vem desde a época da Conquista. Eu poderia te comprar e te vender com minha mesada mensal. Então, não me humilhe nesse joguinho como você faz com todos os outros, seu reizinho de jardim de infância. — Depois, em voz mais alta para que os outros pudessem escutar: — Eu faço o que bem entendo, porque tomei este castelo pra você e dormi dentro de um cavalo morto pra que a gente tomasse Minerva! Mereço ter um pouquinho de diversão.

Eu me aproximo dele.

— Três copos.

Ele revira os olhos.

— Que droga é essa que você está rosnando aí?

— Essa é a quantidade de sangue que eu vou fazer você engolir.

— Bom, pode até ser que dê certo — diz ele, rindo, e me dá as costas.

Então, controlando minha raiva, digo aos membros do meu exército que eles jamais serão escravos de novo neste jogo, contanto que

FÚRIA VERMELHA **361**

usem meu manto lupino. Se essa ideia não for do agrado deles, eles podem partir. Nenhum deles parte, mas isso já era esperado. Eles querem vencer, mas para seguir minhas ordens, para entender que eu não acho que sou algum poderoso imperador dos altos escalões, seus corações orgulhosos precisam se sentir valorizados. Portanto, eu me certifico de que eles saibam que são. Eu faço a cada aluno um elogio específico. Um elogio que eles lembrarão para sempre. Mesmo quando eu estiver arruinando a Sociedade deles na vanguarda de um bilhão de Vermelhos aos berros, eles contarão para seus filhos que Darrow de Marte uma vez lhes deu um tapinha no ombro e lhes teceu elogios.

Os alunos derrotados da Casa Ceres me observam libertar os escravos do meu exército e ficam boquiabertos. Eles não entendem. Eles me reconhecem, mas não compreendem por que não há nenhum outro aluno de Marte, ou por que estou no poder, ou por que penso ser permitido libertar escravos. Enquanto eles continuam boquiabertos, Mustang os escraviza com o símbolo da Casa Minerva, deixando-os duplamente confusos.

— Conquistem pra mim uma fortaleza e vocês também obterão a liberdade — digo a eles. Seus corpos são diferentes dos nossos. Mais macios devido a um excesso de pão e pouca carne. — Mas vocês devem estar famintos por um pouco de carne de cervo ou de animais selvagens. Falta um pouco de proteína na dieta de vocês, acho. — Trouxemos carne em abundância para compartilhar com todos.

Libertamos os escravos tomados pela Casa Ceres meses antes. Há poucos, mas a maioria pertence à Casa Marte ou à Casa Juno. Eles acham essa nova aliança estranha, mas é uma pílula fácil de ser engolida depois de meses de labuta nos fornos.

A noite termina com uma notícia amarga quando sou acordado depois de mais ou menos uma hora de sono. Mustang senta-se na beirada da minha cama enquanto meus olhos se abrem. Quando a vejo, sinto uma pontada de terror dentro de mim, imaginando que ela veio por um motivo diferente, que sua mão na minha perna significa algo simples, algo humano. Em vez disso, ela me traz notícias que eu gostaria muito de jamais voltar a ouvir.

Tactus zombou da minha autoridade e tentou estuprar uma escrava de Ceres durante a noite. Milia o pegou, e Mustang por pouco não conseguiu impedi-la de retalhar Tactus de diversas maneiras. Todos estão com suas armas nas mãos.

— A coisa está ruim — diz Mustang. — Os alunos de Diana estão com os equipamentos de guerra deles e prestes a tentar tirar Tactus de Milia e Pax.

— Eles estão com tanta raiva a ponto de lutar com *Pax*?

— Pode crer.

— Vou me vestir.

— Por favor.

Eu me encontro com ela na sala de guerra de Ceres dois minutos depois. A mesa já está entalhada com minha curviLâmina. Eu não fiz isso, e é um trabalho bem melhor do que o que eu teria conseguido fazer.

— Ideias? — Desabo no assento em frente a Mustang. Somos um conselho de duas pessoas. É em momentos como este que sinto a falta de Cassius, Roque, Quinn, de todos eles. Principalmente de Sevro.

— Quando Titus fez isso, você disse que nós fazemos nossa própria lei, se eu bem me lembro. Você condenou o cara à morte. E então, vamos continuar fazendo isso? Ou vamos fazer uma coisa mais conveniente? — pergunta ela, como se já estivesse pensando que eu deixaria Tactus sem punição.

Balanço a cabeça, surpreendendo-a, e digo:

— Ele vai pagar por isso.

— Essa... isso me deixa *puta*. — Ela tira os pés da mesa e curva o corpo para a frente para sacudir a cabeça. — Era pra gente ser melhor do que isso. Isso é tudo o que os Inigualáveis deveriam ser, transcendentes aos anseios que — diz ela, dando ares irônicos à citação — *escravizam* as Cores mais fracas.

— Isso aqui não tem a ver com anseios — digo, dando tapinhas na mesa como sinal de frustração. — Isso aqui tem a ver com poder.

— Tactus é da Casa Valii! — exclama Mustang. — A família dele é antiga. Quanto poder esse babaca quer?

— Poder sobre *mim*, é o que eu quero dizer. Eu disse a Tactus que ele não poderia fazer uma determinada coisa. Agora está tentando provar que pode fazer o que bem entende.

— Então ele é mais um selvagem como Titus.

— Você esteve com ele. É claro que é um selvagem. Mas não. O que ele fez tem a ver com tática.

— Bom, então esse espertalhão de merda colocou você numa saia justa.

Dou um tapa na mesa.

— Isso não me agrada, essa história de uma outra pessoa escolher as batalhas ou o campo de batalha. É assim que a gente vai perder.

— Na verdade, é um jogo sem vencedor. A gente não pode ir em frente com isso. Alguém vai te odiar de um jeito ou de outro. Então, a gente precisa apenas entender qual é o jeito que vai fazer menos estragos. Certo?

— Que tal justiça? — pergunto.

As sobrancelhas dela voam para o alto.

— Que tal vencer? Não é isso o que importa?

— Você está tentando armar uma arapuca pra mim?

Ela dá um risinho.

— Só te testando.

Franzo o cenho.

— Tactus matou Tamara, sua Primus. Cortou a sela dela e depois passou com o cavalo por cima da garota. O cara é pervertido. Ele merece qualquer punição que dermos a ele.

Mustang ergue as sobrancelhas como se isso fosse tudo o que se podia esperar.

— Ele vê o que quer, e toma.

— Admirável isso — murmuro.

Ela inclina a cabeça na minha direção, os olhos vívidos percorrendo meu rosto.

— É raro.

— O quê?

— Eu estava errada sobre você. Isso é raro.

— Eu estou errado sobre Tactus? — pergunto. — Ele é mesmo pervertido? Ou está apenas fora da curva? Será que ele apenas saca este jogo melhor do que a gente?

— Ninguém saca este jogo.

Mustang coloca suas botas enlameadas em cima da mesa novamente e encosta o corpo na cadeira. Seus cabelos dourados lhe passam dos ombros numa comprida trança. O fogo crepita na fornalha, fazendo as pupilas dela dançarem na noite. Não sinto falta dos meus velhos amigos quando ela sorri dessa maneira. Peço a ela que explique.

— Ninguém saca o jogo, porque ninguém conhece as regras. Ninguém segue o mesmo conjunto de regras. É como a vida. Alguns acham a honra um valor universal. Alguns acham que as leis criam laços entre os indivíduos. Outros sabem que isso não é bem assim. Mas no fim, os que ascendem ao poder por meio de veneno não são os mesmos que morrem por veneno?

Dou de ombros:

— Nos livros de historinhas. Na vida quase nunca sobra ninguém pra lhes dar veneno.

— Eles esperam um olho por um olho, os escravos da Casa Ceres. Se você castigar Tactus, vai deixar os moleques de Diana putos. Eles conseguiram uma fortaleza pra você e você vai lá e cospe na cara deles por isso. Lembre que, até onde eles sabem, Tactus se escondeu metade de um dia na barriga de um cavalo pra você quando você tomou meu castelo. O ressentimento vai inchar tanto quanto a burocracia Cobre. Mas se você não castigar o cara, vai perder todos os Ceres.

— Não posso fazer isso — digo, suspirando. — Fracassei nessa prova antes. Mandei Titus pra morte e pensei que estava fazendo justiça. Eu estava errado.

— Tactus é um Ouro Férreo. O sangue dele é tão antigo quanto a Sociedade. Eles olham pra compaixão, pra reforma, como uma doença. Ele é a família dele. Ele não vai mudar. Ele não vai aprender. Ele acredita no poder. Outras Cores não são pessoas pra ele. Ouros menores não são pessoas pra ele. Tactus está atado ao destino dele.

Contudo, eu sou um Vermelho agindo como um Ouro. Nenhum

homem está atado a seu destino. Posso mudar Tactus. Sei que posso. Mas como?

— O que você acha que eu devia fazer? — pergunto.

— Ha! O grande Ceifeiro. — Ela dá um tapa na coxa. — Quando foi que você se importou com a opinião de alguém?

— Você não é simplesmente *alguém*.

Ela balança a cabeça em concordância e, depois de um momento, fala:

— Uma vez ouvi uma história contada por Pliny, meu tutor, um sujeito tenebroso, na verdade. E agora um Político, portanto ouça tudo isso com uma nave cheia de sal. Enfim, é o seguinte: na Terra, havia um homem e seu camelo. — Eu rio. Ela continua. — Eles estavam atravessando um grande deserto cheio de todo tipo de coisa chata. Um belo dia, enquanto o homem montava o acampamento, o camelo deu um chute nele por nenhum motivo aparente. Aí o homem chicoteou o camelo. Os ferimentos do camelo ficaram infeccionados. O bicho morreu e deixou o homem na pior.

— Mãos. Camelos. Você e suas metáforas…

Ela dá de ombros.

— Sem seu exército, você é um homem na pior num deserto. Então, vá com cautela, Ceifeiro.

Falo com Nyla, a garota de Ceres, em particular. Ela é uma garota e tanto. Esperta como só ela, mas sem grandes aptidões físicas. Como um passarinho trêmulo, como Lea. Ela está com um lábio inchado e ensanguentado. O que me dá vontade de castrar Tactus. Ela não chegou aqui com a malignidade do resto dos alunos. Mas também foi submetida à Passagem e aprovada nela como todos que aqui estão.

— Ele me disse que queria que eu esfregasse seus ombros. Disse que eu tinha que fazer o que ele estava falando, porque era meu mestre, pois deu seu sangue pra tomar o castelo. Aí ele tentou… bem… você sabe.

Cem gerações de homens usaram essa lógica desumana. A tristeza que as palavras dela criam em mim faz com que eu sinta saudades de casa. Mas isso também acontecia lá. Eu me lembro dos gritos que faziam o prato de sopa tremer.

Nyla pisca e olha fixamente para o chão por um momento.

— Respondi que eu era escrava de Mustang, da Casa Minerva. O estandarte é dela. Eu não tinha que obedecê-lo. E ele só me empurrava pro chão, só me empurrava pro chão. Comecei a gritar. Aí me deu um soco, depois ficou apertando meu pescoço até que tudo começou a ficar preto e eu mal conseguia sentir o cheiro do manto lupino dele. Aí apareceu aquela garota, essa Milia, e deu uns murros nele, acho.

Ela não mencionou que havia outros soldados de Diana na sala. Outras pessoas assistiram à cena. Meu exército. Eu lhes dei poder e é dessa forma que eles o utilizam. A culpa é minha. Eles são meus, mas são pervertidos. Punir um deles não vai consertar isso. Eles precisam querer ser bons.

— O que você gostaria que eu fizesse com ele? — pergunto a ela. Não me aproximo para consolá-la. Ela não precisa de consolo, muito embora eu ache que sim. Ela também me lembra Evey.

Nyla toca seus cachos sujos e dá de ombros.

— Nada.

— Nada não é suficiente.

— Pra consertar o que ele tentou fazer comigo? Pra endireitar as coisas? — Ela balança a cabeça e coloca as mãos na cintura. — Nada é suficiente.

Na manhã seguinte, reúno meu exército na praça de Ceres. Uma dúzia está mancando; poucos ossos Áuricos podem de fato se quebrar por causa da sua força, de modo que a maioria dos ferimentos sofridos no ataque foi superficial. Sinto cheiro de ressentimento nos alunos de Ceres, nos alunos de Diana. É um câncer que vai destruir o corpo desse exército, independentemente de quem a doença esteja mirando. Pax traz Tactus e o coloca de joelhos com um empurrão.

Eu pergunto se ele tentou estuprar Nyla.

— As leis são silenciosas em épocas de guerra — diz Tactus, a fala arrastada.

FÚRIA VERMELHA   **367**

— Não me venha com citações de Cícero — digo. — Você tem atributos de um padrão mais elevado do que os de um centurião saqueador.

— Pelo menos nisso você está acertando em cheio. Sou uma criatura superior que descende de uma linhagem orgulhosa e de uma herança gloriosa. O poder faz as regras, Darrow. Se eu puder tomar, vou tomar. E se eu tomar de fato, mereço ter. É nisso que os Inigualáveis acreditam.

— Um homem deve ser medido pelo que faz quando está no poder — digo em voz alta.

— Não me venha com essa, Ceifeiro — diz Tactus com sua fala arrastada, confiante em si mesmo como são todos os iguais a ele. — Ela é um despojo de guerra. O meu poder tomou a garota. E, diante dos fortes, curvam-se os fracos.

— Sou mais forte do que você, Tactus — digo. — Portanto, posso fazer o que quiser com você, certo?

Ele fica mudo, percebendo que caiu numa armadilha.

— Você é de uma família superior à minha, Tactus. Meus pais estão mortos. Sou o único membro da minha família. *Mas* sou uma criatura superior a você.

Ele ri debochadamente dessas palavras.

— Você discorda? — Jogo uma faca nos pés dele e puxo a minha. — Peço encarecidamente que você dê voz às suas preocupações. — Ele não pega a lâmina. — Então, pelo direito do poder, posso fazer o que quiser com você.

Anuncio que estupros jamais serão permitidos e, em seguida, pergunto a Nyla o castigo que ela daria. Como havia me dito antes, ela diz que não quer nenhum castigo. Eu me certifico de que todos ouçam isso para que não haja nenhuma recriminação contra ela. Tactus e seus correligionários armados olham para ela, surpresos. Eles não entendem por que ela se recusa a se vingar, mas isso não os impede de sorrir uns para os outros de maneira lupina, pensando que seu chefe conseguiu se safar do castigo. Então eu falo:

— Mas eu digo que você deve receber vinte chicotadas, Tactus.

Você tentou tomar algo que está além dos limites do jogo. Você cedeu a seus patéticos instintos animais. Aqui isso é menos perdoável do que assassinato; espero que você se envergonhe quando relembrar esse momento daqui a cinquenta anos e perceber a extensão da sua fraqueza. Espero que você tema que seus filhos e filhas saibam o que você fez a uma companheira Ouro. Até lá, vinte chicotadas bastarão.

Alguns soldados de Diana dão um passo à frente, enraivecidos, mas Pax ergue seu machado na altura do ombro e eles recuam, apequenados, olhando com raiva para mim. Eles me deram uma fortaleza e eu vou chicotear o guerreiro favorito deles. Vejo meu exército morrendo enquanto Mustang tira a camisa de Tactus. Ele olha fixamente para mim como uma serpente. Eu sei quais pensamentos malignos ele está tendo. Pensei a mesma coisa daqueles que me açoitaram no passado.

Eu o chicoteio brutalmente vinte vezes sem me conter em momento algum. O sangue escorre das costas dele. Pax quase precisa dar uma machadada num dos soldados de Diana para impedi-lo de avançar para interromper o castigo.

Tactus mal consegue cambalear, a ira queimando nos seus olhos.

— Um erro — sussurra ele para mim. — Um erro e tanto.

Então eu o surpreendo. Empurro o chicote para a mão dele e o trago para próximo de mim segurando sua nuca com minha mão.

— Você merece ter esses seus colhões arrancados, seu filho da puta egoísta — sussurro para ele. — Isso aqui é meu exército — digo num tom de voz mais elevado. — Isso aqui é *meu* exército. As maldades dos meus soldados são tão minhas quanto suas, tão minhas quanto são de Tactus. Sempre que algum de vocês cometer um crime como esse, alguma coisa gratuita e perversa, esse crime vai pertencer a você e a mim também, porque quando vocês fazem alguma coisa pervertida, isso fere a todos nós.

Tactus fica lá parado como um tolo. Ele está confuso.

Eu o empurro com força na altura do peito. Ele tomba para trás. Eu o sigo, empurrando.

— O que é que você ia fazer? — Empurro a mão dele que está segurando o chicote de couro na direção do seu peito.

FÚRIA VERMELHA **369**

— Não sei o que você está querendo dizer com… — murmura ele enquanto eu o empurro.

— Qual é, cara! Você ia enfiar essa sua pica em alguém do *meu* exército. Por que você não me chicoteia enquanto isso? Por que você não me machuca também? Vai ser mais fácil. Milia nem vai tentar te esfaquear. Eu prometo.

Eu o empurro mais uma vez. Ele olha ao redor. Ninguém fala nada. Tiro a camisa e fico de joelhos. O ar está frio. De joelhos na pedra e na neve. Meus olhos estão fixos nos de Mustang. Ela pisca para mim e tenho a sensação de que posso fazer qualquer coisa. Digo a Tactus para me dar vinte e cinco chibatadas. Eu já tomei mais. Seus braços estão fracos, bem como está fraca sua vontade de fazer isso. Ainda assim dói, mas eu me levanto depois de cinco chibatadas e dou o chicote para Pax.

Eles começam a contagem em seis.

— Vamos lá! — grito. — Um estupradorzinho de quinta categoria não tem força suficiente pra me machucar.

Mas Pax tem de sobra, cacete.

Meu exército grita em protesto. Eles não compreendem. Ouros não fazem esse tipo de coisa. Ouros não se sacrificam uns pelos outros. Líderes tomam; não dão. Meu exército grita novamente. Pergunto a eles como é possível que isso seja pior do que o estupro com o qual eles estavam tão confortáveis. Por acaso Nyla não é agora uma de nós? Por acaso ela não faz parte do corpo?

Da mesma maneira que os Vermelhos fazem. Como os Obsidianos fazem. Como todas as Cores fazem.

Pax tenta bater levemente. Mas se trata de Pax; de modo que, quando ele termina, minhas costas mais parecem carne de cabra mastigada. Eu me levanto. Faço tudo ao meu alcance para que meu corpo não perca o equilíbrio. Estou vendo estrelas. Quero gemer. Quero chorar. Em vez disso, digo a eles que quem quer que faça algo vil — eles sabem a que estou me referindo — terá de me chicotear dessa maneira na frente de todo o meu exército. Vejo como eles agora estão olhando para Tactus, como eles estão olhando para Pax, como eles estão olhando para minhas costas.

— Vocês não me seguem porque eu sou o mais forte. Pax é o mais forte. Vocês não me seguem porque eu sou o mais inteligente. Mustang é a mais inteligente. Vocês me seguem porque não sabem pra onde estão indo. Eu sei.

Faço um gesto para que Tactus venha na minha direção. Ele hesita, pálido, confuso como um cordeiro recém-nascido. O medo está estampado no seu rosto. Medo do desconhecido. Medo da dor que eu suportei de livre e espontânea vontade. Medo ao perceber o quanto ele é diferente de mim.

— Não fique com medo — digo a ele. Eu o puxo para lhe dar um abraço. — Nós somos irmãos de sangue, seu merdinha. Irmãos de sangue.

Estou aprendendo.

37
SUL

— **Merda, merda e merda!** — digo, ganindo enquanto Mustang aplica uma pomada nas minhas costas na sala de guerra. Ela dá uma pancadinha de leve nas minhas costas. — Por quê? — digo, gemendo.

— A medida do homem é o que ele faz quando tem poder. — Ela ri. — Você gozou da cara dele por causa de Cícero e depois saiu cuspindo Platão.

— Platão é mais antigo. Ele fica trombeteando Cícero. Ai!

— E o que foi aquilo sobre irmãos de sangue? Isso não significa coisíssima nenhuma. Você poderia muito bem ter dito que vocês eram primos unidos pela merda.

— Não há nada que ligue mais as pessoas do que a dor compartilhada.

— Bom, então aí vai mais um pouquinho. — Ela tira um pedacinho de couro da ferida. Eu dou um gemido.

— Dor compartilhada… — digo, estremecendo. — Não infligida. Sua psicótica… *Ai!*

— Você parece mais uma menininha. Eu pensava que os mártires fossem durões. Mas, também, você podia estar latindo como um tresloucado. Febril ao ser esfaqueado, provavelmente. Por falar nisso, você traumatizou Pax. Ele está chorando. Bom trabalho.

De fato, escuto Pax choramingando na sala de armas.

— Mas funcionou, hein?

— Claro, Messias. Você fez uma seita — diz ela, debochando secamente. — Está todo mundo fazendo ídolos com sua imagem na praça. Ajoelhados em súplica por conta da sua sabedoria. Ó senhor poderoso! Vou rir quando eles descobrirem que não gostam de você e podem mandar te chicotear sempre que fizerem alguma besteira. Agora, fique firme aí, seu Pixie. E pare de falar. Você me perturba.

— Sabia que quando você se formar pode trabalhar como uma Rosa? Seu toque é muito suave.

Ela ri afetadamente.

— Vai me mandar pra um Jardim de Rosas? Ha! Agora, isso sim faria cosquinhas no meu pai até deixá-lo rosa. Ei, pare de gritar. A piadinha não foi assim tão ruim.

No dia seguinte, organizo meu exército. Dou a Mustang a tarefa de escolher seis esquadrões de três batedores cada. Tenho cinquenta e seis soldados; mais da metade do contingente são escravos. Faço Mustang colocar um Ceres em cada grupo, os mais ambiciosos. Eles recebem seis das oito comunicUnidades que encontro na sala de guerra de Ceres. As coisas são primitivas, fone de ouvidos com chiado, mas elas fornecem ao meu exército algo que eles nunca tiveram: uma evolução além dos sinais de fumaça.

— Então posso deduzir que você tem um plano além de simplesmente seguir pro sul como uma horda mongol... — diz Mustang.

— É claro. A gente vai encontrar a Casa de Apolo. — Fiel à minha promessa a Fitchner.

Os batedores saem naquela noite da Casa Ceres seguindo para o sul em seis direções. Meu exército os segue de madrugada, pouco antes de o sol de inverno nascer. Não vou desperdiçar essa oportunidade. O inverno forçou as Casas a se manterem dentro das fortalezas. A neve profunda e as ravinas escondidas deixam as cavalarias pesadas mais lentas e menos úteis. O jogo ficou menos acelerado, mas eu não. Por mim, Marte e Júpiter podem se digladiar à vontade. Voltarei mais tarde para ambas.

FÚRIA VERMELHA

Ao anoitecer do segundo dia da nossa movimentação para o sul, avistamos a fortaleza de Juno, já conquistada por Júpiter. Ela fica a oeste num afluente do Argos. Montanhas a emolduram. Além delas se encontram os invernais paredões de seis quilômetros de altura do Valles Marineris. Meus batedores me trazem notícias de três grupos de batedores inimigos, cavalaria, nas franjas da floresta a leste. Eles pensam se tratar de Plutão, os homens do Chacal. Os cavalos são pretos, e os cabelos dos cavaleiros estão tingidos da mesma cor. Eles usam ossos nos cabelos. Ouço que eles chacoalham como sininhos de vento feitos de bambu ao cavalgarem.

Quem quer que sejam os cavaleiros, não se aproximam em momento algum. Nunca caem nas minhas armadilhas. Dizem que uma garota os lidera. Ela monta um cavalo prateado enfeitado com uma capa de couro costurada com ossos não descolorados — aparentemente os medBots não trabalham tão bem no sul. Lilath, imagino. Ela e seus batedores desaparecem no sul à medida que um pelotão maior do sudeste aparece contornando a Grande Floresta.

Esses são agora verdadeiros exércitos compostos por cavalarias pesadas.

Um único cavaleiro do pelotão maior avança na sua montaria. Ele carrega o galhardete com o arqueiro, de Apolo. Seus cabelos são compridos e sem tranças, seu rosto duro devido aos ventos de inverno que sopram do mar do sul. Um corte na sua testa quase lhe tirou ambos os olhos, olhos que agora estão fixos em mim como dois carvões incandescentes cravados num rosto de bronze fundido.

Avanço para me encontrar com ele depois de dizer aos soldados do meu exército que aparentem estar tão desgastados e patéticos quanto for humanamente possível. Pax se mostra um tanto incompetente nesse quesito. Mustang o faz se ajoelhar para que ele pareça relativamente normal. Ela fica de pé nos ombros dele num alívio que chega a ser cômico e dá início a uma luta de bolas de neve à medida que o emissário se aproxima. Trata-se de uma postura desordeira e tola, e faz com que meu exército pareça maravilhosamente vulnerável.

Finjo estar mancando. Jogo para longe meu manto lupino. Finjo um tremor. Certifico-me de que minha ridícula espada de duroaço pareça mais uma bengala do que uma arma. Curvo meu comprido corpo enquanto ele se aproxima e olho de relance para meu exército brincalhão atrás de mim. Minha aparência constrangida quase se parte com uma risada. Eu a engulo.

A voz dele é como aço sobre pedra áspera. Nenhum humor nele, nenhum reconhecimento de que somos todos adolescentes no meio de um jogo e que o mundo real ainda flui do lado de fora desse vale. No sul, aconteceram coisas que os fizeram esquecer disso. Portanto, quando lhe ofereço um sorriso discreto, ele não o retribui. Ele é um homem. Não um garoto. Acho que é a primeira vez que me deparo com alguém completamente transformado.

— E vocês não passam dos restos esfarrapados do norte — zomba Novas, o Primus de Apolo. Ele tenta adivinhar a Casa à qual pertencemos. Eu me certifiquei de que o estandarte de Ceres fosse o que estivesse visível para ele. Seus olhos brilham. Ele quer o estandarte para sua glória pessoal. Ele também nota, para sua felicidade, que mais da metade do meu exército de cinquenta e seis pessoas é formado por escravos. — Vocês não vão durar muito tempo no sul. Talvez vocês queiram abrigo do frio. Comida quente e cama? O sul é duro.

— Não posso apostar que vai ser pior do que o norte, cara — digo. — Lá eles têm lâminas e pulsArmaduras. Os Inspetores deixaram de favorecer a gente.

— Eles não estão lá pra favorecer vocês, fracote — diz ele. — Eles ajudam quem se ajuda.

— A gente se ajudou da melhor forma possível — digo em tom humilde.

Ele cospe no chão.

— Criancinha. Não venha chorar aqui. O sul não se importa com lágrimas.

— Mas… mas o sul não pode ser pior do que o norte. — Estremeço e conto para ele sobre o Ceifeiro das terras altas. Um monstro. Um brutamontes. Um matador. Coisas malignas, bem malignas.

FÚRIA VERMELHA   375

Ele balança a cabeça em concordância quando falo do Ceifeiro. Então ele ouviu falar de mim.

— Esse seu Ceifeiro está morto. Uma pena. Eu gostaria muito de ter enfrentado o cara a título de teste.

— Ele era um demônio! — protesto.

— Temos nossos próprios demônios aqui. Um monstro de um olho só na floresta e um monstro pior ainda nas montanhas a oeste. O Chacal — confidencia ele enquanto prossegue com seu diapasão. Eu teria permissão para me juntar a Apolo como mercenário, não como escravo, jamais como escravo. Ele me ajudaria a derrotar o Chacal e depois retomaria o norte. Nós seríamos aliados. Ele me considera fraco e estúpido.

Olho para meu anel. O Inspetor de Apolo vai saber o que eu disser aqui. Quero que ele saiba que vou arruinar a Casa dele. Se ele quiser tentar me impedir, esse é o convite de que dispõe.

— Não — digo a Novas. — A minha família me desonraria. Eu não seria nada pra eles se me juntasse a vocês. Não, sinto muito, mas não vai dar. — Sorrio internamente. — Nós temos comida o bastante pra marchar pelas terras de vocês. Se vocês nos derem permissão, não vamos...

Ele me dá um tapa na cara.

— Você é um Pixie — diz ele. — Enrijeça esse seu lábio trêmulo. Você envergonha sua Cor. — Ele se curva na minha direção por sobre a ponta da sela. — Você está preso entre dois gigantes e vai ser esmagado. Mas vire homem antes de nós virmos te procurar. Eu não luto com crianças.

É neste momento que Mustang joga uma bola de neve na cabeça dele; naturalmente, ela está mirando de verdade e seu riso é bem alto.

Novas não reage. A única coisa que se mexe é seu cavalo embaixo dele ao girar para levá-lo de volta a seu pelotão de arqueiros. Observo o homem partir, e sinto uma inquietude brotando dentro de mim.

— Volte pra casa, seu arqueirinho! — fala Tactus. — Volte pra sua mãezinha!

Novas se reúne novamente com seus trinta cavaleiros. Os únicos a cavalo no nosso exército são os batedores. Eles não podem enfrentar íonLâminas e íonLanças num ataque de intensidade total, nem mesmo com os profundos bancos de neve para enlamear a pesada cavalaria adversária. Nossas armas ainda são de duroaço. Armaduras que não passam de duroplaca ou pele de lobo. Não estou nem usando armadura. Não estou planejando participar de uma batalha onde preciso desse tipo de coisas por enquanto. Não tivemos uma recompensa depois de capturar a fortaleza de Ceres e seu estandarte. Os Inspetores me abandonaram, mas o tempo não. Normalmente, a infantaria cai como trigo seco ao enfrentar a cavalaria, mas a neve e suas traiçoeiras profundidades nos protegem.

Acampamos na margem oeste do rio naquela noite, mais perto das montanhas, distante das planícies abertas da escura Floresta do Norte. A pesada cavalaria de Apolo agora precisa atravessar o rio congelado na escuridão se quiser atacar nosso acampamento enquanto estamos dormindo. Eu sabia que eles tentariam fazer isso quando nos considerassem fracos, maduros para sermos vencidos. Eles fracassam miseravelmente. Arrogantes. Conforme foi escurecendo, mandei Pax e seus homens fortes pegarem machados para amaciar o gelo espesso do rio bordejando nosso acampamento. Ouvimos cavalos relinchando e corpos mergulhando na noite. MedBots descem nas suas lamúrias para salvar vidas. Esses meninos e meninas estão fora do jogo.

Continuamos indo para o sul, tendo como meta o local onde os batedores imaginam se situar o castelo de Apolo. À noite, comemos bem. Sopas são preparadas da carne e dos ossos de animais que meus batedores nos trazem. O pão é estocado em pacotes improvisados. É a comida que mantém meu exército contente. Como o grande córsico uma vez disse: "Um exército marcha sobre seus estômagos". Mas, convenhamos, ele não obteve resultados tão bons no inverno.

Mustang caminha ao meu lado enquanto lidero a coluna. Embora esteja envolta em mantos lupinos tão grossos quanto os meus, ela mal atinge meu ombro. E quando caminha em neve profunda, é quase risível vê-la tentar acompanhar meu ritmo. Mas se diminuo a passada, recebo uma reprimenda. Suas tranças balançam enquanto ela avança.

FÚRIA VERMELHA   **377**

Quando alcançamos um terreno mais fácil, ela olha para mim de relance. Seu nariz petulante está vermelho como uma cereja no frio, mas seus olhos parecem mel quente.

— Você não tem dormido bem — diz ela.

— E quando é que eu durmo bem?

— Quando dormiu perto de mim. Você gritou na primeira semana na floresta. Depois disso, dormiu como um bebezinho.

— Isso aí é você me convidando a dormir de novo com você? — pergunto.

— Nunca falei pra você ir embora. — Ela espera. — Então por que você foi?

— Você distrai minha atenção — digo.

Ela ri levemente antes de voltar a andar ao lado de Pax. Fico confuso não só pela minha reação como também pelas palavras dela. Nunca pensei que Mustang daria a mínima se eu me afastasse dela. Um sorriso estúpido se espalha pelo meu rosto. Tactus percebe.

— Enamorado como um periquito — cantarola ele.

Jogo um punhado de neve na cabeça dele.

— Não diga mais uma palavra sequer.

— Mas eu preciso de uma outra palavra, de uma *palavra séria*. — Ele dá um passo à frente, respira bem fundo. — Você fica de pau duro por causa da dor nas costas como eu fico? — pergunta ele, rindo.

— Você consegue alguma vez ser sério?

Seus olhos vivos resplandecem.

— Ah, você não vai querer me ver sério.

— Que tal obediente?

Ele bate palmas.

— Bom, você sabe que eu não sou um grande apreciador das chicotadas.

— Tem algum chicote aí? — pergunto, apontando para a testa dele, onde sua marca de escravo poderia estar.

— E já que você sabe que eu não preciso de um chicote, poderia ser uma boa você me falar pra onde nós estamos indo. Seria mais… *eficiente* desse jeito.

Ele não está me desafiando, porque fala silenciosamente. Depois das chicotadas que nós dois recebemos, ele passou a se relacionar comigo de um modo assustadoramente leal. Apesar de todos os sorrisos e gozações e risos, tenho a obediência dele. E sua pergunta é sincera.

— A gente vai destruir Apolo — digo a ele.

— Mas por que Apolo? — pergunta ele. — A gente está apenas fazendo uma contagem das Casas ao acaso ou será que tem alguma coisa que eu deveria saber e não sei?

O tom de voz dele faz com que eu empine a cabeça. Tactus sempre me fez lembrar de alguma espécie de gato gigante. Talvez seja o modo assustadoramente casual com o qual ele caminha. Como se ele fosse matar alguma coisa sem flexionar um único músculo. Ou talvez seja porque eu consiga imaginá-lo encolhido num sofá e se lambendo até ficar limpo.

— Eu vi umas coisas na neve, Ceifeiro — diz ele calmamente. — Pegadas na neve, pra ser mais específico. E essas pegadas não foram feitas por pés.

— Patas? Cascos?

— Não, caro líder. — Ele se aproxima. — Pegadas lineares. — Entendo o que ele quer dizer. — GravBotas voando bem baixo. Me diga, por favor, por que os Inspetores estão nos seguindo? E por que eles estão usando fantasMantos?

Todos os sussurros que ele emite não têm nenhum significado por causa dos nossos anéis. Contudo, ele não sabe disso.

— Porque eles têm medo de nós — digo a ele.

— Medo de você, é o que quer dizer. — Ele me observa. — O que você sabe que eu não sei? O que contou pra Mustang que não conta pra nós?

— Você quer saber, Tactus? — Não esqueci os crimes dele, mas ponho a mão no seu ombro e o trago para perto de mim como se ele fosse um irmão. Eu sei o poder que um toque pode ter. — Então risque do mapa a maldita Casa Apolo e eu te conto.

Seus lábios ficam franzidos num sorriso selvagem.

— Vai ser um prazer, meu bom Ceifeiro.

*   *   *

Permanecemos afastados das planícies abertas e nos mantemos colados ao rio enquanto nos movemos cada vez mais para o sul, escutando nossos batedores transmitirem notícias acerca das ações dos inimigos nas comunicUnidades. Apolo parece estar controlando tudo. O que vemos do Chacal são só seus pequenos pelotões de batedores. Há algo estranho nos soldados dele, algo que me dá calafrios no coração. Pela milésima vez, penso no meu inimigo. O que torna o garoto sem rosto tão assustador? Será que ele é alto? Magro? Musculoso? Rápido? Feio? E o que dá a ele essa reputação, esse nome? Ninguém parece saber.

Os batedores de Plutão nunca se aproximam, apesar da tentação que lhes oferecemos. Mando Pax carregar o galhardete de Ceres bem alto para que todo cavaleiro Apolo nos quilômetros que nos cercam possa vê-lo cintilar. Cada um deles percebe a chance de glória. Grupos de cavaleiros disparam na nossa direção. Batedores pensam que podem arrancar nosso orgulho e ganharem eles próprios status na sua Casa. Eles chegam estupidamente em grupos de três, de quatro, e nós os arruinamos com os arqueiros de Ceres ou com os lanceiros de Minerva ou com estacas enterradas na neve. Pouco a pouco, nós os trituramos como o lobo tritura o alce. Todavia, sempre os deixamos escapar. Eu os quero irritados como o diabo quando eu chegar no batente da casa deles. Escravos como eles nos tornam mais lentos.

Naquela noite, Pax e Mustang sentam-se comigo perto de uma pequena fogueira e me falam da vida deles fora da escola. Pax é uma profusão quando você lhe dá trela — um falador surpreendentemente energético com uma quedinha por elogiar tudo nas suas histórias, incluindo os vilões, de modo que metade do tempo você fica sem saber quem é bom e quem é mau. Ele nos conta de uma ocasião em que quebrou ao meio o cetro do seu pai, além de outra vez em que foi confundido com um Obsidiano e quase enviado para o Agoge, onde eles treinam combate espacial.

— Eu sei que vocês poderiam dizer que eu sempre sonhei em ser um Obsidiano — rosna ele.

Quando era criança, ele saía sorrateiramente da mansão de verão da família na Nova Zelândia, Terra, e se juntava aos Obsidianos enquanto estes executavam o Nagoge, a condição noturna do seu treinamento, no qual eles saqueavam e roubavam para poder suplementar a reles dieta à qual eram submetidos no Agoge. Ele lutava e brigava com eles por pedaços de comida. Pax diz que sempre vencia, quer dizer, até que conheceu Helga. Mustang e eu trocamos olhares e tentamos não cair na gargalhada enquanto ele descreve de modo grandiloquente as amplas proporções de Helga, seus punhos grossos, suas amplas coxas.

— O amor deles era grande — digo a Mustang.

— Um amor pra fazer tremer a terra — responde ela.

Sou acordado na manhã seguinte por Tactus. Os olhos dele são gélidos como o frio da madrugada.

— Nossos cavalos decidiram se mandar. Todos eles. — Ele nos guia até os meninos e meninas de Ceres que estavam vigiando os cavalos. — Nenhum deles viu nada. Num minuto os cavalos estão ali; no outro, todos eles sumiram.

— Os coitados dos cavalos devem estar confusos — diz Pax com tristeza. — Ontem à noite houve uma tempestade. Talvez eles tenham corrido pra floresta em busca de segurança.

Mustang está segurando as cordas que mantinham os cavalos presos durante a noite. Cortadas pela metade.

— Mais fortes do que pareciam — diz ela dubiamente.

— Tactus? — Eu balanço a cabeça em concordância para a cena.

Ele olha para Pax e Mustang antes de responder:

— Há pegadas de pés…

— *Mas*.

— Por que desperdiçar meu fôlego? — Ele dá de ombros. — Vocês sabem o que eu vou dizer.

Inspetores arrebentaram as cordas.

Não conto para meu exército o que aconteceu, mas os boatos se espalham rapidamente quando as pessoas se amontoam em busca de calor. Mustang não faz perguntas, muito embora saiba que eu não estou lhe contando alguma coisa. Afinal de contas, não *encontrei* simplesmente o medicamento que dei a ela na Floresta do Norte.

Tento olhar para esse novo contratempo com uma prova. Quando a rebelião começar, coisas como essa vão acontecer. Como eu reajo? Exalando minha raiva. Exalando-a e seguindo em frente. É muito mais fácil dizer do que fazer, para mim.

Seguimos para a floresta a leste. Sem cavalos, não temos mais o que fazer nas planícies próximas ao rio. Meus batedores me dizem que o castelo de Apolo está perto. Como eu o tomarei sem cavalos? Sem nenhum elemento-surpresa?

À medida que a noite cai, um outro contratempo se revela. Os potes de sopa que trouxemos de Ceres para cozinhar estão rachados. Todos eles. E o pão que mantivemos embrulhado com papel com tanta segurança nos pacotes estão cheios de carunchos. Quando como o pão que constitui minha ceia, ele me parece crocante como sementes suculentas. Para os Selecionadores, isso vai dar a impressão de que os eventos estão sofrendo uma desafortunada mudança de rumo. Mas eu sei que se trata de algo mais.

Os Inspetores estão me alertando a dar meia-volta.

— Por que Cassius te traiu? — me pergunta Mustang nessa noite enquanto dormimos num espaço oco embaixo de um acúmulo de neve. Nossas sentinelas de Diana vigiam o perímetro do acampamento a partir das árvores. — Não minta pra mim.

— Eu o traí, na realidade — digo. — Eu… Foi o irmão dele que eu matei na Passagem.

Os olhos dela ficam arregalados. E, depois de um momento, ela balança a cabeça.

— Eu tive um irmão que morreu. Não é… Não foi a mesma coisa. Mas… uma morte assim muda as coisas.

— Mudou você?

— Não — diz ela, como se tivesse acabado de perceber isso. — Mas mudou minha família. Transformou todos eles em pessoas que eu às vezes não reconheço. Isso é a vida, acho. — Ela se afasta subitamente. — Por que você contou pro Cassius que matou o irmão dele? Você é mesmo tão maluco, Ceifeiro?

— Eu não contei droga nenhuma pra ele. Os Inspetores contaram através do Chacal. Deram a ele um holocubo.

— Entendi. — Os olhos dela ficam frios. — Quer dizer então que eles estão roubando pro filho do ArquiGovernador.

Deixo Mustang e o calor para dar uma mijada na floresta. O ar está frio e fresco. Corujas piam nos galhos, fazendo com que eu me sinta vigiado na noite.

— Darrow? — diz Mustang da escuridão. Eu giro o corpo.

— Mustang, você me seguiu? — Darrow. Não Ceifeiro. Algo está impróprio. Algo na maneira pela qual ela diz meu nome, no fato em si de ela dizer meu nome. É como testemunhar um gato latir. Mas eu não consigo vê-la na escuridão.

— Acho que eu vi alguma coisa — diz ela, ainda na sombra, sua voz emanando do fundo da floresta. — É bem aqui. É quase enlouquecedor.

Sigo o som da voz dela.

— Mustang. Não deixe o acampamento. *Mustang*.

— Nós já deixamos, querido.

Ao meu redor, as árvores se esticam agourentamente para o alto. Seus galhos se aproximam de mim. A floresta está em silêncio. Escura. Isso é uma armadilha. Não é Mustang quem está aqui.

Os Inspetores? O Chacal? Alguém está me vigiando.

Quando algo está te vigiando e você não sabe onde está, existe apenas uma coisa sensata a fazer: mude a porra do paradigma, tente equalizar o campo de jogo. Obrigue a coisa a te procurar.

Começo a me movimentar. Disparo de volta ao local onde se encontra meu exército. Em seguida, corro para trás de uma árvore, subo nela e fico esperando, observando. Facas preparadas. Prontas para ser lançadas. Corpo coberto pelo manto.

Silêncio.

Então o barulho de gravetos se partindo. Algo se move pela floresta. Algo imenso.

FÚRIA VERMELHA **383**

— Pax? — falo, olhando para baixo.

Nenhuma resposta.

Então sinto uma mão forte tocar meu ombro. O galho no qual estou agachado cede com o novo peso à medida que o homem desativa seu fantasManto e aparece do nada. Eu já o vi antes. Seus cabelos louros encaracolados estão cortados rentes e emolduram seu rosto escuro e semelhante ao de um deus. Seu queixo é esculpido em mármore, e seus olhos brilham malignamente, com a mesma intensidade que sua armadura. Inspetor Apolo. A coisa imensa se move de novo abaixo de nós.

— Darrow, Darrow, Darrow — cacareja ele para mim na voz de Mustang. — Você era um fantoche favorito, mas não está dançando como deveria dançar. Você vai se reformar e seguir para o norte?

— Eu…

— Recusa-se? Pouco importa. — Ele me empurra com força e eu caio do galho. Bato em outro galho a caminho do chão. Caio na neve. Sinto cheiro de cólera. De couro. E então a fera ruge.

38
A QUEDA DE APOLO

O urso é enorme — maior do que um cavalo, tão grande quanto uma carroça. Branco como um cadáver sem sangue. Olhos vermelhos e amarelos. Dentes pretos afiados como uma navalha e tão compridos quanto meu antebraço. Em nada semelhante aos ursos que vi no HC. Uma faixa em vermelho percorre sua coluna. Suas patas são como dedos, oito em cada mão. Não é uma coisa natural. Foi feito pelos Entalhadores por esporte. Foi trazido para esta floresta para matar, para me matar especificamente. Sevro e eu o ouvimos rugindo meses antes quando fomos fazer as pazes com Diana. Agora sinto a saliva da fera.

Fico lá parado e estupefato por um segundo. Então o urso ruge novamente e avança.

Rolo no chão, corro. Disparo numa velocidade maior do que a que jamais imprimi em toda a minha vida. Eu voo. Mas o urso é mais rápido, apesar de menos ágil; a floresta estremece enquanto a fera dispara em meio a árvores e plantas, arrebentando tudo no caminho.

Corro ao lado de uma maciça deusÁrvore e mergulho em meio a sarças. Lá o solo range enquanto piso, e eu percebo, à medida que as folhas e a neve se desmancham sob meus pés, onde me encontro. Coloco o local entre mim e o urso e espero que o animal arrebente a vegetação rasteira. Ele abre caminho com suas patas e avança na minha direção. Dou um salto para trás. Então ele some, berrando enquanto despenca através de uma armadilha que o leva a um leito de estacas de madeira. Meu júbilo teria sido mais prolongado se eu não tivesse dançado para trás e pisado numa segunda armadilha.

A terra gira ao meu redor. Bem, quem gira sou eu. Minha perna estala e eu voo no ar na ponta de uma corda. Fico pendurado por horas, assustado demais para chamar meu exército por medo do Inspetor Apolo. Meu rosto pinica e coça devido ao sangue escorrendo pela minha cabeça. Então uma voz familiar corta a noite.

— Ora, ora, ora — diz a voz escarnecidamente. — Parece que temos duas peles pra esfolar.

Sevro ri afetadamente quando lhe digo que me aliei a Mustang. No acampamento, onde Mustang estava preparando grupos de busca para me procurar, a reputação dele o precede entre os nortistas. Os minervinos o temem. Tactus e os outros CavalosMortos, por outro lado, estão deliciados.

— Ora, ora, mas é meu companheiro de barriga! — diz Tactus com a voz arrastada. — Por que está mancando, meu amigo?

— Sua mãe montou em mim e me deixou todo arrasado — rosna Sevro.

— Ha! Você teria que ficar na pontinha dos pés pra ao menos beijar o queixo dela.

— Não era o queixo dela que eu estava tentando beijar.

Tactus bate palmas dando gargalhadas e puxa Sevro para lhe dar um abraço ofensivo. Eles são duas pessoas bastante peculiares. Mas tenho a impressão de que se aninhar dentro de cadáveres de cavalos forma uma espécie de laço, gera gêmeos de um tipo mórbido.

— Onde é que você estava? — me pergunta Mustang silenciosamente, puxando-me para o lado.

— Num segundo eu te digo — respondo.

Sevro tem apenas um olho agora. Portanto, ele é o demônio zarolho sobre o qual o emissário de Apolo me alertou.

— Sempre imaginei que tipo de sujeitinhos tresloucados vocês Uivadores eram — diz Mustang.

— Sujeitinhos? — pergunta Sevro.

— Eu... não tive intenção de ofender.

Ele dá um risinho.

— Eu sou pequeno mesmo.

— Bem, nós de Minerva pensávamos que vocês eram fantasmas. — Ela dá um tapinha no ombro dele. — Você não é. E eu não sou um mustangue de verdade, se você estivesse imaginando isso. Não tenho rabo, está vendo? E não — diz ela, interrompendo Tactus —, nunca usei uma sela em cima de mim, já que você estava prestes a fazer essa pergunta.

Ele estava mesmo.

— Ela serve — murmura Sevro para mim, de lado.

— Gosto deles — diz Mustang, referindo-se aos Uivadores alguns instantes depois. — Eles me dão a sensação de que sou alta.

— Perrrfeito! — Tactus pega as costas ensanguentadas da pele com um rosnado. — Olhe só, olhe só. Eles encontraram alguma coisa do tamanho de Pax.

Antes de nos juntarmos ao grupo na grande fogueira aos cuidados de Pax, Sevro me puxa para o lado e pega um cobertor. Dentro dele se encontra minha curviLâmina.

— Cuidei dela pra você depois que a encontrei no meio da lama — diz ele. — E deixei a lâmina mais afiada; chega de usar lâmina cega.

— Você é meu amigo. Espero que você saiba disso. — Dou um tapinha no ombro dele. — Não somente um amigo do jogo. Um amigo de verdade agora, pra quando a gente sair daqui, et cetera e tal. Você sabe disso, não sabe?

— Não sou nenhum idiota. — Mesmo assim ele fica enrubescido.

Descubro com Sevro ao redor da fogueira do acampamento que ele e os Uivadores: Cardo, Cara Ferrada, Palhaço, Erva e Pedrinha — a escória da minha antiga Casa — não permaneceram lá mais do que um dia depois do meu desaparecimento.

— Cassius disse que o Chacal tinha te levado — diz Sevro enquanto come um punhado de pão com caruncho. — Nozes deliciosas. — Ele come como alguém que não vê comida há semanas.

Ficamos ao lado da fogueira na Grande Floresta, banhados pela luz das toras crepitantes. Mustang, Milia, Tactus e Pax se juntam a nós encostando numa árvore caída na neve. Estamos todos amontoados como animais. Estou sentado perto de Mustang. A perna dela está entrelaçada na minha embaixo das pelagens. O pelo ensanguentado do urso fede e crepita sobre o fogo. A gordura respinga nas chamas. Pax vai usar a pele quando estiver seca.

Sevro saiu em busca do Chacal depois que Cassius lhe transmitiu a mentira. Meu pequeno amigo não entra em detalhes. Ele odeia detalhes. Ele apenas dá um tapinha no seu olho vazado e diz:

— O Chacal está me devendo essa.

— Então você viu o cara? — pergunto.

— Estava escuro. Vi a faca dele. Nem ouvi sua voz. Tive que saltar de uma montanha. Foi uma queda grande até voltar ao resto do bando. — Ele fala isso bem abertamente. Contudo, noto que ele está mancando. — A gente não podia ficar nas montanhas. Os homens dele... estavam em toda parte.

— Mas nós levamos um pouco das montanhas com a gente — diz Cardo. Ela passa a mão nos escalpos na sua cintura com um sorriso maternal. Mustang estremece.

O caos tem reinado no sul. Apolo, Vênus, Mercúrio e Plutão são tudo o que resta, mas ouço dizer que Mercúrio foi reduzido a uma força de vagabundos andarilhos. Uma pena. Eu tinha apreço pelo inspetor deles. Ele quase me escolheu na Seleção. Teria me escolhido se pudesse. Imagino como as coisas teriam sucedido caso isso tivesse ocorrido.

— Sevro, com essa perna, com que rapidez você consegue correr, o quê, dois quilômetros, por exemplo? — pergunto.

Os outros ficam confusos com a pergunta, mas Sevro simplesmente dá de ombros.

— Isso não diminui minha velocidade. Um minuto e meio nessa gravBaixa.

Faço uma anotação mental para lhe dizer minha ideia mais tarde.

— Temos coisas mais importantes a discutir, Ceifeiro — diz Tactus, sorrindo. — Agora, ouvi falar que você estava pendurado de cabeça pra baixo na floresta por causa de uma armadilha feita por essa que está aqui. — Ele dá um tapinha na coxa da pequena Cardo; ela sorri enquanto ele deixa sua mão permanecer algum tempo lá. É a coleção de escalpos que atiça a afeição dele. — Você não achou que escaparia de nos contar essa história, achou?

Não se trata de uma coisa assim tão engraçada quanto ele possa estar talvez desconfiando.

Passo o dedo no meu anel. Contar a eles seria o mesmo que assinar suas sentenças de morte. Apolo e Júpiter estão me ouvindo agora. Olho para Mustang e sinto um vazio. Vou arriscar perdê-la só para vencer esse jogo manipulado deles. Se eu fosse uma pessoa boa, manteria o anel ativado. Ficaria de boca calada. Mas há planos a ser feitos, deuses a ser desfeitos. Desativo meu anel e o jogo na neve.

— Vamos fingir apenas por um momento que nós não somos de Casas diferentes — digo. — Vamos todos nós conversar como amigos.

Sem cavalos, sem mobilidade, não tenho nenhuma vantagem sobre meu inimigo nas terras circunvizinhas. Mais uma lição a ser aprendida. Produzo uma vantagem para mim mesmo, uma nova estratégia. Eu os faço ter medo de mim.

Minha tática é de fragmentação. Separo meu exército em seis partes de dez sob a liderança de mim mesmo, Pax, Mustang, Tactus, Milia e — devido a uma surpreendente recomendação de Milia — Nyla. Eu teria dado a Sevro sua própria unidade, mas ele e seus Uivadores não sairão mais de perto de mim. Eles culpam a si mesmos pela cicatriz na minha barriga.

Meu exército penetra as fortificações de Apolo como lobos esfomeados. Não assaltamos o castelo deles, mas atacamos os fortes. Tocamos fogo nos seus estoques de suprimentos. Atiramos flechas nos seus cavalos. Envenenamos seus suprimentos de água e fornecemos aos prisioneiros notícias falsas e permitimos que eles escapem. Assassinamos as cabras e porcos deles. Arrebentamos seus barcos com nossos machados. Roubamos armas. Não permito que prisioneiros sejam levados, exceto se forem alunos de Vênus, Juno ou de Baco escravizados por Apolo. Deixamos todos os outros escapar. O medo e a lenda precisam se espalhar. Isso meu exército compreende melhor do que qualquer outra coisa. Eles são dogmáticos. Eles contam uns aos outros histórias minhas ao redor de fogueiras nos acampamentos. Pax é o líder da gangue; ele acha que sou um mito transformado em homem. Muitos dos meus soldados começam a entalhar o desenho da minha curviLâmina nas árvores e nas paredes. Tactus e Cardo entalham curviLâminas na própria carne. E os membros mais industriosos do meu exército fazem estandartes de peles de lobo manchadas nas extremidades das lanças que levamos para a batalha.

Separo os escravos da Casa Ceres e os outros escravos capturados uns dos outros para integrá-los nas várias unidades. Sei que os compromissos de fidelidade deles estão mudando. Aos pouquinhos. Eles começam a se referir a eles próprios não como Ceres ou Minerva ou Diana, mas pelo nome da sua unidade. Coloco quatro soldados de Ceres, os menores, com Sevro nos Uivadores. Não sei se os padeiros vão funcionar como guerreiros de elite como a escória de Marte funcionou, mas se existe alguém que consegue extrair a gordura de bebês deles, esse alguém é Sevro.

O medo consome Apolo por uma semana. Nossas fileiras incham. As deles diminuem. Escravos libertos nos contam do terror no interior do castelo, a preocupação com a possibilidade de eu aparecer das sombras com meu ensanguentado manto lupino para queimar e mutilar.

Eu não temo a Casa Apolo; eles são uns tolos desajeitados que não conseguem se ajustar à minha tática. O que eu temo são os Inspetores e o Chacal. Para mim, eles são a mesma coisa. Depois da fracassada tentativa de Apolo acabar com minha vida, temo que as ações deles sejam agora mais diretas. Quando é que vou acordar com uma lâmina encostada no pescoço? Esse é o jogo deles. A qualquer momento, posso vir a morrer. Preciso destruir a Casa Apolo agora, tirar o Inspetor Apolo desse jogo antes que seja tarde demais.

Meus tenentes e eu nos sentamos ao redor da nossa fogueira para discutir a tática do dia seguinte. Estamos a menos de dois quilômetros do castelo da Casa Apolo, mas eles não ousam nos atacar. Estamos bem fundo na floresta. Eles se amontoam com medo de nós. Também não os atacamos. Sei que o Inspetor Apolo arruinaria até mesmo o mais inteligente dos ataques noturnos.

Antes que possamos começar, Nyla pergunta sobre o Chacal. A voz de Sevro é silenciosa ao relatar para ela o que descobriu nas montanhas. O tom fica mais alto à medida que ele começa a perceber que nós todos estamos escutando.

— O castelo dele fica em algum lugar nas montanhas baixas. Subterrâneo, não nos altos picos. Pertinho de Vulcano. Vulcano deu uma bela de uma arrancada. Rapidíssima. Eles deram uma blitz em Plutão no terceiro dia. Os putos foram eficientes. Plutão estava despreparado. Aí o Chacal assumiu o controle, mandou os caras recuarem pro fundo dos túneis deles. Vulcano veio uivando com armas avançadas das forjas deles. Tudo ia acabar ali mesmo. O Chacal teria sido escravo da primeira semana em diante. Aí ele fez o túnel desabar (sem plano, sem saída) pra poder preservar sua chance de vencer o jogo. Matou dez da sua própria Casa, toneladas de membros da altaSeleção. Os medBots não puderam salvar ninguém. Encalhou quarenta dos restantes nas cavernas escuras. Água à vontade, nenhuma comida. Eles ficaram lá por quase um mês até escavarem a terra pra se libertar. — Ele sorri e eu lembro do motivo pelo qual Fitchner o chamava de Duende. — Adivinha o que eles comiam?

Se um chacal é preso numa armadilha, ele vai comer a própria perna. Quem me disse isso?

O fogo crepita entre nós. Eu esperaria que Mustang se mexesse desconfortavelmente mas, em vez disso, o que vejo escapando dela é raiva à medida que os detalhes são transmitidos. Pura raiva. Sua mandíbula é flexionada e seu rosto perde um tom. Aperto a mão dela sob o cobertor, mas ela não retribui o aperto.

— Como foi que você descobriu tudo isso? — ribomba Pax.

Sevro dá um tapinha com a unha numa das suas facas curvas, permitindo um suave tilintar no ar noturno. O som ecoa na floresta, balançando as árvores e retornando aos nossos ouvidos como uma frase perdida. Então eu não consigo ouvir nada vindo da floresta, nada além do fogo. Meu coração salta até minha garganta e eu capto o olhar de Sevro. Ele vai ter de encontrar Tactus.

Uma embaralhÁrea nos envolve.

— Oi, crianças — diz uma voz da escuridão. — Um fogo tão brilhante é perigoso à noite. E vocês parecem filhotinhos de cachorro assim tão aninhados uns nos outros; não, não se levantem. — Essa voz é melodiosa. Frívola. Fantasmagórica de se ouvir depois de tantos meses de dureza. A voz de ninguém soa dessa maneira. Ele vem andando levemente e desaba no chão ao lado de Pax. Apolo. Dessa vez ele não trouxe nenhum urso, apenas uma grande lança que goteja fagulhas púrpuras ao longo da sua extremidade.

— Inspetor Apolo, bem-vindo — digo. Sentinelas estão empoleirados acima de nós nas árvores, suas flechas apontadas para o Inspetor. Dispenso a armadilha com um aceno e pergunto ao Inspetor por que ele está aqui, como se nós jamais tivéssemos nos encontrado. Sua presença envia uma mensagem bastante simples: meus amigos estão em perigo.

— Pra dizer a vocês que retornem à sua casa, meus caros nômades. — Ele abre um garrafão de vinho e o passa ao redor. Ninguém bebe, exceto Sevro. Ele mantém o garrafão em seu poder.

— Os Inspetores não devem interferir nas coisas. Isso está nas regras — diz Pax, confuso. — Que direito você tem de vir aqui? Isso é jogo sujo.

Mustang ratifica a pergunta dele.

O Áurico suspira, mas antes que possa dizer qualquer coisa, Sevro se levanta e arrota. Ele começa se afastar de onde eles estão.

— Aonde você está indo? — rebate Apolo. — Não fuja de mim.

— Vou dar uma mijada. Bebi todo esse seu vinho. Prefere que eu mije aqui? — Ele empina a cabeça e toca seu pequeno estômago. — De repente, uma cagada também vem a calhar.

Apolo torce o nariz e olha para nós, dispensando Sevro.

— Influenciar não significa jogo sujo, meu amigo gigante — explica ele. — Apenas me importo com o bem-estar de vocês. Estou aqui, afinal de contas, pra guiá-los em seus estudos. Seria melhor pra todos que vocês retornassem ao norte, isso é tudo. Uma estratégia melhor, digamos assim. Encerrem sua batalha aqui, consolidem seu poder, depois se expandam. São as regras da guerra. Não se exponham quando estiverem fracos. Não forcem seu inimigo a lutar quando vocês forem inferiores. Vocês não têm cavalaria. Não têm abrigo. Possuem armamentos frágeis. Vocês não estão aprendendo como deveriam.

O risinho dele é receptivo. Atravessa seu rosto como uma lua crescente enquanto ele gira os anéis no dedo, esperando nossa reação.

— É uma gentileza da sua parte ter consideração com nosso bem-estar — responde Mustang num debochado altoIdioma. — Eu diria até uma grande gentileza! Aquece meus ossos. Prestando especial atenção ao fato, não menos importante, de que você é de uma outra Casa. Mas, diga-me, por acaso meu Inspetor sabe que você está aqui? Marte está ciente disso? — Ela faz um aceno de cabeça na direção da silenciosa Milia. — Juno está ciente disso? Meu bom senhor, por acaso você está fazendo traquinagem? Se não está, então por que essa embaralhÁrea? Ou será que outras pessoas estão nos assistindo?

Os olhos de Apolo ficam endurecidos, embora seu sorriso permaneça.

— Pra ser bem franco, seus Inspetores não sabem com o que vocês crianças estão brincando. Você teve sua chance, Virginia. Você perdeu. Não se permita essa amargura toda. O Darrow aqui é bastante superior a você em todos os quesitos. Ou será que o inverno que vocês passaram juntos os cegou para o fato de que só pode haver uma única Casa vencedora, um único Primus vitorioso? Será que todos vocês estavam tão cegos de fato? Esse... menino não pode lhes dar coisa alguma.

Ele olha ao redor para cada um deles.

— Eu repetirei, já que vocês são um grupo enferrujado: a vitória de Darrow não vai significar que vocês terão vencido. Ninguém vai oferecer aprendizados a vocês, porque eles o veem como sendo o segredo do

FÚRIA VERMELHA   **393**

seu sucesso. Vocês meramente o seguem, como o general Ney ou Ajax Minor, e quem se lembra deles? Esse Ceifeiro não está de posse nem do seu próprio estandarte. Ele está usando vocês. Isso é tudo. Ele está constrangendo vocês e arruinando suas chances de obterem carreiras neste Primeiro Ano.

— Você é bem irritante, com o devido respeito, Inspetor — diz Nyla sem sua costumeira delicadeza.

— E você ainda é uma escrava. — Apolo aponta para a marca dela. — Adequada a todo tipo de abusos.

— Só até eu adquirir o direito de usar um desses aqui. — Nyla faz um gesto na direção do manto lupino de Mustang.

— Sua lealdade é tocante, mas...

Pax interrompe:

— Você permitiria que eu lhe desse umas chicotadas até que suas costas ficassem ensanguentadas, Apolo? Darrow permitiu. Deixe eu lhe dar umas chicotadas e vou obedecer como um Rosa. Prometo pelo túmulo dos meus ancestrais, os de Telemanus e os de...

— Você não passa de um Pixie burocrático — sibila Milia. — Faça um favor pra gente, dê o fora daqui.

Meus tenentes são leais, embora eu estremeça só de pensar o que Tactus ou Sevro teriam dito se estivessem ao redor do fogo conosco. Eu me curvo para a frente para encarar Apolo. Ainda assim, preciso provocá-lo.

— Faça um favor pra gente, certo? Pegue esse seu conselho e enfie no cu, e dê o fora daqui.

Alguém ri no ar acima de nós, o riso de uma mulher. Outros Inspetores assistem de dentro da embaralhÁrea. Vejo silhuetas na fumaça. Quantos assistem? Júpiter? Vênus, quem sabe, pelo riso? Isso seria perfeito.

O fogo tremeluz sobre o rosto de Apolo. Ele está com raiva.

— Essa é a lógica que eu conheço. O inverno poderia ser mais frio, crianças. Quando fica frio no exterior, as coisas morrem. Como os lobos. Como os ursos. Como os mustangues.

Tenho uma resposta e ela é perfeitamente dotada de muito fôlego.

— Eu imagino, Apolo, o que aconteceria se os Selecionadores descobrissem que você está armando pra que o filho do ArquiGovernador vença. Que você está manipulando este jogo como se fosse um chefe de quadrilha.

Apolo fica paralisado. Eu continuo.

— Quando você tentou me matar na floresta com aquele urso imbecil, você fracassou. Agora você vem aqui, como o tolo desesperado que é, pra ameaçar meus amigos quando eles não se deliciam com a ideia de me trair. Você vai mesmo nos matar a todos? Eu sei que você pode editar o que bem quiser das tomadas que os Selecionadores assistem. Mas como é que você vai explicar a todos os nossos Selecionadores o fato de nós todos termos morrido?

Meus tenentes fingem estar chocados.

Eu prossigo.

— Digamos que um Imperador de frota, digamos que um Legado, digamos que algum dos Selecionadores de qualquer das Casas, descobrisse que o ArquiGovernador está pagando os Inspetores pra roubar no jogo, pra eliminar a competição de modo que seu filho vença e que os filhos deles percam. Você acha que haveria consequências pro fato dos Inspetores estarem sendo subornados? Pro ArquiGovernador? Você acha que eles podem talvez se importar com o fato de que seus filhos estão morrendo num jogo armado? Ou que você está sendo pago pra arruinar o sistema meritocrático? Os melhores devem ascender. Ou será que são os que têm os melhores contatos?

O queixo de Apolo fica enrijecido.

Ele olha para cima em busca dos outros Inspetores, que permanecem sabiamente invisíveis. Ele deve ter tirado o palitinho menor para descer aqui e ser a cara da roubalheira deles. Meus tenentes permanecem em silêncio enquanto ele fala.

— Se eles descobrirem, crianças, então haveria consequências pra todos — ameaça Apolo. — Portanto, sintam-se à vontade pra proteger suas línguas enquanto vocês as têm.

— Ou o quê? — pergunta Mustang violentamente. — O que você acha que vai fazer?

FÚRIA VERMELHA   **395**

— Você, dentre todas as pessoas, deveria estar ciente disso — diz ele. Não entendo o que ele quis dizer com isso, mas essa charada percorreu seu itinerário. Contei os segundos desde que Sevro nos deixou. Os Inspetores, não. Eu me viro para Mustang.

— Em quanto tempo Sevro consegue correr dois quilômetros?

— Um minuto e meio nessa gravidade, acredito eu. Embora ele seja um mentiroso, então talvez faça em menos tempo.

— E qual é a distância daqui até o castelo de Apolo?

— Oh, eu diria uns três quilômetros, de repente um pouco mais.

Apolo se levanta num salto, olhando ao redor à procura de Sevro.

— Esplêndido — digo. — Mustang, me diga uma coisa. Você sabe a coisa que eu mais gosto nas embaralhÁreas?

— Que nenhum som pode sair?

— Não. Que nenhum som pode entrar.

Apolo desativa a embaralhÁrea e nós ouvimos os uivos. Eles vêm de longe, três quilômetros de distância. Dos baluartes. Do castelo de Apolo. MedBots gemem na direção dos gritos, disparando através do céu distante.

— Vênus! Você não os estava vigiando? Sua estúpida… — rosna Apolo para o ar vazio.

— O pequenino tirou o anel — grita uma mulher invisível. — Todos eles tiraram os anéis! Não consigo enxergar coisa alguma se eles tiram os anéis, e principalmente se eles estão numa embaralhÁrea!

— Mas a uma hora dessas eles já devem estar todos de volta — digo. — Então pegue seu datapad e me diga o que está vendo.

— Seu… — Apolo cerra os punhos. Eu recuo. Mustang dá um passo e se coloca entre nós dois, assim como Pax.

— Uh-oh — ribomba Pax, batendo seu imenso machado no peito. A armadura embaixo do seu manto lupino bate no mesmo ritmo. — Uh-oh!

A neve voa enquanto Apolo paira sobre a floresta, os outros Inspetores nos calcanhares dele. Eles vão chegar tarde demais. Editem tudo o que quiserem, interfiram como bem entenderem, a batalha pela Casa Apolo começou, e Sevro e Tactus tomaram os baluartes.

Meus tenentes e eu chegamos na batalha a tempo de ver Tactus escalando a torre mais alta, uma faca nos dentes. Lá, de pé na beirada de um parapeito de cem metros como se fosse um descuidado campeão grego, ele baixa as calças e mija no galhardete da Casa Apolo. Ele rastejou em meio à merda pra conquistar esse galhardete. Os escravos que capturamos ao longo da semana nos revelaram as fraquezas do castelo — buracos de latrina grandes demais — e então Tactus, Sevro e os Uivadores os exploraram num tempo apavorantemente eficiente. Soldados da Casa Apolo acordaram e se depararam com demônios cobertos de cocô. Oh, como meus soldados conquistadores fediam terrivelmente enquanto abriam os portões para mim. Lá dentro, uma massa caótica.

O castelo é alto, branco, decorado. Sua praça interna é redonda e possui seis grandes portas que levam a seis grandes torres espiraladas. Ovelhas e vacas se amontoam em currais improvisados na extremidade da praça. Guardas de Apolo recuaram para lá. Mais dos seus aliados disparam aos montes das portas das torres atrás deles. Meus homens estão em menor quantidade numa proporção de três para um. Mas os meus são homens livres, não escravos. Eles lutarão melhor. No entanto, não são os números que ameaçam virar o jogo contra meu exército invasor. É o Primus de Apolo, Novas. O Inspetor deu a ele sua própria pulsArma. Uma lança que cintila com fagulhas púrpuras. Sua ponta toca um dos CavalosMortos de Diana, e a garota é arremessada três metros para trás, como se fosse um brinquedo quebrado, em convulsões no chão enquanto seu equipamento se desmonta todo.

Reúno minhas forças perto da guarita, dentro da praça interna. Muitos ainda estão nas torres como Tactus. Tenho comigo protegendo minha retaguarda Pax, Milia, Nyla, Mustang e quarenta outros. O Primus inimigo comanda suas próprias forças. A arma dele sozinha poderia nos destruir.

— Mustang, pronta com aquele estandarte? — pergunto. Sinto a mão dela nas minhas costas, logo abaixo do meu peitoral. Não estou usando capacete. Meus cabelos estão presos por uma fita de couro. Meu rosto está escuro por causa da fuligem. Minha mão direita carre-

FÚRIA VERMELHA   **397**

ga a curviLâmina. A esquerda, uma lança-de-atordoamento encurtada. Nyla carrega o estandarte de Ceres.

— Pax, nós somos a foice. Meninas, vocês são as apanhadoras.

Meus homens nas torres uivam enquanto disparam e saltam das suas posições no alto para se juntar à batalha, avançando em direção à praça de todos os ângulos. Seus mantos lupinos manchados de sangue fedem. Os paralelepípedos entre meu grupo e o de Apolo estão espessos até os tornozelos por causa da neve. Os Inspetores reluzem no ar acima de nós, esperando que a pulsaLança cause estragos no meu exército.

— Pegue o Primus deles — sussurra Mustang no meu ouvido. Ela aponta para o garoto duro e alto e dá um tapa na minha bunda. — Pegue-o.

— Vinte metros e pare, Pax. — Ele balança a cabeça para meu comando.

— *O Primus é meu!* — rosno para meu exército e para o deles. — Novas, seu viadinho do caramba. Você é *meu*. Sua lesma comedora de mijo. Seu merdinha. — À medida que o invasor alto e tresloucado segurando uma curviLâmina berra para o Primus deles, as forças de Apolo se esquivam e se afastam instintivamente. — Escravizem o resto! — eu uivo.

Então Pax e eu atacamos.

O restante avança atrás de nós, tentando pegar meus calcanhares. Deixo Pax me ultrapassar. Ele está berrando com seu machado de guerra e atacando Novas e seu pelotão de guarda-costas — meninos e meninas com armaduras pesadas e impressões de mãos em tom escarlate nos capacetes. Eles lideram o ataque ao convidado inimigo, indo diretamente a Pax, baixando suas lanças para deter seu ataque insano. Esses são todos do grupo de soldados altos, os matadores arrojados que há muito se tornaram arrogantes demais para entender que estão em perigo ou para sentir medo enquanto fazem planos de se encontrar com Pax no campo de batalha.

Então Pax para.

E, sem perder o ritmo, dou um salto à frente de modo que sua mão segura meu pé; dou um impulso enquanto ele me arremessa dez metros adiante no ar. Estou uivando o percurso inteiro, como uma coisa arrancada de alguma porra de pesadelo, até me chocar com os guarda-costas. Três deles caem. Uma lança sem destino acerta meu estômago e raspa minhas costelas, fazendo meu corpo girar no momento exato em que um tridente penetra o ar onde minha cabeça estivera alguns segundos antes. Consigo me levantar, balanço horizontalmente, examinando as pernas. Giro para me afastar do ataque e me abaixo na diagonal na conclusão do meu giro, despedaçando alguém na altura da clavícula. Uma outra lança vem na minha direção. Eu a afasto com um tapa e corro ao longo do comprimento dela, saltando para enterrar o joelho na cara de um altaSeleção da Casa Apolo. Ele cai para trás, levando-me junto, meu joelho enfiado no visor do seu capacete. Eu me debato loucamente ao sair da minha posição vantajosa no alto, atordoando três outros membros da altaSeleção com golpes de gancho até balançar e cair no chão.

Atingimos a neve. O nariz do altaSeleção está quebrado e ele está inconsciente, mas meu joelho está dormente e ensanguentado por causa do impacto enquanto eu o puxo do capacete dele. Rolo para me afastar, esperando lanças me fatiarem. Elas não fazem isso. Despedacei o cabeça do exército de Apolo num ataque insano; Pax e meu exército avançam como se fossem uma cortina de ferro até que fico sozinho com Novas no centro do caos. Ele é alto e forte. Um arco veloz formado pela sua lança despedaça o escudo de um Uivador. Ele explode Milia, arremessando-a para trás, e acerta o braço de Pax com a lança, derrubando-o no chão como um brinquedo. Sou mais alto e mais forte.

— Novas, sua menininha! — grito. — Seu Rosa chorão.

Os olhos de Novas brilham quando ele me vê chegando.

A batalha toma um fôlego coletivo enquanto ele gira na minha direção como um alce que se vira para o líder de um bando de lobos. Avançamos um na direção do outro. Ele ataca primeiro. Eu me esquivo e giro ao longo da extensão da lança até me encontrar atrás dele. Então, com um golpe maciço, como se eu estivesse derrubando uma árvore com minha curviLâmina, quebro a perna dele e tomo a lança.

FÚRIA VERMELHA   **399**

Ele geme como uma criança. Eu me sento no peito dele, presunçoso de satisfação por não ter gemido desse jeito quando minhas pernas foram quebradas e refeitas na loja de entalhe de Mickey. Finjo bocejar apesar do caos girando ao meu redor.

Mustang toma as rédeas da batalha.

Somente um membro da Casa Apolo escapa. Uma garota. Uma garota rápida, mas um membro importante da Casa deles. De algum modo, ela salta da torre mais alta e simplesmente flutua até o chão com o estandarte da sua Casa. Quase por mágica. Mas vejo a distorção ao redor dela. O Inspetor Apolo preserva sua posição no jogo. A garota encontra um cavalo e cavalga para longe do meu exército desprovido de cavalaria. Pax arremessa uma lança nela de longe. Sua mira é boa e o artefato teria penetrado bem no pescoço do animal, mas um vento endiabrado milagrosamente desvia a trajetória da lança. No fim, é Mustang que pega um cavalo dos estábulos de Apolo e vai ao encalço da garota com os Uivadores Cardo e Pedrinha. Ela a traz de volta curvada na garupa do seu próprio cavalo, espancando seu traseiro com o estandarte enquanto galopam de volta.

Meu exército ruge enquanto Mustang trota em direção à praça do castelo conquistado. Já libertamos os escravos da Casa Ceres; eles receberam por mérito seus lugares no meu exército. Aceno para Mustang da minha posição ao lado de Sevro e Tactus nos altos baluartes; nossos pés pendem da borda descuidadamente. A Casa Apolo caiu em menos de trinta minutos apesar da interferência de Apolo com a pulsaLança.

O Inspetor Apolo faz uma conferência com Júpiter e Vênus no céu. Eles cintilam na madrugada como se nada tivesse acontecido. Mas sei que ele terá de abandonar o jogo; o estandarte e o castelo foram tomados. Ele não consegue mais me causar danos.

— Você já era! — provoco Apolo. — Sua Casa caiu! — Meu exército ruge mais uma vez. Absorvo o som e o ar de inverno enquanto o sol desponta na orla ocidental do Valles Marineris. A maioria dessas vozes seria de escravos. Ao contrário, elas me seguem de livre e espontânea vontade. Logo até mesmo aquelas da Casa Apolo vão me seguir.

Eu rio tresloucadamente; o fogo da vitória está quente nas minhas veias. Derrotamos um Inspetor. Mas Júpiter ainda pode nos causar danos. Sua Casa continua inflexível, inquebrável mais para o norte. Uma rápida raiva toma conta de mim juntamente com uma outra paixão, uma paixão mais sombria — uma paixão de arrogância, de furiosa e insana arrogância. Agarro a pulsaLança, empino o braço e arremesso a arma com o máximo de força que consigo reunir nos Inspetores reunidos. Meu exército observa esse ato de insolência. Os três Inspetores se espalham depois que a pulsaLança atravessa o escudo deles. Eles se viram para olhar para mim. O fogo cintila nos seus olhos. Mas a paixão em mim não foi saciada por um mero arremesso de lança. Odeio esses otários manipuladores. Vou acabar com eles.

— Júpiter! Você vai ser o próximo, seu cocô de cachorro.

Então Pax berra meu nome. E então a voz de Tactus o ecoa, então Nyla o ecoa de uma torre distante. E logo uma centena de vozes canta meu nome ao longo do castelo conquistado — do pátio aos altos parapeitos e torres. Eles batem suas espadas e lanças e escudos, e então os atiram na direção dos Inspetores. Uma centena de mísseis bate inofensivamente nos pulsEscudos e muitos do meu exército precisam se espalhar para não ser empalados pelas armas que caem, mas trata-se de uma visão agradável, um som agradável de chuva metálica sobre os paralelepípedos. E novamente eles gritam meu nome. Eles cantam e cantam o nome do Ceifeiro para os Inspetores, porque eles sabem com quem nós agora lutamos.

FÚRIA VERMELHA   **401**

39

A RECOMPENSA DO INSPETOR

Meu exército dorme a manhã inteira. Não tenho necessidade de descanso, embora acompanhe Sevro e meia dúzia de outros nos baluartes. Eles ficam próximos, como se qualquer espaço pudesse talvez apresentar aos Inspetores uma oportunidade para me matar.

Sevro libertou cinco alunos de Mercúrio dos grupos de escravos de Apolo. Eles se amontoam ao redor dele nos baluartes brincando de jogos de velocidade, dando tapas nos dedos uns dos outros para ver quem consegue mexer com mais rapidez. Eu não brinco, porque venço com muita facilidade; melhor deixar as crianças se divertirem. Depois da tomada do castelo, muito embora Sevro e Tactus tenham feito a parte mais pesada, meus meninos e minhas meninas acham que isso faz de mim uma espécie de maravilha. Mustang me disse que isso é uma coisa rara.

— É como se eles pensassem que você é alguma coisa fora do tempo.

— Eu não entendo.

— Como se você fosse um dos antigos conquistadores. Os antigos Ouros que usurparam a Terra, destruíram frotas de lá e tudo o mais. Eles usam isso como desculpa pra não competir com você, pois como Hefesto poderia competir com Alexandre, ou Marco Antônio com César?

Meu estômago dá um nó. Isso não passa de um jogo, e eles me amam tanto assim. Quando a rebelião vier, esses meninos e meninas serão meus inimigos, e eu os substituirei por Vermelhos. O quanto esses Vermelhos serão fanáticos? E será que esse fanatismo vai ter alguma importância se eles tiverem de enfrentar criaturas como Sevro, como Tactus, como Pax e Mustang?

Observo Mustang deslizar ao longo do baluarte. Ela manca muito levemente por causa de uma torção no tornozelo, embora seja totalmente graciosa. Seus cabelos são um ninho de gravetos; círculos contornam seus olhos. Ela sorri para mim. Ela é linda. Como Eo.

Dos baluartes, podemos ver por sobre a Grande Floresta e avistar os começos das terras altas ao norte. As montanhas nos olham de modo carrancudo do oeste, à esquerda. Mustang aponta para o céu.

— Inspetor a caminho.

Meus guarda-costas fecham o cerco ao meu redor, mas é apenas Fitchner. Sevro cospe sobre o baluarte.

— Nosso pai pródigo retorna.

Fitchner desce com um sorriso que narra uma história de exaustão, medo e um pouquinho de orgulho.

— Podemos ter uma conversa? — ele me pergunta, olhando ao redor para meus amigos irritadiços.

Fitchner e eu nos sentamos juntos na sala de guerra de Apolo. Mustang atiça o fogo. Fitchner olha para ela ceticamente, não gostando da sua presença. Ele tem uma opinião acerca da maioria das coisas, como outra pessoa que eu conheço.

— Que confusão você fez, rapaz.

— Vamos estabelecer um acordo: você não me chama de *rapaz* — digo.

Ele concorda com um meneio de cabeça. Não há chiclete na sua boca. Ele não sabe como dizer o que quer me contar. É a preocupação nos seus olhos que me dá a deixa:

— Apolo não saiu do Olimpo — digo.

Ele enrijece, surpreso com minha adivinhação.

— Correto. Ele ainda está lá.

— E o que isso significa, Fitchner? — Mustang vem sentar-se ao meu lado.

— Apenas isso — responde Fitchner, olhando para mim. — Ele não saiu do Olimpo como deveria ter saído. Está tudo uma grande bagunça. Apolo receberia uma nomeação suculenta se o Chacal vencesse. A mesma coisa com Júpiter e com alguns outros. Falava-se de uma das posições de Cavaleiro Pretor se abrindo em Luna.

— E agora essa escolha está escapando — diz Mustang. Ela olha de relance para mim com um sorriso afetado. — Por causa de um garoto.

— Sim.

Eu rio. A embaralhÁrea faz o som ecoar.

— Então, o que deve ser feito?

— Você ainda quer vencer, certo? — pergunta Fitchner.

— Quero.

— E esse é o motivo de tudo isso? — me pergunta ele, embora esteja claro que há algo mais na sua cabeça. — Você vai ter seu aprendizado independentemente de qualquer coisa.

Eu me curvo para a frente e bato com o dedo na mesa.

— O motivo é lhes mostrar que não podem roubar no próprio jogo deles, droga. Que o ArquiGovernador não pode simplesmente dizer que seu filho é melhor e que deveria me derrotar apenas porque nasceu com sorte. Isso aqui tem a ver com mérito.

— Não — diz Fitchner, curvando-se para a frente. — Tem a ver com política. — Ele olha de relance para Mustang. — Você já pode dispensá-la?

— Mustang vai ficar.

— *Mustang* — debocha ele. — Então, Mustang, o que você acha do ArquiGovernador roubar pro filho dele?

Mustang dá de ombros.

— Matar ou ser morto, trapacear ou ser trapaceado? Essas são as regras que eu vi os Áuricos seguirem, principalmente os Inigualáveis Maculados.

— Trapacear ou ser trapaceado — diz Fitchner, dando um tapinha no lábio superior. — *Interessante.*

— Você devia estar sabendo da parte do roubo — diz ela.

— Você precisa me deixar ter uma conversa a sós com Darrow, *Mustang*.

— Ela vai ficar.

— Não tem problema — murmura ela enigmaticamente. Ela aperta meu ombro ao sair. — De qualquer maneira, já estou entediada com esse seu Inspetor.

Depois que Mustang sai, Fitchner olha fixamente para mim. Mexe no bolso, hesita e então retira alguma coisa. Uma caixinha. Ele a joga em cima da mesa e faz um gesto para que eu a abra. De algum modo, sei o que há dentro dela.

— Bom, seus filhos da puta, até que vocês me devem algumas recompensas — digo, rindo amargamente enquanto deslizo a facAnel de Dancer para meu dedo. Flexiono a junta e uma lâmina sai, estendendo-se por vinte centímetros ao longo da ponta do dedo. Flexiono a junta novamente e ela desliza de volta ao interior do anel.

— Os Obsidianos lhe tiraram isso antes de você entrar na Passagem, certo? Disseram-me que isso pertencia ao seu pai.

— Alguém te disse isso? — Arranho a mesa da sala de guerra com a lâmina. — Pouquíssima precisão da parte deles.

— Você não precisa ser falso, *rapaz*. — Meus olhos se levantam para se fixar sobre os de Fitchner. — Você veio pra cá pra conquistar seu aprendizado. Você fez isso. Se continuar forçando a barra com os Inspetores, eles vão te matar.

— Parece que estou me lembrando que nós já tivemos essa conversa antes.

— Darrow, não há nenhum motivo pra essa sua droga de conduta! Ela é imprudente!

— Não há motivo? — ecoo.

— Se você derrotar o menino do ArquiGovernador, vai acontecer o quê? Isso vai te levar a conseguir o quê?

— Tudo! — retruco. Estremeço de raiva e miro o fogo até que minha voz readquira o controle. — Prova que eu sou o melhor Ouro nesta escola. Mostra que eu posso fazer o que quer que eles façam.

Nem sei por que eu deveria falar com você, Fitchner! Fiz tudo isso sem sua ajuda. Não preciso de você. Apolo tentou me matar e você não fez nada! Nada! Então o que exatamente eu estou te devendo? De repente, isto aqui? — Deslizo a lâmina para fora do anel.

— Darrow.

— Fitchner — Reviro os olhos.

Ele dá um tapa na mesa.

— Não fale comigo como se eu fosse um débil mental. Olhe pra mim, seu merdinha condescendente.

Olho para ele. Sua pança aumentou. Seu rosto está abatido demais para um Ouro. Seus cabelos amarelos e gordurosos estão penteados para trás. Ele nunca foi bonito, agora menos do que nunca.

— Olhe pra mim, Darrow. Tudo o que tenho, só tenho porque lutei muito para ter. Não nasci no lar de um ArquiGovernador. Isso aqui é o máximo que eu poderia alcançar, ainda que eu devesse ir muito além. Meu filho deveria ir muito além, mas ele não pode e não irá. Ele vai morrer se tentar. Todos têm um limite, Darrow. Um limite que não conseguem ultrapassar. O seu está além do meu, mas não é tão alto quanto você gostaria que fosse, droga. Se você o ultrapassar, eles vão te nocautear.

Ele desvia o olhar como se estivesse envergonhado, mirando o fogo com raiva. *O filho dele.* Está na cor deles, no rosto, na disposição e na maneira pela qual eles falam um com o outro. Sou um idiota por não ter percebido isso antes.

— Você é pai de Sevro — digo.

Ele não reage por um tempo. Quando o faz, sua voz tem um tom de súplica.

— Você faz com que ele pense que pode chegar a uma altura que não pode de fato. Você vai matá-lo, garotão. E vai se matar.

— Então ajude a gente! — imploro. — Dê um jeito de arrumar alguma coisa que eu possa usar contra Apolo. Ou melhor ainda, lute com eles ao meu lado. Reúna os outros Inspetores e nós vamos levar a batalha até eles.

— Eu não posso fazer isso, garotão. Não posso.

Eu suspiro.

— Eu sei, eu sei que você não faria isso.

— Minha carreira estaria encerrada num piscar de olhos se eu te ajudasse. Todas as coisas que consegui trabalhando quase como um escravo, todas as muitas coisas que consegui, correriam risco. Por quê? Apenas pra provar uma coisa ao ArquiGovernador.

— Todo mundo tem muito medo da mudança — digo antes de sorrir com sinceridade para o homem arrasado. — Você me lembra meu tio.

— Não haverá nenhuma mudança — resmunga Fitchner ao se levantar. — Nunca há. Conheça seu maldito lugar ou então você não vai conseguir sair daqui com vida, garotão. — Ele parece querer se aproximar para tocar meu ombro, mas não o faz. — Que inferno, a armadilha já está montada pra você. Você está indo diretamente pra ela.

— Estou preparado pras armadilhas do Chacal, Fitchner. Ou as de Apolo. Não faz nenhuma diferença. Eles não vão conseguir impedir o que está prestes a acontecer com eles.

— Não — diz Fitchner, hesitando por um momento. — Não estou falando das armadilhas deles. Estou falando da armadilha da garota.

Eu respondo a ele de um jeito que ele entenderá:

— Fitchner. Não me tome por um tolo com referências vagas e irritantes sobre duplicidade. O meu exército é meu, conquistado com coração, corpo e alma. A essa altura eles não podem me trair muito mais do que eu posso traí-los. Somos algo que você ainda não viu. Portanto, pare com isso.

Ele balança a cabeça.

— Essa é *sua* luta, garotão.

— Isso aí. É minha luta. — Sorrio. Agora é o momento que eu tanto esperava. — Fitchner, espere um pouco — digo antes que ele alcance a porta. Ele para e olha para trás. Chuto a cadeira para trás e ando até ele. Ele me olha com curiosidade. Então estendo a mão. — Apesar de tudo, obrigado.

Ele aperta minha mão.

— Boa sorte, Darrow — diz ele. — Mas cuide de Sevro. Aquele

merdinha vai te seguir onde quer que você vá, não importa o que eu diga.

— Vou cuidar dele. Prometo. — Meu aperto de Mergulhador-do--Inferno é forte na sua mão.

Por um momento, apenas por um momento, nós somos amigos. Então ele estremece por causa da pressão que minha mão está exercendo na dele. Ele ri a princípio, depois compreende e seus olhos ficam arregalados.

— Desculpe — digo.

Então quebro o nariz dele com um soco e lhe dou uma cotovelada na têmpora até que ele para de se mexer.

40
PARADIGMA

— **Fitchner foi embora? — ela me pergunta.**

— Saiu pela janela — digo.

Observo Mustang do outro lado da mesa branca da sala de guerra de Apolo. Uma nevasca teve início do lado de fora, sem dúvida nenhuma com o intuito de manter meu exército dentro do castelo ao redor das suas confortáveis fogueiras e das panelas de sopa quente. Os cabelos dela caem em cachinhos sobre os ombros, presos por tirinhas de couro. Ela está vestindo o manto lupino como os outros, embora o dela tenha listras em tom carmesim. Botas enlameadas com esporas são postas em cima da mesa. Seu estandarte, a única arma que ela realmente preza, está encostado numa cadeira ao seu lado. Ela me dá um sorriso e pergunta o que se passa na minha mente.

— Estou imaginando quando é que você vai me trair — digo.

As sobrancelhas dela ficam unidas.

— Você está esperando isso?

— Trapacear ou ser trapaceado — digo. — Ecoado pela sua própria boca.

— Você vai me trapacear? — disse ela. — Não. Porque, nesse caso, qual seria sua vantagem nisso? Você e eu derrotamos este jogo. Eles queriam que a gente acreditasse que um precisa vencer em detrimento de todo o resto. Isso não é verdade, e a gente está provando isso.

Não digo nada.

— Você tem minha confiança, porque quando me viu escondida na lama depois de tomar meu castelo, você me deixou escapar — explica ela pensativamente. — E eu tenho sua confiança, porque tirei você da lama quando Cassius te deixou lá pra morrer.

Eu não reajo.

— Então essa é a resposta. Você vai fazer coisas grandiosas, Darrow. — Ela nunca me chama de Darrow. — Quem sabe você não precise fazer essas coisas sozinho.

As palavras dela me fazem sorrir. Em seguida eu me levanto como um raio, sobressaltando-a.

— Reúna nossos homens — ordeno.

Eu sei que ela tinha a intenção de descansar ali. Eu também tinha. O cheiro de sopa é tentador. Assim como o calor e a cama e a ideia de passar um momento tranquilo com ela. Mas não é assim que os homens conquistam.

— Nós vamos surpreender os Inspetores. Vamos tomar Júpiter.

— A gente não tem como surpreendê-los. — Ela toca o anel.

A embaralhÁrea que Fitchner tinha já não está mais aqui. Podíamos descartar os anéis por completo, mas eles são nossa garantia. Os Inspetores podem até conseguir editar algumas coisas aqui e ali, mas o bom senso dita que eles não podem fraudar excessivamente as tomadas, senão os Selecionadores vão ficar desconfiados.

— E mesmo que a gente consiga alguma coisa no meio dessa tempestade, o que a conquista de Júpiter vai nos trazer de positivo? — pergunta ela. — Se Apolo não saiu quando a Casa dele perdeu, Júpiter também não vai sair. Você vai apenas provocá-los pra que eles façam algum tipo de intervenção. A gente devia ir atrás do Chacal agora!

Sei que os Inspetores estão me assistindo planejar isso. Quero que eles saibam para onde estou indo.

— Não estou preparado pro Chacal — digo a ela. — Preciso de mais aliados.

Mustang olha para mim, as sobrancelhas unidas. Ela não compreende, mas isso não importa. Ela logo, logo compreenderá.

* * *

Apesar da nevasca, meu exército se move com rapidez. Nós nos cobrimos com trouxas de mantos e peles tão espessos que parecemos animais vagando pela neve. À noite, seguimos as estrelas, avançando apesar dos ventos crescentes e da neve que se amontoa. Meu exército não resmunga. Eles sabem que eu não os conduzo sem propósito. Meus novos soldados têm uma conduta mais dura do que o que eu imaginava possível inicialmente. Eles ouviram falar de mim. Pax garante que isso não passe despercebido. E estão desesperados para me impressionar. A coisa se torna problemática. Onde quer que eu ande, a procissão ao meu redor duplica subitamente seus esforços de modo que eles ultrapassam aqueles que estão na frente ou andam mais aceleradamente do que aqueles que estão atrás.

A nevasca é atroz. Pax sempre fica perto de mim e de Mustang, como se tivesse a intenção de nos proteger do vento. Ele e Sevro estão sempre disputando para ver quem fica mais próximo de mim, embora Pax muito provavelmente estaria disposto a acender minha fogueira e me colocar na cama à noite se eu permitisse que ele fizesse isso, ao passo que Sevro me diria para cuidar eu mesmo do meu rabo. Agora vejo seu pai nele sempre que o encaro. Ele parece mais fraco agora que conheço sua família. Não há motivo para que isso ocorra; imagino que eu tenha simplesmente pensado que ele realmente tivesse nascido das entranhas de uma loba.

Por fim, a neve cessa e a primavera chega com rapidez e dureza, o que confirma minhas suspeitas. Os Inspetores estão fazendo joguinhos conosco. Os Uivadores se certificam de que todos os olhos estejam voltados para o céu, para a eventualidade de os Inspetores decidirem nos perseguir à medida que avançamos no nosso trajeto. Nenhum deles faz isso. Tactus mantém um olho nas pegadas deles. Mas está tudo tranquilo. Não vemos nenhum batedor inimigo, não ouvimos nenhuma trombeta de guerra ao longe e não vemos nenhuma fumaça subindo, exceto ao norte, nas terras altas de Marte.

Atacamos estoques de provisões em castelos queimados e destruídos enquanto avançamos na direção de Júpiter. Há jarros do castelo

FÚRIA VERMELHA   **411**

de Baco que Sevro teve a decepção de descobrir cheios de suco de uva em vez de vinho, carne salgada dos porões profundos de Juno, queijos mofando, peixes envoltos em folhas e sacos da sempre presente carne de cavalo defumada. Eles nos mantêm cheios enquanto continuamos na nossa marcha.

Em quatro dias acidentados, alcanço e sitio o castelo triplamente murado de Júpiter nos desfiladeiros da montanha baixa. A neve derrete rápido o bastante para deixar o piso encharcado para nossos cavalos. Riachos fluem através do nosso acampamento. Eu nem me preocupo em bolar um plano de ação. Simplesmente digo às divisões de Pax, Milia e Nyla que quem quer que conquiste para mim a fortaleza receberá um prêmio. O número de defensores é muito pequeno e meu exército toma as fortificações externas em um dia fazendo uma série de rampas de madeira sob intermitentes barragens de flechas.

Minhas três outras divisões patrulham o território circunvizinho *en force* caso o Chacal decida enfiar o nariz nesse assunto. O principal exército de Júpiter, ao que parece, está encalhado do outro lado do agora descongelado Argos, montando um sítio ao castelo de Marte. Eles não esperavam que o rio descongelasse tão rapidamente. Mesmo assim, ainda não há sinal dos homens do Chacal ou dos Inspetores. Imagino se eles já encontraram Fitchner trancado numa das celas do Castelo de Apolo. Deixei para ele comida e água, e um rosto cheio de hematomas.

No terceiro dia do cerco, uma bandeira branca é balançada no ar num dos baluartes de Júpiter. Um menino magro de altura mediana e sorrisos tímidos desliza do portão traseiro do Castelo de Júpiter. O castelo está situado num terreno alto e rochoso. Encontra-se ensanduichado entre duas imensas faces rochosas, de modo que sua tripla fileira de muros se curva para fora. Logo eu teria tentado enviar homens pelas faces rochosas da parte inferior. Teria sido um trabalho para os Uivadores, mas eles já tiveram glórias suficientes. Esse cerco pertence aos soldados capturados quando lutamos com Apolo.

O menino caminha erraticamente em frente ao portão principal. Eu o encontro lá com Sevro, Milia, Nyla e Pax. Somos uma turma assustadora mesmo sem a presença de Tactus e Mustang, embora esta última jamais pudesse de fato ser chamada de assustadora pela aparência — quem sabe intrépida, na melhor das hipóteses. Milia parece algo saído de um pesadelo: ela adquiriu o hábito de usar troféus como Tactus e Cardo. E Pax fez buraquinhos ao longo do seu enorme machado para cada escravo que tomou até agora.

Na frente dos meus tenentes, o menino mostra seu nervosismo. Seus sorrisos são rápidos, quase como se ele estivesse preocupado com o fato de que talvez pudéssemos desaprová-lo. O anel no seu dedo é o de Júpiter. Ele parece estar faminto, porque o anel mal consegue se ajustar adequadamente a seu dedo.

— O nome é Lucian — diz o menino, tentando soar adulto. Ele parece pensar que Pax está no comando. Pax troveja uma gargalhada e aponta para mim e para minha curviLâmina. Lucian estremece quando olha para mim. Acho que ele sabia muito bem que eu era o líder.

— Então a gente está aqui pra trocar sorrisos? — pergunto. — Qual é sua palavra?

— A palavra é fome — diz ele, rindo penosamente. — A gente só tem comido rato e trigo cru com água há três semanas.

Quase sinto pena do menino. Seus cabelos estão sujos, seus olhos lacrimosos. Ele sabe que está desperdiçando uma chance de obter um aprendizado. Eles vão desonrá-lo pelo resto da vida por haver se rendido. Mas ele está faminto. Assim como estão os outros sete defensores. Curiosamente, todos são de Júpiter, nenhum deles escravo. O Primus deles deixou os mais fracos para trás em vez dos escravos.

A única condição que eles têm para entregar o castelo é que não devem ser escravizados. Apenas Pax resmunga alguma coisa louvável sobre eles necessitarem obter sua liberdade como nós todos obtivemos, mas eu concordo com a solicitação do menino. Falo para Milia vigiá-los. Se eles agirem de maneira sediciosa, ela transformará os escalpos deles em troféus. Amarramos nossos cavalos no pátio. A pedra é arredondada e suja. Uma fortaleza alta e angulosa se estende para cima até o paredão do penhasco.

A escuridão vaza pelas nuvens. Uma tempestade está chegando ao desfiladeiro da montanha, de modo que eu levo minha força para

FÚRIA VERMELHA **413**

o interior do castelo e barro os portões. Mustang e sua tropa ficam além dos muros e retornarão mais tarde da patrulha noturna que estão empreendendo com Tactus. Nós falamos pelas comunicUnidades e Tactus nos xinga por termos sobre nossas cabeças um teto seco. A chuva noturna está pesada.

Eu me certifico de que nossos veteranos recebam as primeiras camas nos dormitórios de Júpiter antes de comermos. Meu exército pode ser disciplinado, mas eles vão retalhar as próprias mães por uma cama quente. É a única coisa com a qual a maioria deles jamais se acostumou: dormir no chão. Eles sentem falta dos seus colchões e dos lençóis de seda. Sinto falta do pequeno catre que costumava compartilhar com Eo. Ela agora está morta há mais tempo do que quando estivemos casados. É surpreendente o quanto é doloroso perceber isso.

Acho que agora tenho dezoito anos, mensuração da Terra. Não estou muito certo disso.

Nosso pão e nossa carne são como o paraíso para os famintos defensores de Júpiter. Lucian e sua turma, todos eles almas de aspecto cansado e esquelético, comem com tanta rapidez que Nyla está fazendo um escarcéu sobre a possibilidade de que eles arrebentem o estômago. Ela sai correndo contando para eles que a carne de cavalo defumada não vai galopar para lugar nenhum. Pax e seus CostasSangrentas ocasionalmente jogam ossos para a humilde turma. O riso de Pax é contagiante. Ele troveja de dentro de si e em seguida se transforma em algo mais ou menos feminino nos dois segundos que se seguem. Ninguém consegue manter o rosto impassível quando ele está gargalhando. Ele está falando novamente de Helga. Procuro Mustang para podermos rir juntos disso, mas ela vai estar longe por mais algumas horas. Mesmo assim sinto falta dela, e o interior do meu peito infla um pouco, porque sei que ela vai se enroscar na minha cama esta noite e juntos nós vamos roncar como tio Narol depois da Festa da Láurea.

Chamo Milia à cabeceira da mesa. Meu exército está relaxando ao redor da sala de guerra de Júpiter; eles são tranquilos na conquista. O mapa de Júpiter está destruído. Não consigo ver o que eles sabem.

— O que você acha dos nossos anfitriões? — pergunto a Milia.

— Por mim eu encostava o estandarte neles agora mesmo.

Estalo a língua.

— Você realmente não é muito de cumprir promessas, hein?

Ela se parece muito com um gavião, o rosto só ângulos e crueldade. Sua voz é de alguma criatura similar.

— Promessas são apenas correntes — diz ela com uma voz cortante. — As duas feitas pra ser rompidas.

Digo a ela que deixe os jupiterianos em paz, mas em seguida ordeno em voz alta que ela pegue o vinho que desenterramos na nossa viagem até Júpiter. Ela leva alguns garotos e traz alguns barris do estoque de Baco.

Fico parado na mesa como um tolo.

— E eu ordeno que vocês fiquem bêbados! — rosno para meu exército. Eles olham para mim como se eu estivesse louco.

— Que a gente fique bêbado? — diz um deles.

— Exato! — Eu o corto antes que ele possa dizer mais alguma coisa. — Vocês conseguem? Conseguem agir como se fossem uns idiotas, pelo menos uma vez?

— A gente vai tentar — grita Milia. — Não vamos? — Ela recebe uma resposta na forma de gritos entusiasmados. Algum tempo depois, enquanto bebemos o estoque de Baco, ofereço em alto e bom som um pouco da bebida aos jupiterianos. Pax se levanta em protesto diante da ideia de compartilhar vinho de boa qualidade. Ele é um bom ator.

— Você está me contradizendo? — questiono.

Pax hesita, mas consegue balançar sua gigantesca cabeça em concordância.

Puxo minha curviLâmina da bainha. Ela produz um som áspero no ar úmido da sala de guerra. Uma centena de olhos se dirige a nós. Trovões ribombam do lado de fora. Pax avança com um gigantesco passo inebriado. Sua própria mão está no cabo do machado, mas ele não o empunha. Depois de um momento, ele sacode a cabeça e fica de joelhos — ainda assim ele é quase da minha altura. Embainho minha espada e o puxo. Eu lhe digo que ele precisa sair para fazer um patrulhamento.

— Patrulhamento? Mas... nessa tempestade e com essa chuva toda?

— Você me ouviu, Pax.

Com um resmungo, os CostasSangrentas cambaleiam atrás dele para receber seu castigo. Eles todos são espertos o bastante para entender suas partes, mesmo que não conheçam a peça.

— Disciplina! — eu me gabo para Lucian. — Disciplina é a melhor característica da espécie humana. Mesmo em brutamontes gigantescos como esses.

Na ausência de Pax, faço uma exibição ao dar mantos lupinos cerimoniais aos escravos de Vênus e Baco que conquistaram sua liberdade ao tomar essa fortaleza — cerimoniais porque não temos tempo para encontrar lobos. Há risos e leveza. Alegria uma vez que seja, embora ninguém descarte suas armas. Nyla é convencida a cantar uma canção. Sua voz é como a de um anjo. Ela canta no Teatro de Ópera de Marte e estava escalada para se apresentar em Viena até que uma melhor oportunidade surgiu na forma do Instituto. A oportunidade da sua vida. Que comédia.

Lucian está sentado no canto da sala de guerra com os outros sete defensores observando nossos soldados que dão sua exibição ao adormecerem em cima de mesas, em frente ao fogo, ao longo das paredes. Alguns se afastam sorrateiramente para roubar camas. O som de roncos faz cócegas nos meus ouvidos.

Sevro fica perto de mim, como se os Inspetores pudessem entrar em disparada e me matar a qualquer momento. Falo para Sevro se embebedar e me deixar em paz. Ele obedece e logo está rindo, depois roncando em cima da comprida mesa. Tropeço sobre meu exército adormecido até chegar em Lucian, um sorriso atravessado no meu rosto. Não fico bêbado desde que minha mulher morreu.

Apesar da humildade de Lucian, eu o acho esquisito. Seus olhos raramente se encontram com os meus e seus ombros estão sempre caídos. Mas suas mãos jamais vão para os bolsos da calça, jamais se fecham para que ele se proteja. Pergunto a ele como foi a guerra com Marte. Como eu imaginava, está quase ganha. Ele diz alguma coisa sobre uma garota traindo Marte. Tenho a impressão de que ele está se referindo a Antonia.

Preciso agir rapidamente. Não sei o que acontecerá se o estandarte e o castelo da minha Casa forem tomados apesar de eu possuir um exército independente. Eu poderia, tecnicamente falando, perder.

Os amigos de Lucian estão cansados, de modo que eu os libero para tentar encontrar camas. Eles não serão um problema. Lucian fica para conversar. Eu o convido para sentar-se comigo à mesa da sala de guerra. À medida que os amigos de Lucian se retiram do recinto, escuto Mustang no corredor. Ela entra na sala valsando. Um trovão ribomba do lado de fora. Seus cabelos estão úmidos e manchados, seu manto lupino encharcado, as botas com rastros de lama.

Seu rosto é um modelo de confusão quando ela me vê com Lucian.

— Mustang, querida! — grito. — Acho que infelizmente você chegou tarde demais. Já invadimos os estoques de Baco! — Faço um gesto na direção do meu exército que ronca e dou uma piscadela. Talvez cinquenta permaneçam, espalhados e em vários estágios de sono ao longo da sala de guerra. Todos bêbados como Narol no Natal.

— Ficar com cara de merda me parece uma ideia sensacional num momento como este — diz ela estranhamente. Ela olha de volta para Lucian e depois para mim. Ela não está gostando de alguma coisa. Eu a apresento a Lucian. Ele murmura como é bom conhecê-la. Ela ri bufando.

— Como foi que ele te convenceu a não transformá-lo em escravo, Darrow?

Não sei se ela está entendendo o jogo que estou empreendendo.

— Ele me deu a fortaleza dele! — Balanço a mão de modo desajeitado para o parcialmente destruído mapa de pedra na parede. Mustang diz que vai se juntar a nós. Ela começa a chamar alguns dos seus homens no corredor, mas eu a corto. — Não, não. Eu e o Lucian aqui estávamos virando grandes amigos. Nada de garotas. Pegue seus homens e vá encontrar Pax.

— Mas…

— Vá lá encontrar Pax — digo.

FÚRIA VERMELHA **417**

Sei que ela está confusa, mas confia em mim. Ela murmura um tchau para nós e fecha a porta. O som dos saltos das botas dela some lentamente.

— Pensei que ela não fosse embora nunca! — digo, rindo para Lucian. Ele se recosta na cadeira. O garoto é realmente muito magro, nenhum excesso nele, nenhum. Seus cabelos louros têm um corte simples. Suas mãos são magras e úteis. Ele me lembra alguém.

— A maioria das pessoas não quer que as meninas bonitinhas saiam — diz Lucian, sorrindo com sinceridade. Ele inclusive enrubesce um pouquinho quando eu pergunto se ele realmente acha Mustang bonitinha.

Conversamos por quase uma hora. Gradualmente, ele vai se permitindo relaxar. Ele vai deixando que sua confiança cresça e logo está me contando coisas da sua infância, do pai exigente, das expectativas da família. Mas ele não se mostra pesaroso ao fazer isso. Ele é realista, uma característica que eu admiro. Não é mais necessário para ele evitar meus olhos quando conversamos. Seus ombros não estão mais tão caídos, e ele se torna uma pessoa agradável, até mesmo engraçada. Eu rio em alto e bom som meia dúzia de vezes. A noite se estende até tarde, mas mesmo assim continuamos conversando e fazendo piada. Ele ri das botas que estou usando, que são cobertas por peles de animais para garantir que fiquem aquecidas. Elas são quentes agora que a neve derreteu, mas preciso usar as peles.

— Mas e você, Darrow? Nós falamos sem parar a meu respeito. Acho que agora é sua vez. Então me diga, o que foi que te trouxe até aqui? O que é que te incentiva a fazer tudo isso? Acho que eu nunca ouvi falar da sua família…

— Não são pessoas com histórias que poderiam te interessar, pra ser sincero. Mas acho que tudo acaba se resumindo a uma garota. Sou uma pessoa simples. Portanto, meus motivos também são simples.

— Aquela bonitinha? — Lucian enrubesce. — Mustang? Ela me parece tudo menos simples.

Dou de ombros.

— Eu te contei tudo! — protesta Lucian. — Não aja como se fosse um Púrpura falando comigo desse jeito vago. Vamos lá, cara, abra o jogo. — Ele bate levemente na mesa como se estivesse impaciente.

— Beleza. Beleza. A história toda — digo, suspirando. — Está vendo esse pacote ao seu lado? Tem um saco dentro dele. Pegue o saco e passe pra mim, certo?

Lucian tira o saco e joga para mim. Ele tilinta na mesa.

— Deixe-me ver sua mão.

— Minha mão? — pergunta ele, rindo.

— Isso aí, bote a mão aqui, por favor. — Dou um tapinha na mesa. Ele não reage. — Vamos lá, cara. É uma teoria que eu tenho maquinado ultimamente. — Dou outro tapinha na mesa, impaciente. Ele mostra a mão.

— O que isso tem a ver com sua história ou teoria? — O sorriso dele ainda está estampado no seu rosto.

— É uma teoria complicada. É melhor eu mostrar pra você.

— Tudo bem.

Abro o saco e despejo o conteúdo sobre a mesa. Uma coleção de anéis com sinetes dourados rola sobre a superfície da mesa. Lucian os observa rolar.

— Tudo isso aí pertencia a moleques mortos. Os moleques que os medBots não conseguiram salvar. Vamos ver. — Mexo na pilha de anéis. — Temos aqui Júpiter, Vênus, Netuno, Baco, Juno, Mercúrio, Diana, Ceres... e temos também um Minerva bem aqui. — Franzo as sobrancelhas e fico remexendo o material. — Hummm. Esquisito. Não consigo achar nenhum de Plutão.

Levanto os olhos para ele. Os olhos dele estão diferentes. Mortos. Quietos.

—Ah, tem um, sim. Bem ali.

41

O CHACAL

Lucian puxa a mão. Ele é rápido.

Eu sou mais rápido.

Enterro minha adaga na mão dele, prendendo-a à mesa.

Sua boca se abre num arquejo de dor. Alguma espécie de estranha exalação selvagem sibila dos seus lábios enquanto ele se contorce diante da adaga. Mas sou maior do que ele e enfio a adaga uns dez centímetros na mesa. Eu a martelo com um frasco. Ele não consegue tirá-la. Eu me recosto na cadeira e o observo tentar. Há algo primitivo no seu pânico frenético inicial. Então alguma coisa decididamente humana na sua recuperação, que parece mais brutalmente fria do que o meu ato de violência. Ele se acalma com mais rapidez do que qualquer pessoa que eu já tenha visto. Ele respira uma vez, talvez três, e em seguida se recosta na cadeira como se nós dois estivéssemos tomando nossos drinques.

— Que merda — diz ele com firmeza.

— Achei que seria legal a gente se conhecer melhor — digo. — Aponto para mim mesmo. — Chacal, sou o Ceifeiro.

— Você tem um nome melhor do que o meu — responde ele, respirando fundo. Respira fundo mais uma vez, e então diz: — Há quanto tempo você sabe?

— Que você era o Chacal? Pura adivinhação. Que você era mal-

-intencionado? Antes de eu entrar no castelo. Ninguém se rende sem combate. Um dos seus anéis não se encaixava direito. E esconda as mãos da próxima vez. Sujeitos inseguros sempre escondem ou mexem as mãos. Mas, na boa, você não tinha nenhuma chance. Os Inspetores sabiam que eu estava vindo pra cá. Eles pensaram em transformar isso aqui numa armadilha pra me destruir, contando pra você que eu estava a caminho. Pra você poder entrar aqui sorrateiramente e tentar me pegar com as calças arriadas. Erro deles. Erro seu.

Ele me observa, estremecendo enquanto se vira para olhar meus soldados sóbrios-como-o-dia se levantando do chão. Quase cinquenta deles. Eu queria que eles vissem a artimanha.

— Ah — suspira o Chacal enquanto percebe o quanto sua armadilha se tornou inútil. — Meus soldados?

— Quais deles? Os que estavam com você ou os que você escondeu no castelo? Quem sabe nos porões? Quem sabe sob o chão num túnel? Eu não apostaria que eles estejam rindo a uma hora dessas, cara. Pax é um animal selvagem e Mustang também vai dar uma ajuda a ele, se isso for necessário.

— Então foi por isso que você a mandou sair daqui.

E para que ela não perguntasse acidentalmente por que estávamos fingindo estar bêbados tomando suco de uva.

Pax já deve ter encontrado os esconderijos deles. Os trovões ainda ribombam. Espero que o Chacal tenha afundado uma grande porção da sua força nessa emboscada. Caso contrário, vai ser um problemão porque, se ele estiver com o controle do castelo de Júpiter, provavelmente está dominando o exército de Júpiter também. Que tem Juno e grande parte de Vulcano, e logo terá o de Marte. Seu exército será duas vezes maior do que o meu e nós seremos os únicos dois que restam. Mas eu estou com ele aqui.

O Chacal está preso aqui nesta mesa, sangrando, e cercado pelo meu exército. Sua emboscada foi desmontada. Ele perdeu, mas não está desamparado. Ele não é mais Lucian. É quase como se sua mão não estivesse empalada. Sua voz não oscila. Ele não está com raiva, apenas assustado a ponto de mijar nas botas. Ele me lembra a mim mesmo

FÚRIA VERMELHA   **421**

antes de ter um ataque de fúria. Quieto. Sem pressa. Eu queria que meus soldados o vissem se debatendo. Ele não faz isso, então eu lhes digo para sair. Apenas os dez Uivadores, velhos e novos, permanecem.

— Se é pra gente ter uma conversa, por favor tire essa adaga da minha mão — me diz o Chacal. — Acredite ou não, isso dói. — Ele não está se divertindo tanto quanto suas palavras fazem crer. Apesar da sua resolução, seu rosto está pálido e seu corpo começou a tremer devido ao choque.

Eu sorrio.

— Onde está o resto do seu exército? Onde está aquela garota, Lilath? Ela está devendo um olho ao meu amigo.

— Deixe-me sair daqui e eu lhe entrego a cabeça dela numa bandeja, se você quiser. Se você me emprestar uma maçã, eu até ponho na boca dela pra que ela fique parecida com um porco de banquete. Como você quiser.

— Aí! Então, foi assim que você recebeu esse apelido, não foi? — digo, aplaudindo debochadamente.

O Chacal estala a língua, deploravelmente.

— Lilath gostava do som da palavra. O nome pegou. É por isso que vou colocar a maçã na boca dela. Eu gostaria muito de ser conhecido por um nome mais... mais nobre do que *chacal*, mas as reputações tendem a se fazer à nossa revelia. — Ele balança a cabeça para Sevro. — Como o Duendezinho ali e seus Cogumelos.

— Como assim, "Cogumelos"? — pergunta Cardo.

— É assim que a gente chama vocês. Cogumelos pro Ceifeiro e pro Duende se agacharem em cima. Mas se vocês preferirem um nome melhor além deste joguinho, basta vocês matarem esse Ceifeiro grandão e desagradável aí. Não o atordoem. Matem-no. Enfiem a espada na coluna dele e vocês vão poder se tornar Imperadores, Governadores, o que bem quiserem. Papai vai ter o maior prazer em agradá-los. Uma coisinha muito simples. *Quid pro quo.*

Sevro saca suas facas e olha com raiva para seus Uivadores.

— Não é tão simples assim.

Cardo não se mexe.

— Vale a pena tentar — diz o Chacal, suspirando. — Preciso confessar que na verdade sou um político, não um combatente. Então, se você quer ter uma conversa, é preciso que diga alguma coisa, Ceifeiro. Você parece mais uma estátua. Eu não falo linguagem de estátua. — O carisma dele é frio. Calculista.

— Você comeu mesmo gente da sua própria Casa?

— Depois de meses de escuridão, você come o que sua boca encontrar pela frente. Mesmo que ainda esteja se movendo. Não é nada muito impressionante, na verdade. Menos humano do que seria do meu agrado, muito semelhante a um hábito animalesco. E qualquer pessoa teria feito isso. Mas desenterrar minhas lembranças sórdidas não é uma boa maneira de negociar.

— A gente não está negociando.

— Seres humanos estão sempre negociando. Isso é o que significa conversar. Alguém tem alguma coisa, sabe alguma coisa. Alguém quer alguma coisa. — O sorriso dele é agradável, mas seus olhos... Há algo errado com ele. Uma alma diferente parece haver preenchido o corpo dele desde o tempo em que ele era Lucian. Já vi atores... mas isso é diferente. É como se ele fosse tão sensato a ponto de ser inumano.

— Ceifeiro, vou mandar meu pai te dar o que você quiser. Uma frota. Um exército de Rosas pra você se servir à vontade, Corvos pra te ajudar nas conquistas, o que você quiser. Você vai ter uma posição de primeira se eu vencer este pequeno ano escolar. Se você vencer, haverá ainda mais estudos. Ainda mais provas. Mais dureza. Ouvi falar que sua família é endividada e indigna. Vai ser difícil pra você ascender por conta própria.

Quase esqueci que eu tinha uma família falsa.

— Vou produzir minhas próprias láureas.

— Ceifeiro. Ceifeiro. Ceifeiro. Você acha que *isso aqui* é o fim da linha? — Ele emite um som de desgosto com a língua. Semelhante a um clique. — Negativo. Negativo, *bom-homem*. Mas se você me deixar sair daqui, então a dureza... — Ele faz um movimento com a mão livre imitando uma vassourada — ... some. Meu pai vai se tornar seu patrocinador. Alô, comando. Alô, fama. Alô, poder. Basta dar um tchauzinho a isso aqui — ele faz um gesto na direção da faca — e deixar seu futuro começar. Nós éramos inimigos quando crianças. Agora, adultos, vamos ser aliados. Você é a espada e eu sou a caneta.

Dancer iria querer que eu aceitasse a oferta. Isso garantiria minha sobrevivência. Garantiria minha meteórica ascensão. Eu estaria no interior da mansão do ArquiGovernador. Estaria próximo do homem que matou Eo. Oh, quero aceitar. Mas, pensando bem, eu teria de deixar os Inspetores me derrotarem. Eu teria de deixar que esse peidinho de puta vencesse e deixar o pai dele sorrir e sentir-se orgulhoso. Eu teria de assistir a esse sorriso esnobe se espalhar pela porra da cara dele. Nem a pau. Eles vão sentir dor.

A porta se abre, e Pax se abaixa para entrar na sala. Um sorriso divide seu rosto.

— Noite legal pra caramba, Ceifeiro! — diz ele, rindo. — Peguei os merdinhas no poço. Cinquenta. Parece que eles tinham uns túneis bem longos lá embaixo. Deve ter sido por eles que o castelo foi tomado. — Ele bate a porta e se senta na ponta da mesa para mastigar um pedaço que sobrou da carne. — Foi um trabalhinho sangrento! Ha ha! A gente deixou os caras subirem e depois foi uma carnificina daquelas finas, vou te contar. Finíssima. Helga teria adorado. São todos escravos agora. Mustang está escravizando todo mundo enquanto a gente está aqui de papo. Mas ohhh, ela está esquisitona. — Ele cospe um osso. — Ha! É ele, esse aí? *O Chacal?* Ele está branco como o rabo de um Vermelho. — Ele espia mais detidamente. — Merda. Você pregou o cara na mesa!

— Acho que você já cuidou de merdas maiores do que ele, Pax — acrescenta Sevro.

— Com certeza, já. E mais coloridas também. Ele é opaco como um Marrom.

— Cuidado com a língua, seu otário — diz o Chacal a Pax. — Pode ser que ela não fique aí pra sempre.

— E nem sua pica se você continuar com frescura! Ha! Ela é pequena como você? — troveja Pax.

O Chacal não gosta de ser ridicularizado. Ele olha fixamente para Pax sem dizer uma palavra antes de agitar os olhos na minha direção como talvez uma serpente agitasse a língua.

— Você sabia que os Inspetores estão te ajudando? — pergunto.

— Você sabia que eles tentaram me matar?

— É claro — diz ele dando de ombros. — Minhas recompensas são... acima da média.

— E você não se importa de trapacear? — pergunto.

— Trapacear ou ser trapaceado, não?

Familiar.

— Bom, eles não vão mais te ajudar. É tarde demais pra isso. Agora chegou a hora de você mesmo se ajudar. — Cravo uma outra faca na mesa. Ele sabe para que ela servirá.

— Uma vez ouvi falar que se um chacal fica preso numa armadilha, ele começa a morder a própria perna pra se libertar. Usar aquela faca ali poderia ser mais fácil do que usar os dentes.

O riso dele é rápido e curto, como um latido.

— Quer dizer então que se eu cortar minha mão, vou poder ir embora? É isso mesmo?

— A porta está ali. Pax, segure a faca embaixo pra que ele não trapaceie.

Mesmo que ele tenha comido outras pessoas, não vai fazer isso. Ele pode sacrificar amigos e aliados, mas não a si mesmo. Ele fracassará nessa prova. É um Áurico. Não é alguém a ser temido. Ele é pequeno. Fraco. É exatamente como o pai dele. Encontro o anel de Plutão dele na sua bota e o coloco no seu dedo para que os Selecionadores e o pai dele possam assistir ao seu orgulho e seu júbilo cessarem. Eles saberão que eu sou melhor.

— Os Inspetores podem estar me dando um empurrãozinho, mas ainda assim eu preciso merecer, Darrow.

— Estamos esperando.

Ele suspira.

— Eu te disse isso. Sou algo diferente de você. Uma mão é uma ferramenta de camponês. A ferramenta de um Ouro é sua mente. Se você fosse de uma linhagem melhor, poderia ter percebido que esse sacrifício significa muito pouco para mim.

Então ele começa a cortar. Lágrimas escorrem pelo seu rosto à medida que o sangue começa a esguichar. Ele está serrando e Pax não pode nem assistir. O Chacal está no meio do caminho quando levanta os olhos para mim com um sorriso são que me convence da sua completa insanidade. Seus dentes batem. Ele está rindo, de mim, de tudo isso, da dor. Nunca conheci ninguém como ele. Agora sei como Mickey se sentiu quando me conheceu. Isso é um monstro no corpo de um homem.

O Chacal está prestes a partir seu próprio punho para tornar sua tarefa mais fácil quando Pax xinga e lhe dá uma íonLâmina. O processo se encerrará num único golpe.

— Obrigado, Pax — diz o Chacal.

Não sei o que fazer. Tudo dentro de mim está berrando para que eu seja sensato. Eu deveria matá-lo agora. Enfiar uma lâmina na sua garganta. Essa é uma pessoa que não se deixa escapar. Essa não é uma pessoa em cima da qual você mija e depois devolve ao mundo natural. Ele é tão além de Cassius que me dá até vontade de rir. Contudo, eu lhe disse que poderia ir embora se cortasse, e ele está cortando. Deus do céu.

— Você é um maluco do caramba — exala Pax.

O Chacal murmura alguma coisa a respeito de otários. É apenas uma mão, diz ele. Minhas mãos são tudo para mim. Para ele, elas não são nada.

Depois de terminar, ele fica lá sentado com um cotoco quase todo cauterizado. Seu rosto é como neve, mas seu cinto está apertado fazendo um torniquete. Há um momento compartilhado entre nós onde ele sabe que eu não vou permitir que ele vá embora.

Então vejo uma distorção se mover pela janela aberta. Os Inspetores vieram, como eu imaginava, mas estou distraído, despreparado. E quando vejo um pequeno detonador sônico bater com força em cima da mesa e o Chacal agarrá-lo com sua única mão, sei que cometi um erro. Dei aos Inspetores tempo para ajudá-lo. Tudo diminui de velocidade. No entanto, a única coisa que consigo fazer é observar.

Com a mesma mão que segura o diminuto detonador, o Chacal se levanta em disparada com a íonLâmina de Pax. Ele enfia a lâmina na garganta do meu amigo grandalhão. Eu grito e ataco enquanto o Chacal pressiona o botão do detonador.

Uma explosão sônica escapa do dispositivo, lançando-me do outro lado da sala. Os Uivadores são lançados nas paredes. Pax se choca com a porta. Xícaras, comida, cadeiras, espalham-se como arroz ao vento. Estou no chão. Sacudo a cabeça, tentando me reequilibrar enquanto o Chacal vem na minha direção. Pax cambaleia até se pôr de pé, com o sangue escorrendo dos ouvidos, da garganta. O Chacal diz algo para mim, ergue a lâmina. Então Pax se lança à frente, não na direção do Chacal, mas na minha. Seu peso me esmaga, e seu corpo cobre o meu. Mal consigo respirar. Não vejo o que acontece, mas sinto através do corpo de Pax. Um estremecimento. Um espasmo. Dez impactos enquanto o Chacal esfaqueia meu amigo tentando furiosamente chegar em mim como algum animal raivoso escavando a terra, escavando Pax para me matar enquanto estou no chão.

Então não há nada.

O sangue respinga no meu rosto, aquece meu corpo. Sangue do meu amigo.

Tento mover Pax. Consigo sair de debaixo dele com certa dificuldade. O Chacal fugiu e Pax está sangrando até a morte. Um espírito geme nos meus ouvidos. Os Inspetores também se foram. Os Uivadores conseguem se colocar de pé, ainda trôpegos. Quando olho de volta para Pax, ele está morto, sua boca repuxada num sorriso tranquilo. O sangue desliza pela pedra. Meu peito se contrai e caio de joelhos, soluçando.

Ele não teve últimas palavras. Não teve despedidas.

Ele se lançou sobre mim. E foi brutalizado.

Morto.

O leal Pax. Seguro sua imensa cabeça. É doloroso ver meu titã caído. Seu destino era maior do que isso. Um coração tão suave numa forma tão dura. Ele nunca mais rirá. Nunca mais se postará sobre a ponte de um destróier. Nunca usará a boina de um cavaleiro ou carregará o cetro de um Imperador. Morto. Não deveria ter sido assim. É culpa minha. Eu deveria simplesmente ter acabado com tudo rapidamente.

Que futuro ele poderia ter tido.

Sevro está atrás de mim, o rosto pálido. Os Uivadores estão de pé e borbulhando de raiva. Quatro deles choram lágrimas silenciosas. O sangue escorre dos seus ouvidos. O mundo está desprovido de som. Não conseguimos ouvir nada, mas um bando de lobos não precisa de palavras para saber que é hora de caçar.

Ele matou Pax. Agora nós o mataremos.

O rastro de sangue do Chacal leva a uma das torres curtas do forte. De lá, ele desaparece no interior do pátio. A chuva fez com que ele desaparecesse. Saltamos num bando de onze da torre para um muro inferior, rolando ao aterrissar. Em seguida estamos no pátio e Sevro, nosso rastreador, lidera o grupo através de uma porta traseira até as escarpadas montanhas baixas.

A noite é dura. A chuva e a neve caem em todas direções seguindo o fluxo do vento. Relâmpagos lampejam no céu. Trovões ribombam, mas eu os ouço como se estivesse num sonho. Corro com os Uivadores numa fila vacilante. Rolamos por sobre rochedos escuros, ao longo de despenhadeiros íngremes em busca da nossa presa. Minhas botas envoltas em pele diminuem meu ritmo, mas elas precisam estar cobertas. Meu plano ainda pode funcionar, mesmo depois de tudo isso.

Não sei como Sevro está nos guiando. Estou perdido no caos. Minha mente está em Pax. Ele não deveria ter morrido. Encurralei um chacal e permiti que ele mordesse a pata até escapar. Lembro como Mustang olhou para mim. Ela sabia quem ele era. Ela sabia e queria conversar comigo em particular. Seja lá qual for a conexão entre eles, a lealdade dela era comigo. Mas como ela o conhece?

Sevro nos leva aos desfiladeiros do alto da montanha onde a neve ainda atinge a altura da coxa. Pegadas aqui. Neve caindo por todos os lados. Estou enregelado. Meu manto está encharcado. A curviLâmina balança nas minhas costas. Meus sapatos estão cheios de água. E pontinhos de sangue mancham a neve. Disparamos colina acima através de um enevoado desfiladeiro entre dois picos escarpados. Vejo o Chacal. Ele está andando com muita dificuldade cem metros adiante. Ele cai na neve e depois se levanta novamente. Ele é de ferro por ter conseguido chegar até aqui. Nós o pegaremos e o mataremos pelo que ele fez a Pax. Ele não precisava esfaquear meu titã. Meu bando começa a uivar pesarosamente. O Chacal olha para trás e tropeça. Ele não vai escapar.

Nós disparamos pelo aclive enevoado. Noite e escuridão. Vento soprando nos nossos flancos. Eu uivo, mas é um uivo abafado depois da explosão sônica, como se o som tivesse sido envolto em algodão. Então algo estranho distorce os flocos de neve à nossa frente. Uma forma. Uma forma invisível, intangível, delineada pela neve que cai. Um Inspetor. Uma pedra afunda no meu estômago. É aqui que eles me matarão. Foi a respeito disso que Fitchner me alertou.

Apolo desativa seu manto. Ele sorri para mim através do seu capacete e fala alguma coisa. Não consigo ouvir o que ele diz. Então ele dispara um pulsoPunho e Sevro e os Uivadores se espalham à medida que uma diminuta explosão sônica leva pelos ares cinco do meu bando, fazendo-os despencar colina abaixo. Meus tímpanos gemem. Pode ser que eles jamais voltem a ser os mesmos. PulsoPunho novamente. Mergulho para longe. A dor lanceta meu pé. Meu corpo gira. Em seguida, a dor passa. Estou de pé e disparando na direção de Apolo. Seu punho tremeluz e dispara uma distorção de força em mim. Desvio de três explosões. Girando, rodopiando como um pião. Eu salto. Minha espada desce na cabeça dele e para bruscamente. Uma pulsArmadura, quando ativada, não pode ser penetrada por nada que não seja uma lâmina. Eu sabia disso. Mas é preciso que haja algum tipo de exibicionismo.

Apolo me observa, impenetrável na sua armadura. Meu bando foi detonado colina abaixo. Vejo o Chacal lutando na encosta da montanha. Ele agora parece mais forte. Uma distorção o segue. Algum outro Inspetor lhe dando força. Vênus, eu acho.

Eu grito, expelindo a raiva que vem crescendo dentro de mim desde que fui submetido à faca de Mickey.

Apolo diz alguma coisa que não consigo ouvir. Eu o xingo e movimento novamente a lâmina. Ele a pega e a joga na neve. A camada

FÚRIA VERMELHA **429**

invisível de pulsEscudo ao redor do seu punho golpeia meu rosto — jamais o tocando, ainda que fazendo com que meus nervos sintam toda a agonia do mundo. Eu grito e caio. Então ele me levanta pelos cabelos e ascendemos em meio à tempestade. Ele paira nas suas gravBotas até ficarmos trezentos metros acima do chão; estou pendurado numa das mãos dele. A neve rodopia ao nosso redor. Ele fala novamente, ajustando alguma frequência para que meus ouvidos incapacitados possam escutar.

— Vou usar palavras pequenas pra garantir que você compreenda. Nós estamos com sua pequena Mustang. Se você não perder no seu próximo encontro com o filho do ArquiGovernador pra que todos os Selecionadores possam testemunhar, vou acabar com ela.

Mustang.

Primeiro Pax. Agora a garota que cantava a canção de Eo ao lado do fogo. A garota que me tirou da lama. A garota que se enroscava ao meu lado enquanto a fumaça rodopiava no ar na nossa pequena caverna. A brilhante Mustang, que me seguia por sua própria escolha. E foi aqui que eu a trouxe. Eu não esperava isso. Não planejei isso. Eles estão com ela.

Meu estômago está dando nós. De novo, não. Não como ocorreu com meu pai. Não como ocorreu com Eo. Não como ocorreu com Lea. Não como ocorreu com Roque. Não como ocorreu com Pax. Eles não vão matá-la também. Esse filho da puta não vai matar ninguém.

— Eu vou arrancar *essa porra desse seu coração*!

Ele me dá um soco na barriga, ainda me segurando pelos cabelos. Seu rosto está estranho enquanto ele tenta situar a expressão. *Essa porra.* Agora estamos flutuando alto no ar. Muito alto. Balanço como um homem enforcado enquanto ele me bate mais uma vez. Mas enquanto apanho, lembro de uma coisa que aprendi com Fitchner quando lhe dei um tapinha no ombro na floresta: se Apolo está segurando meus cabelos e eu não sinto seu pulsEscudo, então é porque o dispositivo está desativado. E está desativado em todo o corpo dele. Ele está com uma recuArmadura física em todas as parte do corpo, exceto num único lugar.

— Você é uma marionetezinha estúpida, estou percebendo agora — ele diz preguiçosamente. — Uma marionetezinha tresloucada e raivosa. Você não vai fazer o que eu estou dizendo, vai? — Ele suspira. — Vou arranjar outra maneira. Chegou a hora de cortar suas cordinhas.

Ele me solta.

E eu flutuo lá, a centímetros da sua mão esticada.

Não vou para lugar nenhum, porque embaixo de pelagens e tecido, estou usando as gravBotas que roubei de Fitchner quando o ataquei na sala de guerra de Apolo. E o escudo de Apolo está desativado. E ele se livrou de mim. Ele está olhando para mim boquiaberto, confuso. Libero a lâmina da facAnel e lhe dou um soco na cara, enterrando o metal no seu visor e atingindo seus olhos quatro vezes e puxando a lâmina com força para cima para que ele morra.

— Não sou marionete coisa nenhuma! — berro para ele à medida que seu corpo desvanece. Toda a raiva que senti incha dentro de mim, cegando-me, e me enche de um ódio pulsante, tangível, que arrefece somente quando as botas de Apolo são desativadas e ele desaba em meio à rodopiante tempestade.

Encontro meus Uivadores ao redor do seu corpo. A neve está vermelha. Eles me encaram enquanto desço. Minha facAnel molhada com o sangue de um Inigualável Maculado. Não tive a intenção de matá-lo. Mas ele não deveria tê-la capturado. E não deveria ter me chamado de marionete.

— Eles levaram Mustang — digo ao meu bando.

Eles olham ao redor silenciosamente. O Chacal não tem mais importância.

— Então agora a gente toma o Olimpo.

Os sorrisos que eles dão uns aos outros são tão enregelantes quanto a neve.

Sevro cacareja.

42

GUERRA NO CÉU

Não há tempo a perder voltando à fortaleza. Tenho comigo os meninos e meninas de que necessito. Tenho o exército mais durão de todos. Os pequenos, os malévolos, os leais e os rápidos. Roubo a recuArmadura de Apolo. As espirais prateadas ao redor dos meus membros parecem líquidas. Dou as gravBotas dele a Sevro, mas elas ficam ridiculamente grandes nele. Tiro as minhas próprias botas, que eram do pai dele, para que ele possa usá-las; elas estavam tão apertadas que deixaram meus dedos bem amassados. Calço as botas de Apolo.

— De quem é isso aqui? — me pergunta Sevro.

— Do papai — digo a ele.

— Então você adivinhou — diz Sevro, rindo.

— Ele está preso no calabouço de Apolo.

— Aquele Pixie estúpido! — Ele ri mais uma vez. Eles têm um relacionamento um tanto esquisito.

Fico com a lâmina de Apolo, com seu capacete, com seu pulsoPunho e seu pulsEscudo juntamente com sua recuArmadura. Sevro fica com seu fantasManto. Falo para ele ser minha sombra. E em seguida digo aos Uivadores para amarrarem seus cintos atados uns aos outros.

GravBotas podem elevar um homem até uma couraçaEstelar enquanto ele carrega um elefante em cada braço. Elas são, com facilidade, fortes o bastante para me levantar junto com meus Uivadores, que ficam pendurados nos meus braços e pernas por arreios de cinto enquanto carrego nós todos em meio à rodopiante tempestade de neve até o Olimpo. Sevro carrega os outros.

Os Inspetores jogaram seus joguinhos. Eles forçaram e forçaram a barra durante um bom tempo. Eles sabiam que eu era alguma coisa perigosa, alguma coisa diferente. Mais cedo ou mais tarde, eles acabariam sabendo que eu daria o ar da graça e viria acabar com eles. Ou talvez eles pensem que ainda sou uma criança. Que idiotas. Alexandre era uma criança quando arrasou uma nação pela primeira vez.

Ascendemos através da tempestade e voamos sobre as encostas do Olimpo. A montanha flutua um quilômetro acima de Argos. Não há portas. Não há docas. A neve cobre as encostas. Nuvens mascaram o pico cintilante. Conduzo os Uivadores à cidadela pálida-como-osso no topo da íngreme inclinação. Ela se destaca da montanha como uma espada de mármore. Os Uivadores soltam seus cintos aos pares, caindo na sacada mais alta.

Nós nos agachamos no terraço de pedra. Daqui podemos ver as terras enevoadas de Marte, as colinas rochosas e os campos de Minerva, a Grande Floresta de Diana, as montanhas onde meu exército guarnece Júpiter. Eu poderia estar lá embaixo. Os tolos não deveriam ter mexido comigo.

Eles não deveriam ter capturado Mustang.

Estou usando a recuArmadura de ouro. É uma segunda pele. Apenas meu rosto fica exposto. Tiro cinza de um dos Uivadores e passo nas minhas bochechas e boca. Meus olhos queimam de raiva. Cabelos louros tresloucados sobre os ombros, indomáveis. Saco minha curviLâmina e seguro com força o pulsoPunho de ondas curtas com minha mão esquerda. Uma lâmina está pendurada na minha cintura; não sei como usá-la. Sujeira debaixo das unhas. Dedos mindinho e médio da mão esquerda enregelados. Estou fedendo. Meu manto fede como a coisa morta que é. Ele pende molenga atrás de mim. Branco e manchado com sangue do Inspetor. Ponho o capuz. Todos nós o fazemos. Parecemos lobos. E temos cheiro de sangue.

FÚRIA VERMELHA

É melhor que os Selecionadores gostem disso ou serei um homem morto.

— Nós queremos Júpiter — digo aos meus Uivadores. — Encontrem-no. Neutralizem os outros se dermos de cara com algum. Cardo, fique com minhas gravBotas e pegue reforços. Sigam.

Descalço, abro as portas com meu pulsoPunho. Encontramos Vênus deitada na cama numa camisola de seda, sua armadura gotejando neve devido à posição em que está, ao lado do fogo; ela acabou de voltar da ajuda que deu ao Chacal. Uvas, *cheesecake* e vinho se encontram na mesinha de cabeceira. Os Uivadores a prendem na cama. Quatro, só para criar um efeito. Amarramos Vênus aos balaústres da cama. Seus olhos dourados estão arregalados devido ao choque. Ela mal consegue falar.

— Vocês não podem! Sou uma Maculada! Sou uma Maculada! — É tudo o que ela consegue proferir. Ela diz que isso é ilegal, diz que é Inspetora, diz que não temos permissão para atacá-los. Como foi que nós chegamos lá? Como? Quem nos ajudou? Eu estou usando a armadura de quem? Oh, é a de Apolo. É a de Apolo. Onde está Apolo? As roupas de um homem de boa estirpe se encontram no canto. Eles são amantes. — Quem foi que ajudou vocês?

— Ninguém me ajudou — digo a ela, e dou um tapinha na sua mão brilhante com uma adaga. — Quantos outros Inspetores ainda restam? — Ela não tem palavras. Isso não poderia estar acontecendo. Isso jamais aconteceu. Crianças não tomam o Olimpo. Em momento algum da história de todos os planetas isso foi ao menos imaginado. Nós a amordaçamos de um jeito ou de outro e a deixamos amarrada, parcialmente despida, a janela aberta para que ela possa sentir o sabor da friagem.

Os Uivadores e eu deslizamos através da agulha da torre. Escuto Cardo trazendo os reforços. Tactus estará aqui trazendo sua ira pessoal. E Milia virá. Nyla logo, logo. Meu exército se levanta por Mustang. Por mim. Pelos Inspetores que nos enganaram e envenenaram nossa comida e nossa água e libertaram nossos cavalos. Vamos de recinto em recinto. Em busca de frigidários, caldários, salas de vapor, salas de gelo, banheiros, câmaras de prazer recheadas de Rosas, tanques de holoImersão, para o proveito dos Inspetores. Derrubamos Juno nos banhos. Os Uivadores patinam na água para tirá-la de lá não sem alguma luta. Ela está desarmada, mas o encapuzado Sevro precisa atordoá-la com um abrasador roubado depois que ela quebra o braço de Palhaço e começa a afundá-lo com suas pernas. Aparentemente, ela também não saiu como deveria ter saído.

Encontramos Vulcano numa sala de holoImersão, um fogo crepitando no canto. Ele nem nos vê chegar, até que desligamos as máquinas. Vulcano estava assistindo Cassius se postar na beirada da ameia enquanto mísseis flamejantes delineiam um céu fumarento. Eles deram a Cassius catapultas com granadas de fragmentação. Havia uma outra tela exibindo o Chacal tropeçando na neve em direção à boca de uma caverna de montanha. Lilath o cumprimenta no local com um manto térmico e um medBot.

Pergunto aos Inspetores para onde Mustang foi levada. Eles dizem que tenho de perguntar a Apolo ou a Júpiter. Isso não diz respeito a eles. E não deveria dizer respeito a mim. Aparentemente, minha cabeça vai rolar. Pergunto a eles o que vão brandir.

— Todos os machados estão comigo.

Meu exército amarra os Inspetores e nós os levamos conosco enquanto fazemos a descida, fluindo na direção do nível seguinte e do nível subsequente como uma inundação de tresloucados semilobos. Corremos em meio a serviçais altoVermelhos e Marrons e domicili-Rosas. Não presto atenção a eles, mas meu exército, em sua raivosa excitação, ataca quaisquer deles que encontrem pela frente. Eles nocauteiam Vermelhos e obliteram por completo quaisquer Cinzas que cometam o erro de tentar nos enfrentar. Sevro precisa esganar um menino de Ceres que se senta em cima do peito de um Vermelho, dando cacetadas no seu rosto com punhos repletos de cicatrizes. Dois Cinzas são mortos por Tactus quando tentam atirar nele. Ele se desvia dos seus abrasadores e parte seus pescoços. Um esquadrão de sete Cinzas tenta nos derrubar. Mas meu pulsEscudo me protege dos seus abrasadores. Somente sofrerei algum dano se eles empreenderem um

FÚRIA VERMELHA **435**

ataque concentrado e o escudo superaquecer. Eu me desvio dos seus ataques e os derrubo com meu pulsoPunho.

Meu exército chega aos poucos, a princípio lentamente. Mas muitos outros chegam a cada seis minutos. Estou nervoso. Eles não chegam rápido o bastante. Júpiter poderia nos destruir, assim como Plutão e qualquer outro deles que ainda reste. Meu exército está exultante porque está comigo; eles me consideram imortal, impossível de ser detido. Eles já ouviram falar que eu matei Apolo. Ouço apelidos circulando como correntes em meio ao meu exército enquanto avançamos pelos vastos corredores dourados como um enxame. *Carrasco-de-deuses. Matador-de-sol*, eles me agraciam. Mas os Inspetores também ouvem essas coisas. Os que nós capturamos, inclusive aqueles um pouco bestificados pela ideia de alunos invadindo o Olimpo, agora olham fixamente para mim com rostos pálidos. Eles percebem que fazem parte do jogo do qual imaginavam haver escapado muitos anos antes, e que não há medBots direcionados ao Olimpo. Coisa engraçada, observar deuses percebendo que nunca deixaram de ser mortais.

Envio dezenas de batedores para rastrear o palácio, dizendo a eles o que necessito. Já consigo escutar meu plano sendo desenovelado nos corredores abaixo de mim. Júpiter, Plutão, Mercúrio e Minerva permanecem. Eles estão vindo no meu encalço. Ou será que estou indo no encalço deles? Não sei. Tento me sentir como se fosse o predador, mas não consigo. Minha raiva está arrefecendo. Está diminuindo e dando lugar ao medo à medida que os corredores se estendem à nossa frente. Eles estão com Mustang; lembro a mim mesmo do cheiro dos cabelos dela. Esses são os Maculados que aceitam subornos do homem que matou minha mulher. O sangue começa a ferver novamente. Minha raiva está de volta.

Encontro Mercúrio num corredor. Ele está rindo histericamente e entoando indecentes canções de bebedeiras que escuta no HC enquanto olha para baixo na direção de meia dúzia dos meus soldados. Ele está usando um roupão, mas está dançando como um maníaco se desviando dos golpes de espada de três CavalosMortos. Nunca vi tamanha desenvoltura fora das minas. Ele se mexe como eu escavava.

Fúria equilibrada com noções de física. Um chute, um cotovelo esmagado, uma aplicação de força para deslocar um joelho.

Ele dá um tapa na cara de um dos meus soldados. Chuta um outro na virilha. E salta por cima de uma outra, segura com força os cabelos dela quando está de cabeça para baixo, aterrissa e a empurra com toda força na parede como se a menina fosse uma boneca de pano. Em seguida dá com o joelho no rosto de um menino, decepa o polegar de uma garota para que ela não consiga mais empunhar a espada e tenta me dar um golpe com as costas da mão antes de dançar para se afastar de mim. Sou mais rápido do que ele, e mais forte, apesar da sua incrível habilidade com a lâmina; portanto, enquanto a mão dele vai na direção do meu rosto, eu soco seu antebraço com o máximo de força que consigo reunir, estalando o osso. Ele geme e tenta dançar para trás, mas seguro sua mão e golpeio seu braço com meu punho até ele quebrar.

Em seguida, deixo que ele gire o corpo e se afaste, ferido.

Estamos num corredor, meus soldados espalhados ao redor dele. Grito para que o resto se afaste e empunho minha curviLâmina. Mercúrio é um querubim de homem. Pequeno, atarracado, com um rosto semelhante ao de um bebê. Suas bochechas estão rosadas: ele estava bebendo. Seus cabelos dourados e encaracolados lhe caem sobre os olhos. Ele os joga para trás. Lembro como ele queria me escolher para sua Casa, mas os Selecionadores se puseram contra. Agora ele floreia sua lâmina como um poeta com uma pena, mas seu golpe com as costas da mão se tornou inútil depois que eu a soquei.

— Você é um selvagem — diz ele em meio à dor.

— Você devia ter me escolhido pra sua Casa.

— Eu falei pra eles não te pressionarem. Mas eles me ouvem? Não não não não não. Apolo bobalhão. O orgulho às vezes deixa as pessoas cegas.

— Assim como as espadas.

— Atravessou os olhos? — Mercúrio olha para minha armadura. — Morto, então? — Alguém grita para eu matá-lo. — Nossa, nossa. Eles estão esfomeados. Esse duelo pode ser divertido.

Balanço a cabeça.

FÚRIA VERMELHA

Mercúrio faz uma mesura.

Eu gosto desse Inspetor. Mas também não quero que ele me mate com aquela lâmina.

Então embainho minha espada e lhe acerto o peito com meu pulsoPunho programado para atordoar. Em seguida nós o amarramos. Ele ainda está rindo. Porém, mais para baixo no corredor, atrás dele, vejo Júpiter — um titã em forma de homem em armadura completa — avançando com uma pulsaLança recurvada e uma lâmina. Uma outra Inspetora munida de armadura está com ele, Minerva, eu acho. Nós recuamos. Mesmo assim, eles dizimam minha força. Eles vêm diretamente sobre nós no longo corredor, nocauteando meninos e meninas como penedos rolando pelos trigais. Não conseguimos feri-los. Meus soldados fogem precipitadamente para o local de onde viemos, escadaria acima, de volta aos níveis superiores, onde atropelamos novos grupos de reforços. Pisamos uns sobre os outros, caindo sobre o chão de mármore, correndo pelas suítes douradas para fugir de Júpiter e de Minerva, que sobem pela escada. Júpiter dá gargalhadas altissonantes enquanto nossas espadas e lanças simples não fazem mais do que resvalar na sua armadura.

Apenas minhas armas podem feri-lo. Não é o suficiente. A lâmina de Júpiter atravessa meu pulsEscudo e desliza pela minha recuArmadura em cima da coxa. Eu sibilo de dor e atiro o pulsoPunho nele. Seu escudo recebe a pulsão e se mantém, mas por pouco. Ele joga uma lâmina em mim como se fosse um chicote. Ela arranha minha pálpebra, por pouco não me arrancando o olho. O sangue escorre do pequeno ferimento e eu rosno de raiva. Voo em cima de Júpiter, passando por Minerva, quebrando meu pulsoPunho no queixo dele. Isso arruína minha arma e meu punho, mas produz uma reentrância no seu capacete dourado e faz com que o corpo dele saia girando. Não lhe dou tempo para se recuperar. Grito e ataco em arcos rodopiantes com minha curviLâmina enquanto o esfaqueio desajeitadamente com minha navalha. É uma dança louca. Eu o acerto no joelho com a navalha estranha. Ele faz um talho na minha coxa com a dele. A armadura se fecha em torno da ferida, comprimindo-a e administrando analgésicos.

Estamos no fim de uma escadaria circular enquanto o empurro para trás. Sua lâmina fica molenga e então desliza pela minha perna como se fosse um laço de vaqueiro, prestes a se contrair e retalhar minha perna na altura do quadril. Eu o agrido com o máximo de rapidez que consigo. Descemos escada abaixo. Então ele rola o corpo para se levantar. Eu o pego por trás. Armadura contra armadura.

Nós nos engalfinhamos pela sala de holoImersão. Fagulhas voam. Continuo berrando e empurrando para que ele não consiga arrancar minha perna com a navalha, ainda mole e envolvida por carne e osso. Ele está andando para trás, desequilibrado, quando eu o empurro por uma janela e nos vemos em pleno ar. Nenhum dos dois está com grav-Botas, de modo que mergulhamos uns trezentos metros na bancada de neve da encosta da montanha. Rolamos o íngreme despenhadeiro na direção do precipício de dois quilômetros que vai dar no Argos.

Eu me reequilibro na neve. Consigo me colocar de pé. Não o vejo. Acho que ouço seu resmungo ao longe. Nós dois estamos atrapalhados nas nuvens. Eu me agacho e escuto, mas minha audição ainda não se recuperou da luta com Apolo.

— Você vai morrer por isso, menininho — diz Júpiter. É como se o som viesse de debaixo d'água. Onde ele está? — Você devia ter entendido qual é seu lugar. Tudo tem uma ordem. Você está perto do topo. Mas não está no topo, menininho.

Digo alguma coisa enérgica sobre o mérito não significar grande coisa.

— Você não pode gastar o mérito.

— Então o Governador está te pagando pra fazer isso?

Ouço um uivo ao longe. Minha sombra.

— O que você pensa que vai fazer, menininho? Pensa que vai matar todos os Inspetores? Pensa que vai nos obrigar a deixá-lo vencer? Não é assim que as coisas funcionam, menininho. — Júpiter me procura. — Logo os Corvos do Governador vão chegar aqui nas suas naves, com suas espadas e seus canhões. Os verdadeiros soldados, menininho. Os que têm cicatrizes que você não consegue vislumbrar nem em sonhos. Os Obsidianos liderados pelos Legados Dourados e cavaleiros. Você está apenas brincando. Mas eles vão achar que você enlouqueceu. E vão te pegar e vão te machucar e vão te matar.

— Não se eu vencer antes que eles cheguem aqui. — Esse é o segredo de tudo. — Pode ser que haja um atraso nos holos antes que os Selecionadores assistam às tomadas, mas um atraso de quanto tempo? Quem está editando a droga desses holos enquanto você está aqui lutando? Nós vamos garantir que a mensagem correta chegue a seu destino.

Tiro a faixa da minha cabeça e enxugo o suor do rosto. Em seguida a recoloco na cabeça.

Júpiter está em silêncio.

— Isso significa que os Selecionadores vão ver essa conversa. Eles vão ver que o Governador está te pagando pra roubar no jogo. Eles vão ver que eu sou o primeiro aluno a invadir o Olimpo em toda a história. E vão me ver te derrotar e arrancar sua armadura e te fazer desfilar pelado pela neve, se você se render. Se você não se render, vou jogar seu cadáver do Olimpo e dar uma mijada dourada em cima de você.

As nuvens se espalham e Júpiter está de pé diante de mim na brancura. Vermelho escorre da sua armadura dourada. Ele é alto, magro, violento. Esse lugar é seu lar. É seu playground. As crianças são seus brinquedinhos até adquirirem suas cicatrizes. Ele é como qualquer tirano insignificante da história. Um escravo dos seus próprios caprichos. Um mestre de coisa alguma além de egoísmo. Ele é a Sociedade: um monstro gotejando em decadência, ainda que sem enxergar nada da sua própria hipocrisia. Ele visualiza toda essa riqueza, todo esse poder, como seu direito. Ele está iludido. Todos eles estão. Mas não posso derrubá-lo pela frente. Não, independentemente do quanto eu lute bem. Ele é forte demais.

Sua navalha pende da mão como uma serpente. Sua armadura brilha. Amanhece enquanto nos encaramos. Um sorriso lhe parte os lábios.

— Você teria sido alguém na minha Casa. Mas você não passa de um menininho estúpido, raivoso e da Casa Marte. Você ainda não pode matar como eu posso. No entanto, você me desafia. Pura raiva. Pura estupidez.

— Não. Eu não posso te desafiar. — Solto minha curviLâmina nos pés dele e jogo minha navalha com ela. De um jeito ou de outro, mal consigo usar a navalha. — Então vou trapacear. — Balanço a cabeça. — Vá em frente, Sevro.

A navalha desliza do chão, enrijece e atravessa o tendão do jarrete de Júpiter enquanto ele gira o corpo. Seu talho atinge a altura de sessenta centímetros. Ele está acostumado a lutar com homens. Invisível, Sevro fere os braços de Júpiter e tira as armas dele. A recuArmadura flui na direção dos ferimentos para interromper o sangramento, mas os tendões vão precisar de mais cuidados.

Quando Júpiter está em silêncio, Sevro pisca de dentro do fantasManto de Apolo. Pegamos as armas de Júpiter. Sua armadura não caberia em ninguém, exceto Pax. Pobre Pax. Ele ficaria vistoso com todos esses refinamentos. Arrastamos Júpiter encosta acima de volta ao Olimpo.

Lá dentro, a maré da batalha mudou. Meus batedores, ao que parece, encontraram o que eu lhes havia dito para encontrar. Milia corre na minha direção, um risinho contente no rosto comprido. Sua voz, como sempre, é arrastada ao me relatar as boas notícias.

— A gente encontrou o arsenal deles.

Um grupo de membros da Casa Vênus, há pouco libertos da escravidão, passa a jato por nós. Seus pulsoPunhos e recuArmaduras refulgem. O Olimpo é nosso e Mustang foi encontrada.

Agora nós temos *todos* os machados.

43
A PROVA FINAL

Eu a encontro adormecida numa suíte adjacente à de Júpiter. Seus cabelos dourados estão com um aspecto selvagem. Seu manto está mais sujo do que o meu. Ele exibe uma coloração marrom e cinza, não branca. Ela está com cheiro de fumaça e fome. Ela destruiu o quarto, virou um prato de comida, enterrou a adaga na porta. Os serviçais Marrom e Rosa estão com medo dela, e de mim. Eu os observo se afastar lentamente. Meus primos distantes. Eu os vejo se mover, coisas estranhas. Como formigas. Tão vazios de emoção. Sinto uma agonia. Perspectiva é uma criatura maligna. É assim que Augustus via Eo ao matá-la. Uma formiga. Não. Ele a chamou de "cadela enferrujada". Ela era um cachorro aos olhos dele.

— A comida estava com alguma coisa? — pergunto a um dos Rosas. O belo rapaz murmura alguma coisa, olhando para o chão.

— Fale como um homem — grito.

— Sedativos, lorde. — Ele não olha para mim. Eu não o culpo. Sou um Ouro. Trinta centímetros mais alto. Mundos inteiros mais forte do que ele. E minha aparência é absolutamente insana. Ele deve me imaginar uma pessoa incrivelmente malévola. Eu lhe digo que vá embora. — Esconda-se. Meu exército nem sempre me ouve quando digo pra eles não brincarem com baixasCores.

A cama é grandiosa. Lençóis de seda. Colchão de pena. Balaústres de marfim, ébano e ouro. Mustang está dormindo no chão no canto do quarto. Por tanto tempo nós tivemos de esconder o local onde dormimos. Deve ter sido estranho para ela dormir em perfeito conforto, mesmo com os sedativos que lhe foram administrados. Ela também tentou quebrar as janelas. Fico contente por não ter conseguido. É uma altura e tanto.

Eu me sento ao lado dela. A respiração do seu nariz agita um único cachinho de cabelo. Quantas vezes a observei dormir com febre. Quantas vezes ela fez a mesma coisa comigo. Mas não há febre agora. Não há frio. Não há dor no meu estômago. O ferimento que Cassius infligiu em mim sarou. O inverno acabou. Lá fora, vi as primeiras flores brotando. Colhi uma na encosta da montanha. Está no compartimento oculto do meu manto. Quero dá-la a Mustang. Quero que ela desperte com o haemanthus nos seus lábios. Mas quando eu a tiro, uma adaga desliza para dentro do meu coração. Pior do que qualquer lâmina de metal. Eo. A dor jamais terá fim. Não sei se ela deve ter fim. E não sei se essa culpa que sinto é merecida. Beijo o haemanthus e o guardo. Ainda não. Ainda não.

Acordo Mustang delicadamente.

Seu sorriso se espalha antes mesmo de ela abrir os olhos, como se a garota soubesse que estou ao lado dela. Pronuncio seu nome e tiro carinhosamente o cabelo do seu rosto. Seus olhos se abrem. Flocos dourados se mexem dentro das íris. Tão estranhos pertos dos meus dedos calejados e sujos com as unhas rachadas. Ela encosta o nariz na minha mão e consegue sentar-se na cama. Um bocejo. Ela olha ao redor. Eu quase rio quando a vejo digerir o que aconteceu.

— Bem, eu ia te contar um sonho que tive sobre dragões. Eles eram roxos e bonitinhos e gostavam de cantar. — Ela dá uma pancadinha na minha armadura com o dedo. Ela emite um som. — Que maneira de chamar minha atenção. Bobão.

— Acontece.

Ela resmunga.

— E me tornei a donzela em apuros, não é verdade? Que sacanagem! Odeio essas garotas.

FÚRIA VERMELHA **443**

Conto a ela as novidades. O Chacal está dividido. Suas forças sitiam Marte, enquanto ele e Lilath estão escondidos nas montanhas. Nós os encontraremos com facilidade.

— Se você quiser, pode levar nosso exército e arrancar o filho da puta de lá.

— Feito — diz ela com um sorriso afetado, e em seguida ergue as sobrancelhas. — Mas você pode confiar em mim? Talvez eu queira ser a Primus desse exército esquisitão.

— Posso confiar em você.

— Como é que você sabe? — diz ela novamente.

É então que eu a beijo. Não posso dar a ela o haemanthus. Isso é meu coração, e é de Marte — uma das únicas coisas nascidas do solo vermelho. E ainda é de Eo. Mas essa garota, quando eles a levaram… Eu teria feito qualquer coisa para vê-la exibir aquele sorriso afetado mais uma vez. Talvez um dia eu tenha dois corações para dar.

Ela tem o mesmo sabor do seu cheiro. Fumaça e fome. Não nos afastamos. Meus dedos passeiam pelos cabelos dela. As mãos de Mustang percorrem meu queixo, meu pescoço, e arranham levemente minha nuca. Há uma cama. Há tempo. E há uma fome diferente daquela que existia na ocasião em que beijei Eo pela primeira vez. Mas eu me lembro de quando Dago, o Gama Mergulhador-do-Inferno, deu uma profunda tragada no seu queimador, tornando-o brilhante porém morto em alguns rápidos instantes. Ele disse: *Isto aqui é você.*

Sei que sou impetuoso. Precipitado. Consigo digerir isso. E sou cheio de muitas coisas — paixão, arrependimento, culpa, pesar, saudade, raiva. Às vezes elas me controlam, mas não agora. Não aqui. Acabei pendurado num cadafalso por causa da minha paixão e do meu pesar. Acabei na lama por causa da minha culpa. Eu teria matado Augustus na primeira oportunidade por causa da minha raiva. Mas agora estou aqui. Não sei nada acerca da história do Instituto. Mas sei que tomei o que ninguém mais tomou. E tomei com ódio e astúcia, com paixão e raiva. Não vou tomar Mustang da mesma maneira. Amor e guerra são dois campos de batalha diferentes.

Portanto, apesar da fome, eu me afasto de Mustang. Sem dizer uma palavra, ela conhece minha mente, e é assim que sei que estou agindo corretamente. Ela dispara mais um beijo em mim. Ele permanece mais tempo em mim do que deveria, e então nos levantamos juntos e saímos. Vamos até a porta de mãos dadas e eu me viro para ela e digo:

— Pegue pra mim o estandarte do Chacal.

— Sim, Lorde Ceifeiro. — Ela faz uma mesura debochada e dá uma leve piscadela. Em seguida, vai embora.

O lugar mais parece um hospício, com saques e pilhagens a torto e a direito. Em meio a todo esse caos, Sevro encontrou o holoTransmissor. Ele contém nossas experiências sensoriais arquivadas nos seus discos rígidos e está programado para enviá-las aos Selecionadores onde quer que eles se encontrem. Não se trata de um processo em *streaming*, de modo que os Selecionadores ainda não estão cientes dos eventos transcorridos hoje. Há um atraso de meio dia. Esse é todo o tempo que resta. Dou a Sevro instruções e o mando começar a trabalhar nas emendas da história que eu quero que seja contada. Eu não confiaria em mais ninguém.

Mando trazer Fitchner do calabouço do Castelo de Apolo. Ele se reclina numa cadeira na sala de jantar do Olimpo. Seu rosto está púrpura no local onde eu lhe atingi. O chão é feito de ar condensado, de modo que estamos suspensos um quilômetro e meio numa queda vertical. Seus pés estão em cima da mesa e sua boca se contorce num sorriso.

— Aí está o menino maníaco — fala ele, passando o dedo no queixo. — Eu sabia que gostava das suas esquisitices.

Dou a ele uma saudação com meu dedo médio.

— Mentiroso.

Ele retribui o dedo.

— Merdinha. — Ele tenta alcançar minha mão. — Não venha me dizer que você ainda está amargurado por causa do envenenamento, das doenças, do arranjo com Cassius, dos ursos na floresta, da tecnologia de merda, do tempo inclemente, das tentativas de assassinato, da espionagem.

FÚRIA VERMELHA

— Espionagem?

— Estou mexendo com você. Ha! Ainda uma criança. Por falar em criança, onde estão seus soldados? Correndo por aí, comendo uns aos outros estupidamente, tomando banho, dormindo, trepando. Brincando com os Rosas? Este lugar é uma armadilha feita de mel, meu garoto. Uma armadilha feita de mel que vai deixar seu exército imprestável.

— Você está mais animado.

— Meu filho está a salvo — diz ele com uma piscadela. — Agora, o que é que você está tramando?

— Já mandei Mustang cuidar do Chacal. E depois disso vou pra Marte. Aí tudo estará terminado.

— Ooo. Exceto pelo fato de que não estará. — Fitchner estoura uma bola de chiclete familiar e pisca. Fiz um estrago na mandíbula dele. Sinto até vontade de rir. Estou com vontade de rir desde que Sevro acabou com Júpiter. Minha perna está latejando de dor por causa daquele calhorda. Mesmo com os analgésicos, mal consigo andar.

— Sem enigmas. Por que não está tudo acabado?

— Três coisinhas — diz Fitchner. Seu rosto fino e comprido me examina por um momento. — Você é uma criatura peculiar. Você e o Chacal, vocês dois. Todos estão sempre querendo vencer. Mas vocês se destacam nisso, são duas aberrações. Os Ouros não morrem pela vitória. Nós valorizamos muito nossa vida. Vocês dois não. De onde vem isso?

Eu lembro a Fitchner que ele é meu prisioneiro e que deveria responder às minhas perguntas.

— Três coisas não estão acabadas. Veja aqui como a coisa vai funcionar. Vou te dizer quais são essas coisas se você responder à minha pergunta: o que te leva a agir assim? — Ele suspira. — A primeira coisa, *bom-homem*, é Cassius. Ele simplesmente *terá* que duelar com você até que um dos dois sujeitinhos caia e morra.

Eu estava com medo disso. Respondo à pergunta de Fitchner.

Digo a ele que o Chacal queria saber a mesma coisa. O que me levava a agir assim. A resposta mais imediata é raiva. De ponto a ponto, é a raiva. Se algo acontece, e se não estou esperando por isso, reajo como um animal: com violência. Mas a resposta profunda é amor. O amor me leva a agir assim. Portanto, preciso mentir um pouquinho para ele.

— Minha mãe sonhava que eu pudesse ser maior do que qualquer um da minha família. Maior do que o nome Andromedus. O nome do meu pai. — Pai falso. Família falsa. O ponto ainda é o mesmo. — Eu não sou um Bellona. Não sou um Augustus. Nem um Arcos. — Sorrio maldosamente, algo que ele consegue apreciar. — Mas quero ser capaz de me posicionar acima deles e mijar em cima de todas as malditas cabeças deles.

Fitchner gosta disso. Ele sempre quis fazer o mesmo, mas descobriu que sem o pedigree, o mérito o leva só até certo ponto. Essa frustração é a condição dele.

—A segunda coisa que não está acabada é *isso*. — Fitchner balança as mãos no ar. Eu entendo a casca desse acordo: ele não vai fazer revelações. Matei um Inspetor. Tenho provas de que o ArquiGovernador subornou outras pessoas e ameaçou outras mais para que seu filho pudesse ser o vencedor. Nepotismo. Manipulação da escola sagrada. Isso não é uma notícia qualquer. Isso despedaçará alguma coisa. Talvez até mesmo a exoneração do ArquiGovernador. Acusações. Punição? Os Selecionadores vão querer sangue. — E o ArquiGovernador vai querer o seu. Isso aqui o deixará constrangido, e abrirá um espaço potencial para que um Bellona assuma o cargo de ArquiGovernador.

Fitchner me pergunta por que eu confio nos soldados de meu exército que eram escravos.

— Eles confiam em mim porque viram o que teria acontecido com todos eles caso eu não tivesse aparecido. Você acha que eles querem ter o Chacal como mestre?

— Bom — diz Fitchner. — Você confia neles todos. Esplêndido, então não há um terceiro complicador. Erro meu. — Eu o pressiono a revelar o que quer dizer com isso, então ele suspira e cede: — Oh, é só o fato de que você mandou Mustang e metade do seu exército cuidarem do Chacal.

— E?

— Não é nada, de fato. Você confia nela.

FÚRIA VERMELHA **447**

— Não. Pode falar. O que você está querendo dizer?

— Está certo, então. Se você precisa mesmo saber, se simplesmente não existe uma outra maneira de discorrer sobre isso, vamos em frente: ela é a irmã gêmea do Chacal.

Virginia au Augustus. Irmã do Chacal. Gêmea. Uma herdeira da grande família, os *genes de Augusta*. A única filha do ArquiGovernador Nero au Augustus. O homem que fez tudo isso acontecer. Mantida enclausurada e distante do olhar público para despistar tentativas de assassinato, exatamente como seu irmão. É por isso que Cassius não conhecia a irmã do arquirrival da sua família. Mas quando me sentei com o Chacal, Mustang sabia quem ele era. Seu irmão. Será que ela conhecia a identidade do Chacal antes disso? Nada pode explicar seu silêncio se ela sabia quem ele era antes e não disse nada. Nada, exceto pela sua família, que é uma lealdade acima das amizades, acima do amor, acima de um beijo no canto de um quarto. Mandei metade do meu exército para o Chacal. Dei a ele recuArmaduras, gravBotas, fantasMantos, navalhas, pulsArmas, tecnologia suficiente para ele tomar o Olimpo. *Cacete.*

Os Inspetores todos sabem disso. E quando passo por eles correndo, eles estão rindo. Eles estão rindo da minha estupidez. A raiva cresce dentro de mim. Quero matar alguma coisa. Coloco em ordem minhas forças. Eles estão espalhados ao redor do castelo, comendo a comida disponível, degustando seus prazeres. Tolos. Tolos. Meus melhores estão onde necessito deles. Sevro, realizando seu trabalho. Essa é a coisa mais importante. Ordeno que Tactus cace os remanescentes de Vênus e Mercúrio e os escravize, e envio Milia para reunir o resto do meu exército com Lea. Preciso ir para a Casa Marte agora. Não posso esperar que meus soldados se reúnam. Preciso de corpos descansados, porque quando os gêmeos de Augustus vierem, eles terão consigo armas e tecnologia comparáveis às minhas, e podem inclusive contar com mais soldados. O jogo mudou. Não me preparei para isso. E me sinto um tolo. Como eu pude beijá-la? Meu coração está engolido pela escuridão. E se eu tivesse dado a ela o haemanthus? Eu o despedaço ao saltar da beirada do Monte Olimpo nas minhas gravBotas e deixo as pétalas caírem.

Levo comigo apenas os Uivadores, passando sobre as pétalas à medida que pairamos em direção ao chão.

Estamos usando gravBotas e armaduras e carregando pulsoPunhos e pulsoLâminas. A neve no território da Casa Marte parou de cair. Solo enlameado remexido pelos pés dos invasores a substitui. As terras altas estão envoltas em névoa. O cheiro é de terra e de cerco. Nossas torres, Phobos e Deimos, são escombros. As catapultas doadas aos sitiantes fizeram seu trabalho ali. Então, eles também fizeram progresso nos muros do meu antigo castelo. A fachada frontal está em ruínas e repleta de flechas, cerâmica quebrada proveniente dos jarros de piche, espadas, armaduras e alguns alunos.

Quase uma centena de indivíduos fortes sitiam Marte. Seu acampamento é próximo à linha de árvores, mas uma cerca divisória foi construída ao redor do Castelo Marte para prevenir quaisquer investidas da fortaleza. Foi um inverno longo para ambos os lados. Embora eu note as panelas de cozinha solares, os aquecedores portáteis, os pacotes de nutrição da força sitiante do Chacal — compreendendo Júpiter, Apolo e um quarto da Casa Plutão. Diversas cruzes altas se encontram na base do declive. Elas estão de frente para o castelo. Sobre as cruzes estão três corpos. Corvos me falam sobre o estado dos mesmos. O único sinal de resistência que eu vejo da Casa Marte é nossa bandeira — o lobo de Marte — esfarrapada e queimada. Ela está caída no mastro devido ao fraco vento.

Os Uivadores e eu descemos do céu como deuses dourados. Nossos mantos maltrapilhos sacodem atrás de nós. Mas se os sitiantes esperavam que fôssemos Inspetores trazendo mais presentes, eles não poderiam estar mais equivocados. Aterrissamos com dureza na terra. Primeiro os Uivadores. Um, dois, três, onze. E eu aterrisso logo depois deles e, ao atingir o chão, o inimigo se espalha à minha frente completamente aterrorizado.

O Ceifeiro voltou para casa.

Deixo os Uivadores arruinarem os inimigos no nosso solo. Isso é o mais próximo de casa, de Lykos, que eu jamais estive em meses. Eu me curvo para baixo e pego um punhado do solo da Casa Marte, enquanto meus homens fazem o trabalho ao meu redor. Marte. Casa. Desfraldei uma bandeira diferente, mas senti saudades da minha Casa. Inimigos correm para me atacar. Eles veem minha lâmina, sabem quem eu sou. Eu caminho, impermeável. Minha pulsArmadura é meu escudo. Sevro e os Uivadores agem como se fossem minha espada.

Caminho até as três cruzes e dou uma espiada para ver Antonia, Cassandra e Vixus.

Os traidores. O que foi que eles fizeram dessa vez?

Antonia ainda está viva, assim como Vixus, mas suas vidas estão por um fio. Mando Cardo tirá-los de lá e os levarem de volta ao Olimpo para que recebam os medBots. Eles terão de viver com a consciência de que cortaram a garganta de Lea. Espero que isso os magoe. Fico parado por um momento na base da colina. Grito para eles dizendo quem eu sou. Mas eles já sabem, porque a bandeira de Marte é baixada e no seu lugar é erguido um lençol sujo de terra com uma curviLâmina apressadamente desenhada nele.

— O Ceifeiro! — gritam eles, já que sou sua salvação. — O Primus!

Os defensores estão maltrapilhos, sujos e magros. Alguns estão tão fracos que temos de carregá-los dos escombros do castelo. Os que conseguem, vêm me saudar ou me cumprimentar com um aceno de cabeça ou beijar meu rosto. Os que não conseguem, tocam minha mão enquanto passo. Há pernas quebradas e braços esmagados. Eles serão reparados. Nós os transportamos de volta ao Olimpo. A Casa Marte não terá utilidade na batalha que se segue, de modo que usarei sitiantes de Plutão, Júpiter e Apolo. Mando Palhaço e Pedrinha escravizarem a todos com o estandarte de Marte. Um garoto magro que mal reconheço me entrega o objeto. Mas quando ele me agarra num abraço esquelético, um abraço tão forte que chega a doer, percebo quem é ele.

Um soluço silencioso ecoa no meu peito.

Ele está quieto ao me abraçar. Então seu corpo estremece como o de Pax ao se ver diante da morte. Exceto pelo fato de que esses tremores são oriundos de alegria, não de dor.

Roque está vivo.

— Meu irmão — soluça ele. — Meu irmão.

— Pensei que você estivesse morto — digo a ele enquanto abraço sua delicada estrutura. — Roque, pensei que você estivesse morto. — Eu o seguro com força junto ao meu corpo. Seus cabelos estão muito finos. Sinto seus ossos por baixo da roupa. Ele é como um trapo molhado em torno da minha armadura.

— *Irmão* — diz ele —, eu sabia que você voltaria. Eu sabia, do fundo do coração eu sabia. Este lugar estava vazio sem sua presença. — Ele olha para mim com um risinho repleto de orgulho. — Agora você preenche este vazio... e como preenche!

O Primus da Casa Diana estava certo. A Casa Marte está um rastilho de pólvora. E está esfomeada. Roque tem cicatrizes no rosto. Ele sacode a cabeça, e sei que tem histórias para contar — onde esteve, como voltou. Mas isso pode esperar. Ele se afasta mancando. Quinn, uma orelha apenas e exausta, vai com ele. Ela pronuncia um obrigado e coloca a mão na cintura do poeta numa maneira que me deixa ciente de que ela abandonou Cassius.

— Ele disse pra gente que você voltaria — diz ela. — Ele devia saber.

Pollux ainda está bem-humorado quando o vejo. Sua voz é áspera e ele segura meu braço. Quinn e Roque mantiveram a Casa unida, diz ele. Cassius se entregou muito tempo antes. Ele está à minha espera na sala de guerra.

— Não o mate... por favor. Acabei com a mente dele, cara. Acabei com ela depois do que ele fez com você; todo mundo aqui descobriu. Então, deixe-o ficar um pouco longe daqui, cara. Isso ajuda a cabeça. Faz esquecer que a gente não tem escolha. — Pollux chuta um pedaço de lama. — Os filhos da puta me puseram com uma garotinha, sabia?

— Na Passagem?

— Escalaram uma garotinha pra ficar comigo. Tentei matá-la suavemente... mas ela se recusava a morrer. — Pollux rosna alguma coisa

FÚRIA VERMELHA   **451**

e me dá um tapinha no ombro. Ele tenta dar uma gargalhada amargurada. — A gente é tosco mesmo aqui neste lugar, mas pelo menos a gente não é Vermelho, concorda?

Pois é.

Ele sai e eu fico sozinho no meu antigo castelo. Titus morreu no local onde me encontro agora. Olho para a fortaleza. Está pior agora do que era na época dele. Tudo está pior agora, de uma certa forma.

Sacanagem da porra. Por que Mustang tinha de me trair? Tudo está escuro agora que eu sei. Uma sombra lançada sobre minha vida. Ela poderia ter me contado em tantas oportunidades. Mas nunca o fez. Sei que ela queria falar comigo quando eu estava com o Chacal, mas provavelmente apenas para me dizer alguma coisa sem importância. Algum boato. Ou será que ela trairia seu sangue por mim? Não. Se ela tivesse essa intenção, teria me contado antes de eu entregar a ela metade do meu exército. Ela também levou seu estandarte, e o de Ceres. Por que ela precisava de tanto se não queria entrar em guerra comigo? A sensação que tenho é de que ela matou Eo. A sensação que tenho é de que ela colocou a corda e eu puxei os pés. Ela é a filha do seu pai.

Sinto aquele leve estalo passar pelas minhas mãos. Eu traí Eo.

Cuspo nas pedras. Minha boca está seca. Não bebi nada a manhã inteira. Minha cabeça dói. Chegou a hora de soltar a bola, como tio Narol costumava dizer. Chegou a hora de me encontrar com Cassius.

Ele está sentado com sua íonLâmina à mesa da Casa Marte. Está no assento onde entalhei meu sinete. A velha bandeira da Casa se encontra no seu joelho. A mão do Primus está pendurada no seu pescoço. Tanto tempo se passou desde que ele enfiou aquela espada na minha barriga. A arma agora parece uma coisa boba. Um brinquedo, uma relíquia. Já me distanciei tanto dessa sala, da navalha dele, do alcance dele e, no entanto, seus olhos ainda fazem meu coração parar. A culpa é como bile preta na minha garganta. Enche meu peito e me exaure.

— Sinto muito por Julian — digo a ele.

Seus cabelos são cachos dourados, mas matizados de fuligem e graxa. Moscas fazem seu ninho ali. Ele ainda é bonito, ainda mais bem-

-apessoado do que eu jamais terei condições de ser. Mas a fagulha nos seus olhos esfriou. Tempo e espaço longe desse lugar é o que a alma dele necessita. Meses de cerco. Meses de raiva e derrota. Meses de perda e culpa o exauriram de tudo o que o torna Cassius. Pobre alma. Sinto pena dele. Quase rio. Depois que ele enfiou a espada na minha barriga, sinto pena dele. Ele jamais perdeu uma batalha. Ele, somente ele, dentre todos os Primus, pode dizer isso, com exceção do Chacal. Contudo, ele tira o distintivo e o joga para mim.

— Você venceu. Mas será que valeu a pena? — pergunta Cassius.

— Valeu.

— Nenhuma hesitação… — Ele balança a cabeça em concordância. — Essa é a diferença entre você e eu.

Ele baixa o estandarte e a espada e se aproxima de mim. Aproxima-se tanto que consigo sentir o cheiro fedorento do seu hálito. Acho que ele vai me abraçar. Quero abraçá-lo, quero pedir desculpas e implorar pelo perdão dele. Então ele abre uma ferida no nó dos dedos, suga o sangue dela e cospe no meu rosto, sobressaltando-me.

— Isto é uma rixa de sangue — sibila ele no seu altoIdioma. — Se alguma vez voltarmos a nos encontrar, você será meu ou eu serei seu. Se alguma vez voltarmos a respirar no mesmo recinto, uma respiração deixará de existir. Ouça-me agora, seu verme deplorável. Somos demônios um em relação ao outro até que um coração pare de bater. Agora apodreça.

É uma declaração formal e fria que requer uma única coisa de mim. Balanço a cabeça em concordância. E ele sai. Permaneço trêmulo por um momento depois que Cassius sai. Meu coração bate aceleradamente no peito. Muita dor. Pensei que tudo estaria acabado, mas nem todas as feridas se curam. Nem todos os pecados são perdoados.

Pego a bandeira de Marte e prendo o distintivo de Primus em mim mesmo. Observo o mapa na parede. O galhardete com minha curviLâmina adeja sobre todos os castelos que lá se encontram; meus homens tomaram posse do resto, apesar de Tactus estar deixando o Olimpo pronto para o assalto de Mustang. Agora aqueles castelos pertencem a mim, não ao lobo da Casa Marte. Minha curviLâmina se parece com o L de Lambda. *Meu* clã. O lugar onde meu irmão, minha irmã, meu tio, minha mãe, meus amigos, ainda labutam. Eles me dão a impressão de estar a um mundo de distância de mim, ainda que seu símbolo, um símbolo da nossa rebelião — uma ferramenta de trabalho transformada numa arma de guerra —, voe sobre todas as Casas dos Áuricos com exceção de uma. Plutão.

Saio do castelo através da torre. Sou um Vermelho Mergulhador-do-Inferno de Lykos. Sou o Primus Ouro da Casa Marte. E estou a caminho da minha última batalha nesta porra deste vale. Depois disso, a verdadeira guerra terá início.

44
O COMEÇO

Tactus assumiu o comando na minha ausência. O homem é uma fera cruel, mas é a minha fera cruel. E com ele do meu lado, minhas forças estão aptas ao banho de sangue. Nossas armaduras refulgem. Trezentos cantam. Noventa novos escravos. Eles não terão chance de readquirir a liberdade. Não havia gravBotas suficientes para todos. Ou armaduras suficientes. Mas todos contam com alguma coisa. Os CavalosMortos e os Uivadores se agrupam perto da beirada do Monte Olimpo. Eles olham para o precipício, um fino arco de ouro, o chão um quilômetro e meio abaixo. Nossos adversários estão nas montanhas. Quando Mustang e o Chacal vierem dos picos nevados, estarão em desvantagem. Estamos de posse do território mais elevado. O resto da minha força — o antigo esquadrão de Pax e de Nyla — guarda a fortaleza dourada e os Inspetores. Os escravos também estão lá. Eu gostaria muito que Pax estivesse ao meu lado. Sempre me senti mais seguro na sombra dele.

Mandei Nyla e Milia e uma dúzia de outros em fantasMantos darem uma varredura nas montanhas para destrinchar os movimentos do Chacal. Quem sabe que informações Mustang pode ter fornecido a seu irmão? Ele conhecerá nossas fraquezas, nossa disposição, de modo que vou mudar tudo o máximo possível. O que quer que ela saiba será inútil. Alterar o paradigma. Imagino se eu conseguiria bater nela com a mesma inclemência com a qual bati em Fitchner. A garota que cantarolou a canção de Eo? Jamais. Ainda sou Vermelho de coração.

— Odeio a droga dessa parte — suspira Tactus. Ele encosta seu corpo delgado no meu para dar uma espiada por sobre a beirada da montanha flutuante. — Esperar. Pfff. A gente precisa de um ótica.

— O quê?

— *Ótica!* — diz ele em alto e bom som.

Minha audição aparece e desaparece. Tímpano estourado é uma coisa desagradável.

Ele diz alguma coisa acerca de Mustang e de cortar os polegares dela só para começar os trabalhos. Não consigo captar grande parte do que ele diz. Provavelmente não quero captar; ele é do tipo que faz trancinhas com as entranhas de alguém.

— Ali! — Então vemos um voador dourado cortar uma nuvem. Três mais o seguem. Nyla… Milia. Mustang… e mais alguém.

— Espere! — falo com Sevro e seus Uivadores. Eles ecoam o comando à medida que Mustang se aproxima carregando algo estranho.

— Olá, Ceifeiro — fala Mustang, dirigindo-se a mim. Espero que ela aterrisse. Suas botas a trazem rapidamente ao chão.

— Olá, Mustang.

— Então, Milia está dizendo que você sacou tudo. — Ela olha ao redor com um sorriso curioso. — Tudo isso deve ser pra mim, neste caso.

— É claro. — Estou confuso. — Imaginei que poderia ocorrer algum entrevero entre Augustus e Andromedus.

— Nenhum entrevero desta vez. Eu trouxe um presente pra você. Gostaria de apresentar meu irmão, Adrius au Augustus, o Chacal das Montanhas, e seu estandarte. E ele está… — Ela olha para mim com um sorriso duro ao se dar conta de que eu imaginei que ela me havia traído — … *desarmado*.

Ela solta o Chacal, amarrado, amordaçado e nu.

— Pela pele do meu saco — sibila Tactus.

Eu venci.

* * *

Mustang está de pé ao meu lado enquanto as naves de descarga chegam ao Olimpo. Ela tinha me dito para não me sentir culpado em relação a ter duvidado da sua lealdade. Ela devia ter me revelado seus laços familiares mesmo não considerando o Chacal seu irmão. Não em espírito. Seu verdadeiro irmão, seu irmão mais velho, foi morto por alguém da família de Cassius, um brutamontes conhecido pelo nome de Karnus. Augustus e Bellona. A rixa de sangue entre as famílias é bem profunda, e sinto a correnteza que ela provoca me puxando as pernas.

Contudo, a pergunta permanece. Mustang é filha do seu pai? Ou ela é a garota que cantarolou a canção de Eo? Acho que sei a resposta. Ela é o que os Ouros podem ser, deveriam ser. No entanto, seu pai e seu irmão são o que os Ouros realmente são. Eo jamais teria imaginado que as coisas pudessem ser assim tão complicadas. Há bondade entre os Ouros porque, em muitas maneiras, eles são o melhor que a humanidade pode oferecer. Mas também são o que há de pior. O que isso faz com o sonho dela? Somente o tempo dirá.

Meus tenentes me flanqueiam — Mustang, Nyla, Milia, Tactus, Sevro, inclusive Roque e Quinn. Deixamos um espaço para Pax e Lea. Meu exército os flanqueia. Não há necessidade de constranger os alunos de Plutão. Eu quero. Mas não o faço. Eles estão dispersos ao redor das minhas seis unidades. Nós esperamos num amplo pátio do outro lado das plataformas de lançamento. É um dia de primavera e, portanto, a neve derrete com facilidade.

Sevro está perto de mim. Nos seus olhos, vejo uma sutil diferença quando ele me observa. A conversa que tivemos quando ele terminou de editar as gravações foi curta e assustadora. Ela ecoa nos meus ouvidos.

— O áudio durante a tempestade ficou embaralhado — disse ele. — Não deu pra distinguir as últimas palavras que você disse a Apolo. Aí eu deletei essa parte.

Uma das minhas últimas palavras foi *porra*.

O que Sevro sabe? O que ele imagina que sabe? O fato de ele haver deletado essa parte significa que ele a acha importante o bastante para ser ocultada.

FÚRIA VERMELHA **457**

A Diretora Clintus, o ArquiGovernador Augustus, os Imperadores Bellona e Adriatus e uma série de outro dignatários atingindo a soma de duas centenas saem das naves, cada qual com um grupo de atendentes. A Diretora nos avalia e ri da condição dos Inspetores. Eu os deixei amarrados e amordaçados. Não há pena aqui. Qualquer preocupação que eu tenha tido em relação a punições foram varridas para longe. Apenas Fitchner está desamarrado. Se existe alguma recompensa dada aos Inspetores, ele deveria ficar com todas. Eles agora já assistiram às holoexperiências. Sevro garantiu a qualidade da produção. Ele conhecia bem a história que eu queria que fosse contada. Fiz apenas alguns ajustes.

A Diretora Clintus é uma mulher miúda com um rosto que mais parece um grave pico montanhoso. Ela consegue fazer uma piada sobre essa ser a primeira vez que eles fizeram a cerimônia num local tão majestoso. Mas ela acha que essa será a última vez. Não é assim que o jogo deveria ser jogado. Contudo ele revela muito minha criatividade e astúcia. Ela parece gostar muito de mim e me chama afetuosamente de "o Ceifeiro". Na realidade, todos eles parecem gostar muito de mim. Embora alguns, isso eu posso perceber, sejam cautelosos. Governantes tendem a não gostar daqueles que rompem regras.

— Os Selecionadores de todas as Casas estão clamando que desejam recrutá-lo, meu garoto. Você terá uma escolha, embora Marte tenha a primeira oferta. Você decidirá. Então, muitas escolhas existem pro Ceifeiro! — diz Clinton com um risinho abafado.

Bellona e Augustus, inimigos de sangue, me observam como se observa uma serpente. Matei um dos seus filhos e constrangi o filho do outro. Acredito que isso pode se tornar uma coisa um tanto esquisita.

Há uma pequena cerimônia. Os convidados andam de um lado para o outro. Não passa de formalidade. A verdadeira cerimônia ocorrerá em Agea, onde haverá um grandioso festival, uma festa digna de causar um incêndio no céu, e com a holopresença da Soberana em pessoa. Libações, dançarinos, corredores, cuspidores de fogo, escravos de prazer, intensificadores, estimulantes, políticos, ou pelo menos é o que Mustang me diz. Parece estranho pensar que outras pessoas possam se importar com o que aconteceu aqui conosco, estranho pensar que tantos Ouros sejam criaturas insípidas. Eles não sabem nada acerca do que significa merecer a marca de um Inigualável Maculado. Espancar um menino até a morte numa sala fria de pedra. Mas eles vão nos celebrar. Por um momento, esqueci para quem estávamos lutando. Esqueci que isso aqui é uma disputa onde se empreende uma luta infernal para se receber coisas frívolas porque eles amam muito tais coisas. Não compreendo esse impulso. Compreendo o Instituto. Compreendo a guerra. Mas não compreendo o que haverá em Agea, ou o que virá depois disso. Talvez seja por eu ser mais como os Ouros Férreos. Os melhores dentre os Inigualáveis. Aqueles semelhantes aos Ancestrais. Aqueles que destruíram com artefatos nucleares um planeta que se insurgiu contra seu domínio. Que criatura eu me tornei.

Quando tudo terminou de ser dito e feito, a Diretora Clintus prende uma espécie de distintivo em mim. Ela pisca o olho e toca meu ombro. Então nos dispersamos. Simples assim. O jogo acabou e nos dizem que as naves de descarga estão preparadas para nossa partida de volta às nossas casas, onde nossos pais nos esperam para nos dar suas aprovações ou desonrar filhos e filhas decepcionantes. Simples assim. Até lá, zanzamos por aí, nos sentindo tolos com toda essa armadura acumulada, todas as nossas armas que agora têm tão pouco significado. Olho para minha curviLâmina e imagino o quanto ela se tornou inútil. É como se devêssemos nos congratular uns aos outros, dar parabéns uns aos outros ou qualquer coisa assim. Mas há apenas silêncio. Um silêncio vazio para os vitoriosos e perdedores sem distinção.

Eu estou vazio.

O que faço agora? Sempre houve um medo, sempre houve uma preocupação, sempre um motivo para estocar armas e comida, sempre houve a busca por algo ou alguma provação. Agora, nada. Apenas o vento soprando sobre o campo de batalha. Um vazio campo de batalha preenchido apenas com ecos de coisas perdidas e aprendidas. Amigos. Lições. Logo tudo isso virará lembranças. Eu me sinto como se tivesse perdido uma amante. Anseio chorar. Sinto-me oco. À deriva. Procuro Mustang. Será que ela ainda vai ter interesse por mim? E então o Ar-

FÚRIA VERMELHA **459**

quiGovernador Augustus me pega subitamente pelo ombro e me afasta dos outros jovens atordoados.

— Sou um homem ocupado, *Ceifeiro* — diz ele, debochando da palavra. — Portanto, serei direto. Você criou complicações na minha vida.

O toque dele faz com que eu sinta vontade de gritar. Sua boca magra não transmite nenhuma emoção. Seu nariz é reto. Seus olhos desdenhosos e feitos das brasas de um sol moribundo. Bastante inigualáveis. Contudo, ele não é bonito. O rosto dele é um rosto entalhado em granito. Bochechas fundas. Pele masculina, dura, não lustrosa como a dos tolos no HC ou dos Pixies que se divertem pelas casas noturnas. Ele fede a poder como os Rosas fedem a perfume. Quero fazer a cara dele parecer um quebra-cabeça destroçado.

— Certo — é tudo o que digo.

Ele não exibe um risinho afetado ou mesmo um sorriso.

— Minha esposa é uma mendicante. Ela implorou pra que eu ajudasse o filho dela a vencer.

— Espere um pouco. Ele recebeu ajuda? — pergunto.

A boca dele exibe um suave sorriso. O tipo de sorriso reservado a diversões simples.

— Estou imaginando que você não compartilhará meu envolvimento com outras pessoas.

Quero arrebentá-lo. Depois de tudo o que aconteceu, ele espera minha cooperação, como se fosse algo que lhe fosse devido. Como se fosse direito dele eu ajudá-lo. Meus punhos não estão mais cerrados. O que Dancer me mandaria dizer agora?

— Tudo ótimo — consigo dizer. — Não posso te ajudar na questão doméstica, mas não vou contar pra ninguém que o Chacal teve ajuda do papai.

Ele levanta o queixo.

— Não o chame assim. Os homens da Casa Augustus são leões, não comedores de carniças cheias de moscas.

— Mesmo assim, você devia ter colocado seu dinheiro em Mustang — digo, intencionalmente não usando o nome dela.

— Não me fale da minha família, Darrow. — Ele olha para mim por sobre o nariz. — Agora, a questão é quanto você quer pelo seu silêncio. Não aceito presentes. Não devo nada a ninguém. Portanto, você receberá o que deseja com uma condição.

— Que eu fique longe da sua filha?

— Não. — Ele ri agudamente, surpreendendo-me. — As famílias tolas se preocupam com sangue. Eu não ligo a mínima pra pureza familiar ou pra ancestralidade. Isso é uma coisa vã. Ligo apenas pra força. O que um homem pode fazer a outros homens e outras mulheres. E isso é algo que você tem. Poder. Força. — Ele inclina o corpo para se aproximar de mim, e em suas pupilas vejo Eo morrendo. — Eu tenho inimigos. Eles são fortes. E são muitos.

— Os Bellona.

— E outros. Mas sim, o Imperador Tiberius au Bellona tem mais de cinquenta sobrinhos e sobrinhas. Ele tem nove filhos. Aquele Goliath, Karnus, o mais velho. Cassius, o favorito dele. A semente dele é forte. A minha é... fraca. Eu tive um filho que valia todos os de Tiberius reunidos. Mas Karnus o matou. — Ele fica em silêncio por um momento. — Agora tenho duas sobrinhas. Um sobrinho. Um filho. Uma filha. E isso é tudo. De modo que coleciono aprendizes. Minha condição é esta: eu lhe darei o que você quiser em troca do seu silêncio. Comprarei Rosas pra você, Obsidianos, Cinzas, Verdes. Patrocinarei sua candidatura à Academia, onde você vai aprender a comandar as naves que conquistaram os planetas. Fornecerei a você os fundos e o apoio necessários. Eu o apresentarei à Soberana. Farei todas essas coisas pelo seu silêncio se você se tornar um dos meus lanceiros, um ajudante de ordens, um membro da minha casa.

Ele pede para eu trair meu nome. Para abandonar minha família pela dele. A minha é uma falsa família, Andromedus, uma família feita para o logro, ainda que alguma parte dentro de mim doa.

Eu percebo a questão, mas não sei o que dizer.

— Um dos soldados do seu filho poderia dizer alguma coisa sobre seu envolvimento, meu lorde.

Ele bufa.

FÚRIA VERMELHA **461**

— Estou mais preocupado com seus tenentes.

Eu rio.

— Poucos no meu exército sabem a verdade. E os que sabem não dirão nada.

— Quanta confiança.

— Sou o ArquiPrimus deles — digo simplesmente.

— Você está falando sério? — pergunta ele, confuso, como se eu deixasse de entender algo tão básico quanto a gravidade. — Menino, compromissos de fidelidade vão desmoronar assim que embarcarmos naquela nave. Alguns dos seus amigos serão despachados sumariamente aos Lordes da Lua. Outros irão pros Governadores das Gigantes Gasosas. Uns poucos irão inclusive pra Luna. Eles se lembrarão de você como uma lenda da juventude, mas não passará disso. E essa lenda não tolerará nenhuma lealdade. Eu estive na posição em que você se encontra agora. Venci meu ano, mas lealdade não se encontra nesses corredores. É assim que as coisas são.

— É assim que as coisas eram — digo com aspereza, surpreendendo-o. Mas acredito no que digo. — Eu sou algo diferente. Libertei os escravizados e permiti que os arrebentados fossem remendados. Dei a eles algo que suas gerações mais velhas não podiam entender.

Ele dá uma risada.

— Esse é o problema com a juventude, Darrow. Você esquece que todas as gerações pensaram a mesma coisa.

— Mas pra minha geração isso é verdade. — Independentemente da confiança dele, estou certo. Ele está errado. Sou a fagulha que vai incendiar os mundos. Sou o martelo que arrebenta as correntes.

— Esta escola não é a vida — recita ele para mim. — Não é a vida. Aqui você é rei. Na vida, não existem reis. Existem muitos candidatos a rei. Mas nós Inigualáveis os mantemos nos seus lugares. Muitos antes de você venceram este jogo. E esses muitos agora demonstram sua excelência além desta escola. Portanto, não aja pensando que, quando se graduar, você será rei, você terá súditos leais: não terá. Você vai precisar de mim. Vai precisar de uma fundação, um apoiador que o ajude a ascender. Não pode haver ninguém melhor pra você do que eu.

Não é minha família que eu estaria traindo, é meu povo. A escola era uma coisa, mas me postar sob as asas do dragão... deixar que ele me abrace com tanta intimidade, ter o luxo à minha disposição enquanto os da minha espécie suam e morrem e passam fome e são queimados... já basta para dilacerar meu coração.

Seus dois filhos dourados nos observam. Bem como Cassius e seu pai depois de se abraçarem mutuamente. Não há lágrimas para Julian. Eu gostaria muito de estar com minha família em vez de estar aqui. Gostaria muito de poder sentir a mão de Kieran no meu ombro, sentir a mão de Leanna na minha enquanto acompanhamos mamãe botar o jantar na mesa diante de nós. Isso é uma família. Amor. Essas pessoas aqui têm tudo a ver com glória, vitória e orgulho familiar, ainda que não conheçam nada de amor. Nada de família. Essas famílias aqui são falsas. Elas são apenas equipes. Equipes que jogam seus jogos de orgulho. O ArquiGovernador nem disse "oi" a seus filhos. Esse homem vil se preocupa mais em falar comigo.

— Engraçado — digo.

— Engraçado? — pergunta ele sombriamente.

Invento uma coisa:

— Engraçado como uma única palavra pode mudar tudo na sua vida.

— Isso não é nem um pouco engraçado. Aço é poder. Dinheiro é poder. Mas dentre todas as coisas em todos os mundos, palavras são poder.

Olho para ele por um instante. Palavras são uma arma mais forte do que ele imagina. E canções são armas ainda maiores. As palavras despertam a mente. A melodia desperta o coração. Venho de um povo de canções e dança. Não preciso que ele me diga qual é o poder das palavras. Mas assim mesmo eu sorrio.

— Qual é sua resposta? Sim ou não? Eu não vou perguntar novamente.

Olho de relance para as dezenas de Inigualáveis Maculados que esperam para trocar umas palavras comigo, sem dúvida para oferecer patrocínios ou aprendizados. O velho Lorn au Arcos está lá. Eu o reconheço mesmo sem sua máscara de Selecionador. O Cavaleiro Raivoso. O homem que me enviou meu Pégaso e o anel de Dancer. Um homem de perfeita honra e líder da terceira casa mais poderosa de Marte. Um homem com quem eu poderia aprender muito.

— Você vai querer ascender comigo?

Olho para a jugular do ArquiGovernador. Seus batimentos cardíacos estão intensos. Imagino o Réquiem da Partida por ocasião da morte de Eo. Mas quando eu o enforcar, ele não receberá nossa canção. Sua vida não ecoará. Ela simplesmente parará.

— Eu acho, meu lorde, que sua proposta apresentaria algumas oportunidades interessantes. — Olho fixamente para ele, esperando que ele confunda a fúria que existe nos meus olhos com entusiasmo.

— Você conhece as palavras — me pede ele.

Eu balanço a cabeça em concordância.

— Então você deve pronunciá-las. Aqui. Agora. Pra que todos possam testemunhar que reivindiquei o melhor da escola.

Cerro os dentes e convenço a mim mesmo de que esse é o caminho correto. Como ele, eu ascenderei. Estudarei na Academia. Aprenderei a liderar frotas. Eu vencerei. Eu me aprimorarei e ficarei afiado como uma espada. Darei minha alma. Mergulharei no inferno na esperança de que um dia tenha minha ascensão à liberdade. Eu me sacrificarei. Engrandecerei minha lenda e a espalharei em meio aos povos de todos os mundos até estar apto a liderar os exércitos que arrebentarão os grilhões do cativeiro, porque não sou simplesmente um agente dos Filhos de Ares. Não sou simplesmente um meio tático ou um dispositivo nos esquemas de Ares. Sou a esperança do meu povo. De todos os povos cativos.

Portanto, eu me ajoelho diante do ArquiGovernador, como é o costume deles. E, como é o costume deles, Augustus coloca suas mãos na minha cabeça. As palavras escapam da minha boca e seu eco é como vidro quebrado nos meus ouvidos.

— Eu renunciarei a meu pai. Eu abandonarei meu nome. Eu serei sua espada. Nero au Augustus, meu propósito será sua glória.

Aqueles que assistem arquejam diante da súbita proclamação. Outros amaldiçoam a impropriedade, o desplante de Augustus. Será que ele não tem nenhum senso de decência? Meu mestre beija o topo da minha cabeça e sussurra as palavras deles e eu me esforço ao máximo para ocultar a fúria que fez de mim algo mais afiado do que Vermelho. Mais duro do que Ouro.

— Darrow, Lanceiro da Casa Augustus. Levante-se, há tarefas a serem cumpridas por você. Levante-se, há honras a serem recebidas por você. Levante-se à glória, ao poder, à conquista e ao domínio sobre os homens inferiores. Levante-se, meu filho. Levante-se.

AGRADECIMENTOS

Se escrever é um trabalho da cabeça e do coração, então agradeço a vocês: Aaron Phillips, Hannah Bowman e Mike Braff, que abrilhantam minha cabeça com sua sabedoria e conselhos.

Um muito obrigado aos meus pais, minha irmã, meus amigos e ao clã Phillips, que protegem meu coração com seu amor e lealdade.

E ao meu leitor, muito obrigado. Você vai gostar pra cacete dos próximos dois livros.

Este livro, composto na fonte Fairfield, foi impresso
em papel pólen soft 70 g/m² na gráfica Coan.
Tubarão, Brasil, dezembro de 2023.